Understanding Statistics *in the* Behavioral Sciences

STEP by STEP

Judith A. McLaughlin

教育科学精品教材译丛

Understanding Statistics in the Behavioral Sciences Step by Step

行为科学统计学入门

[美] 朱迪思·A.麦克劳夫林 著

严文蕃 夏 春 等译
严文蕃 审校

凤凰出版传媒集团
江苏教育出版社

Judith A. McLaughlin

图书在版编目(CIP)数据

行为科学统计学入门/(美) 麦克劳夫林著;严文蕃等译. —南京: 江苏教育出版社,2005.10

(教育科学精品教材译丛)

ISBN 7-5343-7013-2

Ⅰ.行... Ⅱ.①麦...②严... Ⅲ.行为科学—统计学 Ⅳ.C

中国版本图书馆 CIP 数据核字(2005)第 126716 号

教育科学精品教材译丛

行为科学统计学入门

Understanding Statistics in the Behavioral Sciences: Step by Step

[美] 朱迪思·A.麦克劳夫林 **著**

严文蕃 夏春 **等译** 严文蕃 **审校**

责任编辑 孙兴春

出版发行 凤凰出版传媒集团

江苏教育出版社(南京市马家街 31 号 210009)

网址 http://www.1088.com.cn

集团网址 凤凰出版传媒网 http://www.ppm.cn

经销 江苏省新华发行集团有限公司

照排 南京展望文化发展有限公司

印刷 淮阴新华印刷厂

开本 787×1092 1/16 印张 34.5

2005 年 12 月第 1 版 2005 年 12 月第 1 次印刷

ISBN 7-5343-7013-2/G·6698

定价 49.00 元

献给我的母亲

珍妮·K. 安德里特
您是我重返校园的榜样

献给

艾丽莎和赞克·奎若兹
你们的学习热忱永远激励我前进

作者介绍

朱迪思·A·麦克劳夫林(Judith A. McLaughlin)于1976年获得乔治·梅森大学心理学学士，并于1978年和1981年分别获得克拉克大学的发展心理学硕士与博士学位。现任职于蒙大拿州立大学心理学系，主要讲授心理学统计、心理学研究方法以及认知心理学、发展心理学等课程。麦克劳夫林博士信奉“为理解而教”的教育理念，并贯彻于实际教学活动中。《行为科学统计学入门》一书也是这一理念的充分体现与印证。

教育科学精品教材译丛

总序

作为高校教师，我们中的许多人常常为教育科学教材的陈旧落后而痛心疾首；作为教育学人，我们中的许多人也常常对经济学、社会学等显学学科教材建设的突飞猛进而称羡不已。

于是，我们坐卧不安，我们摩拳擦掌，我们立志超越，我们走到了一起。经过几年的努力，涵盖当代高等学校教育学专业的全部主干课程的大型海外教材《教育科学精品教材译丛》(下面简称《译丛》)终于呈现在读者面前。

许多年来，我国高等师范教育和高等学校教育学专业课程改革的步伐极为缓慢，师范教育的教育学、心理学、教材教法这三门课程多年不变，教育学专业的课程内容陈旧，课程的选择空间相当狭小。可以说，改变高等师范教育课程和高等学校教育学课程的落后状况，是《译丛》最基本的宗旨。

另一方面，随着教育事业改革的深化，教育实践中产生的问题日益复杂，解决这些问题需要极为丰富的教育科学知识和能力。《译丛》追求的另一宗旨正是通过奉献世界上最先进的教育科学知识体系，促进我国教育事业改革的深化。

在过去的几年中，高等学校课程改革已经取得了相当明显的成效。深化课程改革的一条重要途径是引进国外尤其是发达国家的高校教材，藉此提高教育质量和增进学生的学习能力。《译丛》的宗旨和思路与我国高校教材改革的这种方向是一致的，而且是高校教材改革过程的组成部分。

促进学术交流，是《译丛》向往的又一宗旨。学术沟通的障碍，表征是交际语言，而深层原因则是学术语言与学术规范。《译丛》希望通过引进国外的教育科学知识体系和贯穿其中的研究方法与表达方式，促进我国教育科学学术事业的进步，并为其走向世界奠定基础和开辟道路。

《译丛》是建国以来从海外引进的规模最大、门类最全的教育学科教材，被国内媒体称为"又一次重要的拿来主义"。在科教兴国的基本国策背景下，它所蕴涵的巨大社会意义已经超出教材本身。因此，《译丛》的编委会和出版者——江苏教育出版社对此高度重视，并为此做了大量的细致而扎实的工作。第一，组建了强大的编委会和翻译队伍。《译丛》的编委会阵容强大，有各师范大学的博士生导师、教授以及一批海外教育专家；主要翻译人员和审校者均是教育科学专业的博士或教育科学领域的教授，其中一些译者长期旅居国外，并从事教育科学专业的研究和教学工作，他们均在教育科学领域具有相当深厚的积累，可以确保《译丛》的翻译质量。第二，精心筛选选题。《译丛》的入选图书品质上乘，所有选题皆经中、日、美等国专家反复磋商论证，精选而成。其中一些书目为国外学术机构所推荐，在国外大学拥有广泛的学术声誉。许多教材一版再版，最多的已达八版。

我们希望，这套教材能成为国内教育科学的替代课本或重要参考书，同时也能作为各地教师继续教育的重要资料。

我们期待，这套教材能给中国教育理论界带来一些观念和方法上的启示，为我国的教育科学的教学和研究，尤其是教材编写工作提供一定的借鉴。

我们相信，这套教材会得到许多中小学教师、校长、教育行政机关干部、教育科学研究人员、教育专业的研究生以及高校在校学生的关注和选用。

当然，我们更希望、更期待的是创新和超越。希望和期待我国的教育科学工作者编写出高水平的、具有中国特色的教材。站得更高才能看得更远，看得更远才能做得更好，希望我们这套教材能使中国教育理论界有一个更高的起点，使中国的教师和师范学生有一个开阔的视野。需要说明的是，原书附有大量的索引，但为降低图书成本，减轻读者负担，我们只好割爱，敬请诸君谅解。

我们欢迎各种形式的参与和合作，欢迎专家和读者随时为我们荐书，随时提出各种建议和评论。

《教育科学精品教材译丛》编委会

二〇〇二年四月

前 言

这本教材最初是为学生准备的一本小手册，其中论述了怎样循序渐进地使用课上所讲授的统计学公式。我在教学过程中发现，帮助学生了解统计学最有效的方法就是提供各种数据让他们去计算。然而，有很多学生不知道如何使用统计公式。由于很少有统计学教科书能详细列出使用每个公式的所有步骤，因此，为了满足学生的需要，我撰写了如何一步步地使用统计学公式的手册，以作为统计学教科书的补充。

然而我很快就发现，由于统计学教科书中的例题晦涩而复杂，大部分学生只依赖这本手册，而不再阅读教科书。为了帮助我的学生理解为什么要使用统计和每个统计量的含义，我在这本手册里面加入了注解、示范和例子，这也就有了本书的雏形。

帮助学生理解统计学概念的特色

本书是为那些学习行为科学而又缺乏高等数学知识的学生量身定做的，他们当中的大部分人对高等数学都有恐惧感，其中也包括对统计学的恐惧。

本书既强调理解统计学是什么，又强调如何进行统计，为了帮助学生理解统计学是什么，本书着重突出以下几方面：

- 强调基础统计：本书所涉及的统计知识都是最基础和最常用的，也是学生在阅读和研究中最可能遇到的。
- 使用最少量的统计学术语：本书尽量少用专业术语，使之简明清晰、通俗易懂。

➢ 在文中定义统计学术语：对第一次出现的每个术语都给予正式的定义，并且在后续章节中再次使用该术语时，仍有定义。另外，术语表也列在书后面的附录中。为了使学生更易于理解统计学术语的含义，我们也用常见的词汇来代替专业统计术语。

➢ 用实例来解释概念：本书不用令学生感到迷惑的代数来解释统计学概念，而是用实例来解释。如，通过计算只有一个数据不同，其余都相同的两组数据，以此说明算术平均数对原始数据变化的敏感性；通过一个非常小的抽样分布来说明理论抽样分布的概念。

➢ 例子基于简单的研究设计：本书中所使用的例子以及每章后面练习题中的研究都是虚构的，并且都是基于简单的研究设计。在入门之时，学生往往很难理解行为科学研究论文中的研究设计，若将这些研究作为学习统计学的例子，学生理解统计学的难度就会加大。另外，本书所使用的例子都是学生自己设计的。

➢ 例子贯穿全书始终：本书有两个例子贯穿始终，即乔·约翰逊关于数学焦虑的研究和简·杰弗斯关于心理学专业毕业生收入的研究。使用这两个例子可以使学生不需要花很多时间就能了解每个研究设计的不同之处，并认识到可以从多个不同的角度对数据进行分析。

➢ 概念题和计算题的练习：每章后面的练习题分为两个部分，关于概念理解的练习和关于计算的练习。概念理解的练习能引导学生更好地理解统计学概念。

帮助学生进行统计运算的特色

为了帮助学生学习如何进行统计运算，本书提供了如下相关内容：

➢ 一步一步的演算过程：书中所有统计学公式在其第一次出现时，均有“演示步骤”专栏，详细描述了如何一步一步地使用，同时也对公式中所使用的符号予以解释。

➢ 丰富完整的实例：每种统计过程都使用一个或多个完整的例子来说明，并且列出了所有计算步骤。

➢ 在文中解释数学术语和运算：本书假定学生都能进行基础数学运算，包括加、减、乘、除、乘方和开方。当出现其他的数学术语和运算时，在文中均有解释，而不是放在附录之中。

➢ 每章之后的小结：每章后面都有本章主要概念的小结，便于学生学习。

➢ 难点提示：每章后面都有对本章主要学习内容的难点提示，给学生提供解决练习题的线索，这些线索包括评价答案是否合理的途径，也包括易犯错误，需要谨慎的地方。

➢ 附录中包括所有计算题的答案：本书最后的附录中提供了所有计算题的答案，并且，教师用书中还提供了这些练习的完整计算步骤。

本书的重点和结构

为了避免学生对呈现的大量信息感到无所适从，本书在每章中只重点强调一个主要的统计学概念和少量统计学方法。如，在许多教材中，集中量数和差异量数是在同一章呈现的，而本书则分前后两章分别介绍。

本书除了介绍等距数据、比例数据的统计方法外，还介绍顺序数据、称名数据的统计方法，这在其他统计入门书中很少涉及。根据我的教学经验，我发现，当讲解算术平均数、中数和众数时，学生能很好地解释集中量数的概念；同样，当讲解标准分数和百分位数时，学生能更好地理解相对量数的含义。在本书中，对等距和比率数据的计算放在每章的前面部分，对顺序和称名数据的计算放在每章的后面部分。如果教师在教学过程中不打算讲解顺序和称名数据的计算部分，也不会有太大影响。

本书第一部分主要介绍了描述统计。第一章阐述了统计学在研究中的重要地位，并且教授学生一些技巧，帮助他们克服数学焦虑，集中精力学习。第二章阐述了测量的实质，对四种测量标尺进行了描述。第三章描述了如何制作数据的频次图表，包括茎叶图。

第四章到第七章主要关注一组数据的描述统计，包括集中量数、差异量数、相对量数和正态分布。本书提供了计算中数及其差异量数的简易方法，也介绍了基于内插法的精确方法。教师可以根据学生的接受程度来选择其中一种或多种方法进行讲授。标准分数和正态分布的概念是在不同章节分别陈述的，以防止学生错误地认为正态分布可以将任何数据转化成标准分数。

第八章、第九章分别论述线性相关和回归。第八章对皮尔逊积差相关、斯皮尔曼等级相关以及用于计算称名数据的 phi(ϕ)相关等进行了介绍，而对于经常使用的卡方(χ^2)相关技术的介绍则放在第十八章中进行。这两章是从描述统计的角度介绍相关和回归的，而使用皮尔逊和斯皮尔曼相关作为推论检验的有关内容则在第十四章和第十五章中加以介绍。

本书第二部分为推论统计。第十章阐述了概率的基本概念，同时也对二项式分布进行了介绍。第十一章介绍了抽样分布概念以及置信区间概念。第十二章阐述了假设检验的基本概念，讨论了决策的有关问题，包括Ⅰ类错误和Ⅱ类错误，另外还简要介绍了统计检验力的概念。第十三章继续讨论假设检验，主要介绍了用于单样本的推论检验，也进一步讨论了统计检验力及其影响因素。

本书余下部分主要介绍了最常用的推论检验。在介绍每种检验时，先介绍构成这种检验基础的抽样分布，然后再描述如何进行这种检验。第十四章主要介绍两样本的参数检验。第十五章主要介绍非参数检验。第十六章介绍了组间和组内的单因素方差分析。第十七章介绍了组间的双因素方差分析。以上章节均对多重比较进行了描述,第十七章还探讨了交互作用的概念。第十八章介绍了卡方检验,包括称名数据的相关推论和检验。

最后一章,即第十九章呈现了分析数据的流程图。基于这个流程图,学生可以首先根据数据的特征(包括测量标尺和分布形态)确定统计的目的,再决定使用何种统计方法。这一章还对本书中涉及到的所有重要概念进行了回顾和整合。

辅助材料

除教材外,本书还配有一系列的辅助材料,请与沃兹沃斯出版社代理联系,他们可以提供下列教师用书和材料包:

- 电子版题库：电子版本中包括了题库中的所有项目,一张适用于所有操作系统的CD光盘(Examview)可以为你提供帮助。
- 教师手册/题库：为你提供讲授技巧、教学大纲样例和本书所有练习题的答案及解法。另外还提供多选题试题。
- 学习指南：使用辅助材料可以更好地帮助学生学习统计学课程,每章的学习指南包括了对所有主要概念进行测验的填空题和附加练习。学习指南中问题和练习的解法在各章中都可以找到。
- 网址：使用下面的网址可以找到在线测验和资源链接。http://www.wadsworth.com/psychology_d.

致谢

正如约翰·多恩所写的那样:“世界上没有人像座孤岛,与世隔绝。”这也是本书写作过程的写照,没有谁是全能的,无需借助外援就能获得成功。我深深地感谢所有对本书提出宝贵意见的人,提供有价值观点的人。我要感谢谢休·卡莱尔(Sue Carlisle),她耐心地帮助我进行了许多校对工作,并以最快速度将本书手稿送出蒙大拿州。我要感谢蒙大拿州立大学已退休的心理学荣誉教授比依·摩斯曼(Beal Mossman),他给了我很多支持和鼓励,并且在他的课堂上试用本书的早期版本。我还要感谢利萨·汉斯莱(Lisa Hensley)、罗兹·萨可夫(Roz Sackoff)和布拉德·波特豪夫(Brad Potthoff),没有他们,就没有本书的出版。另外,我还要感谢格雷琴·奥托(Gretchen Otto)和卡伦·博伊德(Karen Boyd)为本书文字录入做了大量细致的工作。

许多评论家给予本书很多中肯的批评,也使我认识到自己所忽略的内容,他们对本书的具体检验明证了他们对统计学教学所做的贡献。在此感谢他们为本书做出的巨大贡献:戈登大学的布赖恩·C. 奥戴(Bryan C. Auday)、伊萨卡大学的巴尼·贝因斯(Barney Beins)、沃什伯姆学习与实践研究所的加里·福巴赫(Gary Forbach)、鲍德温-华莱士大学的查尔斯·A. 莱文(Charles A. Levin)、乔治梅森大学的罗伯特·帕斯纳克(Robert Pasnak)、纽约州立大学的唐纳德·施尼夫(Donald Schniff)、托伊州立大学的安娜·史密斯(Anna Smith)、得克萨斯州教育学院的玛丽·塔伦-朗内尔斯(Mary Tallent-Runnels)、库兹堂州立大学的布鲁斯·沃纳(Bruce Warner)、陶森大学的伊万杰琳·惠勒(Evangeline Wheeler)。

我要对我的姐姐劳里·安朱特(Laurie Andriot)表达深深的谢意,她出色地编制了如此雅致的索引,没有哪本书能与之媲美。我还要感谢那些使用本书早期版本的学生,就像他们从我这里学到很多一样,我从他们那里也学到了很多。最后,要感谢我的女儿贝丝,我欠了她很多,她是如此耐心地支持我,鼓励我完成本书。借用路易莎·梅·奥尔科特(Louisa May Alcott)的《小女人》中乔·马奇(Jo March)的一句话来说:“如果身后没有女儿的支持,哪个女人能克服这么多困难?”

目 录

第一章 为什么学习统计学

统计学是心理学专业学生的必修课之一，但很多学生学习统计学只是因为需要修完这门课才能毕业。许多学生害怕学习统计学，因此统计学常被冠以“虐待狂”的绰号。

许多学生不愿意上统计课，主要有三方面原因：一是统计学涉及数学，那些不喜欢数学的学生经常认为自己也不会喜欢统计学，同样，那些害怕高等数学的学生也害怕统计学；二是许多人都不相信统计学，因为人们经常发现统计被人为地操纵着，以达到维护其自身利益的目的；三是学生或许不了解在心理学研究中使用统计的目的，认为统计与研究无关，没有价值。这三方面的原因都源于对统计学的性质及统计学在心理学训练中的作用的误解。下面我们进一步分析这三方面的原因，探讨统计学在心理学研究中所起到的作用。

数学恐惧症的病因和治疗

为什么学生害怕统计学

学生对数学的恐惧或焦虑经常被称为数学恐惧症，有关这方面的研究非常多，所得到的普遍结论是：学生之所以产生数学焦虑，是因为他们认为自己对数学无计可施。一些学生尽可能地推迟选修数学课，然而每过去一学期，他们的焦虑便会增加几分，因为害怕数学通不过而拿不到学位。可以想象，第一天坐在教室里上统计课时，这些学生的压力会有多么大。

许多学生认为，有些人天生就擅长学习数学，而另一些人则不是。那些认为对数学无计可施的学生通常会认为自己命中注定与数学无缘，并且对此自己也无能为力。一旦他们这样认为，其数学焦虑就会增强，想要通过数学考试也变得更为困难。为了克服数学恐惧症，你必须改变自己对数学无计可施的观念，注意**观念**这个关键词。数学恐惧症是一种基本的观念，即认为自己数学能力低，不能学数学。但这只是一种观念，而不是事实。

有关数学能力差异研究的证据主要来自标准化的数学测

验的分数,但是标准化测验分数反应的只是数学**成绩**,而不是数学**能力**;标准化测验分数低只是表明学生尚未**掌握测验所考察的数学技能**,而并非**缺乏学习这些知识的能力**。没有掌握数学知识和没有学习数学的能力,二者具有很大差异。

实际上,所有大学生都具有学习统计学的能力。如果你没有学习能力,那么你也不会考上大学。当然,确实有些学生比其他学生更擅长学习统计学。如果你在学习数学时感到吃力,那么请记住,你有能力学好统计学,但必须在这上面花更多的时间。如果你愿意花时间和精力,你就能把统计学学好。

怎样学习统计学

首先,统计课并不仅仅是学习如何使用统计公式进行计算,认识到这一点非常重要。实际上,除非你理解统计计算的是什么,知道如何计算统计量是没有意义的。学习统计学的第一步是理解统计概念,就像学习发展心理学必须理解发展心理学中的概念一样。在这一点上,统计学与其他心理学课程没有什么差别。

另外,统计学的确涉及数学的使用,但本书公式中所使用的数学知识都只是简单的算术。在这些公式中,可能要进行加、减、乘、除、乘方、开方等运算,本书所涉及的数学知识仅此而已。

要成功学好统计学,最重要的是不断努力,许多学生受到一点挫败就放弃了,因此学不好。如果你真的放弃了,你就不可能学好统计学。无论遇到怎样的挫折,你都绝不放弃,那你肯定能学好统计学。

下面是有利于你掌握统计学的几点建议:

去上课。当学生在课堂上感觉比较吃力的时候,他们经常感到不悦并开始逃课,这是最糟糕的事情,逃课无助于你的学习。对付这种不良习惯的方法就是去上好每一堂课。

坐在教室的前排。那些在课堂上感到焦虑和不适的学生经常选择坐在教室的后排。而事实上,坐在教室的前排有很多好处,其中一个就是容易集中精力。另外,前排的学生更能积极地参与课堂活动,这对学习是非常有帮助的。

提问。一些学生害怕在课堂上提问,害怕麻烦或者害怕别人讥笑自己笨。其实,如果你不懂,其他学生也可能不懂,提问对课堂上的每一个人都有好处。

阅读教科书。老师在课堂上讲的概念通常在教科书上也有所论述,如果你在课堂上没有完全理解某个概念,那么阅读教科书可以帮助你更清晰地理解。阅读是为了理解,而不是泛泛而读,对于数学和统计学的课本,更应该慢慢地去读。以本书为例,书中的每段都有一个中心意思,在你往下学习时,要确保你理解了上面的内容。

记下老师在课堂上演算的每个问题。教师很可能在黑板上演算一些题目,用以说明如何使用统计公式。确保你记下了教师所列出的所有步骤,以便课下复习。你可以演算一些同样的例题，如果答案不同，你可以与笔记对照，查出问题所在。以此类推，对课本上的例题也可以这样做。

多做练习。学习的关键是多做练习。如果你仅仅把球击过网一次就不打了，说："好的，我已经会了"，那你肯定打不好网球。你应该进行一次又一次的击球练习，这样才有可能打好网球，对统计学的学习也是如此，多做练习，你就可以把统计学学好。你可以通过大量的练习来提高解题的速度和准确性，我们的目标不是偶尔一次正确地使用统计公式，而是每次都能正确使用。

找到学习伙伴。在一个小组中学习或与班上另一个同学一起学习，这对你是非常有益的。每个人都"无一例外"地犯同样错误的概率是很小的，因此在小组中学习可以互相帮助，寻找错误根源。另外，在小组中学习时，如果遇到概念上的问题，你会更有勇气请求老师把自己困惑的地方再讲一遍。

在理解困难的时候寻求帮助。统计学的学习是一个渐进的过程，后一章的概念经常是建立在前一章的概念基础之上的。如果你理解某个概念有困难，那么你对所有建立在此概念基础之上的其他概念的理解也肯定会感到很困难。当你遇到困难时，要尽快寻求帮助，这一点非常重要，老师乐意帮助那些主动学习的学生，但这并不意味着你自己不必事先思考。遇到问题首先自己尝试解决，如果不能奏效，求助于老师，问题通常都是很容易澄清的。

以上这些建议可能对你学好统计学有所帮助，看上去它们并无新意，好像是老生常谈。实际上，它们就是常识，因为它们的确有用。如果你去上课，阅读教科书，做练习，遇到困难时寻求帮助，那么你就可以征服统计学。

统计的使用、误用和滥用

为了阐明某个观点或者为某个观点提供证据，我们往往都需要使用统计。人们可以利用统计去证明他们的观点，但任何人误用统计、欺骗性地使用统计或者人为操纵统计都是不能被接受的。在有些情况下，统计被商业、媒体、政治家、官僚或者科学家误用了，有时这些对统计的误用不是故意的，而是由于对统计的解释错误或计算错误，然而，所有对统计的误用都是不合适的。

美国心理学会在《心理学家伦理原则及行为准则》[1] 中确立了伦理原则，用以规范心理学工作者的行为。《伦理原则》描述了使用动物和人类被试的伦理标准和人道标准，包括被试的知情权。此外，《伦理原则》特别强调"心理学家绝不能伪造数据或篡改结果"(6.06b 节)。更进一步，《伦理原则》要求研究者为其他专家提供原始数据，以便对这些数据进行二次分析。因此，一个读者如果对研究者实验报告中的数据分析有疑问，可以向该研究者索要原始数据，按照自己的方法进行分析。所有这些标准可以将心理学研究中出现统计误用的情况减少到最小。

无论对统计的误用是无意而为之,还是由于缺乏理解或者存心欺骗,避免统计误用的惟一方法就是对统计有充分的理解,以便识别可能存在的统计误用。商店提醒顾客的牌子"货物出门概不退换,买主须自行当心",其道理是一样的。但是,由于某些统计被误用而不相信所有的统计,就如同倒洗澡水的时候把婴儿也一起倒掉一样。并非所有的统计都是不合适,都是带有欺骗性的,不相信所有统计意味着无法使用有效统计所提供的信息。无论是正确地使用统计还是识别被误用的统计,我们都需要理解统计学。学习统计学的一个重要原因就是当你理解了统计学,你就可以看穿任何统计欺骗和误用。

研究在心理学中的作用,统计在研究中的作用

心理学和科学方法

心理学是一门科学。通常,我们认为科学就是我们在学校学习的各种科目,比如生物、化学。就像上法语课的学生是为了学习法语一样,上科学课的学生是为了学习科学。然而,科学不只是作为一种被学习的科目而存在的,科学还是一种增加关于这个世界的知识的方法。所有的科学科目都有一个共同点,即它们使用同样的科学方法增加我们的知识。

我们大都学过科学方法的四个步骤:

1. 观察现象;
2. 对现象提出实验性的解释(一个假设);
3. 进行实验来检验这个实验性的解释;
4. 如果实验结果不支持这个实验性的解释,修改这个解释。

决定方法是否科学的关键步骤是第三步,实验研究使学科具有科学性。科学家通过做实验,通过对现实世界的观察为我们的知识大厦添砖加瓦。心理学家为了检验他们的假设或者理论而进行实验,使心理学成为一门科学。通过科学研究,我们能够检验心理学理论的有效性;通过科学研究,心理学在上个世纪作为一门学科和一个知识领域而迅速成长。我们现在所了解的心理学就是通过科学研究而发展起来的。

心理学,研究和理论

在心理学导论课上,问得最多的一个问题是"为什么有这么多理论?"许多学生学习心理学导论课是因为想了解有关知识,让自己生活得更好或改善人际关系,他们想要的是具体的事实,而不是理论。问题在于心理学家尚未掌握解释人类行为的所有因素,因此只能通过建构理论,试图解释那些我们尚未确切了解的现象。

一些心理学理论具有大量的实验证据支持,比如斯金纳的操作性条件反射理论和

皮亚杰的认知发展理论，都有许多研究支持他们的论点。然而，也有某些理论很少有或者根本没有来自科学研究的支持，书店里许多心理学书籍和自助书籍中所谓的“理论”就属于这一类。这些书大多无法讲清楚支持其理论的科学研究证据，他们的“理论”无异于那些冒牌专家的观点。这些“通俗心理学”理论存在的一个问题是：我们无法知道它们是有效的，充其量只是作者的一种见解而已。

一些人会问：“这有什么关系，只要那些阅读通俗心理学书籍的人能从中受益，又有什么问题呢?”问题在于我们没有证据来印证这些理论是否有益。实际上，有些理论是有害的。人类发展史上的先例告诉我们，错误的观念对人类是有害的：在 17 世纪，马萨诸塞州的塞勒姆有 20 人被当做巫师被绞死；在 20 世纪，希特勒固守其错误、有害的观念——消灭几百万人口就可以促进社会进步。如果某种理论值得信奉，那就要用科学的研究去检验它的价值。如果“专家”不愿意向我们展示支持其理论的证据，那么他们理论的价值又何在呢?

心理学有两种选择：第一种是无需任何来自科学研究的证据而接受某种观点和理论；这种选择引发的问题是：我们无法知道这些理论究竟是有效的，还是一派胡言。第二种是只接受那些经科学研究证实了的理论。科学研究给我们提供了评价理论有效性的方法。科学研究保护我们免受那些所谓“专家”、吹牛大王、骗子的迷惑。

研究，数字和统计

数字是做研究不可缺少的一部分。当进行某项实验时，研究者需要测量一系列事件。在心理学中，事件可以是某人在做智力测验时的反应，也可以是小白鼠在迷宫中的行为。为了提供支持某个理论的证据，研究者需要详细记录所观察的事件，他们不能说：“在我看来，那些受到强化的小白鼠比没有接受强化的跑得快。”他们必须提供具体的、可检验的测量记录，比如小白鼠走一次迷宫所用的时间，某个被试的智商分数，这些测量记录就是数字。

在心理学实验中，研究者从每个被试那里收集数据，然而，在报告实验结果的时候，他们一般不需要列出收集到的所有数据。研究者通常使用几个数字来描述一组数据的情况，而不是列出成百个原始数据。比如，他们可以使用平均数来描述一组数据的集中情况；同样，他们也可以用一个数字来描述一组数据的离散情况，或者用一个数字来描述一组数据是平衡的正态还是偏态。研究者无需列出收集到的所有数据，只需要提供几个数字，就可以清晰地给读者描绘出收集的数据的特征。为了描述所收集的一组数据，研究者使用统计这一程序，该程序可以用图表示，见图 1－1。

统计程序就像一台机器：你把所有数据输入机器，加工它们，机器输出一个数字来代表你最初输入的所有数据。统计程序本质上是一系列计算步骤，将一批数据归结为一个数字。在图 1－1 中，统计程序是将 9 个数据转化为一个数字即平均数的一系

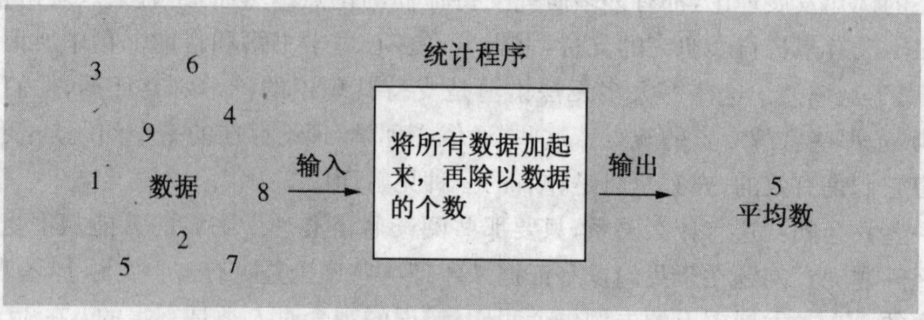

图 1-1 将数据转化为数字化的摘要

列步骤，算出平均数的统计程序包含两个步骤：(1) 把所有数据加起来；(2) 除以数据的个数。

想象一下，如果没有测量和统计，这个世界将会变成怎样？如果科学家不进行测量，我们只能依靠他们对实验结果的主观印象。想象一名癌症专家试验一种新的化学疗法，他不给我们提供这种药物有效性的具体证据，而只是说"在我看来，它肯定是有效的"。如果没有测量，研究者除了描述他们的主观印象，就无法采用其他任何方式给我们展示其研究。统计是一种概括测量数据的方式，科学家用它作为证据来支持或反驳某种观点。当你理解了统计学，你就可以评价某种观点的有效性如何了。

统计的分类

在本书中，我们将涉及两大类统计，一类叫**描述统计**[1]，主要用于描述一组数据的特征或者描述两组数据的关系。假设你收集了统计课上所有学生的年龄，你可以用平均年龄来描述所有年龄的中心点。如果你收集了班上同学的年龄和智商，你就可以使用描述统计来描述年龄和智商之间的关系。

另一类统计称为**推论统计**[2]。有时候，研究者会考察被试中某个小团体的情况，而不是考察所有被试的情况。比如，一个研究者研究两岁儿童的词汇量，他可能只测查 20 或 30 名两岁儿童，而不是测查全美国的两岁儿童。如果不可能测量大群体时，可以用大群体中的一个小团体的成绩来估计大群体的成绩。也就是说，研究者用一个小团体的成绩来对大群体的成绩进行**推论**，推论统计就是用来评估这种推论的有效性的。

在本书的第一部分，我们主要讨论几种描述统计；在本书的后面部分，我们主要讨论推论统计。讨论这两种统计的目的有两个：一是帮助你学习如何计算心理学研究中常见的统计量；另一个就是帮助你理解统计学究竟能告诉我们什么。

---

〔1〕 描述统计：用于描述一批数据或者描述两组数据的关系的统计技术。
〔2〕 推论统计：从一个小团体的情况推论一个大群体情况的统计技术。

小结

- 为了克服学习统计学的恐惧，请记住：基础统计所涉及的内容没有超出算术运算的范畴，理解统计学究竟计算的是什么与知道如何计算是同样重要的；要积极努力，克服困难，这可以使你最终能学好统计学。
- 鉴于存在着统计误用和滥用的现象，几乎所有心理学研究者都坚持美国心理学会制定的《心理学家伦理原则及行为准则》，该准则提倡公正和开放的研究行为。
- 避免统计滥用的最好方法就是理解统计测量计算的知识。
- 心理学是一门科学，因为心理学研究遵循科学方法。心理学理论的有效性通过科学研究来检验。
- 心理学研究的测量结果可以用来支持或者反对某种理论，统计学就是用数字对这些测量结果加以总结、概括。
- 描述统计用来描述一组数据的特征或者两组数据的关系，推论统计用来从小团体的分数推断大群体的分数。

练习

概念题

1. 解释数学恐惧如何致使学习者无法有效理解统计学。描述不能很好地理解统计学如何导致数学恐惧的增强。

2. 说出 5 种能让你成功理解统计学的方法。

3. 谈谈人们是怎样因为缺乏统计学知识而被统计的误用和滥用所愚弄的。

4. 请用一个实际生活中的例子来说明：统计是如何被误用并愚弄大众的。

5. 在现实生活中找到这样一个例子：论战的双方引用不同的、相互冲突的统计资料来支持各自的观点。（一个例子是共和党和民主党引用不同的统计资料来论述关于医疗保险费用增长的问题）

6. 从报纸或杂志上找到这样的例子：作者没有使用科学研究证据来证明其观点。作者用什么来支持他的观点？与科学研究证据相比，这些支持他观点的证据如何让人信服？

7. 解释为什么说心理学是一门科学。

8. 描述科学方法的四个步骤。

9. 形成自己的某个假设，并描述如何检验这个假设，列出检验假设的过程中所采用的科学方法的四个步骤。

10. 如果没有实验和统计学，心理学家可能遇到哪些问题？

11. 描述两大类统计,并分别解释它们如何帮助我们达到科学研究的目标。

12. 在报纸或杂志上查找 3 处提到“统计”这个术语的地方,描述该术语被使用的背景。

13. 从报纸上查找一个使用统计学的例子,解释统计学是如何被运用的。

14. 某家商业电视台声称,10 名医生中有 6 名推荐使用“Nuke-It”来缓解头痛,这样使用统计的有效性如何?

尾注

1. *Ethical Principles of Psychologists and Code of Conduct* (Washington, D.C.: American Psychological Association, 1992).

第二章 研究和测量

统计计算的对象是从被试那里收集来的数据。在了解统计计算的程序之前，我们先了解一下统计的基础——数据的本质。在进行一个实验时，研究者要决定如何测量被试的成绩，如何收集和记录数据，这些决策将影响到以后正确地使用统计方法来分析数据。为了理解研究者的决策对分数的影响，我们首先看看心理学实验的构成。

一个实验的构成

总体和样本

心理学家做研究时，希望找到支持其观点的证据，这些观点所针对的特定的人群或动物，称为**被试**[1]。美国心理学会建议，我们应当承认参加心理学研究的人类志愿者的主动角色，称之为**参与者**而不是**被试**。在本书中将遵循这个建议，只要能明确其为人类被试，我们就称之为参与者。

假设一位名叫乔·约翰逊的心理学专业的学生，对大学生参加数学考试感到焦虑的原因提出假设。如果要通过一个实验来验证他的假设，乔先生可以有两种方式选择参与者：要么测查所有存在数学考试焦虑的大学生，要么测查其中一小部分。研究者感兴趣的群体称为**总体**[2]；如果总体中只有一小部分参加了测查，那这一小部分称为**样本**[3]。

研究者使用样本来减少工作量。在理想状况下，研究者应该测查总体中所有的被试。如果乔先生想测量大学生数学焦虑的水平，最精确的方法就是测查所有存在数学焦虑的大学生，当然，这是不可能的。研究者通常没有时间或条件对总体的每个成员进行测查，因此，他们只能测查总体中的一小部分，即总体的一个样本。

若保证使样本能够作为总体的一个样例，样本对总体的代表性就显得非常重要。我们必须有充分理由相信样本成绩

〔1〕 被试：在实验中被观察或测量的人或者动物。
〔2〕 总体：在研究中，研究者感兴趣的具有普遍特征的被试或事件。
〔3〕 样本：样本是从总体中选择的小群体。如果在实验中，不是总体中的所有成员都被观察了，则被观察的小群体就是样本。

从基本上与总体成绩一致。保证样本对总体具有代表性的一个方法是从总体中随机抽取样本,即总体的每个成员被抽取的可能是相同的,用这种方法从总体中抽取的一组成员就是一个**随机样本**〔1〕。随机抽取意味着只是机遇决定着总体中哪个成员被抽取,这就可以保证使用这种方法选取的样本没有偏差,并且对总体具有代表性。

在阅读研究报告时,分清楚一组被试是作为总体还是作为样本非常重要。为了清楚地区分总体与样本,请参阅演示步骤 2-1。

演示步骤 2-1

如何区分总体和样本

1. 识别研究者假设所针对的被试,这组被试的特征是什么?
2. 在研究中,具有这类特征的所有人是否都参加了测试? 如果是,这组被试就是总体;如果不是,这组被试就是样本。

假设乔先生认为有数学焦虑的学生,当测验有时间限制时,他们会立刻感到更为焦虑。他决定在两种情况下测试 20 名存在数学焦虑的学生:一是在有时间限制的条件下,另一是在没有时间限制的条件下,观察去除时间限制是否会减少数学焦虑。为了确定参加乔先生实验的参与者是总体还是样本,我们可以借助演示步骤 2-1。

首先回答第一步的问题,乔先生的假设与降低大学生的数学焦虑有关。这个总体有两个特征:"大学生"这个特征在假设中是很明确的,容易识别;"数学焦虑"这个特征是假设中隐含的。乔先生的目的是降低大学生的数学焦虑,其中隐含的是大学生本身必须有数学焦虑,因为只有存在数学焦虑,才有可能通过实验去降低。因此,研究所针对的群体有两个特征:"数学焦虑"和"大学生"。接着回答第二步的问题,"在本研究中,是不是每名存在数学焦虑的大学生都参加了测试?"因为乔先生只测验了 20 名存在数学焦虑的大学生,并没有涵盖所有存在数学焦虑的大学生,因此参加测试的那组学生只是总体的一个样本。

一组被试是作为总体还是样本取决于实验者的目的。实际上,一组被试可能在一个实验中作为总体,而在另一个实验中作为样本。当你的统计课教师宣布所有学生期末考试的平均成绩时,你班上的所有学生就是一个总体,因为教师并没有将你们班作为某个更大群体的样例,而只是关注你们班上所有学生的测验成绩。另一方面,某研究者可能要求你们参加一个关于心理学专业学生理解统计的实验,在这种情况下,你们班级就是一个样本,因为实验者感兴趣的是所有心理学专业学生的状况,而不仅仅是你们班学生的情况。

---

〔1〕 随机样本:总体中每个成员都有相同被选几率的样本。

参数和统计量

在第一章中，我们了解了研究者如何使用实验程序来收集数据，怎样使用统计程序来得到一个能代表所有数据的数字。当总体参加实验，即从总体的每个成员那里收集数据，对这些数据总结处理所得到的数字指标称为**参数**[1]；对从样本收集的数据进行处理所得到的数字指标称为**统计量**[2]。参数通常用希腊字母表示，比如 μ（读作"mew"）、σ（读作"sigma"）；统计量一般用罗马字母表示（即我们字母表中的字母，比如 X 和 Y）。因此，你如果遇到希腊字母，通常就可以认为这个数字代表总体参数，而如果看到罗马字母，数字就代表样本统计量。

研究者使用样本分数作为总体分数（如果总体中所有被试都被测查）的一个样例，这意味着可以用样本统计量估计总体参数。研究者使用从样本收集的数据计算出来的几个数字指标（统计量），目的是通过这几个数字推断总体的情况（参数）。

研究者最终感兴趣的还是描述和估计总体的参数。乔先生感兴趣的是当去除时间限制后，不只是 20 名学生的数学成绩，而是所有存在数学焦虑的学生的成绩是否会提高。因此他使用其样本的分数，作为他所关注的总体情况的一个估计值。注意：只有当样本对总体具有代表性的时候，样本统计量才是总体参数的良好估计值。如果样本在本质特征上与总体有很大差异，我们就不可能使用样本统计量推论总体参数。

虽然样本统计量可以用来估计总体参数，但我们还是要提醒你注意：样本统计量并不总是与它估计的总体参数有相同的值。比如，我们找到样本统计量的最大值，可以把它作为样本所属总体参数最大值的估计值，但是我们不能期望样本统计量的最大值就是等于总体参数的最大值。样本统计量的最大值仅仅是总体最大值的一个估计值，而不是它的精确值。切记：样本统计量只是总体参数的估计值。

常量和变量

在讨论总体这个概念的时候，我们已经了解到对总体的特征进行定义。在乔先生的实验中，总体的特征被定义为"数学焦虑"和"大学生"。除了这两个特征之外，他研究的总体还有其他特征。其中某些特征对总体成员来说是相同的，比如有数学焦虑的大学生都不喜欢数学课，都是有生命的活人。若总体中的所有成员都具有相同的特征，这些相同的特征称为**常量**[3]。

在有数学焦虑的大学生总体中，其成员也有很多不同的特征。比如，他们可能有不同的头发颜色、眼睛颜色、年龄、性别、居住地、智力水平、出生地以及其他很多不同

〔1〕 参数：参数是总体特征的数量化总结，通常用希腊字母表示。
〔2〕 统计量：样本统计量是样本特征的数量化描述。通常用罗马字母表示。
〔3〕 常量：常量是总体中所有成员都有相同值的特征，因为只有一个特征值，所以在总体中此特征值保持不变。

特征。若总体成员有不同的特征，这些特征称为**变量**[1]。

某个特征在研究中是变量还是常量，取决于研究的总体在此特征上是否仅有一个特征值。在乔先生的研究中，物种这个特征只有一个特征值，即人类，因此物种这个特征就是个常量。另一方面，性别这个特征可以有两个特征值（男和女）。因为可以推测男女大学生都可能会有数学焦虑，所以性别在乔先生的研究中就是个变量。演示步骤2-2呈现了一种区分变量和常量的方法。

演示步骤 2-2

如何区分变量和常量

1. 识别研究的总体。（注意：识别的是总体而不是样本）
2. 识别你所感兴趣的特征。需要注意的是当面对常量的时候，很容易混淆特征和特征值。如果总体中都是男性，那么特征是性别，特征值是男性。
3. 考虑在总体中某特征只有一个特征值还是有一个以上的特征值。如果只有一个特征值，则该特征为常量；若有一个以上的特征值，该特征就为变量。

需要注意的是，确定某特征是常量还是变量，要看在总体中该特征值是否多于一个，而非样本中特征值有多少。比如，对美国女子童子军组成的总体而言，性别这个特征是一个常量，因为所有女子童子军都是女孩子。然而，对美国所有4—H俱乐部成员组成的总体而言，性别是一个变量，因为男孩、女孩都可以作为4—H俱乐部的成员。有可能某个4—H俱乐部的所有成员都是女孩子，但并不能因此就说性别是个常量。只有当总体中的所有成员都是同一种性别的时候，才能说性别是一个常量，不能仅仅因为一个样本中所有成员是同一种性别，就认为性别是一个常量。

测量

当进行一个实验时，研究者使用一个或多个变量测量被试的成绩，这些测量值组成了被试在实验中的数据。在乔先生的研究中，他测量学生的焦虑水平和数学测验中的成绩，一个参与者在某个变量上的每个测量值都是**单个数据**[2]，一个以上的单个数据称为**数据**[3]。因此，一个实验程序的结果是一组数据。

在实验中，研究者要建立一套程序来测量所需要的特征。在实验中使用同样的程序对所有被试加以测量非常重要。如果研究者使用的程序是变化的，那么就不能有效地比较实验结果。假设乔先生使用10道题目组成的测验去测试一半参与者，而对另一半参与者使用20道题目组成的测验，那么比较测试的结果就没有意义了。研究者

〔1〕 变量：变量是总体成员有不同值的特征，因为有一个以上的特征值，所以在总体中此特征值是变化的。
〔2〕 单个数据：一个被试在一个变量上的一个测量值。
〔3〕 数据：一组被试在某个特定变量上的一组测量值。

使用的程序是一套按所研究的特征给被试分配特征值的规则，这是**测量**[1]的核心。

在一个实验中，研究者按照可操作的方式来定义变量。所谓**操作性定义**[2]，就是使用测量变量的程序（或操作）来定义变量。比如，字典中关于智力的定义是"获取和使用知识的能力"，而关于智力的操作性定义可以是"一个人在斯坦福—比奈智力测验中的得分"。在这个实验中，测量智力的过程就是实施斯坦福—比奈智力测验的过程，因此对智力的操作性定义就是以使用测验智力的程序来定义的。操作性定义的优点是其他研究者可以重复某一研究的操作程序。

特征和数轴

数轴是用来表示特征值的图。在下一章，我们会看到数轴是制作数据图的基础。数轴上的点表示当研究者观察一个特征时，理论上可能出现的特征值。注意数轴并不仅仅包含所有实际的特征值，而且包含所有可能的特征值。图 2-1 表示我们测量一个家庭中孩子的数目时，所有可能的特征值。一个家庭可能没有孩子，可能有一个孩子，可能有两个孩子，可能有三个孩子，也可能像图 2-1 所示，有更多的孩子。在某个实验中，选取的家庭样本中可能没有三个孩子的家庭，但从理论上讲，一个家庭仍然可能有三个孩子，因此数轴上包含了这个特征值。然而，一个家庭不可能有−5 个孩子，因此图 2-1 中的数轴中没有包含−5 这个特征值。数轴右端的箭头表示在测量家庭中孩子的数目时，可能有比所表示出来的值更大的特征值。

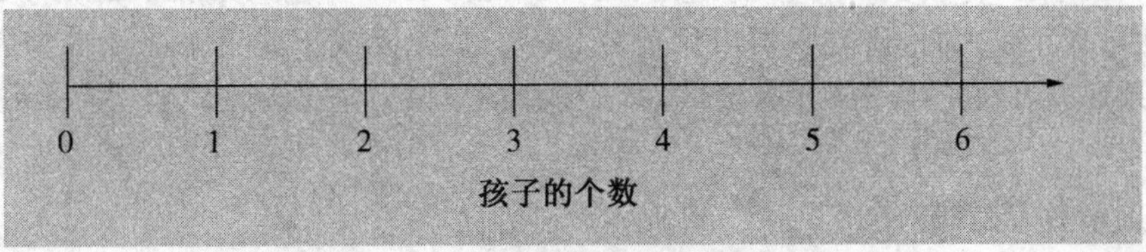

图 2-1 表示家庭中孩子个数的数轴

因为数轴表示测量某特征的所有可能的特征值，所以我们在实际观察和测量被试之前，应先把数轴建立好。比如，在乔先生关于数学焦虑的研究中，我们可以建立表示数学测验得分的数轴。假设乔先生打算给学生做一份有 20 道题目的数学测验，收集的数据是学生正确回答问题的百分比。当乔先生实施测验后，有的学生可能答对 20 道题，有的学生可能答对 19 道、18 道等等，一直到可能 1 道题也没答对。把这些值转化为百分数，我们会发现就是 100%、95%、90%等等，可以把这些值在数轴上表示出来，如图 2-2。

---

〔1〕 测量：在某个被观察特征上，使用某种规则给被试分配特征值的过程。
〔2〕 操作性定义：使用测量变量的程序（或操作）来对变量进行的定义。

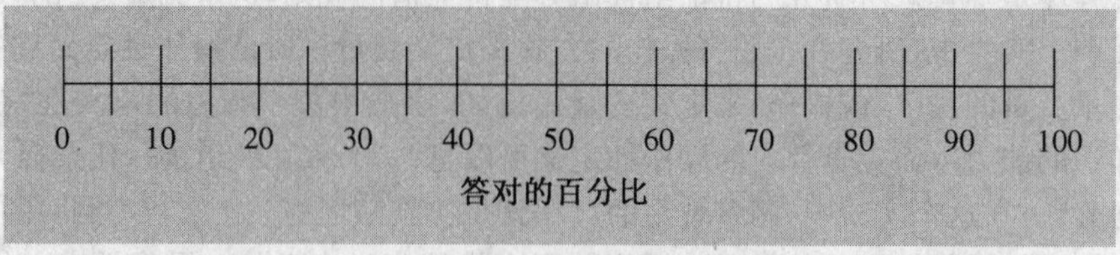

图2-2 表示20道题的数学测验得分的数轴

关于图2-2中的数轴有几点需要说明：首先，虽然每个值都有一个刻度，但并不是所有刻度都用数字表示出来了。即使5%的刻度没有用数字表示出来，但值5%仍然在数轴上用刻度表示出来了。数轴上的最低点是0，是乔先生的测试中可能出现的最低百分数；数轴的最高点是100，是乔先生的测试中可能出现的最高百分数。数轴的两端没有箭头，表示没有比在数轴上表示出来的更大或者更小的值了。最后，在数轴线下面的标签表示被测量的特征。无论何时制作一条数轴，我们都需要注明数轴表示的特征。

测量的单位

研究者确定了实验中应观察哪些变量之后，就必须确定用什么单位来测量每个变量。研究者可以用英尺、半英尺、四分之一英尺、英寸、十英寸、米、厘米或其他可能的数字来进行测量。如果研究者决定用英寸来测量高度，那么英寸就是**测量的单位**〔1〕。研究变量为年收入时，研究者可以用美分、美元、百美元或千美元来测量参与者的收入，如果研究者决定用千美元来测量，那么测量的单位就是千美元。

连续变量和离散变量

我们使用离散单位来测量某些特征。离散特征是由那些个别的、独特的、分开的、不可分割的部分组成的。一个家庭中小孩子的数目是离散特征，因为孩子是个别的、独特的、分开的、不可分割的。我们通常用整数来表示离散特征，一个家庭中可能有3个或者4个孩子，但不可能有2.73个孩子，因为孩子不可能有半个。另外一个离散变量的例子是树木的数量，或许我们可以把树砍成两段，然后说可以用一棵树作为单位进行测量，但是如果我们继续砍，到一定程度后，树就不成其为树了，我们看到的是一堆木材。**离散变量**〔2〕是在总体中有一个以上特征值的离散特征。

实际上，有些特征是离散的，另一些特征是连续的。连续特征没有离散的单位，有的是连续的、不可分割的数量。时间是一种连续特征，我们可以把时间分为单元，如

〔1〕 测量的单位：选作度量变量的数量。当绘制一条数轴时，测量的单位就构成了数轴上的刻度。
〔2〕 离散变量：不能被无限细分。对离散变量而言，如果被测量对象被分成更小的部分，则会改变被测量对象最初的本质。

年、日、分,但时间本身是一种连续的、不可分割的流体。想一想大海中的水,水是一种连续体,我们可以把水分成一杯一杯,但水实际上不是以杯或加仑这样的单位而存在的,它本身是连续的,不是离散的。**连续变量**〔1〕是在总体中有一个以上值的连续特征。

离散变量的测量单位都是整数,而连续变量就没有自然的单位来测量,我们用来测量连续变量的单位都是人为规定的。人类发明了用日来测量时间,用杯和加仑来测量液体的计量方式。我们测量连续变量时,通常需要选择一个单位。实际上,有无限多个单位可供我们选择。我们可以用英寸、半英寸、四分之一英寸、十英寸、百英寸等单位来测量高度。对连续变量来说,测量的单位可细分得越来越小,直到无限小。当我们测量高度时,从理论上说,可以把测量的单位无限细分下去,直到无限小。但是无论单位是多么小,我们仍然可以用来测量高度。因此对连续变量来说,测量的单位可以无限细分;另一方面,离散变量不能无限细分,因为那样会改变测量对象的本质。

至今,我们所举的例子都不是心理学方面的,部分原因是心理学研究者对心理变量的本质有不同看法。比如,智力测验的分数是连续变量还是离散变量?智力测验分数本身是用整数来表示的,看上去似乎是离散变量,然而许多心理学家认为智力测验测量的特征是智力,人类的智力是无限变化的,因此智力测验分数应该是连续变量。

使用何种统计方法部分取决于被测量变量的类型,因此区分连续变量和离散变量就显得非常重要。演示步骤 2-3 给出了一种区分连续变量和离散变量的方法。

演示步骤 2-3

如何区分连续变量和离散变量

1. 识别被测量的特征。
2. 识别测量特征所使用的单位。
3. 把测量单位分成两半,考察研究的特征是否可用该单位的一半来测量。然后再把其中的一半再分为两半,再分……将单位无限细分下去。如果单位的细分部分依然可以用来测量所研究的特征,则变量是连续的;否则变量就是离散的。

精确度

测量高度这个变量时,其测量单位可以小到毫米,也可以大到英里。很明显,研究者在选择测量单位时,需要考虑所选单位的变化程度。测量使用的单位越小,测量的精确度就越高。确定测量的**精确度**〔2〕,我们仅仅需要知道测量的单位就可以了。如

〔1〕 连续变量:对连续变量而言,测量的单位可以被无限细分。
〔2〕 精确度:测量一个变量时精确的程度,由测量使用的单位决定。

果我们使用英寸来测量高度，测量的精确度就接近英寸。

如果测量的单位从数量上不可再分——比如离散变量的特征，则测量是绝对精确的。比如，如果我们测量一个家庭中孩子的数量，用“个”作为测量的单位（“个”从数量上不可再细分），那么所有对变量的测量都是绝对精确的，因为孩子的个数不可能出现小数。

就连续变量而言，情形就不一样了，因为测量单位的数量是可以再细分的。对连续变量的测量永远都不会绝对精确。比如，测量一枝铅笔的长度，如图 2-3，如果我们使用英寸作单位来测量，则铅笔的长度是 4 英寸。然而，我们的测量并不是绝对精确，因为实际上铅笔比 4 英寸长一点。如果我们用四分之一英寸作单位，我们就说铅笔的长度是 4¼英寸，但这也远未达到绝对精确。一般来讲，我们测量连续变量时，实际值会比我们测量的大一点或小一点。

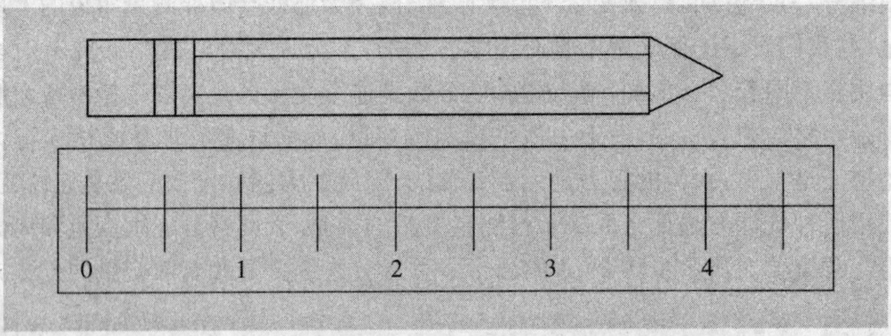

图 2-3 连续变量的测量

对连续变量来说，精确度就是测量的单位，使用英寸测量高度，则测量精确到英寸。同样，用年来测量时间，则测量精确到年。

如果研究者可以选择测量的单位，那么如何确定使用哪个单位呢？如何确定测量到何种精确水平呢？实际上，研究者的测量受限于所使用工具的精确性。如果用测量秒的跑表来测量时间，我们不可能将测量精确到秒以下。研究者使用的测量工具总是限制着测量的精确度。

按照一般原则，研究者应该选择在测验分数上能反映出事物差异的测量单位。我们可能选择的单位过大，以至于每个被试都得到同样的分数。比如，我们可以使用码来测量成人的身高，但这是毫无意义的，因为实际上我们测量的所有成人的高度基本上都是 2 码。一般来说，在心理学研究中进行测验时，我们希望考察被试间的差异并且反映这些差异，为此，我们必须使用足够精确的单位，以便得到有差异的数据。使用越精确的单位，我们就越可能得到反映被试差异的数据。

识别测量的单位

你要能够识别测量的单位。有时候这是很简单的事情，因为研究者通常会将测量特征的单位列出来。然而，某些时候可能没有列出单位来，此时，你要能够从所列的数据中识别测量的单位。请看下面这个工资列表：

$12 300
$11 000
$9 400
$7 900
$5 200

要识别测量的单位，找到数字都不为零的最低数位。在这个工资列表中，个位和十位上的数字都是零，而百位上的数字并不是都为零。由此可以推断数据是以百美元进行测量的。演示步骤 2-4 呈现了一种确定测量单位的方法。

演示步骤 2-4
如何识别测量的单位

1. 把数据列成一个表，每个数位都垂直对齐，这样可以更容易识别哪个数位上的所有数字都为零。
2. 从数据的最低数位开始（即从最右边的数位开始），从右到左，依次考虑：
   ➤如果在此数位上所有数据并不都是零，则这个数位是测量的单位。
   ➤如果在此数位上所有数据都为零，则这个数位不是测量的单位。

注意：这种方法只有当测量单位是 10 的乘方时才有效（如，整数、十、百、千等或者第十、第一百等等）。

区间

如前所述，对连续变量的测量并不是绝对精确的。我们说一只小白鼠跑一次迷宫用了 12 秒，这并不意味着小白鼠所用的确切时间就是 12 秒。如果我们测量时间的单位精确到秒，那么实际所用的时间可能就是 11.5 秒到 12.5 秒之间的任何时间点，因此测量值为 12 秒并不仅仅代表数轴上 12 秒那个点。在这个例子中，12 秒实际上代表的是 11.5 秒到 12.5 秒的时间段，这个时间段用统计术语来讲就是一个**区间**[1]。

从开始测量起，我们都是把测量值四舍五入的。理解区间的概念时，要记住在测

〔1〕 区间：在数轴上代表连续变量某个值的一段距离。

量连续变量时，被试的分数可能是四舍五入的，也就是说那个分数值并不仅仅代表数轴上的一个点，而是表示数轴上的一段。某个被试在一个连续变量上的得分是 12，这个分数很可能是在 11.5 到 12.5 之间的某处。

实际界限

实际界限[1]是代表某个给定值在数轴上的一段的两端边缘。数轴上分配给这个值的最低点称为该值的区间的**实际下限**[2]。一个区间的实际下限，是比该值小 1 个单位的那个值的**实际上限**[3]。如图 2－4，当用英寸测试时，值 4 在数轴上的最低点是 3.5，因此 3.5 是 4 的实际下限。下一个值 5 的实际下限是 4.5，所以 4.5 也是值 4 的实际上限。

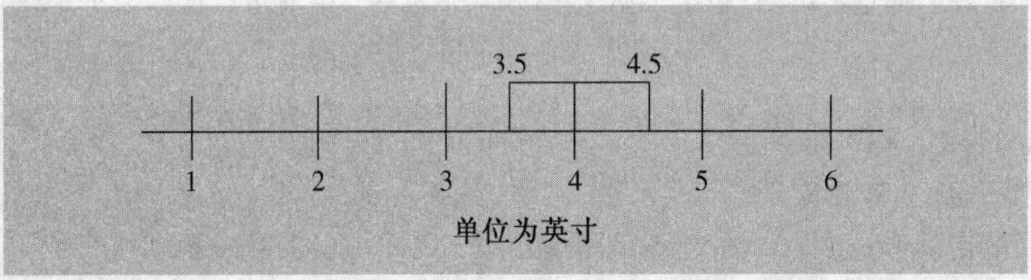

图 2－4 4 英寸的区间

区间大小[4]是数轴上被区间覆盖的一段距离，这段距离是一个区间从实际下限到实际上限的距离，并且总与测量的单位相等。实际下限总是在数据值的半个单位以下，而实际上限总是在数据值半个单位之上。因此，实际下限与实际上限的距离总是与测量单位相同。

目前为止，我们使用的例子都是整数。为了理解区间的概念，我们需要检验其他单位。假设我们使用十分之一英寸作为单位去测量一个物体的长度，图 2－5 呈现了区间为 2(用英寸来测量)和区间为 2.0(用十分之一英寸来测量)在尺子上的不同。在尺子上，区间 2 和区间 2.0 明显是不同的：区间 2.0 表示从 1.95 到 2.05 的所有点，而区间 2 代表从 1.5 到 2.5 的所有点。区间 2 在数轴上的长度比区间2.0 长。

---

〔1〕 实际界限：在数轴上代表一个给定值的区间，其区间两端就是实际界限。
〔2〕 实际下限：在数轴上代表一个给定值的区间，其下端边界的数据值。
〔3〕 实际上限：在数轴上代表一个给定值的区间，其上端边界的数据值。
〔4〕 区间大小：在数轴上代表一个数据值的某一段距离的大小。区间大小总是与测量的单位大小相等。

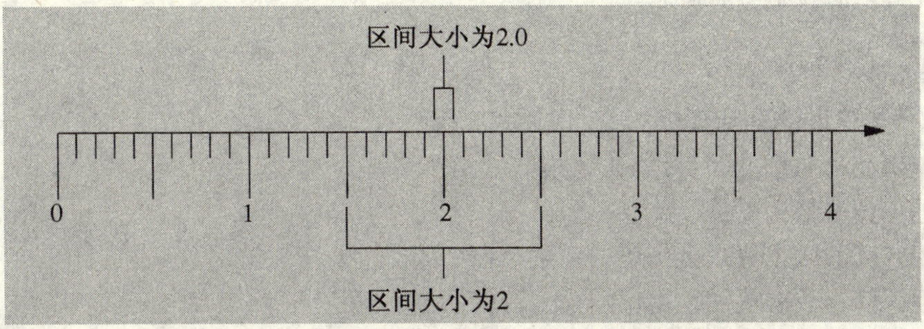

图 2-5 比较 2 和 2.0 的区间大小

我们也可以有大于整数 1 的区间。比如，我们用千美元作为单位来测量年收入，＄12 000 这个值代表收入在＄11 500 和＄12 500 之间的所有人，如图 2-6，在这个例子中，区间大小是＄1 000。

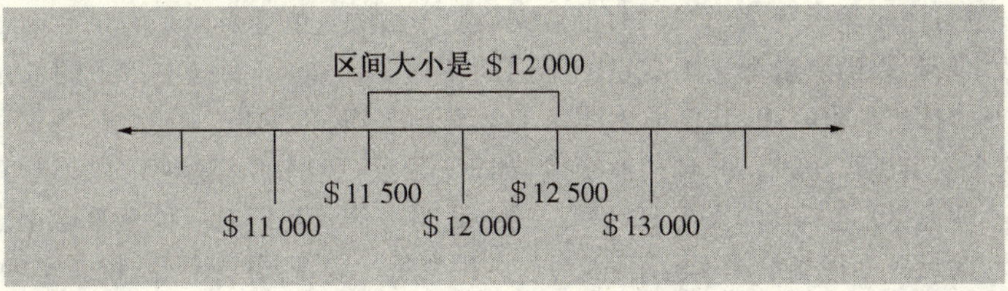

图 2-6 区间大于 1 的例子

我们所举的例子全都是基于十进制系统，区间都是 10 的倍数。研究者也可以选择其他区间大小。比如，在发展心理学领域，研究者经常使用半年来测量儿童的年龄。图 2-7 是这个变量数轴的一部分，其中大的数字表示数据值，小的数字表示实际界限。

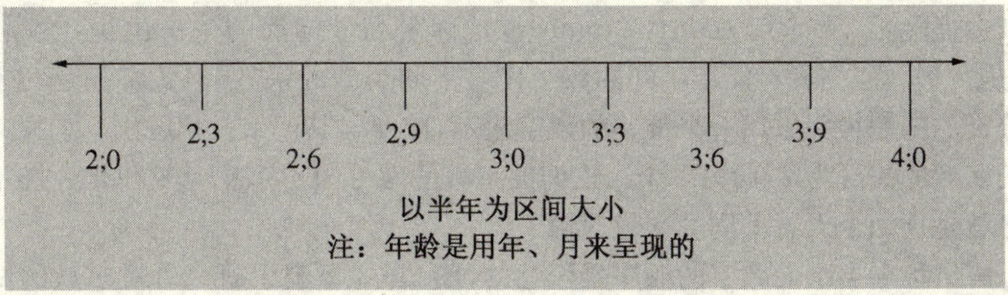

图 2-7 不是十进制的数轴的例子

演示步骤 2-5 列出了寻找区间实际界限的步骤。我们使用区间、区间大小、实际界限等来理解本书后面部分要讲的许多概念，现在花一些时间理解这些概念将有助于你理解以后要学习的概念。

演示步骤 2-5
如何找到区间的实际界限
1. 识别测量单位,区间大小与测量单位大小相等。
2. 把单位平分为 2 份。
3. 用区间的数据值减去单位的一半,得到实际下限。
4. 用区间的数据值加上单位的一半,得到实际上限。

测量的标尺

科学研究中测量值都是具体的。测量值不能仅仅是"4",或总是固定的"4×××"。当变量是孩子数量时,测量值 4 表示 4 个孩子;当变量是"用英寸测量长度"时,测量值 4 表示"4 英寸"。"4"的意义取决于被测量的变量。

数字所代表的变量意义因变量的不同而不同。比如,以家庭中孩子的数量为变量,有 6 个孩子的家庭中,其孩子数是有 3 个孩子的家庭的两倍。在这里,我们可用比率对这个变量进行比较。但对其他变量,如 IQ 分数,我们就不能使用比率对其进行比较,不能说 IQ 是 100 的人比 IQ 是 50 的人聪明一倍。我们对一种变量可用比率进行比较,而对另一种变量却不能用,因为这两种变量代表不同的测量系统。实际上,共有 4 种不同的测量系统,称之为测量的标尺。这四种分别是称名测量标尺、顺序测量标尺、等距测量标尺和比率测量标尺。接下来我们分别讨论这四种测量标尺,并对它们进行比较。

称名测量标尺

在**称名测量标尺**[1]中,数字仅仅作为标注、分类、识别的值,用以区分被测量的特征。社会保险号(Social Security Number)是称名测量标尺的一个例子,"宗教的类型"也是一例。研究者可能用不同的数字代表不同类型的宗教,但数字只是对宗教的一种分类——每种宗教用一个惟一的数字表示,以便与其他宗教相区别。如果某人所信仰的宗教的编号为 2,而另一个人信仰的宗教的编号为 4,我们从这里惟一能推断出的信息就是这两个人有不同的宗教信仰。

分配给称名类别的数字的顺序是任意的,图 2-8 呈现了研究者对宗教的两种编码方式,我们很容易用一种编码顺序取代另一种。数字仅仅表示不同的值,在一个变

〔1〕 称名测量标尺:数字仅仅作为标注、分类、识别的值,用以区分被测量的特征。数字的顺序是没有意义的,较大的数字只是代表不同的值,并不代表测量的对象越多。

量中，数值较高并不意味着那个人具有多种宗教信仰。在这里，数字和顺序是没有任何意义的，称名变量标尺没有数量。

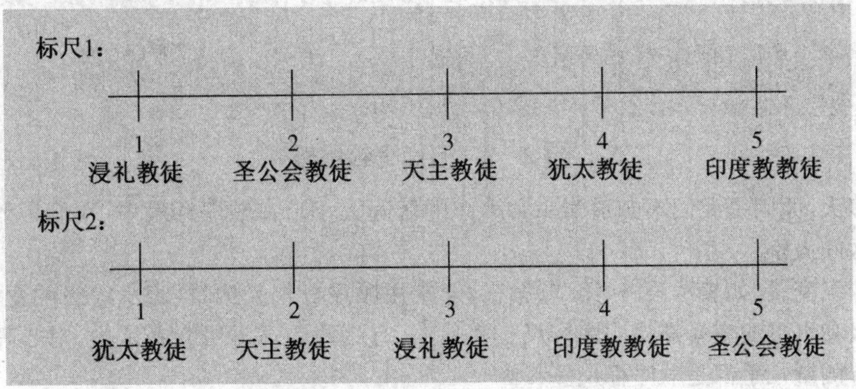

图 2－8　称名变量的赋值举例

顺序测量标尺

在**顺序测量标尺**[1]中，数字的顺序是有意义的，越大的数字表示被测量的事物越多。一个顺序测量标尺的例子是字母等级：A、B、C、D 和 F。字母等级经常被转化为数字等级，用 4 代表 A，用 0 代表 F。这些数字的顺序是有意义的，并不是随意的。如果给 A 分配的值是 2 而不是 4，则等级的意义就改变了。

在顺序标尺中，数字的顺序并不是随意的，这是顺序标尺与称名标尺的根本区别所在。在称名标尺中，数字的顺序是没有意义的。比如，对性别这个变量，我们可以用 1 表示男性，2 表示女性；反过来，也可以用 2 表示男性，1 表示女性。但是，在顺序标尺中，数字的顺序是有意义的，较大的数字意味着被测量的事物更多，因此顺序标尺有数量。

对顺序标尺而言，较大的数字代表更多的被测量事物，然而我们不能精确地知道多多少。比如，假设我们让参与者用如图 2－9 所示的等级量表回答一系列问题，如果某个参与者第一个问题回答的是 5，第二个问题回答的是 4，我们可以知道参与者对第一个问题比对第二个问题持有更多的赞同意见，但是我们不知道更赞同多少，我们无法精确地知道“有些赞同”和“非常赞同”的差距。

同样，如果我们知道一名高尔夫球手排在第一位，而另一名高尔夫球手排在第二位，我们可以知道第一位排在第二位前面，但我们无法确切地知道第一位领先多少，可能是 1 杆，也可能是 20 杆。第一和第二的等级无法告诉我们这两位高尔夫球手的差

〔1〕 顺序测量标尺：数字用来表示被测量特征的值的顺序，较大的数字表示被测量的对象较多，但并没有说明多多少。

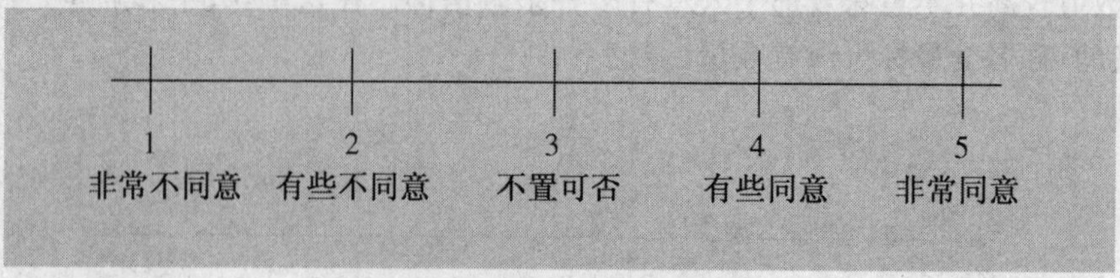

图2-9 五点等级量表

距有多大，原因是我们不知道第一和第二的区间大小。在顺序标尺中，我们一般无法知道区间大小。

等级变量（如表示第一、第二、第三）通常用顺序标尺来测量，表示等级的变量、发展等级和水平的变量都是顺序标尺。实际上，有一些心理学研究者认为，对心理特征的所有测量几乎都是顺序标尺。

等距测量标尺

在**等距测量标尺**[1]中，数字的顺序和数字间的距离都是有意义的，因此，较大的数字表示较多的被测量事物，并且还表示多多少。一个等距标尺的例子是华氏温度。在测量温度时，数字的顺序是有意义的，较大的数字代表较高的温度。

一个较大的数字不仅仅表示测量的事物较多，而且精确地表示多了多少。我们不仅知道90°比70°温度更高，而且还知道高20°，因为华氏温标的间距是相等的，所以我们可以确切地知道多了多少。20°与21°之间的差距和100°与101°之间的差距是相同的，都是1°。

虽然等距标尺的顺序有意义，并且有相等的间距，但它没有绝对零点。当零表示所测量事物没有时，我们说该标尺有绝对零点。用华氏温标测量温度的高低，0°并不表示完全没有热量，而是表示虽然很冷，但还有些热量。摄氏温标也是如此。第三种温标，开氏温标有绝对零点。在开氏温标中，0°K等同于－273.16°C，在这种温度状态，所有分子运动都停止了，绝对没有一点热量产生。0°K时绝对没有热量，所以在开氏温标中，零是绝对零点。

另一个关于等距标尺的例子是年历，如1965年和1990年。年历的顺序是有意义的，1990比1965大，意味着1990年在1965年之后到来。对年历测量的标尺也是等距的（忽略闰年要多一天），因此1960年与1965年之间的时间距离和1980年与1985年之间的间隔是相等的。然而，年历的测量标尺没有绝对零点。实际上，在我们的年历系统中，没有0年，公元1年的前1年是公元前1年。假定在这两年之间有一个公元0年，它也并不表示没有被测量的事物，因为0年实际上还是表示的一年。因此，年

〔1〕 等距测量标尺：任意相邻数字之间的距离相等（相同区间），并且数字的顺序和数字间的距离都是有意义的。数据间的距离表示一个值比另一个值大多少。

历也是用等距标尺测量的。

比率测量标尺

比率测量标尺[1]拥有等距标尺的所有特征，比率标尺中的数字顺序是有意义的，并且有相同的间距。另外，比率标尺还有绝对零点，因此数字零表示所测量的事物完全没有。比率标尺的一个例子是用英尺测量一个人跳跃的高度，如果一个人得分为0，意味着他只跳了0英尺或者根本就没有跳。注意，有可能一个人实际跳了2英寸，但用英尺测量时，2英寸用英尺记录就是0英尺。因此，用英尺来测量，这个人根本就没有跳高。

拥有绝对零点，这使得比率有了意义。比如，乔治跳了6英尺，特德跳了3英尺，我们就可以用比率来比较他们所跳的高度。

$$\frac{6\text{ 英尺}}{3\text{ 英尺}}=2$$

乔治跳的高度是特德的两倍。对比率标尺而言，对数据进行比率比较是有意义的，但对等距标尺而言，对数据进行比率比较就没有意义。我们可以用40°除以20°得到2，但这并不意味着40°是20°温热程度的两倍。比率标尺是惟一有绝对零点的标尺，因此也是惟一能进行比率比较的标尺。

比较测量标尺

你可能已经注意到，四种测量标尺的名称给我们传递了关于数据类型的信息。在**称名**标尺中，数字使用**名称**值，用以区别它们；在**顺序**标尺中，数字使用**顺序**值，较大的值表示被测量的对象更多；在**等距**标尺中，有**相等的间距**让我们可以比较数据的间距；**比率**标尺因为有绝对零点，我们可以对它作**比率比较**。

四种测量标尺是按层次排列的，后一种标尺具有前一种标尺的所有特征，并且还多了一种特征，表2-1列出了这种关系。演示步骤2-6呈现了如何识别测量的标尺。

表2-1 四种测量标尺的特征

特　征	称名标尺	顺序标尺	等距标尺	比率标尺
名称和不同的特征值	有	有	有	有
有意义的顺序	无	有	有	有
相等的间距	无	无	有	有
绝对零点	无	无	无	有

〔1〕 比率测量标尺：有绝对零点，相邻数字间有相同间距，数字间的顺序是有意义的。数字的顺序、数字间的距离、数字与零的距离都是有意义的。一个数字是另一个数字的两倍，表示被测量对象也是另一个的两倍。

演示步骤 2-6

如何识别测量的标尺

1. 识别变量，即识别被测量的对象。如果你要绘制一条数轴，如何标注它？
2. 数轴上的数据在顺序上是否有意义？重新随机排列这些数据是否有意义？大的数据是否意味着有较多的被测量对象？
   ➢如果回答否，顺序没有意义，则这种是称名标尺。
   ➢如果回答是，则继续步骤 3。
3. 是否有相等的间距？如果用一个数据减去另一个，结果是否精确显示这两个数据所代表的测量对象的差距？一个单位在测量的每个地方是否都表示同样的数量？
   ➢如果回答否，间距不相等，则这种是顺序标尺。
   ➢如果回答是，则继续步骤 4。
4. 是否有绝对零点？数字 0 是否表示被测量的事物完全没有？数据间可否进行比率比较？（也就是说，一个数据是另一个数据的两倍，这种说法是否有意义）
   ➢如果回答否，没有绝对零点，则这种是等距标尺。
   ➢如果回答是，有绝对零点，则这种是比率标尺。

看完这四种测量标尺的差异，你可能会问，“为什么会这样?”，为什么要了解研究者使用的测量标尺？原因有二：一是了解四种测量标尺的不同之后，当测量标尺被误用时，你可以意识到。比如，比尔的 IQ 分数为 120，苏的 IQ 分数是 100，说比尔比苏聪明 20%有意义吗？智力测验分数是等距标尺，对等距标尺进行比率比较是没有意义的。对我们来说，认识到这种错误的观点是非常重要的。二是对每种标尺所收集的数据所使用的统计方法是不同的，为了知道某种数据适合用哪种统计方法进行分析，我们必须识别这种数据的测量标尺。理解测量标尺和本章讨论的其他概念，是进一步学好统计的基础。

难点提示

1. 学生经常犯的一个错误是认为数量大的群体就是总体，而数量小的就是样本。其实区别总体与样本并不是根据群体的大小，而是根据研究者的目的。

2. 学生经常犯的另一个错误是：在确定一种特征是变量还是常量时，只考虑样本的情况而不考虑总体的情况。实际上，总体中所有成员在某个特征上都有相同的特征值时，此特征才为常量。

3. 确定一个变量是连续的还是离散的，选择数轴上代表此变量的一个值，比如 7，再在这个值上加上一个小数，如 0.43，得到 7.43，看 7.43 是否是被测量对象的合理值。如果是,则此变量是连续的,如果不是,则此变量是离散的。比如,7.43 对年龄来讲是个合理值(一个人可以是 7.43 岁大),但 7.43 对孩子的个数来讲不是可能的(因为没有谁会有 7.43 个孩子),因此,年龄是连续的,而孩子的数目是离散的。

4. 在确定测量单位时,从代表被测量变量的数轴上选取两个相邻值,这两个值的差异就是测量的单位。

5. 在确定两个相邻值的实际界限时,把两个值加起来,再除以 2,结果就是两个值的精确中点,也就是实际界限。

6. 在确定一种测量的标尺是否为称名标尺时,从代表被测量对象的数轴上选择任意两个值,看大的值比小的值是否有更多的被测量对象,多的是什么,如果这些问题的答案是没有意义的,则这种测量标尺是称名标尺。

7. 在确定一种测量标尺是否为顺序标尺时,从数轴上选取两个值,看大的值比小的值多多少,如果结果不是一个明确的数字,则此标尺是顺序标尺;如果能给出明确的数字,则此标尺是等距或比率标尺。

8. 当确定一种测量标尺是等距标尺还是比率标尺时,首先看一个被试能否得到分数 0。如果有可能得到分数 0,再看得到分数 0 是否意味着被试在被测量对象上一点也没有,如果是,则此标尺是比率标尺;如果不是,则此标尺是等距标尺。

小结

- 总体是指在一个实验中,研究者感兴趣的所有被试或事件。样本是从总体中选择的小群体。随机样本是总体中每个成员都有相同的可能性被选择时所得到的样本。
- 参数是总体特征的数量化总结。统计量是样本特征的数量化描述。通常,参数用希腊字母表示,而统计量用罗马字母表示。样本统计量可以用作对样本所在总体的参数进行估计。
- 变量是总体成员有不同值的特征,因此,变量在总体中有一个以上的特征值。常量是总体所有成员都有相同值的特征,因此常量只有一个特征值。
- 测量是使用一定规则按照所观察的特征给被试分配特征值的过程。
- 离散变量具有分开的、清晰的、个别的单位,连续变量以完整的质和量出现,可以任意无限细分。
- 精确度是变量被测量的精确程度,是由测量的单位决定的。
- 区间是数轴上代表连续变量单个特征值的一段距离,区间的实际下限和实际上限分别是特征值减去或加上半个单位,区间大小是实际下限和实际上限之间的距离,与测量的单位是相等的。
- 在称名标尺中,数字仅仅用作分类或者区别被测量变量的特征;在顺序标尺中,数字用来给特征值分配等级;在等距标尺中,由于有相同间距,我们可以精确地确定两个值的距离有多大；最后，由于比率标尺有绝对零点，特征值 0 表示被测量对象完全没有，因此我们可以对比率标尺收集的数据进行比率比较。

练习

概念题

1. 名词解释：

总体	数据	实际下限
样本	测量	实际上限
随机样本	操作性定义	区间大小
参数	连续变量	称名标尺
统计量	离散变量	顺序标尺
变量	测量的单位	等距标尺
常量	精确度	比率标尺
单个数据	区间	

2. 概念辨析：

A. 总体和样本
B. 参数和统计量
C. 变量和常量
D. 连续变量和离散变量
E. 称名标尺和顺序标尺
F. 顺序标尺和等距标尺
G. 等距标尺和比率标尺

3. 在下列描述中，斜体字部分描述的一群人是总体还是样本？

A. 一个研究者分别观察了**一组 100 名婴儿**，研究美国的婴儿开始说话的平均年龄。

B. 一所大学的登记员报告**入学新生**的平均年龄是 19.1 岁。

C. 电力公司报告它的所有**公用事业用户**的平均电费为 40.17 美元。

D. 本地报纸根据对 **252 位读者**进行的调查，认为它的读者最喜欢的栏目是占星术。

E. 负责郡选举的工作人员宣布，本郡所有的**登记选民**中，大部分是无党派人士。

F. 地方电视台对 **1 000 名本地居民**进行电话民意调查，调查结果认为大部分本地居民不支持提高本地区的销售税。

4. 解释为什么随机样本能用来估计总体参数值，而非随机样本则不能。

5. 拿来一个装有巧克力的袋子，计算里面巧克力总的数量，再计算黄色（或者任何你喜欢的颜色）巧克力的数量，用黄色巧克力的数量除以总的数量，得到黄色巧克力在袋子中的比例。下一步，随机（比如，抽取时闭着眼睛）从袋子中抽取 10 颗巧克力作为一个样本，计算在样本中黄色巧克力的比例。重复 4 次这样的程序，每次都计算黄色巧克力的比例。用样本中黄色巧克力比例估计总体的比例，其效果如何？

6. 假定在教堂有一群参加宗教集会的人，识别下列哪些是变量，哪些是常量。

A. 性别　　B. 所属宗教
C. 年龄　　D. 社会经济水平
E. 种族　　F. 政治派别

7. 把你上统计课班上的所有学生作为一个总体。

A. 找出三个作为该总体的变量的特征，找出每种特征在你班上的确存在的特征值。

B. 找出三个作为该总体的常量的特征，找出每种特征在你班上的确存在的特征值。

8. 假定以全美国所有 6 岁的小孩子为总体，一个研究者选取了 20 名 6 岁的孩子作为一个样本。在这个样本中，所有孩子都是男孩。那么性别在这个样本中是变量还是常量，为什么？

9. 下面的是变量还是特征值：

A. 性别　　B. 身份识别号码 12－345－6789
C. 大学二年级学生　　D. 平均等级
E. 10 岁　　F. 75%正确
G. 华氏温度度数　　H. IQ

10. 下面是一个测量维度列表：(a) 性别；(b) 跑步速度；(c) 宗教；(d) 学校教育年限；(e) 平均分数等级；(f) 字母等级；(g) IQ 分数；(h) 是否大学毕业；(i) 是否参加上次选举。

A. 每个维度至少写出两个不同的值。

B. 每个维度绘制一条数轴。注意你需要给每个维度分配数值，并且确认测量的维度已经标注出来了。

C. 识别每种维度的测量标尺，并说出你的依据。

11. 识别下列变量的测量标尺：

A. 一个大学管理人员调查学生对一些教育计划质量的评价，使用从“非常差”到“非常出色”七点量表来调查。

B. 一个指导老师给学生随机分配号码，用来作为邮寄成绩的保密代号。

C. 一个学校管理人员记录该学校每个学生的出生年份。

D. 教师让学生做一份 10 道判断题的小测验，并按照正确回答的比例来给学生等级分数。

E. 为了研究学龄前儿童的词汇量，研究者让每个孩子带着一个录音机，以便记录下他们一天所使用的词汇。

F. 一个学校管理人员让小学老师汇报他们班上每个学生是否活动过度。

G. 为了比较季节对分娩的影响，一个医院的管理人员记录了在夏季出生的婴儿的重量和在冬季出生的婴儿的重量。

12. 解释实际下限、实际上限与测量单位、区间大小的关系。

13. 给下列概念下一个操作性定义。

A. 小白鼠的智力　　B. 学龄前儿童的品德水平

C. 婴儿对看护者的依恋　　D. 普通心理学的结业成绩

计算题

14. 下列是三组数据：

第一组	第二组	第三组
250	4 000	3.45
248	3 800	3.40
245	3 500	3.37
242	3 400	3.33
241	3 100	3.30
238	3 000	3.27
237	2 800	3.23
235	2 700	3.21

A. 识别每组数据的测量单位。

B. 分别识别第一组数据中 241、250 的实际下限和实际上限。

C. 分别识别第二组数据中 3 400、4 000 的实际下限和实际上限。

D. 分别识别第三组数据中 3.30、3.37 的实际下限和实际上限。

15. 下列每个数据都列出了数据测量的区间大小，识别每个数据的实际上限和实际下限。

A. 区间大小＝1，数据＝47　　B. 区间大小＝10，数据＝590

C. 区间大小＝100，数据＝6 500　　D. 区间大小＝100，数据＝10 000

E. 区间大小＝0.1，数据＝3.6　　F. 区间大小＝0.1，数据＝15.0

G. 区间大小＝0.01，数据＝0.19　　H. 区间大小＝0.01，数据＝1.00

尾注

1. Excerpted form *The American Heritage Dictionary of the English Language* 3d ed. (Boston：Houghton Mifflin Company，1996).

第三章 频次表和频次图

在第二章中，我们了解了研究者如何收集数据并确定其特征，下一步就是以一种有效的方式来整理这些数据。要记住，研究者在实验程序中收集数据的目的是为了支持某种论点。因此，仅仅罗列出从被试那里收集到的一堆数据，是无助于证明研究者的论点的。研究者需要以某种方式对数据进行统计处理，以便用来支持他们的假设。

本章及后面几章重点讨论的是统计学的一个分支——描述统计。回忆一下，在第一章中我们了解了描述统计是用来描述一组数据的特征或两组数据间关系的。描述一组数据的一种简单方法是编制统计表，另一种方法是编制统计图。以图表方式来表示该组数据，这是本章的重点。另外，本章中，我们还将了解分布的概念，并学习如何通过图表考察频次分布之间的差异。这些内容将为我们在之后几章中学习其他描述统计打下基础。

分布

第二章中我们提到，测量一个变量时，测量的标尺包含了某变量所有**可能**出现的值。比如，图 3－1 中呈现的测量标尺，表示乔·约翰逊关于学生数学焦虑的研究中数学成绩变量。该标尺呈现的是学生可能得到的所有分数，而不是代表在每个分数上的学生数量。

分布[1]是指通过实际观测得到的或通过理论推断可能观测到的一组数据。这种分布有两个组成部分：数据值和数据值出现的频次。假定乔先生测试了 20 名学生，他们所得的分数见图 3－2，每一小格代表该分数有一名学生。这个图下侧的刻度和图 3－1 的测量标尺是一样的，都是表示在乔先生的研究中可能出现的分数值。然而，图 3－2 还呈现了实际得到每个分数的学生的数量。比如，该分布表明有 5 名学生得了 60 分。分布表示每个数据值出现的频次，这种额外信息正是分布和测量标尺的区别之所在。

〔1〕 分布：是一组数据及这些数据出现的频次。

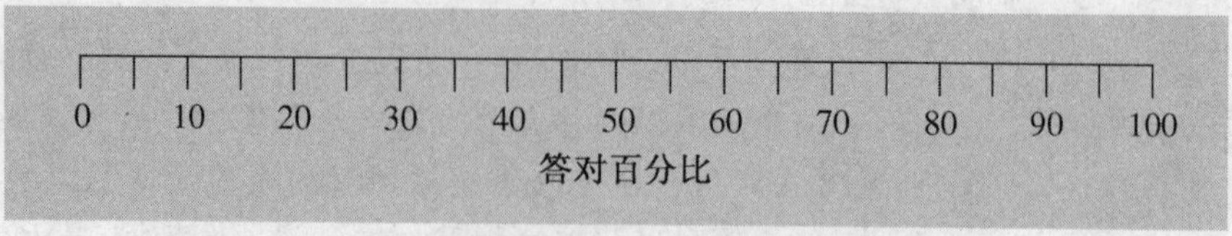

图 3-1 20 道题的数学测验的测量标尺图

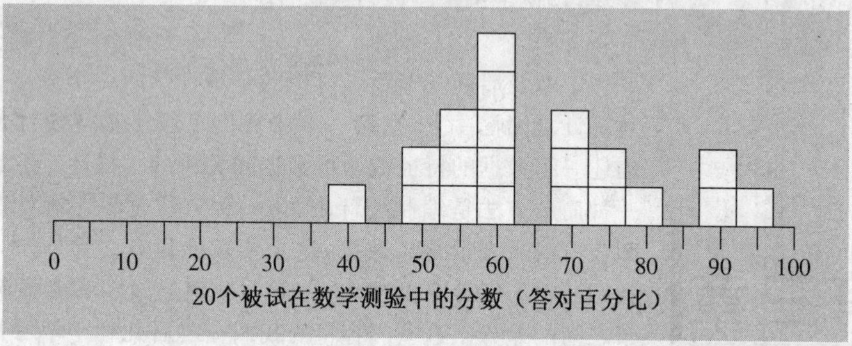

图 3-2 20 道题的数学测验的数据分布图

分布有两种类型。一种是**理论分布**[1]，指如果进行一系列观察，从理论上可能会得到的一组数据。在理论分布中，研究者并不是真正地从被试那里收集数据，而是基于理论进行推断：假定对被试进行测试，将会得到怎样的数据。另一种分布是**频次分布**[2]，指研究者通过实际观察与测试被试所得出的一组数据。

例如，某班级学生对成绩最后的等级分布都会有一定估计（如有多少人分别得到A、B、C、D 或 F），这是一个理论分布，成绩的频次是通过学生假想的等级分布"理论"来估计的。另一方面，由老师给出的真实成绩的频次就是频次分布。我们将在第七章中对理论分布予以更详细的介绍，本章中，我们将重点介绍频次分布。

编制频次表

频次表

频次表[3]是指以表格形式表示的频次分布。最简单的频次表有两列，第一列表示一组数据的数值，第二列表示每个数据值出现的频次或出现的次数。在乔先生的研究中，总共有 20 个分数，见表 3-1。

---

〔1〕 理论分布：基于一定的理论预测，如果进行观察，一组数据可能出现的频次。
〔2〕 频次分布：指研究者通过实际观察所得到的一组数据及出现的频次。
〔3〕 频次表：用来表示频次分布的表格。一个频次表呈现了获得每个数据值的被试个数。

表3-1 20道题的数学测试的学生成绩(百分数)

60	75	90	80	60	40	70	55	70	60
50	95	55	70	55	60	90	50	60	75

我们可以用这些数据编制频次表,如表3-2所示。第一列是20名学生在乔先生的测试中所得到的成绩,从最高分95到最低分40。注意:在编制频次表时,一般是从高到低排列数据。还要注意的一点是:在乔先生的测验中虽然没有人得85分、65分、45分,但还是要在表中把它们列出来。因为这样就会使表中的数据连续,易于理解。我们用"回答正确的百分比"来标注变量的名称。

表3-2 表3-1的数学测验分数的频次分布

回答正确的百分比	频 次
95	1
90	2
85	0
80	1
75	2
70	3
65	0
60	5
55	3
50	2
45	0
40	1
	$n=20$

表3-2中的第二列表示每个分数出现的频次。比如,表中显示得95分的有1名学生,得60分的有5名学生。如果把频次加起来,则频次的总数与数据的总数是相等的。在这个例子中,频次总数是20,说明组中有20个数据。必须要记住,第一列的是**数据值**而不是实际得到的数据。在乔先生的测验中,虽然有5名学生得到了60分,但60分在第一列中只列出了一次。

除了罗列数据之外,频次表还有其他的优点——它以精确的方式整理和表达数据,使之较容易理解。我们可以一目了然地看到表3-2中的数据是从95分到40分排列的。除此之外,频次表也可以让我们了解成绩分布的情况。从表3-2我们可以知道:得60分的学生比其他得分的学生都多;大多数学生得到的是靠中间的分数,高分和低分的学生都非常少。因此,把数据编制成频次表,有利于我们理解并进一步分析数据。

相对频次表

另外一种以表格形式表达频次分布的方式称为**相对频次表**[1]，它表示的是相对频次而非频次，频次是指一组数据中某个数据值出现的**次数**，相对频次是指那个数据值在该组数据中出现次数的**比例**。比例可以通过某个数据值出现的次数除以数据的总个数求得，如演示步骤 3－1 所示。

演示步骤 3－1

将数据频次转化为比例

$$比例=\frac{数据频次}{n}$$

在这里，n 表示数据的总个数。

图 3－3 是根据乔先生的测验数据编制的相对频次表。共有 20 个数据，要把每个数据的频次转化为与其对应的相对频次，可以通过简单的运算，即用数据的频次除以数据的总个数 $n=20$ 而求得。

回答正确的百分比	频 次	计算过程	相对频次
95	1	1/20＝	0.05
90	2	2/20＝	0.10
85	0	0/20＝	0.00
80	1	1/20＝	0.05
75	2	2/20＝	0.10
70	3	3/20＝	0.15
65	0	0/20＝	0.00
60	5	5/20＝	0.25
55	3	3/20＝	0.15
50	2	2/20＝	0.10
45	0	0/20＝	0.00
40	1	1/20＝	0.05
	$n=20$		1.00

注意：正式表格不会列出这两列，这里列出只是为了说明如何编制表格。

图 3－3 计算表 3－1 中数学成绩的相对频次

〔1〕 相对频次表：相对频次表呈现的是获得每个数据值的被试的比例。

频次表和相对频次表的惟一不同之处就在于呈现频次的方式：第一列不变，第二列相对频次表列出的是某个数据值出现次数的比例，而不是次数。需要注意的是：所有数据值出现次数的比例的总和等于 1.00。有时候看相对频次更易于了解分布的情况。比如，从图 3－3 很容易就可以看出：60 分出现的频次比例是最高的。

累加频次表

以表格形式表达频次分布的第三种方式称为**累加频次表**[1]，累加频次是指给定分布中所有等于或小于某给定值的数据的个数。累加频次这样计算：得到给定值的被试个数，加上所有得到小于此给定值的被试个数。由于从高到低排列是比较普遍的，所以我们通常从表格底端的数据值开始向上累加。这个过程可用图 3－4 来表示。95 分的累加频次恰好等于学生的总数 20，这是因为所有学生所得的分数都等于或低于 95 分。

回答正确的百分比	频　次	计算过程	累加频次
95	1	1 + 19 = 20	20
90	2	2 + 17 = 19	19
85	0	0 + 17 = 17	17
80	1	1 + 16 = 17	17
75	2	2 + 14 = 16	16
70	3	3 + 11 = 14	14
65	0	0 + 11 = 11	11
60	5	5 + 6 = 11	11
55	3	3 + 3 = 6	6
50	2	2 + 1 = 3	3
45	0	0 + 1 = 1	1
40	1	1 = 1	1
	$n = 20$		
	注意：正式表格中不会列出这两列，这里列出只是为了说明如何编制表格。		

图 3－4　计算表 3－1 数学成绩的累加频次

〔1〕 累加频次表：累加频次表呈现的是等于或小于某个数据值的被试个数。

累加频次在表示学习速度方面非常有用。设想你正在学习一门外语并记录下你每周学到的新单词的数量，把它们列入表 3－3 中。表 3－3 中的数据既呈现了频次又呈现了累加频次，频次列说明了你每周学习的单词数量从 7 个到 20 个不等，但是没有说明在指定周内你学习单词的总量，而这正是累加频次所要表现的。比如，到第 7 周，你已经学会了 84 个单词。累加频次列还表明开始你用 5 周学会了 50 个单词，而后来只用 3 周你就学会了 50 个单词，这说明你学习的速度在提高。

表 3－3 每周学习单词的频次分布

周	频　次	累 加 频 次
8	16	100
7	20	84
6	14	64
5	13	50
4	10	37
3	12	27
2	8	15
1	7	7

频次表和累加频次表给读者提供了不同的信息。究竟使用哪种图表，要根据研究者想给读者们提供的信息类型来确定。

相对累加频次表

频次表的最后一种方式是**相对累加频次表**〔1〕，所表示的是指某给定值及其以下的数据出现频次的比例。相对累加频次表与累加频次表相似，但其不同在于：后者表示的是某个数据值和该数据值以下的数据的个数，而前者表示的是数据值个数的比例，而不是数据值个数本身。

编制一个相对累加频次表，首先要编制出数据的累加频次表，然后把每个累加频次分别除以数据总个数，求出其累加频次的比例。由乔先生的数学测验数据编制的相对累加频次表见图 3－5。

在相对累加频次表中，最高的相对累加频次是 1.00，代表所有学生的成绩。如图 3－5，95 分的相对累加频次是 1.00，也就是说所有的学生的分数都等于或低于 95 分。和累加频次表一样，相对累加频次表也能有效反映学习速度的改变。在乔先生的实验中，相对累加频次反映了超过半数的学生在数学测验中成绩等于或低于 60 分。

〔1〕 相对累加频次表：相对累加频次表呈现的是等于或小于某个数据值的被试的比例。

回答正确的百分比	累加频次	计算过程	相对累加频次
95	20	20/20 = 1.00	1.00
90	19	19/20 = 0.95	0.95
85	17	17/20 = 0.85	0.85
80	17	17/20 = 0.85	0.85
75	16	16/20 = 0.80	0.80
70	14	14/20 = 0.70	0.70
65	11	11/20 = 0.55	0.55
60	11	11/20 = 0.55	0.55
55	6	6/20 = 0.30	0.30
50	3	3/20 = 0.15	0.15
45	1	1/20 = 0.05	0.05
40	1	1/20 = 0.05	0.05
	注意：正式表格中不会列出这两列，这里列出只是为了说明如何编制表格。		

图 3-5 计算相对累加频次

上面的频次表例子中演示了计算过程，说明了频次和相对频次是如何计算出来的。当然，这些计算过程在正式表格中无需列出。在最后正式的频次表中，每个表都只包括两列：一列是数据，另一列是数据出现次数的比例。我们使用了四种不同的方式来表示这些比例：即频次表、相对频次表、累加频次表和相对累加频次表。为了给读者提供最有效的信息，如有必要，我们可以同时运用这四类中的多个甚至全部类型。演示步骤 3-2 呈现了编制频次表的一般步骤。

演示步骤 3-2

编制频次表

1. 按照由最大值到最小值的顺序，将数据值填入列表。
2. 计算出得每一个数据值的被试有多少。
3. 在对数据进行排序时，如果变量是称名变量，则按字母顺序排列，同时在列表的顶部标出变量名。

4. 在频次表中，第二列是每个数据的次数，命名为"频次"列。
5. 在相对频次表中，计算出次数的比例，每个数据出现的次数除以数据的总数 n，即得相对频次，称之为"相对频次"列。
6. 在累加频次表中，从最小的数据值开始频次累加，将某个数据值和某个数据值以下的频次相加起来得到累加频次，列出累加频次，称之为"累加频次"列。
7. 在相对累加频次表中，按第 6 步先计算出数据的累加频次，然后再用数据的累加频次除以数据的总数 n，得出相对累加频次，称之为"相对累加频次"列。

编制频次分布图

使用频次表是为了以一种简明易懂的方式来表达各组数据，除此之外，研究者还可以用图形的方式来表达数据。表和图表达完全相同的信息，只不过表达方式不同而已。频次表采用的是列表的方式，而图采用的则是图形的方式。图和表各有其优点，在表中，我们可以很清楚地看出数据出现的精确频次；而在图中，我们只能看到数据的大概频次，但是，图能更直观地展示分布的整体情况及其变动情况。

图的基本结构

如前文所述，图是以图形的方式来表示数据分布的。从图 3－6 中我们可以看到，图的结构包括两条数轴：X 轴和 Y 轴。X 轴和 Y 轴都是实数直线。X 轴水平位于图

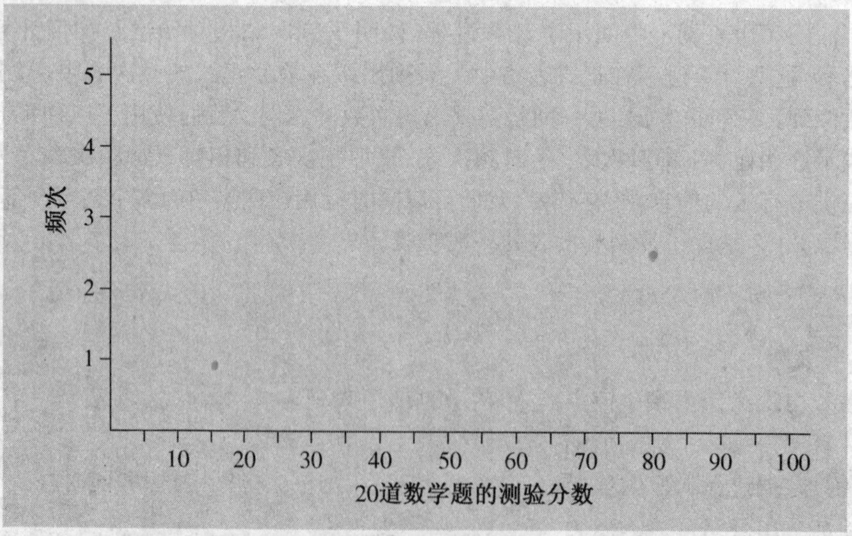

图 3－6 为表示数学焦虑研究绘制的 X 轴和 Y 轴

的最下边，是一条表示被测量变量的数轴。如果我们绘制乔先生的测验图，X 轴表示的就是学生测验分数，与图 3－1 一样。Y 轴垂直 X 轴并位于图的左侧，是一条表示频次或相对频次的数轴。由此看来，X 轴相当于频次表的第一列，Y 轴相当于频次表的第二列。

通常情况下，X 轴和 Y 轴的交点(两条线在左下角交叉)表示数据值 0。从 0 开始有利于我们做出准确的比较。比如，图 3－7 中有两个图形，分别代表了两个不同班级中的男生和女生的人数。在这两个图中，代表女生人数的条形图的长度是代表男生人数的条形图长度的两倍，即女生人数应是男生人数的两倍。这符合 A 班的实际情况，A 班中恰好有 4 个女生和 2 个男生；而对于 B 班而言则不正确。虽然 B 班女生人数的条形图的长度也是男生人数的条形图长度的两倍，但 B 班女生人数并不是男生人数的两倍。这是因为在 B 班的图中，Y 轴不是从 0 开始的，这就误导了我们。为了避免发生类似错误，如果 X 轴或 Y 轴不是从 0 开始的，按照惯例，我们需要在该数轴起始处画两条斜线作为标记，如图 3－7 中 B 班的图。

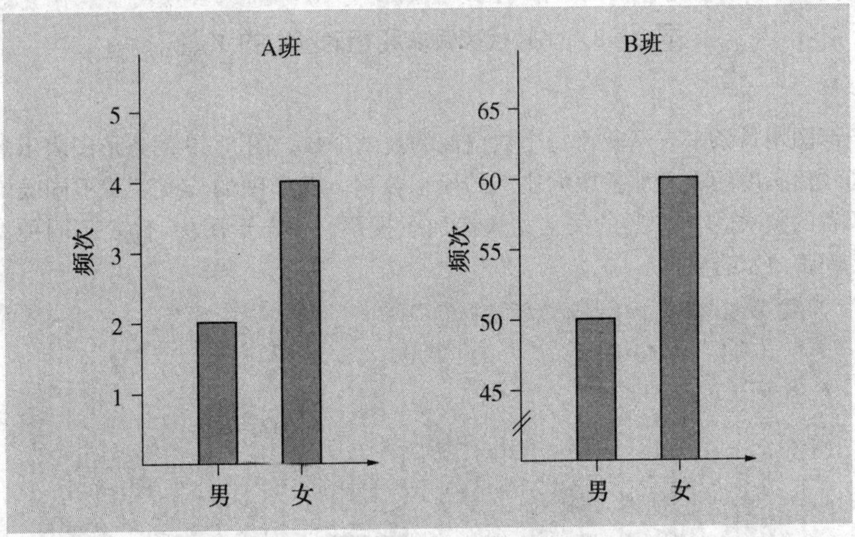

图 3－7 比较从 0 开始的 Y 轴和不是从 0 开始的 Y 轴

我们还可以将 Y 轴由频次改成相对频次，进而改变频次分布图。图 3－8 用两种形式来表示同一组数据，左图表示的是频次，右图表示的是同一组数据的相对频次。两个图形都是 20 名学生成绩的数据，从左图可以看出有 4 名学生得了 30 分，而右图则是表示有 20％的学生得了 30 分。请注意，这两个图形除了 Y 轴的刻度不同外，其他部分完全相同。

到目前为止，我们着重介绍了作图的基础——X 轴和 Y 轴。所有的频次分布图都包括 X 轴和 Y 轴。接下来我们就要用三种图形方式来表达实际收集到的数据：条形图、直方图和多边形图。

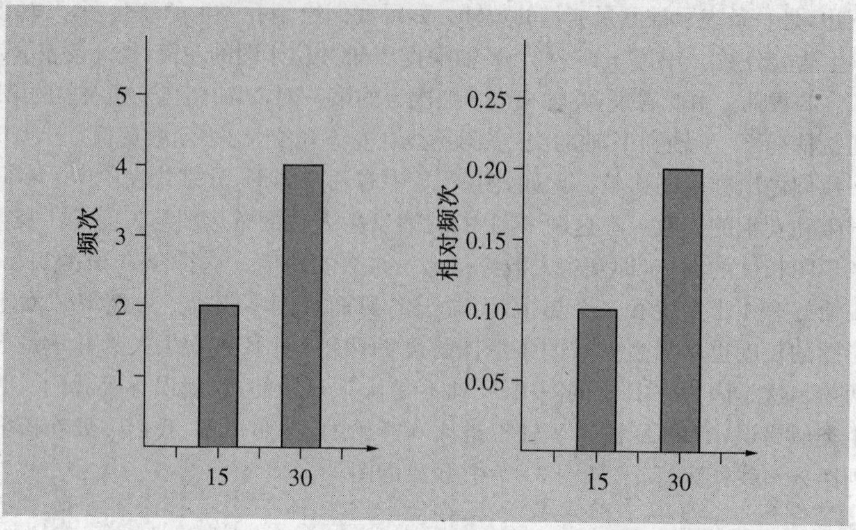

图 3-8 比较代表频次和相对频次的 Y 轴

条形图

条形图用长条来表示获得每个数据值的被试个数。图 3-9 的条形图表示的是三种不同政治态度的人参加投票的比例的模拟数据。条形图的长度表示不同政治态度的投票者的频次。有 80%的民主党人参加了投票。在条形图中,代表不同种类的条形图之间都要留有空间。

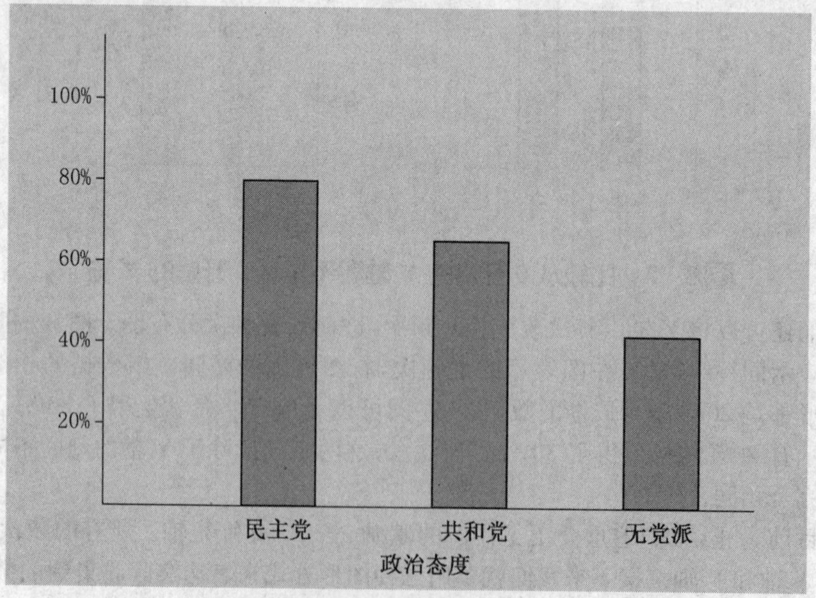

图 3-9 民主党、共和党和无党派人士投票比例的条形图

条形图用来表示称名变量，这些变量主要表示性质，而不是表示数量。图 3 - 9 中政治态度变量代表的是不同政治倾向类型，而不是政治态度的个数，即在条形图中，X 轴上的直条代表的是变量的类别，而不是数量的多少。

直方图

与条形图不同，直方图中代表不同数据频次的直方条之间没有空隙。图 3 - 10 就是数学测验完整数据的直方图。直方条的长度表示每个分数段上的学生的个数。比如，直方条中 60 分对应 Y 轴上的点是 5，也就是说有 5 名学生得了 60 分。低于 40 分处以及 45 分、65 分、85 分、100 分处没有图形，说明没有学生得到这几个分数段上的分数。

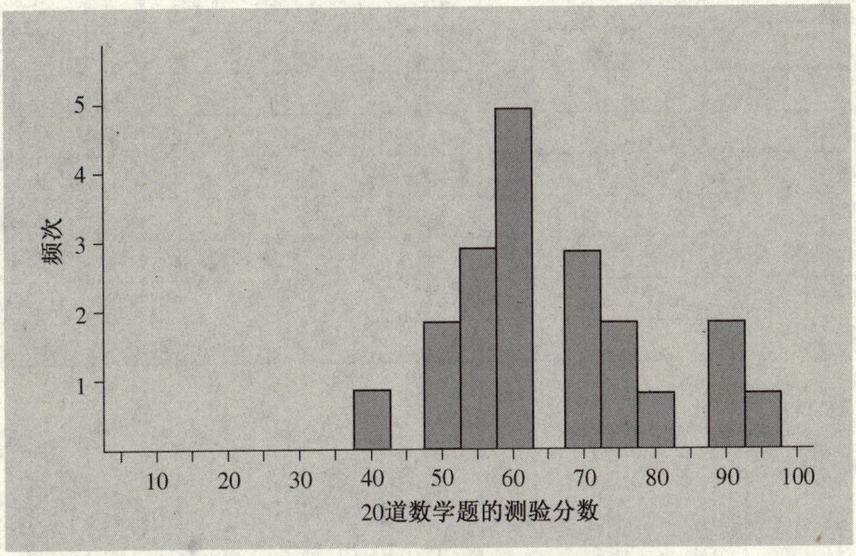

图 3 - 10 表 3 - 2 呈现的数据分布的直方图

在直方图中，X 轴上的直方条彼此是连在一起的，可以表示大小或数量的增加。因此，频次直方图适用于在数量上有变化的变量，包括顺序变量、等距变量和比率变量。如前所述，使用顺序标尺、等距标尺和比率标尺测量得到的数据中，数据的顺序是有意义的，等距标尺、比率标尺还有相同的间距；此外，比率标尺还有绝对零点。

使用直方图的另一个条件是 X 轴上的变量必须是离散变量。在第二章中，我们将离散变量与连续变量做了比较，前者表示的是不连续的数据，后者表示的是连续的数据，图 3 - 10 的直方图表示的是在乔先生研究中学生进行数学测验的成绩，之所以用直方图表示，是因为该测验中学生的成绩是离散变量。直方图适用于离散变量，而下面所提到的多边形图则适用于连续变量。

多边形图

直方图和条形图运用条形来表示数据，多边形图则用线条来表示数据。我们可以通过作点来编制多边形图，这些点要分别与 X 轴上的变量以及该变量在 Y 轴的频次相对应。点始终落在一组数据的最小值与最大值之间，即便有些点的频次可能是 0。然后用线段把相邻两点连接起来。表 3 - 4 表示了乔先生的测验中，20 名学生的年龄分布情况，图 3 - 11 则是这些学生年龄分布的多边形图。

表 3 - 4 乔先生的研究中，学生年龄的频次分布

年　龄	频　次
25	1
24	0
23	1
22	2
21	3
20	7
19	4
18	2
	$n = 20$

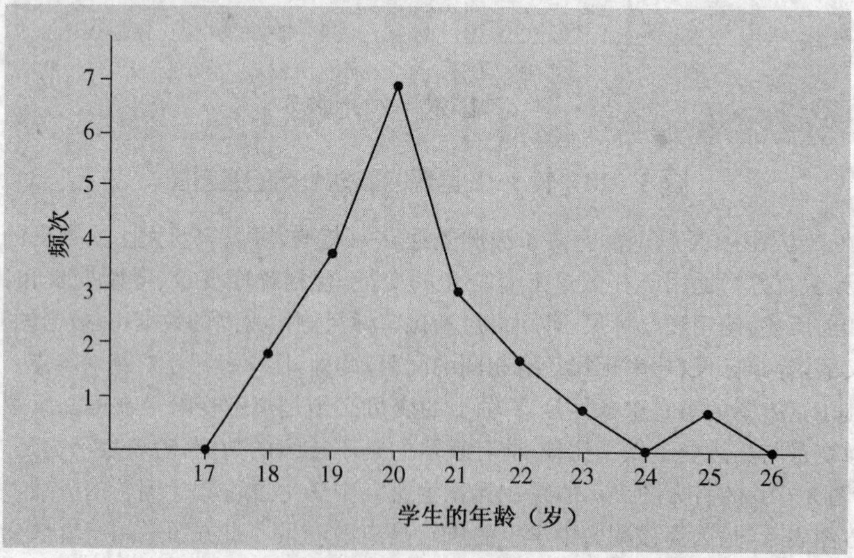

图 3 - 11 乔先生的研究中，学生年龄分布的多边形图

要注意的是，图 3－11 比表 3－4 多了 2 个数据值。图形一直延续到较小的 17 和较大的 26，虽然没有学生在此年龄段，但只有这样做才算完成了这个多边形图。术语“多边形”是由希腊语“有多条边的图形”（many-sided figure）演化而来的。如果线条不与 X 轴相交，那么这样的图就只是一条悬浮的线条而不是一个多边形图了。

我们也可以用绘制图来表示累加频次分布。图 3－12 就是乔先生的测验中学生年龄分布的累加频次分布多边形图。注意，该图的左端与 X 轴相交而右端没有与 X 轴相交，我们称这个特殊的图形叫**频次曲线**（*frequency ogive*），因为它不是一个完整的多边形。

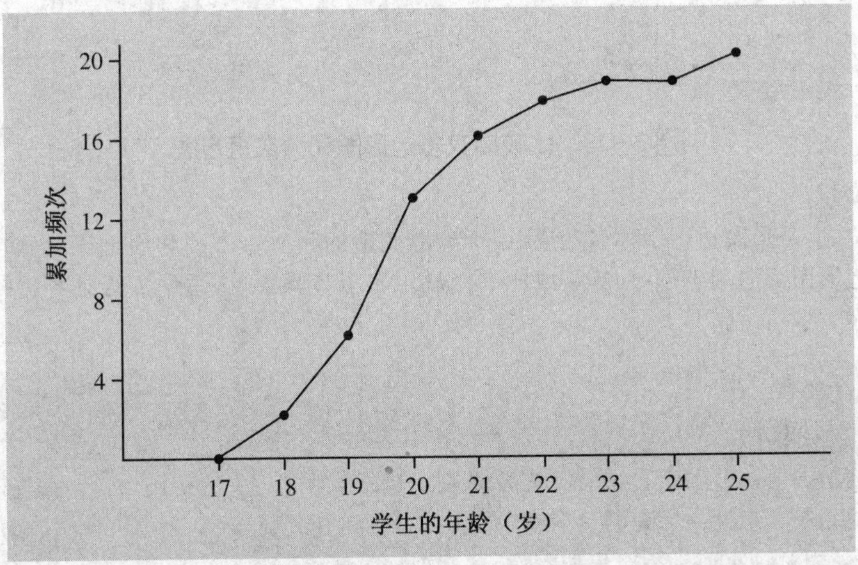

图 3－12 乔先生的研究中，学生年龄的累加频次曲线

图 3－13 中有两个图形：频次多边形图和频次直方图。假设频次多边形图是表示参与者解决问题所需要的时间，图形向我们呈现了分别在 1 分钟、2 分钟、3 分钟、4 分钟内解决完问题的参与者的比例。时间是连续变量，我们有可能会问到第 3½分钟时解决完问题的参与者的比例，虽然测试中没有精确到秒，但是从图 3－13 的频次多边形图中我们可以估计出大约有 20％的参与者用 3½分钟解决了问题。

现在假设图 3－13 右边的频次直方图是表示每个家庭中孩子的个数。这个图形也说明了有 1 个、2 个、3 个、4 个孩子的家庭在所有家庭中所占的比例。因为孩子个数是离散变量，所以家庭不可能有 3½个孩子。显而易见，去估计有 3½个孩子家庭的比例是荒唐可笑的。频次直方图的直方条能避免出现这样的错误，这就是直方图为什么适用于离散变量的原因。相比较而言，线形图（如频次多边形图）多用于

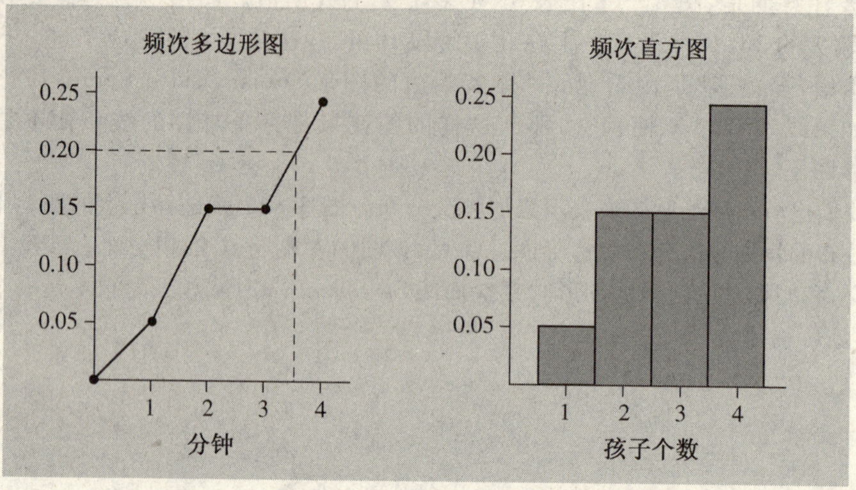

图 3-13 比较频次多边形图和频次直方图

连续变量。

总之，条形图适用于称名变量，用于离散变量的频次直方图和用于连续变量的频次多边形图都适用于顺序、等距或比率变量。演示步骤 3-3 总结了绘制各种统计图的程序。

演示步骤 3-3

绘制统计图

1. 确定要绘制哪种统计图。首先要识别变量的类型。条形图用于称名变量，直方图用于离散变量，多边形图用于连续变量。确定图形要表示的是频次、累加频次、相对频次还是相对累加频次，然后根据需要编制出频次表。
2. 画出 *X* 轴。在图的底部画一条水平线，每隔一定距离做一个刻度，用来表示一个数据或是步骤 1 得到的组间距。如果这个图形是频次多边形图，表示频次或相对频次，那么两端都应与 *X* 轴相交，故需要在每端都多作出一个额外刻度。如果最小刻度已经表示 0 了，则就不再需要了。在 *X* 轴上的刻度处标出数据值或刻度代表的组中值，并标出变量名。
3. 画出 *Y* 轴。于 *X* 轴的左端点处画一条垂直于 *X* 轴的直线作为 *Y* 轴，并在其上作出等距的刻度，每个刻度代表一个频次或相对频次。如果 *Y* 轴不是一条从 0 开始的连续数轴，在 *Y* 轴起始处画两条斜杠。然后在每个刻度处标上相应的频次或相对频次。在 *Y* 轴左边的空白处标出频次的名称。

4. 画出表示频次分布的条形或线条。绘制条形图时，表示每个数据值的条形高度与该个数据值的频次相对应，并且要在每个数据值条形图两侧留出一定空间。
   A：在直方图中，画每个数据值的条形图高度时，要保证条形图高度与该数据值的频次相对应，宽度与分布区间大小或分组区间大小相等。条形图要以所对应的数据值或对应的组中值为中心。直方图相邻的两个条形之间不留空间。
   B：绘制多边形图时，在每个数据值或组中值的位置上画一个点，该点的高度要与该数据值或组中值的频次相对应，然后用直线把相邻两点一一连接起来。如果图是表示频次或相对频次，线条的两端要与 X 轴相交，如果图是表示累加频次或相对累加频次，线条左端应与 X 轴相交。
5. 标明图题。频次分布图的题目要恰当地体现出所测量的变量。

一种探索技术：茎叶图

以上各种统计图被用来表达完整形式的分布的有关信息，以帮助读者理解分布的原始情况。一般情况下，在绘制这些图的时候，所有的数据分析都已经完成了。而实际上在开始分析一组数据之前，研究者通常会根据自己的理解绘制一个分布草图。这种为了初期数据分析而快速有效地绘制出来反映分布情况的图形叫做**茎叶图**[1]。

图 3－14 表示了一组 20 个数据和这些数据的茎叶图。在茎叶图中，每个数据被分为两个部分：茎和叶。在图 3－14 中，数据都是两位数，十位数是茎，个位数是叶。图 3－14 的数据是从 25 到 63，所以茎是从 2 到 6，这些茎排列在茎叶图的左边，每个茎的右边是与之相对应的叶，即数据的个位数。比如，第一排是表示数据 25、26、27，因为它们都是二十几，所以茎是 2。该茎的右边是数字 5、6 和 7，分别是数据 25、26 和 27 的个位数。

数据					茎叶图	
25	26	27	32	35	2	5 6 7
35	36	38	39	39	3	2 5 5 6 8 9 9
41	42	44	47	48	4	1 2 4 7 8 9
49	53	57	58	63	5	3 7 8
					6	3

图 3－14 茎叶图的例子

[1] 茎叶图：描述数据的分布时将数据分成茎和叶两部分，茎由数据左边的数位组成，叶由数据右边的数位组成。数据按照茎的值来排列。

茎叶图与直方图表达信息的方式是相似的。图 3 - 15 表示的是图 3 - 14 中一组数据的直方图和茎叶图。在这个图形中，茎叶图已被旋转，使叶垂直排列在每个茎之上。可以看出，茎叶图中每列的高度与对应的直方图的高度相同。

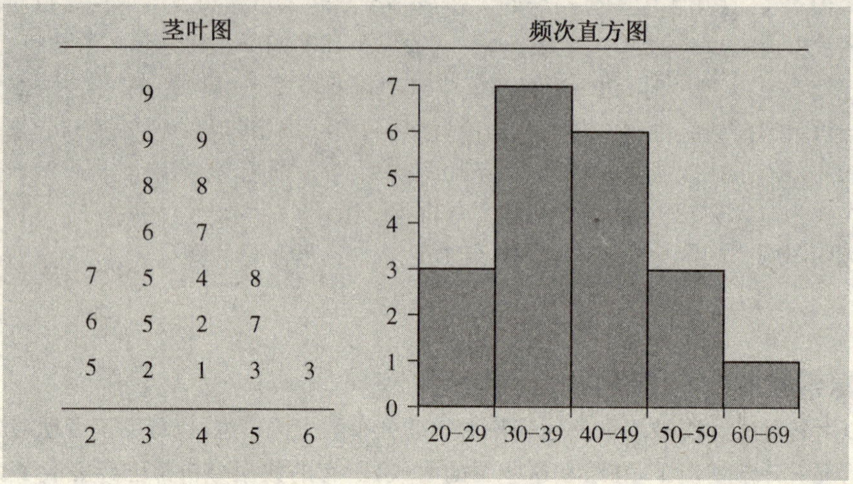

图 3 - 15　比较频次分布和茎叶图

如果数据不止两位数，研究者就要考虑如何把这些数据分成茎和叶。比如，如果数据是三位数，则可以使用一位数或两位数作茎。如果用一位数作茎，则最多有 10 个茎；如果用两位数作茎，则最多有 100 个茎。每种茎出现的次数也可能多于 1 次，如图 3 - 16。如果使用一位数作茎，并且每个茎只标一次，那么作出来的图就只有 4 个茎，这样就不能描述出分布的模式。然而，如果使用两位数作茎，则从 36—62，共有 27 个茎，相对数据值个数而言，茎又太多了。演示步骤 3 - 4 描述了编制茎叶图的程序。

数据

365	378	390	401	423
427	438	454	462	471
485	496	501	511	519
527	538	544	569	574
586	593	608	613	622

茎叶图

6	08	13	22			
5	69	74	86	93		
5	01	11	19	27	38	44
4	54	62	71	85	96	
4	01	23	27	38		
3	65	78	90			

图 3 - 16　茎叶图举例

演示步骤 3-4

编制茎叶图

1. 计算出数据中数字的位数,再决定茎和叶应有多少数字。茎的数字越多,茎的数量就越大;茎的数字越小,每个茎所对应的叶的数量就越大。
2. 从小到大排列数据。
3. 在左侧以上升的趋势(从小到大)标出茎的数据值,注意每个茎的数据值只标一次。
4. 在茎列的右侧画一条与茎相垂直的线。
5. 在每个茎的右边,列出该茎所对应的所有叶的数据值。

编制分组频次表

分组频次表的意义

编制频次表比单纯地列出数据能够更加有效地表示数据。可是如果数据值的数量太大的话,频次表就不那么有效了。比如,IQ 数据的频次表从 145 排到 20,共计 126 排,会有几页纸长。从列出几百个数据值的频次表中,很难看出数据的分布情况。

解决的办法就是把数据值分组,不是把几百个数据值都列出来,而是把所有数据值分成若干组。这些组被称之为**分组区间**[1]。用分组区间而不是数据值绘制成的频次表叫做**分组频次分布**[2]。

假设简·杰弗斯调查了 10 年前毕业于州立大学并获得心理学学士学位的学生最近的收入情况。这个调查的信息能用来预测人们从事这个行业的收入情况。简女士收集了 180 名毕业生的收入情况的数据,数据的单位是千美元,如表 3-5 所示。即使按顺序排列这些数据,这个列表也因太长而不易理解。即使把数据放到频次表中去也仍不易理解,如表 3-6 所示。解决问题的办法就是把数据值分组,这样表的组成部分变少了,也便于理解了。

表 3-5 180 名心理专业毕业生的年收入数据

$ 117 000	$ 79 000	$ 61 000	$ 50 000	$ 39 000	$ 27 000
$ 114 000	$ 79 000	$ 61 000	$ 49 000	$ 39 000	$ 27 000
$ 113 000	$ 78 000	$ 60 000	$ 49 000	$ 38 000	$ 27 000
$ 111 000	$ 77 000	$ 60 000	$ 49 000	$ 37 000	$ 26 000

〔1〕 分组区间:在数轴上包含一个以上数据的一段。
〔2〕 分组频次分布:若干组数据及每组中数据值的频次。分组频次分布也称分组区间频次分布。

续 表

$ 109 000	$ 77 000	$ 60 000	$ 48 000	$ 37 000	$ 25 000
$ 107 000	$ 76 000	$ 59 000	$ 48 000	$ 37 000	$ 25 000
$ 105 000	$ 75 000	$ 59 000	$ 47 000	$ 36 000	$ 25 000
$ 104 000	$ 75 000	$ 58 000	$ 47 000	$ 36 000	$ 24 000
$ 104 000	$ 75 000	$ 58 000	$ 47 000	$ 36 000	$ 24 000
$ 102 000	$ 73 000	$ 58 000	$ 46 000	$ 35 000	$ 22 000
$ 99 000	$ 72 000	$ 57 000	$ 46 000	$ 35 000	$ 22 000
$ 97 000	$ 71 000	$ 57 000	$ 45 000	$ 35 000	$ 21 000
$ 96 000	$ 71 000	$ 57 000	$ 45 000	$ 35 000	$ 20 000
$ 96 000	$ 70 000	$ 56 000	$ 45 000	$ 34 000	$ 19 000
$ 94 000	$ 69 000	$ 56 000	$ 45 000	$ 34 000	$ 18 000
$ 93 000	$ 68 000	$ 55 000	$ 45 000	$ 32 000	$ 18 000
$ 93 000	$ 68 000	$ 55 000	$ 44 000	$ 32 000	$ 18 000
$ 91 000	$ 68 000	$ 55 000	$ 44 000	$ 32 000	$ 17 000
$ 89 000	$ 67 000	$ 54 000	$ 44 000	$ 31 000	$ 17 000
$ 88 000	$ 67 000	$ 53 000	$ 43 000	$ 31 000	$ 15 000
$ 88 000	$ 66 000	$ 53 000	$ 43 000	$ 30 000	$ 15 000
$ 87 000	$ 66 000	$ 53 000	$ 42 000	$ 30 000	$ 15 000
$ 86 000	$ 65 000	$ 52 000	$ 42 000	$ 30 000	$ 13 000
$ 85 000	$ 65 000	$ 52 000	$ 41 000	$ 30 000	$ 12 000
$ 84 000	$ 65 000	$ 51 000	$ 41 000	$ 29 000	$ 10 000
$ 84 000	$ 65 000	$ 51 000	$ 41 000	$ 29 000	$ 10 000
$ 82 000	$ 64 000	$ 50 000	$ 40 000	$ 28 000	$ 9 000
$ 81 000	$ 64 000	$ 50 000	$ 40 000	$ 28 000	$ 9 000
$ 80 000	$ 63 000	$ 50 000	$ 40 000	$ 28 000	$ 7 000
$ 80 000	$ 62 000	$ 50 000	$ 40 000	$ 27 000	$ 6 000

表 3-6 表 3-5 中年收入的频次分布

收 入	频次	收 入	频次	收 入	频次	收 入	频次
$ 117 000	1	$ 89 000	1	$ 61 000	2	$ 33 000	0
$ 116 000	0	$ 88 000	2	$ 60 000	3	$ 32 000	3
$ 115 000	0	$ 87 000	1	$ 59 000	2	$ 31 000	2
$ 114 000	1	$ 86 000	1	$ 58 000	3	$ 30 000	4
$ 113 000	1	$ 85 000	1	$ 57 000	3	$ 29 000	2

续　表

收　入	频次	收　入	频次	收　入	频次	收　入	频次
$ 112 000	0	$ 84 000	2	$ 56 000	2	$ 28 000	3
$ 111 000	1	$ 83 000	0	$ 55 000	3	$ 27 000	4
$ 110 000	0	$ 82 000	1	$ 54 000	1	$ 26 000	1
$ 109 000	1	$ 81 000	1	$ 53 000	3	$ 25 000	3
$ 108 000	0	$ 80 000	2	$ 52 000	2	$ 24 000	2
$ 107 000	1	$ 79 000	2	$ 51 000	2	$ 23 000	0
$ 106 000	0	$ 78 000	1	$ 50 000	5	$ 22 000	2
$ 105 000	1	$ 77 000	2	$ 49 000	3	$ 21 000	1
$ 104 000	2	$ 76 000	1	$ 48 000	2	$ 20 000	1
$ 103 000	0	$ 75 000	3	$ 47 000	3	$ 19 000	1
$ 102 000	1	$ 74 000	0	$ 46 000	2	$ 18 000	3
$ 101 000	0	$ 73 000	1	$ 45 000	5	$ 17 000	2
$ 100 000	0	$ 72 000	1	$ 44 000	3	$ 16 000	0
$ 99 000	1	$ 71 000	2	$ 43 000	2	$ 15 000	3
$ 98 000	0	$ 70 000	1	$ 42 000	2	$ 14 000	0
$ 97 000	1	$ 69 000	1	$ 41 000	3	$ 13 000	1
$ 96 000	2	$ 68 000	3	$ 40 000	4	$ 12 000	1
$ 95 000	0	$ 67 000	2	$ 39 000	2	$ 11 000	0
$ 94 000	1	$ 66 000	2	$ 38 000	1	$ 10 000	2
$ 93 000	2	$ 65 000	4	$ 37 000	3	$ 9 000	2
$ 92 000	0	$ 64 000	2	$ 36 000	3	$ 8 000	0
$ 91 000	1	$ 63 000	1	$ 35 000	4	$ 7 000	1
$ 90 000	0	$ 62 000	1	$ 34 000	2	$ 6 000	1

组数

在编制分组频次分布的过程中，第一个问题就是应该将数据分为几组。如果分组的数目过多，就会因为列表太大而难以找出数据值的分布规律。假设，在简女士的数据中有 112 个数据值。我们可以将 112 个数据值分为 56 组，每组有 2 个数据，如表 3 - 7所示。可是这个含有 56 组的表还是太长了，使用起来仍不方便。

表 3 - 7 组数过多的分组频次分布表

收入	频次	收入	频次	收入	频次
$ 116 000—117 000	1	$ 78 000—79 000	3	$ 40 000—41 000	7
$ 114 000—115 000	1	$ 76 000—77 000	3	$ 38 000—39 000	3
$ 112 000—113 000	1	$ 74 000—75 000	3	$ 36 000—37 000	6
$ 110 000—111 000	1	$ 72 000—73 000	2	$ 34 000—35 000	6
$ 108 000—109 000	1	$ 70 000—71 000	3	$ 32 000—33 000	3
$ 106 000—107 000	1	$ 68 000—69 000	4	$ 30 000—31 000	6
$ 104 000—105 000	3	$ 66 000—67 000	4	$ 28 000—29 000	5
$ 102 000—103 000	1	$ 64 000—65 000	6	$ 26 000—27 000	5
$ 100 000—101 000	0	$ 62 000—63 000	2	$ 24 000—25 000	5
$ 98 000—99 000	1	$ 60 000—61 000	5	$ 22 000—23 000	2
$ 96 000—97 000	3	$ 58 000—59 000	5	$ 20 000—21 000	2
$ 94 000—95 000	1	$ 56 000—57 000	5	$ 18 000—19 000	4
$ 92 000—93 000	2	$ 54 000—55 000	4	$ 16 000—17 000	2
$ 90 000—91 000	1	$ 52 000—53 000	5	$ 14 000—15 000	3
$ 88 000—89 000	3	$ 50 000—51 000	7	$ 12 000—13 000	2
$ 86 000—87 000	2	$ 48 000—49 000	5	$ 10 000—11 000	2
$ 84 000—85 000	3	$ 46 000—47 000	5	$ 8 000—9 000	2
$ 82 000—83 000	1	$ 44 000—45 000	8	$ 6 000—7 000	2
$ 80 000—81 000	3	$ 42 000—43 000	4		

另一方面，如果组数太少，我们将有可能遗漏数据分布规律的大部分信息。表 3 - 8 将简女士的收入调查的数据分成了 2 组，可以看出表 3 - 8 的分组太少了，无法显示数据的分布规律。

表 3 - 8 组数过少的分组频次分布表

收入	频次
$ 62 000— $ 117 000	60
$ 6 000— $ 61 000	120

因此，分组多使人找不出头绪，达不到化繁为简的目的；而分组过少又会遗漏信息，使计算失真。那么究竟分成多少组才能使信息易于理解，而且又易于揭示数据分布规律呢？一般情况下，组数都确定在 10 至 20 之间，这样无论分组频次分布是小是大，读者都能辨认出数据的分布规律。

另一种普遍使用的方法是将分组区间的数据值个数设定为 2、3、5 或 5 的倍数，这样可以避免每个分组区间的数据值个数分配不当。比如，每个分组区间的数据值个数设定为 7 或者 13，则分组频次分布表比较难懂，因为我们习惯处理 2、3、5 的倍数的表，这些倍数的分组使表看起来易于理解。

对数据分组的第一步是确定在分布中有多少个数据值。演示步骤 3－5 中介绍了用数轴上数据分布的距离除以测量的单位来确定数据值个数的方法。回忆一下，测量的单位是用来度量原始变量的数字。我们可以用数据的最大值减去最小值，再加上区间大小，来计算数轴上数据分布的距离，加上区间大小是确保我们找到整个分布的范围。算出来的这段距离叫做全距，对此我们将在第五章中作详细说明。在简女士的调查中，最大的数据值是＄117 000，最小的数据值是＄6 000，区间大小是＄1 000：

$$\text{全距}=\text{最大值}-\text{最小值}+i=\$117\,000-\$6\,000+\$1\,000=\$112\,000$$

然后，用全距除以区间大小求出数据值个数：

$$\text{数据值个数}=\frac{\text{全距}}{\text{测量的单位}}=\frac{112\,000}{1\,000}=112$$

演示步骤 3－5

确定分布中的数据值个数

1. 计算全距：

$$\text{全距}=\text{最大值}-\text{最小值}+i$$

这里 i 是区间大小，与测量的单位相等。

2. 全距除以区间大小 i，估计每个分组区间所包括的数据值个数：

$$\text{数据值个数}=\frac{\text{全距}}{\text{区间大小}}$$

在简女士的调查中共有 112 个数据值。我们可以把 112 个数据值，以 2、3、5 或 5 的倍数为区间大小，分到 10 至 20 个组中。为了确定组数，以及每个分组区间应包括多少数据值，我们可以进行尝试。步骤 3－6 呈现了确定组数的一般方法，即用数据的总个数除以 2、3、5 或 5 的倍数取整数。

演示步骤 3－6
确定分组区间的组数

$$\text{组数}=\frac{\text{数据值个数}}{\text{每个分组区间的数据值个数}}$$

注意：结果四舍五入到整数。

图 3－17 呈现了使用演示步骤 3－6，将简女士的调查中的 112 个数据分成等距的几组的计算过程。从图 3－17 的计算过程来看，如果我们将数据按照每组内有 2 个、3 个或 5 个数据值来分组，则组数就超过了 20 组，过于繁琐；如果我们将数据按每组内有 15 个数据值来分组，则组数就只有 8 组，又过于简单。如果我们还是将数据按每组内有 10 个数据值来分组，则组数是 12，比较符合常规要求。

每个分组区间的数据值个数	
2	组数 $=\frac{112}{2}=56$ 组
3	组数 $=\frac{112}{3}=37.3$ 组
	37.3 组近似→38 组
5	组数 $=\frac{112}{5}=22.4$ 组
	22.4 组近似→23 组
10	组数 $=\frac{112}{10}=11.2$ 组
	11.2 组近似→12 组
15	组数 $=\frac{112}{15}=7.5$ 组
	7.5 组近似→8 组

图 3－17 确定分组频次分布中每个分组区间的数据值个数

分组区间大小

通过学习第二章，我们知道一个区间代表一个数值在数轴上的一段距离。区间大小是数据的实际下限和实际上限之间的距离，此距离和测量的单位是相等的。在简女士的调查中，收入都是用千美元来度量的，所以区间大小是＄1 000。

在编制分组频次分布时，我们把所有区间编为若干组。在简女士的调查中，数据被分成 10 组，将数轴上的 10 段组成一个＄10 000 的分组区间。因此，分组区间大小与每组包含的区间大小之和是相等的。演示步骤 3－7 介绍了计算分组区间大小的公式。

演示步骤 3－7
计算分组区间大小

分组区间大小＝(测量的单位)×(每个分组区间的数据值个数)

分组区间的最小值

下一步是确定分组频次分布中分组区间最小值的位置。该步骤应遵循两条原则：第一，分组区间最小值一定要包括原始数据的最小值。在简女士的心理学专业毕业生收入调查中，最小的数据值是＄6 000，所以分组区间最小值一定要包括＄6 000。

演示步骤 3－8
识别最低分组区间的最小值

1. 用最小值除以分组区间大小，找出比结果小的最大整数。
2. 用第 1 步的结果再乘以分组区间大小，就得到最低分组区间的最小值。

第二条原则是每个分组区间的最小值一定要是分组区间大小的倍数。在简女士的调查中，分组区间大小是＄10 000，因此十二个分组区间中，每组的最小值一定要是＄10 000 的倍数。演示步骤 3－8 介绍了符合这两条原则的一种方法。在简女士的调查中，最低收入是＄6 000，根据演示步骤 3－8，我们用＄6 000 除以分组区间大小＄10 000：

$$\text{第 1 步：}\frac{\text{最小值}}{\text{分组区间大小}}=\frac{\$6\,000}{\$10\,000}=0.6$$

然后，找出比结果小的最大整数——比 0.6 小的最大整数是 0。最后，用这个结果去乘以分组区间大小，找出第一组的最小数据值：

$$\text{最小值}=0\times\$10\,000=0$$

因此，我们以＄0 为分组区间的最小值。

编制分组频次分布

现在我们可以准备编制分组频次分布了。我们把数据值分为 12 组，每组有 10 个数据值。分组区间大小是＄10 000，最低分组区间的最小值是＄0，编制结果参见表 3－9。在简女士的调查中，最高收入是＄117 000，而分组频次分布的最大值却达到了

＄119 000，如果我们只是把最高分组的最大值设定在＄117 000，那么该组的区间大小就与其他组不同了。

表 3－9　表 3－5 心理学专业毕业生收入的分组频次分布

分组区间	频次
$ 110 000—$ 119 000	4
$ 100 000—$ 109 000	6
$ 90 000—$ 99 000	8
$ 80 000—$ 89 000	12
$ 70 000—$ 79 000	14
$ 60 000—$ 69 000	21
$ 50 000—$ 59 000	26
$ 40 000—$ 49 000	29
$ 30 000—$ 39 000	24
$ 20 000—$ 29 000	19
$ 10 000—$ 19 000	13
$ 0 000—$ 9 000	4

分组被确定后，下一个步骤就是以列表的方式来表达数据频次。如表 3－5 所示，计算出每个分组区间的数据个数。表 3－9 表示了简女士的心理学专业学生收入调查中每组数据的频次分布，演示步骤 3－9 呈现了编制分组频次分布的详细步骤。在分组频次分布上除了用到频次以外，还可以用相对频次、累加频次和相对累加频次。计算方法同前。

演示步骤 3－9

编制分组频次分布

1. 按照演示步骤 3－5 确定分布中数据的总数。
2. 按照演示步骤 3－6，用数据的总数除以 2、3、5 或 5 的倍数（如 10、15、20……），得到的结果取整数部分，结果应在 10 与 20 之间，这个结果就是组数。除数应是包括每个分组区间的数据值个数（2、3、5 或 5 的倍数）。
3. 按照演示步骤 3－7，用测量单位乘以每个分组区间的数据值个数，计算分组区间大小。
4. 按照演示步骤 3－8，确定最小分组区间的最小值。
5. 按从高到低的顺序列出每个分组区间的最小值，注意第 4 步中确定的最小值应是分组区间的倍数。列出的数据的数量应与第 2 步算出的分组区间的个数相等。

6. 将第 5 步中所列出的每个数据值后加一个破折号，然后列出每个组距的最大值。该分组区间的最大值可以通过相邻较高分组区间的最小值减去测量单位得到，然后将所有分组区间按顺序排成一列，每组中都包括最小值和最大值，并给该列标上变量名。
7. 对于每个分组区间，计算出分组区间中数据的个数，在第二列中列出这些个数，标为“频次”。

表述组限、实际组限和组中点

在简女士调查的分组频次分布表中，每个分组中列出了两个收入数据，较小的数据值为该**分组区间的表述下限**[1]，较大的数据值为该**分组区间的表述上限**[2]。因此，在表 3－9 的分组区间 ＄40 000— ＄49 000 中，表述下限是 ＄40 000，表述上限是 ＄49 000。表述组限是指在分组频次表中是“表述的”，但不是实际的组限。

如果我们在每组的表述下限与表述上限间画一条数轴，那么组与组之间就会有间隔。图 3－18 中举了一个这种间隔的例子，在组 ＄30 000— ＄39 000 和组 ＄40 000— ＄49 000 之间就存在这样一段间隔。下面一组的表述上限为 ＄39 000，上面一组的表述下限为 ＄40 000，两组之间的实际限定应该在 ＄39 000 与 ＄40 000 的中间。

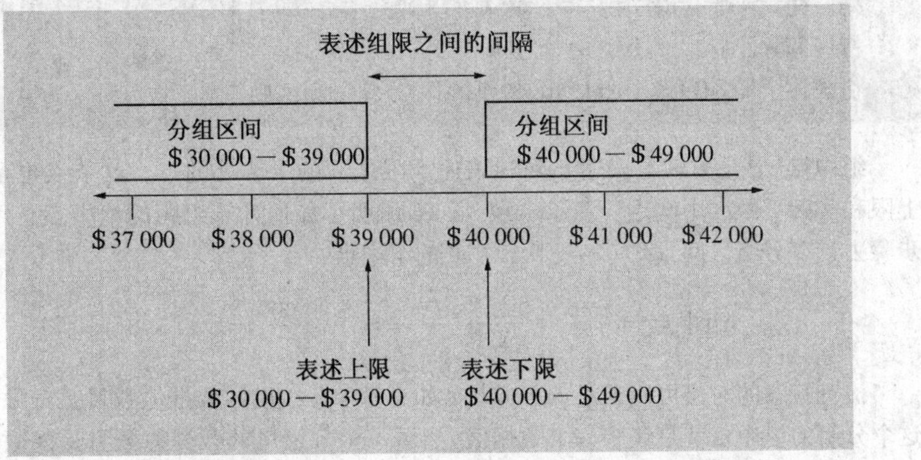

图 3－18 心理学毕业生收入分组频次分布例子中，表述组限之间的间隔

〔1〕 分组区间的表述下限：是分组区间中最小的数据值。
〔2〕 分组区间的表述上限：是分组区间中最大的数据值。

分组区间的实际下限[1]是这个分组区间在数轴上的最低点。分组区间的实际下限位于低于表述下限 1/2 个原始区间大小的位置。在简女士的调查中，原始区间大小是＄1 000，它的 1/2 就是＄500，所以分组区间＄40 000—＄49 000 的实际下限应该比表述下限＄40 000 少＄500，即＄39 500。注意：在公式中，应该用原始区间大小而**不是**分组区间大小！

分组区间的实际上限[2]与相邻较大一组分组区间的实际下限是相等的。通常分组区间的实际上限位于高于表述上限 1/2 个原始区间大小的位置。演示步骤 3－10 中介绍了计算实际上限的公式，在简女士的调查中，＄40 000—＄49 000 分组的实际上限比表述上限＄49 000 高＄500(区间大小＄1 000 的 1/2)，为＄49 500。

演示步骤 3－10
计算组距的实际下限、实际上限和组中点

$$实际下限=表述下限-\frac{区间大小}{2}$$

$$实际上限=表述上限+\frac{区间大小}{2}$$

$$组中点=\frac{表述下限+表述上限}{2}$$

1. 将区间大小除以 2，用表述下限减去得到的结果，即为实际下限。
2. 将区间大小除以 2，用表述上限加上得到的结果，即为实际上限。
3. 将表述下限和表述上限加起来，再除以 2，即得到组中点。

组中点[3]是数轴上表述上限和表述下限之间的 1/2 处的点。这个点也是实际上限和实际下限的中间点。演示步骤 3－10 说明了如何计算组距的组中点。用这个步骤去计算分组区间＄40 000—＄49 000 的组中点：

$$组中点=\frac{\$40\,000+\$49\,000}{2}=\frac{\$89\,000}{2}=\$44\,500$$

检查答案的对错可以通过如下方法：如果每个分组里的数据值数目是奇数的话，这个分组的组中点就是其中一个数据值；如果每个分组里的数据值数目是偶数的话，这个分组的组中点就是中间两个数据值的平均数。在上面的例子中，组中点是＄44 500，刚好是＄44 000 与＄45 000 的平均数。如果计算出来的组中点，既不是数

---

〔1〕 分组区间的实际下限：等于分组区间中最小数据值的实际下限，比表述下限少半个测量单位的大小。

〔2〕 分组区间的实际上限：等于分组区间中最大数据值的实际上限，比表述上限多半个测量单位的大小。也等于相邻较大的分组区间的实际下限。

〔3〕 组中点：在数轴上处于表述下限和表述上限正中间的那个点，这个点也是实际下限和实际上限正中间的那个点。

据值本身又不是两个数据值的平均数，那么这个计算结果就是错误的。

分布的特征

这一章主要介绍了如何编制频次分布表和频次分布图。从图形中可以看出，不同的分布彼此差异很大。这些差异可以通过集中趋势、离中趋势和偏态性三种特征来体现出来。

分布的第一个特征是集中性。究竟分布中哪个数据值代表了分布的中心或者说最具有代表性？有几种途径可以测量这种集中趋势，反映这种集中趋势的统计量叫做**集中量数**[1]，对此我们将在第四章中作具体介绍。这些方法称之为**集中趋势的度量**。如果我们知道了分布的中心点，就可以把它与其他分布作比较，以考察一个分布的中心点是高于、低于还是刚好等于另一个分布的中心点。在图 3－19 中，由于图 B 的分布离数轴比较远，所以它的中心点比图 A 的高。

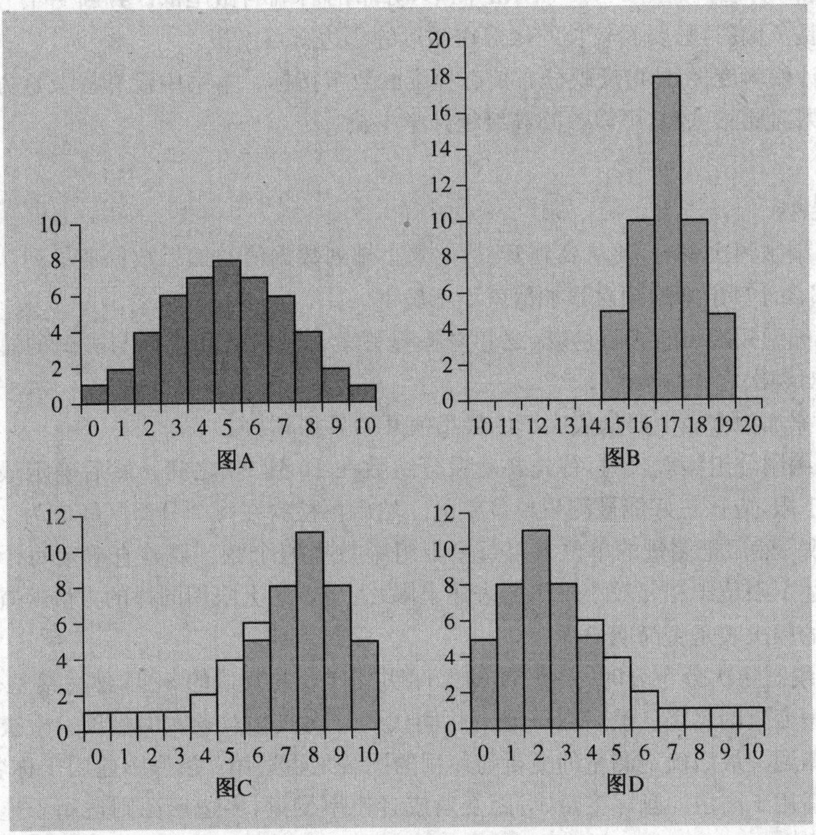

图 3－19 比较分布的特征

〔1〕 集中量数：描述一组数据中心的统计量，在数轴上指出哪里是一组数据的中心。

分布的第二个特征是**离中趋势**，或者说分布的离散程度如何。有些分布的数据围绕中心点分布得非常集中，而有些分布的数据则分布得比较松散，衡量分布中数据离散程度的统计量叫做**差异量数**[1]，对此我们将在第五章中作详细介绍。通过差异量数我们可以了解数据是怎样围绕中心点展开的。在图 3－19 中，图 A 的数据分布就比图 B 的数据分布更为松散一些。

分布的第三个特征是偏态性，或者说是分布的平衡性，即如果我们把一个分布图从中心点处对折，对折起来的两边是否相同，也即图形是否对称。在图 3－19 中，图 A 与图 B 的分布都是平衡的，而图 C 和图 D 的分布都是偏态的。

图 C 的分布是负偏斜，如果分布中只有阴影的格子，那么分布就是平衡的。但是由于在较低的位置有白色的格子，致使分布失去了平衡。如果白色格子在图形的左边或负的一边就会形成负偏斜。同样，如果白色格子在右边或正的一边就会形成正偏斜，如图 D 所示。如图 3－19 所示的图形，分布的后端叫做尾部。判断一个分布是正偏斜还是负偏斜，只要看较长的尾部在图形的哪边就可以了。

统计**偏斜度**[2]是指反映分布偏态程度的数字指标。本书中没有提及这方面的内容。如果对此感兴趣，可以参阅高级统计学书籍。

难点提示

1. 编制频次表时，要从高到低、从大到小排列数据值。如果数据值排列从最小值开始，那么计算出来的频次累加值就不正确了。

2. 编制频次表时，通过频次之和来检查答案。频次之和应该与被试的总数 n 相等。相对频次之和应该是 1.00。

3. 累加频次表中要从表底部的最小值开始累加频次。

4. 编制分组频次表时，首先要确保分组数在 10 到 20 之间。然后确定最低一组的表述下限，应该正好能被测量单位整除。然后再检验在每个分组区间应为 2、3、5 或 5 的倍数。然后把测量的单位乘以每个分组中数据值个数。要检查确定每个分组区间的表述下限位于相邻较小一组的表述上限之上，表述上限用同样的方法检查。最后再看你的频次表是否简明易懂。

5. 编制频次分布表时，要在 X 轴上标明其代表的变量的刻度，然后给整个 X 轴标上所测变量的名字。然后在 Y 轴上标明代表频次或相对频次的刻度。检查整个频次图的图题。最后确定测量的变量与使用的图表是否适用：条形图适用于称名变量，直方图适用于离散的顺序变量、等距变量或者比率变量，多边形图则适用于连续的顺

---

〔1〕 差异量数：描述在数轴上，一组数据分散程度的统计量。

〔2〕 偏斜度：描述一组数据按数据中心对称程度的统计量。当数据以中心为界，一端多于另一端时，分布就是偏斜的。如果较长的尾部在图形的左端，则该分布是负偏斜；如果较长的尾部在图形的右端，则该分布是正偏斜。

序变量或比率变量。

小结

➢分布是由一组数据及其所出现频次组成的。从实际观测的结果所得到的一组数据的分布叫做频次分布。从理论上估计得出的一组数据叫做理论分布。

➢频次表是一组数据的列表形式。它列出了数据值本身以及其对应的频次、相对频次、累加频次和相对累加频次的一个或多个。

➢在频次分布图中，X 轴代表数据值，Y 轴代表频次或相对频次。一般两个数轴都是从 0 开始。如果数轴不从零开始，则就需要作出标记。

➢条形图适用于称名变量。图中的条形代表数据出现的频次，每个条形之间都留有适当间隔。

➢直方图适用于离散数量变量，这些变量可用顺序的、等距的或比率的测量标尺。条形代表数据出现的频次，条形之间相互连接。

➢多边形图用来描述连续变量，这些变量可用等距的或比率的测量标尺。这些变量的累加频次图形叫做频次曲线，但它不能形成一个完整的多边形图。

➢茎叶图包括两部分——茎和叶，从小到大列出茎，并在每个茎后面列出相应的叶。

➢如果分布中包含的数据值过多，就用分组频次分布来表达。将数据分成 10—20 组，以有助于理解的方式表达信息。

➢在分组频次分布中，分组区间的表述下限和表述上限分别是分组区间的最小值和最大值。分组区间的实际下限和实际上限分别是在各自表述下限和表述上限附近 1/2 个测量单位的地方。分组区间的中心点在表述界限之间的 1/2 处。

➢集中量数描绘了数据分布的中心点；差异量数描绘了分布中数据离散的程度；偏斜度描绘的是数据围绕中心点对称的情况。

练习

概念题

1. 名词解释：

分布	分组区间的表述上限
频次分布	组中点
理论分布	X 轴
频次表	Y 轴
相对频次表	条形图
累加频次表	直方图

相对累加频次表	多边形图
茎叶图	集中量数
分组区间	差异量数
分组频次分布	对称性
分组区间的实际下限	负偏斜
分组区间的实际上限	正偏斜
分组区间的表述下限	

2. 概念辨析：

A. 频次分布和理论分布

B. 测量标尺和分布标尺

C. 频次、相对频次、累加频次和相对累加频次

3. 分布频次表有哪些优点？试举例加以说明。

4. 数据分布分组频次表有哪些优点和缺点？试举例加以说明。

5. 比较茎叶图和频次表，二者分别有哪些优点？

6. 条形图、频次直方图和频次多边形图有何区别？三者分别适合哪种类型的数据？

7. 对于以下问题，分别编制两个分布加以说明：

A. 集中趋势的不同

B. 离中趋势的不同

C. 对称性的不同

计算题

8. 扔 10 个硬币 25 次，记下每次头像朝上的硬币的数目，编制表达下列类型频次的表：(a) 频次；(b) 相对频次；(c) 累加频次；和(d)相对累加频次。

9. 买一盒巧克力，计算出每种颜色巧克力的数量，编制表达下列类型频次的表：(a) 频次；(b) 相对频次；(c) 累加频次；(d) 相对累加频次。解释为什么这个表不适合用累加频次。

10. 詹尼弗记录了某乡村在一个月内看急症的病人的数量，结果如下。编制表达下列类型频次的表：(a) 频次；(b) 相对频次；(c) 累加频次；(d) 相对累加频次。

23	27	20	26	21	31
30	25	25	32	23	26
20	27	30	25	24	23
26	24	26	21	26	23
25	27	29	20	25	30

11. 编制第 10 题的频次分布图。

12. 乔舒亚调查了州立大学中主修心理学的学生对心理学课程的满意度。要求学生从 1 到 7 等数字来表达不同程度的满意度：1 表示很不满意；2 表示比较不满意；3 表示有点不满意；4 表示中立；5 表示有点满意；6 表示比较满意；7 表示很满意。结果如下，编制表达下列类型频次的分布表：(a) 频次；(b) 相对频次；(c) 累加频次；(d) 相对累加频次。

5	3	7	6	5
4	3	6	7	4
5	5	6	5	4
4	5	6	6	7
4	1	3	5	6

13. 编制第 12 题的相对频次分布图。

14. 杰奎琳调查了州立大学学生会中 25 名学生的种族情况，如下所示：1 表示美国黑人；2 表示美国本土人；3 表示美籍亚裔；4 表示西班牙人；5 表示高加索人；6 表示混血儿；7 表示其他种族人。编制表达下列类型频次的分布表：(a) 频次；(b) 相对频次；(c) 累加频次；(d) 相对累加频次。解释为什么该题不适合用累加频次。

1	5	2	6	4
7	5	5	4	2
5	1	4	5	6
2	3	6	2	5
2	5	5	4	1

15. 编制第 14 题的频次分布图。

16. 詹姆士调查了参加柔道班的 50 名学生的年龄，学生年龄如下。编制表达下列类型频次的分布表：(a) 频次；(b) 相对频次；(c) 累加频次；(d) 相对累加频次。

7	8	9	8	9	8	10	8	9	8
8	11	6	10	7	6	9	7	10	8
8	12	8	7	8	9	8	8	7	11
7	8	9	6	9	8	10	8	12	9
8	9	8	9	10	8	11	9	8	6

17. 编制第 16 题的累加频次分布图。

18. 约瑟芬调查了 50 名高中高年级学生的 SAT 口语分数，如下所示，用含有 9 个茎的茎叶图来绘出分布图。

681	764	462	510	607	582	619	711	424	523
790	638	495	524	583	679	594	529	613	702
613	492	540	475	591	642	694	582	483	703

459	590	355	512	399	573	710	420	537	632
370	438	710	625	555	440	667	416	386	550

19. 乔纳斯调查了40名学生的IQ分数值，结果如下。用茎叶图绘出其分布。

93	92	107	131	120	112	144	124	115	135
127	104	101	119	98	103	118	121	96	119
130	104	142	113	98	126	84	109	106	117
102	87	108	106	119	105	128	110	122	90

20. 杰纳准备对三个数据分布编制频次表。下面分别列出的是每组数据的最小值、最大值和数据分布的原始区间大小。描绘出分组频次分布，确定在分组频次表中每个分布最适合的分组区间。

A. 最小值＝37，最大值＝100，原始区间大小＝1

B. 最小值＝0.87，最大值＝4.00，原始区间大小＝0.01

C. 最小值＝1 430，最大值＝1 700，原始区间大小＝10

21. 贾瑞特准备用三个数据分布编制频次表。下面分别列出的是每组数据的最小值、原始区间大小及分组区间大小。计算每组分布的最低一组的表述组限。

A. 最小值＝67，原始区间大小＝1，分组区间大小＝5

B. 最小值＝5.3，原始区间大小＝0.1，分组区间大小＝2.0

C. 最小值＝1700，原始区间大小＝100，分组区间大小＝300

22. 吉连准备对三个数据分布编制频次表。下面分别列出的是每组数据的表述组限及原始区间大小。试确定每组分布的实际组限和组中点。

A. 表述组限：70—79；原始区间大小＝1

B. 表述组限：1.00—1.04；原始区间大小＝0.01

C. 表述组限：13 000—14 000；原始区间大小＝1 000

23. 华盛顿小学学生的IQ分数值范围为79—137。

A. 确定这些IQ分数值的分组区间。

B. 计算每个分组区间的实际下限、表述下限和组中点。

24. 朱丽调查了100名获得州立大学心理学博士学位的毕业生的年龄，如下所列。编制这组分布的频次表。并计算每组的表述组限、频次、实际组限和组中点。

45	38	36	35	34	33	32	31	30	29
42	37	36	35	34	33	32	31	30	29
41	37	36	35	34	33	32	31	30	29
41	37	35	35	34	33	32	31	30	29
40	37	35	34	33	33	32	31	30	28
40	37	35	34	33	33	32	31	30	28

39	36	35	34	33	32	32	31	30	28
39	36	35	34	33	32	31	31	30	28
38	36	35	34	33	32	31	31	29	27
38	36	35	34	33	32	31	31	29	27

25. 编制第 24 题的相对累加频次分布图。

26. 如下所示，贾米勒记录了心理学专业 50 名学生的 GPA 成绩。试编制一个分组频次分布表，并分别计算每个分组的表述组限、频次、实际组限和组中点。

3.98	3.69	3.50	3.32	3.51
3.91	3.67	3.47	3.31	3.15
3.89	3.66	3.46	3.30	3.49
3.85	3.54	3.44	3.29	3.41
3.81	3.63	3.42	3.27	3.10
3.79	3.62	3.41	3.25	3.08
3.59	3.61	3.38	3.23	3.43
3.75	3.57	3.37	3.20	3.46
3.72	3.56	3.36	3.57	3.24
3.70	3.54	3.34	3.18	3.01

27. 编制第 26 题的分组频次分布图。

尾注

1. The technique of stem-and-leaf display was first developed by J. W. Tukey and is described in *Exploratory Data Analysis*, by J. W. Tukey (Reading, MA: Addison Wesley, 1977).

第四章 集中量数

在上一章中，我们提到简女士收集了心理学专业毕业生10年后年收入情况的数据。看到研究结果时，你也许会问："获得心理学学位后，我会有怎样的收入呢？"从迄今所做的分析来看，我们预测最可能的结果是你每年会获得＄6 000—＄117 000的收入。当然这并不具体，但这种结果提供给我们一些信息。比如，在心理学领域，你不可能获得＄1 000 000的年薪。尽管如此，这一收入范围还是不够精确，你也许还会进一步要求"给我一个准确的数字，告诉我一年到底能有多少收入。"

解决这一问题有多种方法。首先，我们知道收入在＄40 000—＄49 000之间的毕业生居多，统计术语称此为收入的**众数**。其次，我们知道有一半的毕业生的年收入超过＄49 900，统计术语称此为收入的**中数**。最后，我们还知道他们的平均收入是＄52 600，统计术语称此为收入的**平均数**。

你也许会问，"究竟哪一种方法才是正确的呢？哪一种能真正告诉我收入到底是多少？"答案是"都对，都可以。"三个统计量都给出了你可能获得的收入的信息。它们分别从各自的角度说明了心理学专业的毕业生最有代表性的收入。每个统计量都指出了收入分布的中心点。

集中量数[1]是用来描述数据分布中心的统计量。本章和后续几章将介绍描述统计，在本章中，我们将详细介绍平均数、中数以及众数的概念，考察这些统计量是怎样表示分布的中心的，同时介绍这些统计量的计算方法。此外，我们还将强调每个统计量的适用范围。在正式介绍这些集中量数之前，我们先来了解一下在很多统计公式中需要用到的特殊符号。

统计步骤

求和符号 $\sum$

统计公式中经常出现的一些数学符号，有些是我们熟知的，比如＋和－，也有些是我们以前从未见过的，比如求和符

[1] 集中量数：用来描述数据分布中心的数字。这个数字可以认为是对这个分布最有代表性的数字。三种最常用的集中量数是平均数、中数和众数。

号 $\sum$,意思是相加或求和($\sum$ 是希腊字母 s 的大写形式,读作"sigma",发音"sigmuh")。求和符号后面经常跟一些代表数值的字母,如 $\sum X$, $\sum XY$,这些字母表示要相加求和的数值。通常在公式中人们不直接使用变量的名称,而是用字母来表示变量,如 IQ 和 GPA。在公式中,字母 X 代表一个变量,字母 Y 代表另一个变量。

由于许多统计公式中都会用到求和符号,因此了解其用法十分重要。图 4-1 列出了五个学生的 IQ 值,并指出了经常用到求和符号的三种情况。此图中 IQ 值用 X 表示。

1. 计算 $\sum X$

学生	IQ(X)
Alice	130
Bill	110
Carol	100
Dave	120
Esther	+ 115
	$\sum X = 575$

将这些加到一起,得到 $\sum X$。

2. 计算 $\sum X^2$

学生	IQ(X)
Alice	130
Bill	110
Carol	100
Dave	120
Esther	115

首先将每个数据平方:

	X^2
$130^2 =$	16 900
$110^2 =$	12 100
$100^2 =$	10 000
$120^2 =$	14 400
$115^2 =$	+ 13 225
$\sum X^2$ =	66 625

把结果加起来,得到 $\sum X^2$。

3. 计算 $(\sum X)^2$

像第一部分那样求出 $\sum X$,得到结果为: $\sum X = 575$

将这个结果平方,得到 $(\sum X)^2$: $(\sum X)^2 = 575^2 = 330\ 625$

图 4-1 使用求和符号 $\sum$ 的例子

图 4-1 中,第一部分是求 $\sum X$,即求 X 的和,其中 X 代表 IQ 值。这部分我们只需简单地把五个学生的 IQ 值相加即可求得, $\sum X$ 计算得到的结果是 575。第二部分通过两步求 $\sum X^2$,即 X^2 的和,首先分别求出 X 的平方值 X^2 ,然后将这些平方值相加,求得的 $\sum X^2$ 值是 66 225。第三部分求($\sum X$)^2,仍然分两步,首先把 X 相加求出 $\sum X$,然后将前一步获得的结果求平方,得到($\sum X$)^2 的结果为 575^2,即 330 625。

区分 $\sum X^2$ 和($\sum X$)^2 是相当重要的,在图 4-1 中, $\sum X^2$ 的值是 66 225,而($\sum X$)^2 的值是 330 625。$\sum X^2$ 是先对每个值求平方,再把这些平方值相加;而

$(\sum X)^2$ 则先求每个值的和，再将求和得到的值平方。虽然 $\sum X^2$ 和 $(\sum X)^2$ 看起来很相近。但它们意义迥异，将其混淆会导致严重错误。所以切记：

$\sum X^2$ 是先平方再求和

$(\sum X)^2$ 是先求和再平方

迄今，我们讨论的统计公式中列出的表达式都是用来处理简单列表中的数值的。有时候我们在处理频次分布表中的一系列数值时，在使用公式中还会遇到另外一些表达式。图 4-2 的第一部分呈现了计算 $\sum Xf$ 的过程。首先，将每个数值乘以其出现的频次，然后将所得值求和。第二部分是求 $\sum X^2f$，第一步先将每个数值求平方，然后将每个平方值再乘以该数值出现的频次，最后对第二步所得数值求和。第三部分呈现了 $(\sum Xf)^2$ 的求法，在第一部分已经得出了 $\sum Xf$ 的基础上，只需求 $\sum Xf$ 的平方值即可得出结果。

1. 计算 $\sum Xf$

IQ(X)		f		Xf	
130	×	10	每个数值乘以其出现的频次：	1 300	然后将所得值求和，得到 $\sum Xf$。
110	×	20		2 200	
100	×	30		3 000	
120	×	20		2 400	
115	×	10		+ 1 150	

$\sum Xf = 10\,050$

2. 计算 $\sum X^2f$

IQ(X)		X^2 × f		X^2f	
130^2	将每个数值求平方。	16 900 × 10	将每个平方值乘以该数值出现的频次。	169 000	然后将所得值求和，得到 $\sum X^2f$。
110^2		12 100 × 20		242 000	
100^2		10 000 × 30		300 000	
120^2		14 400 × 20		288 000	
115^2		13 225 × 10		+ 132 250	

$\sum X^2f = 1\,131\,250$

3. 计算 $(\sum Xf)^2$

像第一部分那样求出 $\sum Xf$，得到结果为：$\sum Xf = 10\,050$。

将这个结果平方，得到 $(\sum Xf)^2$：$(\sum Xf)^2 = 10\,050^2 = 101\,002\,500$。

图 4-2　使用求和符号 $\sum$ 计算频次分布表中数据的例子

我们将在本章及此后的几章中论及上述几种表达式。下面几章中还会详细解释求和符号的其他公式，在此就不一一列举了。

在本节中，我们着重介绍了在统计公式中很常见的一个数学符号——求和符号 $\sum$。有了这部分知识，我们就可以更加全面地讨论统计公式的用法了。

如何使用公式

统计公式实质上是把一组或多组数值换算成单一数值的转换步骤。关键词是“步骤”两字，字典中对此的解释是完成某事所需要的程序或方法。由此，统计公式就可以定义为是计算统计量的步骤。比如，求平均数的公式是求一组数的中心点的步骤。如果运用公式对 3，4，6，7，9 这组数字求平均数，结果应为 5.8。计算过程如下：

3，4，6，7，9→平均数公式→5.8

每个公式都是由各种符号组成的，比如 X，N 和希腊字母 μ，比如在本章后面将深入讨论的平均数公式可以写作：

$$\mu = \frac{\sum X}{N}$$

左边的符号 μ 表示平均数。我们考察的每个统计量都用一个特定的符号来表示。在统计公式中，表示待求统计量的符号一般写在左边。

公式右边是待求统计量的数学计算表达式，由字母和数学符号组成。如上式中就包含有字母 X 和 N。公式右边的字母通常表示在实际计算时需要代入的数字，这些字母既可以是希腊字母（如 μ 和 σ），也可以是罗马字母（即字母表中所列的字母）。对每一个统计公式来说，公式中每个字母的含义应在公式之后作一解释。

将数字代替字母代入公式右边的表达式后，就可以进行数学运算了。比如，求平均数就是一种将求和得到的值 $\sum X$ 除以数据个数 N 的运算。在本书中，计算统计量的数学运算将分步骤进行演示。这些演示步骤将帮助你理解如何使用公式，在使用统计公式时，参照演示步骤，认真计算，你就会得出正确的结果。

取整

在用计算器计算某个统计量的值时，计算器往往会显示出一长串数字。比如，当我们计算 2 英寸、3 英寸、6 英寸的平均数时，计算器显示的结果是 3.666 666 7。虽然计算结果比用来计算的原始数据更精确，但如果我们想使两者的精确度保持一致的话，就应该取最靠近的整数，最终求得的平均数为 4 英寸。假设平均数是 3.7 英寸，那么它不仅表示平均数在 4 英寸这个区间（4 英寸的区间包含从 3.5 英寸到 4.5 英寸的所有点），同时还表示这个平均数处在该区间的哪个位置。3.7 英寸无疑处于 4 英寸区间中偏小的那端。

假如我们将这组数字改为 2 英寸、3 英寸和 8 英寸。计算器就会显示结果4.333 333 3，采用四舍五入取整后，平均数应为 4 英寸，和刚才 2 英寸、3 英寸、6 英寸三个数的平均数是一样的（记住：测量单位是选来用作度量所测量变量的数据单元的）。然而，如果要使平均数更精确一位的话，那么 2 英寸、3 英寸、8 英寸的平均数就为 4.3 英寸，它位于 4 英寸区间中偏高的那端。可见，尽管两组数据的平均数都在 4 英寸区间内，但如果结果取值比原始数据多精确一位时，就可以知道该平均数在区间中所处的精确位置，也就知道 2 英寸、3 英寸、8 英寸的平均数比 2 英寸、3 英寸、6 英寸的平均数更大一些。

比原始数据多精确一位的取整原则，适用于与原数据使用相同单位的统计量和参数的计算。比如，如果数据是以英寸为测量单位的，那么它的平均数也应以英寸为单位，同时所得统计值应取比原始数据更精确一位的数据。

有一些统计量和参数与原始数据采用不同的度量单位。比如，第六章中将要介绍的百分位数就与原数据的度量单位不同。数据为 100 的 IQ 值是在第五十个百分位数点上，但是，这并不等于说这个人的 IQ 值就是 50。第五十个百分位数点与 IQ 值采用的是两种不同的度量方式。若统计量或参数不再使用初始的测量单位，在通常情况下，最终结果应保留两位小数。

最后，本书中使用公式求得的结果代表了原始数据的值。比如，求第九十五个百分位数点对应的 IQ 值，用第六章中将要学到的一种转换公式得出对应的 IQ 值是 124.75。事实上 IQ 值都是整数，当统计步骤得出这样一个结果时，我们将用四舍五入法给出一个符合原始测量单位的有意义的数值，即第九十五个百分位数点所对应的 IQ 值是 125。

总的来说，当确定对统计结果应该精确到哪一位时，应遵循三条原则：

1. 当统计结果是一个数据时，采用四舍五入法保留与原始数据相同的位数。

2. 当统计结果是一个用原始测量单位度量的统计量或参数时，结果取比原始数据精确一位的数值。

3. 当统计结果不是一个用原始测量单位度量的统计量或参数时，结果保留两位十进制小数。

平均数

计算分布的平均数

平均数[1]就是一组数据的算术平均数。我们计算平均成绩时用的就是这种方法。演示步骤 4-1 列出的是由原始数据表和频次分布表的数据求平均数的公式。第一部分介绍的是计算原始数据的平均数的步骤。假如要计算 5 个数据：2 英寸、3 英寸、5 英寸、6 英寸和 8 英寸的平均数，先把这些数据值相加，然后除以数据个数 N。本题中数据个数为 5，所以 $N=5$：

$$\mu=\frac{\sum X}{N}=\frac{2+3+5+6+8}{5}=\frac{24}{5}=4.8\text{ 英寸}$$

这五个数据的平均数是 4.8 英寸。平均数比原始数据多精确一位，原始数据用整数英寸度量；平均数使用十分之一英寸度量。

演示步骤 4-1 中，总体平均数和样本平均数是用不同的符号表示的。总体是研究

〔1〕 平均数：是一个分布的算术平均值。也是这组数据的平衡点，所有数据到平均数的距离的总和为零。

者感兴趣的所有被试或事件组成的整体，而样本则是总体中的一部分个体。代表总体的数据指标称为参数，代表样本的数据指标称为统计量。计算总体平均数和样本平均数的公式是一样的，两者都是先将所有的数据相加再除以数据个数。惟一不同的是使用的符号，总体平均数用希腊字母 μ（读“mew”音）表示，而样本平均数用符号$\overline{X}$表示。因此代表平均数的符号就可以告诉我们哪个是样本平均数，哪个是总体平均数。

演示步骤 4－1

计算分布的平均数

求总体的平均数

用简单表中所列的数据

$$\mu = \frac{\sum X}{N}$$

用频次表中所列的数据

$$\mu = \frac{\sum Xf}{N}$$

在这里，μ 表示总体的平均数

X 表示简单表或频次表中的数据

f 表示在频次表中数值出现的频次

N 表示总体数据个数

求样本的平均数

用简单表中所列的数据

$$\overline{X} = \frac{\sum X}{n}$$

用频次表中所列的数据

$$\overline{X} = \frac{\sum Xf}{n}$$

在这里，$\overline{X}$表示样本的平均数

X 表示简单表或频次表中的数据

f 表示在频次表中数值出现的频次

n 表示样本数据个数

如何计算平均数：

1. 对于简单表，先把总体或样本的所有数据相加计算$\sum X$。对于频次表，先用频次 f 与每个数值 X 相乘，然后把相乘结果累加起来计算$\sum Xf$。
2. 计算总体的数据个数 N 或样本数据个数 n。
3. 用第一步得出的结果除以第二步的结果即求得平均数。总体平均数用 μ 表示，样本平均数用$\overline{X}$表示。

图 4－3 中的数据来自乔先生关于数学焦虑的假设研究。在上一章的表 3－1 中也列举过同样的数据。图 4－3 告诉我们如何计算数学成绩的平均数。由于这些数据代表的是一个样本，我们用计算样本平均数的公式进行计算，得出的结果是 66.0 分。

X(%)	
95	60
90	60
90	60
80	60
75	55
75	55
70	55
70	50
70	50
60	40

第一步：将所有数据加起来，得到 $\sum X = 1\ 320$。

第二步：计算这组数据的个数，找到 n。在本组中有 20 个数据，因此 $n = 20$。

第三步：将第一步得到的结果 $\sum X$ 除以第二步得到的结果 n，算出平均数：

$$\bar{X} = \frac{\sum X}{n} = \frac{1\ 320}{20} = 66.0$$

图 4－3　使用简单列表计算乔先生的研究中数学成绩的平均数

数学成绩 X(%)	频次 f		Xf
95	1	95×1=	95
90	2	90×2=	180
85	0	85×0=	0
80	1	80×1=	80
75	2	75×2=	150
70	3	70×3=	210
65	0	65×0=	0
60	5	60×5=	300
55	3	55×3=	165
50	2	50×2=	100
45	0	45×0=	0
40	+1	40×1=	+40
	$\sum f = 20$		$\sum Xf = 1\ 320$

第一步：每个数值乘以其出现的频次 Xf。

然后将所得到的值求和，得到 $\sum Xf = 1\ 320$。

第二步：将所有频次加在一起，算得数据总的个数 n：$n = \sum f = 20$。

第三步：将第一步得到的结果 $\sum Xf$ 除以第二步得到的结果 n，算出平均数：

$$\bar{X} = \frac{\sum Xf}{n} = \frac{1\ 320}{20} = 66.0$$

图 4－4　使用频次表计算乔先生的研究中数学成绩的平均数

我们计算简单列表的少量数据的平均数通常是很快捷的。但是假如有大量数据需要计算，那将会花费很多时间。这时用频次表来计算平均数就会便捷一些。演示步骤 4－1 中呈现了使用计算频次表计算平均数的公式。图 4－4 给出了一个计算频次分布的平均数的例子，使用的仍然是乔先生的数据。在图 4－4 中，数据排列成前几章所述的频次表的形式。强调一点，对于同一组数据，用频次表平均数计算公式得出的结果，和用简单表平均数计算公式所得出的结果是相等的。无论用何种方法计算，乔先生的研究中数学考试的平均分都是 66.0 分。

我们可以用组中值作为 X 值代入公式来计算某一频次表的平均数，并以此来估计对应的分组频次分布的平均数。图 4－5 计算的是简女士关于心理学专业毕业生收入研究的分组频次分布的平均数。基于分组频次分布的组中点，图 4－5 求出收入的平均数的估计值为＄52 600。

我们从刚才计算乔先生研究的例子中可以知道：使用频次表和简单表求得的平均数的结果是一样的；而使用组中值来计算平均数得到的结果却不一定相同。因为使用组中值计算的平均数与使用原始数据计算平均数得到的结果并不总是相等，因此当计算分组频次表的平均数时，我们得到的只是一个**估计值**，该估计值近似于用原始数据计算得出的平均数。

收入组中值	频次 f		(组中值)f
\$ 114 500	4	114 500 × 4 =	458 000
104 500	6	104 500 × 6 =	627 000
94 500	8	94 500 × 8 =	756 000
84 500	12	84 500 × 12 =	1 014 000
74 500	14	74 500 × 14 =	1 043 000
64 500	21	64 500 × 21 =	1 354 500
54 500	26	54 500 × 26 =	1 417 000
44 500	29	44 500 × 29 =	1 290 500
34 500	24	34 500 × 24 =	828 000
24 500	19	24 500 × 19 =	465 500
14 500	13	14 500 × 13 =	188 500
4 500	+4	4 500 × 4 =	+18 000
	$\sum f = 180$	$\sum$(组中值)f =	\$ 9 460 000

第一步：每个组中值乘以其出现的频次。

然后将所得到的值求和，得到 $\sum$(组中值)f ＝ \$ 9 460 000。

第二步：将所有频次加在一起，算得数据总的个数 n：$n = \sum f = 180$。

第三步：将第一步得到的结果除以数据的总个数 n：

$$\overline{X} = \frac{\sum(\text{组中值})f}{n} = \frac{\$9\,460\,000}{180} = \$52\,600$$

图 4－5 计算心理学毕业生收入平均数的估计值

如何解释平均数

平均数是一种集中量数，它可以让我们知道分布的中心点在数轴上的位置。通过计算平均数，我们知道乔先生的研究中，数学成绩的中心在 66.0 分处，简女士调查的心理学毕业生收入的中心在 $ 52 600 处。我们还可以通过平均数来比较两组数据的大小，一组数据在数轴上是高于还是低于另一组数据。如果调查会计学专业毕业生的收入情况，我们会发现他们收入的平均数比心理学毕业生收入的平均数要大。由于平均数是一个数据分布的中心，所以我们可以作这样的比较。然而，只要分布中的一个数据发生了变化，那么平均数就会随之改变。当然，我们也可以用其他集中量数来作这些比较。那么，平均数与其他两个集中量数——中数和众数有何区别呢？

平均数最显著的特点就在于它是一个分布的平衡点。在图 4－6 中，A 组中四个数据的平均数是 5.0。我们可以把它想象成是平衡数轴的一个支点，支点用三角形表示。我们知道，如果杠杆上两边所受重力相等，那么杠杆就会处于平衡。现在我们想象代表数据的每个盒子是一样重的，它们按位置放在数轴上，那么这根数轴会在“5.0”这一点上达到平衡。

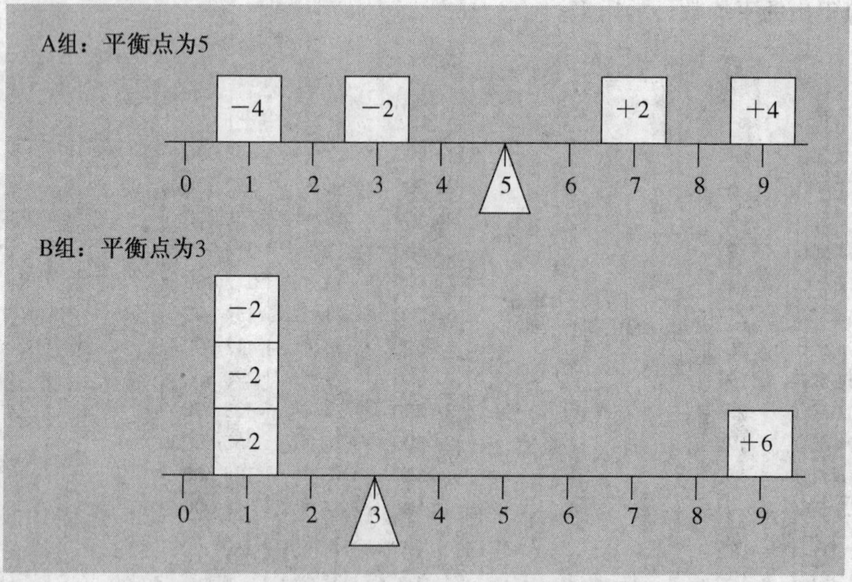

图 4－6 平均数是一个分布的平衡点

现在假设把其中两个数移到“1”这个位置上，如图 4－6 中 B 组所示，数轴上仍然有四个数据，但现在有三个数据在“1”的位置上。为保持平衡，我们必须把支点移到“3”的位置，即 3.0 是 B 组数据的平均数。

为什么一组数据的平衡点在平均数处呢？还记得你小时候玩的跷跷板吗？当两个

孩子一样重，并且他们坐在离中心点同样远的位置上时，跷跷板才能平衡。但如果有一个孩子往后移到跷跷板边上，那么跷跷板就会朝这个孩子所在方向倾斜。假如两个孩子的重量相等，要使跷跷板平衡，就取决于他们离中心点的距离。数轴上数据的平衡也是这样。所有的数据都是"等重"的，因此若要平衡数轴上的数据，就要看这些数据离中心点的距离。平均数对数据的变化相当**敏感**，而下面谈到的中数就没有这种特性。

中数

中数〔1〕是数轴上面使其左边和右边的数据个数相等的数据指标。如果所有的数据都按顺序排放，那么中数刚好把该分布分为两半，一半数据小于中数，另一半数据大于中数。

如何计算中数

有两种计算中数的方法，一种是简便的算法，另一种是精确的算法。有些统计书、计算机程序及某些研究者一般只使用简便算法，当然有些时候也会用到精确的算法。我们在这里对两种方法都作介绍，以便将来遇到时能够理解它们。演示步骤 4－2 中分别给出了中数的这两种算法。

演示步骤 4－2
计算分布的中数

A．准备步骤

对于简单表

1．从大到小把数据排列好。
2．计算分布中的数据数目 n，并与 0.5 相乘。
3．在 $0.5n$ 处画一箭头，这样就有一半数据在箭头左边，一半数据在箭头右边。如果 n 是偶数，则箭头在两个数的中间；如果 n 是奇数，则箭头正好在一个数的下面。

对于频次表

1．编制频次表，列出频次及累加频次。
2．把所有的频次 f 相加得到 n，并与 0.5 相乘。
3．找出累加频次等于或大于 $0.5n$ 的最小数值。

B．简便算法求中位数

对于简单表

如果箭头刚好正对着一个数，那么该数就是中数。

如果箭头指向两个数的中间，那么把这两个数相加除以 2，即求得中数。

对于频次表

如果准备步骤中那个数的累加频次大于 $0.5n$，则这个数就是中数。

如果有一个数的累加频次等于 $0.5n$，那么这个值的实际上限就是中数。

〔1〕 中数：是数轴上面使其左边和右边的数据个数相等的那个值，是一组数据的中心点，因此在数轴上，有一半的数据小于它，有一半的数据大于它。

C. 计算中数的精确算法

注：这种方法可以更为精确地计算中数，它经常用在频次表中。对于简单表，它用在步骤 A 的箭头指在两个同样数值的中间，或者直接指向多个有相同数值的数据上的时候，此时在所有相等的数据上画一个方框。

$$中数 = LRL + i\left(\frac{0.5n - f_b}{f_w}\right)$$

在这里，LRL 表示包含中数区间的实际下限。

i 表示分布的区间大小。

n 表示分布中数据的数目。

f_b 表示小于中数区间的数据数目。

f_w 表示中数区间内的数据数目。

1. 计算小于中数区间的数据个数 f_b。对于简单表，就是方框左边的数据数目。对于频次表，它就是正好比步骤 A 中找到的数值，相邻较小数值的累加频次。
2. 用第 1 步的结果减去步骤 A 的结果。
3. 计算包含中数的区间内的数据个数 f_w。对于简单表，就是在框中的数据个数。对于频次表，就是步骤 A 得出的值的频次值。
4. 第 2 步的结果除以第 3 步的结果，并保留一位小数。
5. 第 4 步的结果乘以区间大小 i。注意区间大小 i 等于测量单位。
6. 计算包含中数的区间的实际下限值 LRL。
7. 把第 5 步和第 6 步的结果相加即求得中数。

下面举例说明计算中数的精确方法。首先我们计算几个数目比较小的数据组。假设计算下面一组数据的中数：

1 3 4 7 9

这些数已经按顺序排列好了，所以步骤 A1 已经完成。进行步骤 A2 时，因为有五个数据，所以 5 乘 0.5 得到 2.5。步骤 A3 是在排好的数字下面中间的地方画一个箭头。即有 2.5 个数在中数的左边，2.5 个在右边。由于数据个数是奇数，所以箭头正好指在一个数的下面：

1 3 4 7 9
　　　↑

箭头正好指在 4 的位置上。由步骤 B 得知，如果箭头正好指在一个数上，那么这个数就是该组数据的中数。所以 4 就是这组数据的中数。有一半数比 4 小，另一半数比 4 大。

现在我们加一个数到这组数中，那么这组数据就有六个数了：

1　　3　　4　　7　　8　　9
　　　　　↑

因为数据个数为偶数，所以箭头现在只能指在两个数的中间。现在左边有三个数，右边有三个数。如步骤 B 所述，如果箭头像这样指在两个数的中间，那么中数就是两个数的中间值。计算此时的中数只需将 4 和 7 相加得出 11，再将 11 除以 2 得出 5.5。因此该组数的中数是 5.5。一半数比 5.5 小，一半数比 5.5 大。

看下面一个例子，在一组数据中间有三个 4：

1　　3　　[4　　4　　4]　　7　　8　　9
　　　　　　　↑

这组数共有八个数据。所以箭头的两边各有四个数。用简便的算法，我们只要把两个 4 相加再除以 2 就可以得出中数：

$$中数=\frac{4+4}{2}=4$$

由于在箭头左右两侧的这两个数据具有相同的数值，因此我们可以采用精确算法来计算该组数据的中数。如演示步骤 4-2 所示，为使用精确算法，我们把有三个相同数值的数据 4 画在一个方框内，在使用公式前，我们需求出方框下的数值。首先，我们需求出包含中数的数据区间的实际下限 LRL，在本例中是数据 4 的区间。在第二章中，我们提到，数据 4 的区间并不仅仅是 4，还包括在数轴上所有可取整为 4 的数据。由于所有数据均为整数，故区间大小 i 是 1。LRL 比 4 低半个测量单位，即 3.5。本例中共有八个数据，所以 $n=8$。我们还需要计算出 f_b，即低于包含中数的区间的数据个数，也就是低于方框的数据的个数。在本例中，有两个数据(数据 1 和 3)在方框之下，故 $f_b=2$，最后，我们还需求出 f_w，即包含中位的区间中的数据个数，也就是方框中的数据个数。在本例中有三个数据，故 $f_w=3$。

现在，我们就可以计算中数：

$$中数=\text{LRL}+i\left(\frac{0.5n-f_b}{f_w}\right)=3.5+1\left[\frac{0.5(8)-2}{3}\right]=3.5+1\left(\frac{4-2}{3}\right)$$

$$=3.5+1\left(\frac{2}{3}\right)=3.5+1(0.7)=3.5+0.7=4.2$$

因此该组八个数据的中数的精确值是 4.2。

用简便算法和精确算法得出的中数在单位精确度上有所不同。简便算法计算出的中数的单位与原始数据的单位是一样的。上例中原始数据都是整数，因此简便算法得出的中数是 4，也是整数。以精确算法计算中数时，中数精确度需比原始数据多一位。本例中中数多保留了一位小数，为 4.2，将 4.2 取整就是 4，这个结果和简化算法的结果是一样的。可见，简化算法告诉我们中数在 4 这个区间内，而精确算法则让我们知道它在该区间的确切位置。

以上所举的例子都是数值很小的数据组。我们也可以计算更大的，比如乔先生关于数学焦虑研究中数据组的中数。这时用频次表计算更方便些。演示步骤 4－2 中给出了用频次表计算中数的方法。

图 4－7 是乔先生数学焦虑研究的一组数据的频次分布。用频次表计算中数时，先计算 出数据的频次和累加频次，这对于后面的计算很有帮助。图4-7列出了使用演示

精确算法：

分数	频次	累加频次
95	1	20
90	2	19
85	0	17
80	1	17
75	2	16
70	3	14
65	0	11
60	5	11
55	3	6
50	2	3
45	0	1
40	1	1

最大值的累加频次为 n。

包含中数的区间，其数据频次为 f_w。

累加频次等于或大于 $0.5n$ 的最小数值，中数就在这个区间里。

小于中数区间的累加频次为 f_b。

实际下限 LRL，是包含中数的区间的数据和相邻较小区间的数据的平均数：

$$\text{LRL} = \frac{60 + 55}{2} = 57.5$$

区间大小，是任两个相邻数值间的距离

$$i = 60 - 55 = 5$$

将上面求得的值代入计算中数的公式：

$$\text{中数} = \text{LRL} + i\left(\frac{0.5n - f_b}{f_w}\right) = 57.5 + 5\left[\frac{0.5(20) - 6}{5}\right] = 57.5 + 5\left(\frac{10 - 6}{5}\right)$$

$$= 57.5 + 5\left(\frac{4}{5}\right) = 57.5 + 5(0.8) = 57.5 + 4 = 61.5\%$$

简便算法：相对累加频次大于 0.50 的最小值为 60，因此 60 就是简便算法得到的中数。

图 4－7 计算乔先生的研究中数学成绩的中数

步骤 4－2 中的公式所需数值以及用此公式求中数的详细计算步骤。如图 4－7 所示，乔先生的研究中的数学测试成绩的精确中数是 61.5 分，而在简化算法中，其中数是 60.0 分。

当然也可以使用演示步骤 4－2 中所列出的方法，即通过计算某个区间的实际下限，而不用具体数值去计算分组频次分布的中数。图4-8中列出了简女士关于心理

精确算法：

分组	频次	累加频次
$110 000–$119 000	4	180
100 000–109 000	6	176
90 000–99 000	8	170
80 000–89 000	12	162
70 000–79 000	14	150
60 000–69 000	21	136
50 000–59 000	26	115
40 000–49 000	29	89
30 000–39 000	24	60
20 000–29 000	19	36
10 000–19 000	13	17
0–9 000	4	4

最大值的累加频次为 n。

包含中数的区间，其数据频次为 f_w。

累加频次等于或大于 $0.5n$ 的最小数值，中数就在这个区间里。

小于中数区间的累加频次为 f_b。

实际下限，*LRL*，是包含中数的区间的表述下限和相邻较小区间的表述上限的平均数：

$$\text{LRL} = \frac{50\,000 + 49\,000}{2} = 49\,500$$

区间大小 i，是任何两个相邻表述下限之间的距离，比如 50 000 和 40 000:

$$i = 50\,000 - 40\,000 = 10\,000$$

将上面求得的值代入计算中数的公式：

$$\begin{aligned}
\text{中数} &= \text{LRL} + i\left(\frac{0.5n - f_b}{f_w}\right) = \$\,49\,500 + \$\,10\,000\left[\frac{0.5(180) - 89}{26}\right] \\
&= \$\,49\,500 + \$\,10\,000\left(\frac{90 - 89}{26}\right) = \$\,49\,500 + \$\,10\,000\left(\frac{1}{26}\right) \\
&= \$\,49\,500 + \$\,10\,000(0.04) = \$\,49\,500 + \$\,400 = \$\,49\,900
\end{aligned}$$

简便算法：累加频次大于 $0.50n$ 的最小组为 $ 50 000 – 59 000。因此这个组的组中值 $ 54 500，就是简便算法的中数。

图 4－8 使用分组频次分布，计算心理学专业毕业生收入的中数

学男毕业生收入情况研究的频次分布及累加频次分布，同时也列出了步骤 4－2 中计算中数所需的一些数据的精确值。对于简女士研究的收入情况来说，中数的精确值是＄49 900，这个数字的意思是：有一半人的收入超过＄49 900，而另一半人的收入低于该值。如果用简便算法，中数就是＄54 500，即区间＄50 000—＄59 000 的中点。

同计算平均数一样，由频次表计算出的中数和由简单列表计算出的中数，其结果是相同的。用组中点计算出的中数与用原始数值计算出的中数，其结果则不一定相同。所以由分组频次表计算中数所得出的结果，只是使用原数数据计算得到的中数的一个**估计值**。

如何解释中数

与平均数一样，中数也是一种集中量数，它代表一组数据分布的中心。如果说平均数是分布的平衡点，那么中数就是中间点。有一半数据在其下，一半数据在其上。它也被称为第五十个百分位数。百分位数的概念将在第六章中加以深入探讨。

为了便于理解中数的计算公式，请看图 4－9 中的两幅图：图中有两组相同的 16

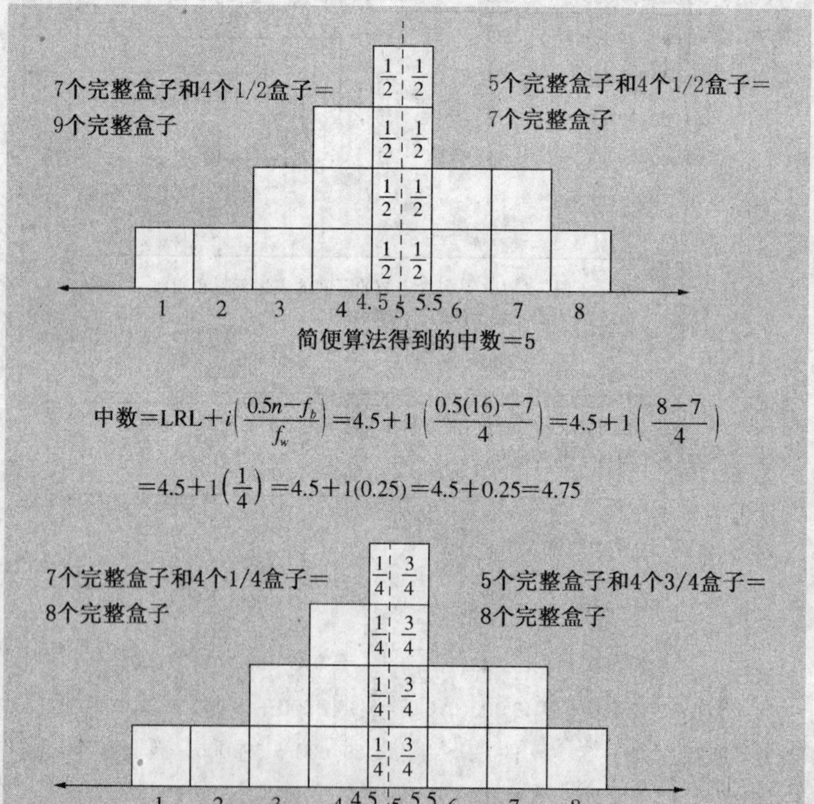

图 4－9 计算中数的图解过程

个数，每个数用一个方框表示。在图 4 - 9 的第一幅图中，由简便算法得出的中数是5，虚线从数轴上 5 的位置处把这组图形分开。此时有九个数字在线的左边，七个数字在线的右边。因此 5 并没有从中间把这组数据分成精确的两半。

图 4 - 9 中用精确算法计算出的这组 16 个数的中数是 4.75。在第二幅图中，虚线画在了 4.75 这个位置上，这条线正好把这组数据分成了两半，八个框在左边（七个方框加四个四分之一方框），八个框在右边（五个方框加四个四分之三方框）。因此精确划分这组数据的数轴上的点是 4.75。可见，简便算法给出的中数是一个近似值，而精确算法得出的才是确切值。

在对平均数的探讨中，我们了解到平均数是一个分布的平衡点，平均数两边的数据离该平均数的距离总和是相等的。假设有三个孩子，他们的体重相同。让两个孩子坐在跷跷板的一边，另一个坐在对面。要让跷跷板保持平衡，一个孩子坐的位置离中心的距离必须是另两个孩子位置离中心的距离的两倍。比如，两个孩子坐的位置离中心的距离是三英尺，那么单个孩子坐的位置离中心的距离就应该是六英尺，这就是平均数的特性。有时平均数的一边比另一边的数多很多，但是只要两边数离平均数的距离总和是相等的，那它也可以达到平衡。而中数则是数据个数问题，不是离中心的距离大小或远近的问题。

此外，我们还发现平均数对每个数据的变化很敏感。如果增大或减小任何一个数的数值，那么平均数也会随之改变。但中数对某个数的变化就不是那么敏感，而且对“远离中心”的数据也就是极端数据的改变尤其不敏感。如图 4 - 10 中的两组数据，不同之处仅在于两组数的最大值。A 图的最大值为 44，B 图的最大值是 1 764，相差很大，但这并

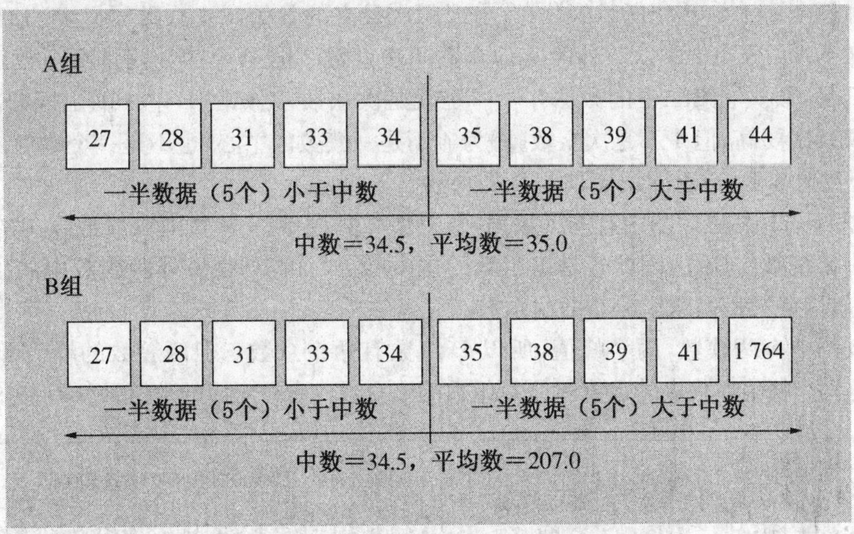

图 4 - 10 改变某个数值对中数的影响

不影响中数的大小。对于两组数据,它们的中数都是34.5。不论是否有极端数据,都是有一半数据在34.5的左边,一半在34.5的右边。由此可见,改变极端数据的数值不会改变中数的大小,因为中数对极端数据的变化不敏感。平均数则不同,第一组数据的平均数是35.0;第二组数据的平均数是207.0,一个数字的改变令平均数发生了巨大的变化。

众数

众数〔1〕是在一个分布中出现频次最高的数据值。在频次表中,众数是频次最高的数值。例如在图4-4中,有五个学生在数学测验中的得分是60,这一分数在图中的出现频次最多,所以60就是该分布的众数。注意在图4-4中,众数只能是一个数值60,而不是频次。

我们还可以计算分组后分布的众数。如图4-5所示,图中呈现了简女士研究心理学毕业生的收入情况的一组数据。在图中收入为\$40 000—\$49 000的一组出现的频次最高。所以这个分组即为该分布的众数。也可以由这组数的中点 \$44 500作为众数的近似值。

图4-11给出了四组数据的分布图。图A中数字6的出现频次最高。所以6就是A组数据的众数。图B中3的出现频次最高,因此3即为B组数据的众数。注意:在图A中只有一个峰值而在B中有两个峰值,一个在3的位置,另一个在9的位置。所以B组数是有两个数据簇,即两个峰值。像B组数这样有两个数据簇或峰值的分布叫做**双峰分布**〔2〕。如图A所示,只有一簇数据或一个峰值的分布叫**单峰分布**〔3〕。如图C所示,有两个以上数据簇或峰值的分布叫**多峰分布**〔4〕。

如图4-11中B图所示的分布,出现频次最高的数值叫**主众数**〔5〕。因此图B的主众数为3。分布中主众数外的其他众数叫**次众数**。图B中的9就是次众数。值得注意的是,频次居第二位的数据并不一定就是次众数,比如图B中4的出现频次比9的出现频次要高,但4不是次众数,因为4不是一簇数的中心,也不是一个峰值。即使4的个数比9多,也不能说4是图B的众数。

图4-11中的C图中有三簇数据,即三个峰值,中间一簇数的峰值最高,6在该簇数据中出现频次最高,因此6是该组数的主众数。2和10在另外两簇数中的出现频次最高,因此它们是这组分布的次众数。

D图中有两簇数,两个峰值,所以D组数有两个众数。但两簇数的峰值都是5。因此这两个峰值所代表的数值都是D组数的主众数。右峰对应的数值是9,所以9是一

---

〔1〕 众数:是在一个分布中出现频次最高的数据值。在分组频次分布中,众数是分布中出现频次最多的那个组。
〔2〕 双峰分布:有两个数据簇并且在图形中有两个峰值的分布。
〔3〕 单峰分布:只有一簇数据和一个峰值的分布。在双峰分布和多峰分布中,每簇中出现次数最多的数据值都是众数。
〔4〕 多峰分布:有两簇以上数据和两个以上峰值的分布。
〔5〕 主众数:出现频次最高的那个数据值。分布中其他众数称为次众数。

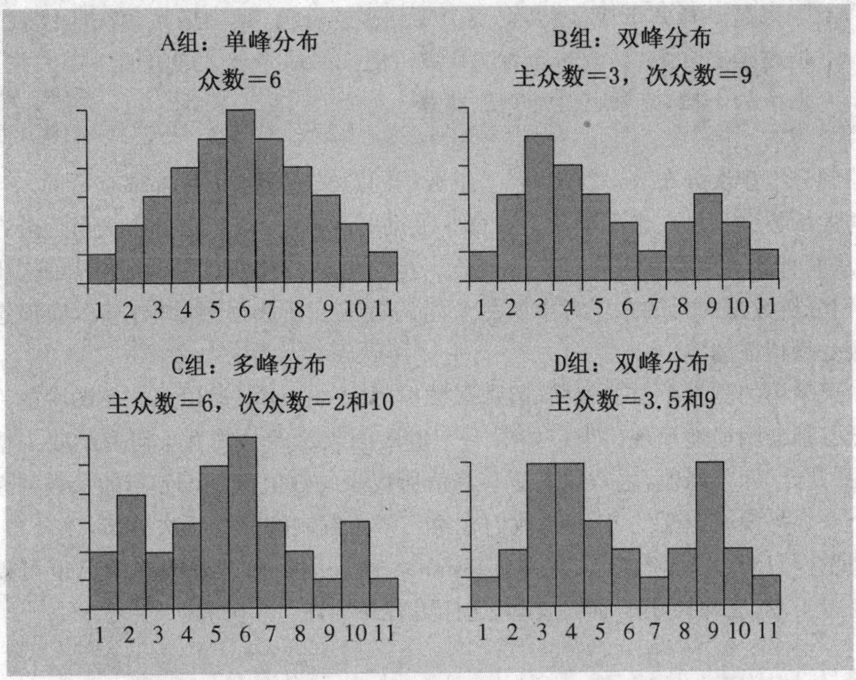

图 4-11 单峰分布、双峰分布和多峰分布的例子

个主众数。左峰对应的数值在 3 和 4 两个数上面，在这种情况下，取两个值的中间值 3.5 为众数。由此，D 组数的众数为 3.5 和 9。演示步骤 4-3 描述了众数的计算过程。

演示步骤 4-3

计算一个分布的众数

1. 画出分布图。
2. 找出图中峰值的个数（也就是频次分布图起伏的次数）。只有一个峰值的叫**单峰分布**；有两个峰值的叫**双峰分布**；有两个以上峰值的叫**多峰分布**。
3. 找出在峰值的最高点所对应的数值，该数值就是众数。如果相邻的两个数值都在最高的频次之内（如果峰值的最高点在图中包括相邻的两个数值），则取这两个数的中点为众数（如，在数值之间的实际界限）。
   A. 如果是单峰分布，那么峰值下面对应的值就是该分布的**众数**。
   B. 如果是双峰分布，那么会在两个数上出现峰值，如果这两个数的出现频次相等（即两个峰值一样高），那么这两个数都是**众数**；如果两个值的出现频次不相等（即一个峰值比另一个高），那么大的那个频次所代表的数值为**主众数**，另一个为**次众数**。

C. 如果是多峰分布，就会出现三个或更多的峰值，其中最大频次所代表的数值就是**主众数**，其他的均为**次众数**。但如果两个最大的峰值一样大并且这两个数不相邻，则它们都叫**主众数**。

编制分组频次分布表，对于解释一组数据的意义或是求众数都很有帮助。当一个分布的大量数据只是在出现频次上有微小波动时，编制分组频次分布表可使分布图变平滑，从而有助于识别和解释频次的变化。是否编制分组频次分布，这只是初步的判断，我们分析数据的目的在于考察所测变量的特性。在选择测量单位时，应该选用最能反映变量特征的单位。

如果采用的测量单位非常精确，那么数据频次的微小波动以及分布图中的许多峰值和低谷都会明显地呈现出来。如图 4 - 12，A 图表示的是简女士研究的收入情况的分布图，共计 38 个峰值，这意味着这些峰值所代表的数值都是该分布的众数。逐个考察每个众数是没有意义的，B 图是我们在第三章中编制的分组频次分布，该分布（以万美元为单位）只有一个峰值，众数为 $45 500。通过用不太精确的测量单位可以使分布图变得平滑，去除掉小的频次波动，这样更容易描述一个分布。

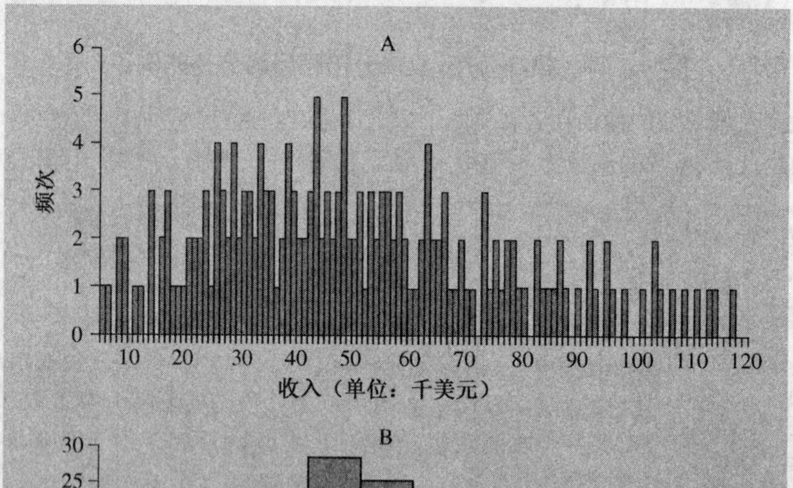

图 4 - 12 表 3 - 11 频次分布和分组频次分布图形的比较

平均数、中数和众数间的比较

三种集中量数都是描述一组数据的中心的统计量。平均数是一个分布的平衡点，平均数两边的数到该平均数的距离之和相等。中数是一个分布的中间点，在它两边的数据个数相等。众数是在一个分布中出现频次最高的数据值。三种统计量都从各自角度描述了一组分布的中心点。

虽然平均数、中数和众数都是描述中心点的，但它们的值不一定相等。实际上，只有分布是单峰的并且两侧对称时，三者的值才会相等。在图 4－13 中，图 A 是单峰的，并且是两边对称的，它的三个集中量数都是 5。图 B 虽然是两侧对称的，它的中数和平均数都是 5，但该分布有两簇数据，所以有两个众数 2 和 8。只要一组数据分布图是对称的，那它的平均数和中数就一定相等。但如果对称的分布不是单峰分布，那么众数、平均数和中数就不一定相等。

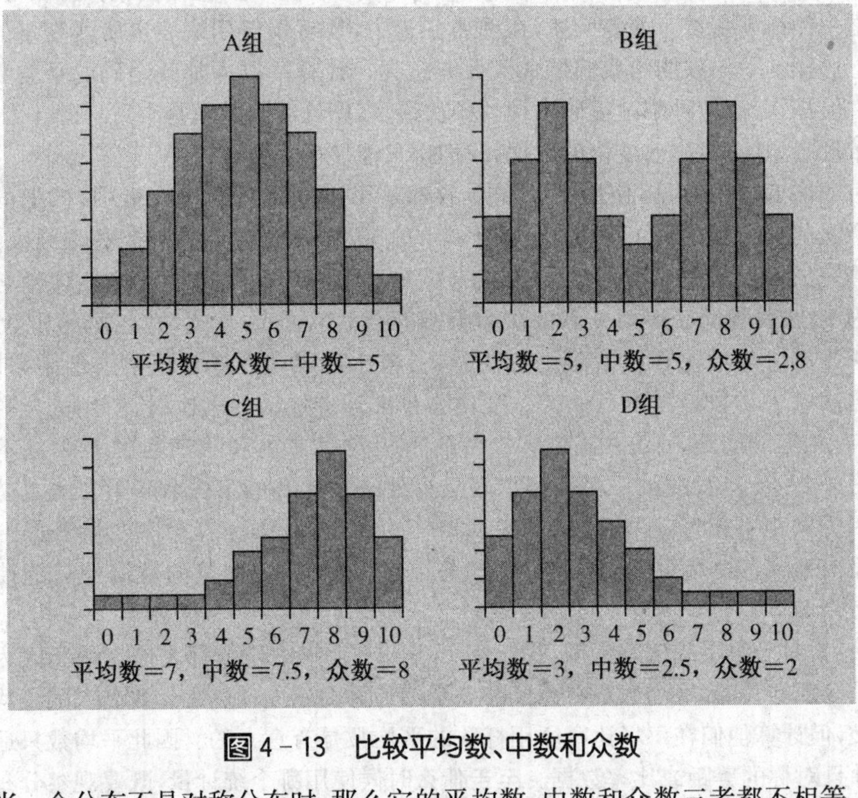

图 4－13 比较平均数、中数和众数

当一个分布不是对称分布时，那么它的平均数、中数和众数三者都不相等。在图 4－13 的 C 图中，分布在数轴大的一边的数据比小的一边多，这种形状的分布的平均数比中数小，中数比众数小。D 图正好与 C 图相反，则三者的大小关系与上述情况刚好相反，平均数大于中数，中数大于众数。

当平均数、中数和众数各不相同时，我们该如何确定用哪一个值呢？一般来说，如果分布不是单峰的，最适合的集中量数是众数。如图 4－13 的 B 图，平均数和中数 5 并不是最具代表性的值，众数 2 和 8 更能代表这组分布。当分布是单峰的但不对称时，中数是最好的集中量数。在心理学毕业生收入的研究中，平均数是＄52 600，但如果我们在分布中加入一个收入为＄2 000 000 的数，则平均数会上升到＄63 400。可见当有一个极端值使一个分布失去原有的平衡时，平均数就不具有代表性了。而中数对分布中的边缘数值的变化不敏感。在收入情况的分布中，中数为＄49 900。这个数最能代表分布的中心。当分布不仅是单峰而且是对称的时候，平均数是最好的集中量数。当然，最为准确的方式就是同时用两个或三个集中量数来描述一个分布。

除通过观察分布图形的形状来确定用哪一个集中量数外，同时还要注意收集数据所用的测量标尺。比如，使用平均数或中数来描述称名变量的数据没有意义。邮政编码就是一种称名变量。如前所述，在称名变量中，数字仅仅用来表示所测变量的不同分类。这样的平均数能给我们带来什么信息呢？计算一群人邮政编码的平均数毫无意义！但是，考察何种邮政编码出现的频次最多，即计算众数就是有意义的。因此，不论分布形态如何，对称名变量的数据，我们都只能使用众数。

对顺序变量的数据，使用中数和众数都是可以的。在顺序变量中，数据的顺序是有意义的，但是数据的间距大小是不等的。高尔夫球选手在一个赛季结束后，可以计算完成所有比赛后所得到的名次的众数和中数。一个选手可能发现她名次的众数为 5，这表明她获得第 5 名的次数最多。她也可能注意到，她名次的中数为 6，这表明她有一半的比赛成绩在 6 名以上，一半比赛成绩在 6 名以下。但是，计算她所有名次的平均数是没有意义的。度量高尔夫球赛成绩的名次时，所用的是顺序标尺，没有相等的间距。第一名和第二名的差距与第二名和第三名的差距是不相等的。另外，一场比赛的第一名和第二名与另外一场比赛的第一名和第二名也是不同的。因为间距不相等，平均数又是基于相等的间距，所以计算顺序变量数据的平均数是没有意义的。因此，即使分布形态是对称的，对顺序变量的数据也只能使用中数或者众数。

最后，对于等距或比率数据，我们使用任何一个集中量数都是恰当的。因为这类数据是等距的，计算平均数是有意义的。虽然计算高尔夫球选手比赛名次的平均数没有意义，但计算他们在每场比赛所用杆数的平均数是有意义的。因此平均数只适用于单峰并且对称的等距或比率数据。至于什么时候使用哪个统计量，既要观察分布图的形状，又要了解分布的测量标尺，详细情况如表 4－1 所示。

表 4-1 平均数、中数和众数的适用情况

测量标尺	分布形状		
	单峰对称	单峰不对称	非单峰
等距或比率	平均数 中数 众数	中数 众数	众数
顺序	中数 众数	中数 众数	众数
称名	众数	众数	众数

显然，对一些分布来说，可以用的集中量数不止一个。在这种情况下，我们就要使用表达数据分布信息最多的集中量数。一般来说，平均数比中数包含的信息多，而中数又比众数包含的信息多。

难点提示

1. 一组数的平均数应该靠近这组数的中心。把一组数中的最大值与最小值相加除以 2，平均数应该接近这个值。

2. 当从频次表中计算平均数时，要确定使用的公式是否适当。计算时，频次表中的每个数据值都要乘上它的频次。

3. 和平均数一样，中数通常也是靠近分布中心的。用这组数中的最大值与最小值相加除以 2，中数也应该接近这个值。

4. 在检验计算结果时，也要注意分布图形的形状。如果分布是对称的(或近似对称)，中数和平均数大小应该很接近。如果分布是不对称的，正偏斜时，平均数大于中数；负偏斜时，平均数小于中数。

5. 检验中数时，只要计算比中数小的数值的个数是不是总数的一半就可以了。

6. 众数通常是最容易找到的一个集中量数。但要避免最易犯的一个错误，就是确保你所得出的结果是出现频次最多的那个数，而不是频次本身。还要确保找出了所有的次众数。最好的办法是画出分布图形。在每个"峰值"下面对应的数值就是众数。有 3 个峰值就有 3 个众数(主众数和次众数)。

7. 要确保所有这些值的正确性，要再重新演算一遍。这看似多余，但却有助于发现计算中的错误。

小结

➢集中量数是表示数据分布中心的描述统计量。

➢求和符号 $\sum$ 代表把一组数据全部相加的算术运算。$\sum X$ 表示把所有的 X 值相加，

或所有 X 值的和。

- 统计公式左边的符号表示所计算的统计量,公式右边是计算该统计量所包含的运算步骤。
- 取整时,要保留比原始数据值精确一位的值。其他统计量保留两位小数。
- 平均数是一组数据的平均大小,是一个分布的平衡点。所有小于平均数的数据离平均数的距离之和,与所有大于平均数的数据离平均数的距离之和相等,即 $\sum(X-\mu)=0$。平均数对数据值的变化很敏感。
- 中数是有一半数值比它小、一半数值比它大的一个中间值。简便算法得出的中数是近似的中数,精确算法得到的中数则是精确值。
- 众数是在一个分布中最常出现的一个数据。双峰分布中有两簇值,在分布图形中有两个峰值。单峰分布在分布图中只有一个峰值。分布图中有超过两个峰值的分布叫多峰分布。对于有多于一个峰值的分布,其最大峰值所代表的数叫主众数,其余峰值所代表的数叫次众数。
- 平均数适用于分布图形对称并且用等距或比率标尺度量的情况。中数既可用于适合平均数的那类分布,也可用于分布图是偏斜的及分布是用顺序尺度来度量的情况。众数是惟一可用于称名变量的集中量数,同时也适用于双峰或多峰分布。

练习

概念题

1. 名词解释:

集中量数	双峰分布
平均数	多峰分布
中数	主众数
众数	次众数
单峰分布	

2. 假设下列每组数代表一个总体。计算出每组数的平均数,并保留正确的位数。然后回答下列问题。

组Ⅰ	组Ⅱ	组Ⅲ	组Ⅳ	组Ⅴ	组Ⅵ	组Ⅶ
0.317	3.17	31.7	317	3 170	31 700	317 000
0.312	3.12	31.2	312	3 120	31 200	312 000
0.301	3.01	30.1	301	3 010	30 100	301 000
0.297	2.97	29.7	297	2 970	29 700	297 000
0.291	2.91	29.1	291	2 910	29 100	291 000
0.284	2.84	28.4	284	2 840	28 400	284 000
0.273	2.73	27.3	273	2 730	27 300	273 000

A. 如何使这七组数据相等？何时不等？

B. 如何使七个平均数相等？何时不等？

C. 解释保留结果位数的依据。

3. 下列每组数代表一个总体。计算出每组数的平均数，然后回答下列问题。

组Ⅰ	组Ⅱ	组Ⅲ	组Ⅳ
10	15	15	100
9	9	9	90
8	8	8	80
7	7	7	70
6	6	1	60

A. 解释为什么第二组的平均数比第一组的大。

B. 解释为什么第三组的平均数与第一组的一样大。

C. 解释为什么第四组的平均数正好是第一组的十倍。

4. 用精确算法计算下列三组数的中数，然后回答下面的问题。

组Ⅰ	组Ⅱ	组Ⅲ
3.1	31	310
2.9	29	290
2.8	28	280
2.7	27	270
2.7	27	270
2.7	27	270
2.5	25	250
2.4	24	240

A. 比较三组数的 f_b、f_w 和 n 值，为什么这些数值是一样的？它们对中数有何影响？

B. 比较三组数的实际下限和 i 值，为什么这些数值是不一样的？它们对中数有何影响？

5. 用精确算法计算下列四组数的中数，然后回答下面的问题。

组Ⅰ	组Ⅱ	组Ⅲ	组Ⅳ
3.1	3.1	3.1	3.1
2.8	2.9	2.9	2.9
2.7	2.8	2.9	2.9
2.7	2.7	2.8	2.8
2.7	2.7	2.7	2.8
2.6	2.7	2.7	2.7
2.5	2.6	2.7	2.7
2.5	2.5	2.6	2.7
2.4	2.5	2.5	2.5
2.4	2.4	2.4	2.4

A. 比较四组数的实际下限和 i 值，为什么这些值是不一样的？它们对中数有何影响？

B. 比较四组数的 f_b 值，为什么这些值是不一样的？它们对中数有何影响？

6. 画出下列分布的图形，分布特性如下：

A. 分布的平均数、众数和中数一样大。

B. 分布的平均数比中数大。

C. 分布的平均数比中数小。

D. 分布的平均数和中数一样大，而与众数不一样大。

7. 简述平均数、中数或众数是最适合用来描述分布的特征，分别举例说明。

8. 简述每个集中量数是怎样描述分布中心的。

计算题

9. 下面列出了六组数据。每组的平均数按计算器的计算结果给定。试给每个平均数保留恰当的位数。

组Ⅰ	组Ⅱ	组Ⅲ
7	29	300
6	31	600
8	37	400
5	26	700
9	43	900
6	36	500
4	28	200
平均数＝6.428 571 429	平均数＝32.857 142 86	平均数＝514.285 714 3

组Ⅳ	组Ⅴ	组Ⅵ
129 000	1.69	0.031
131 000	1.53	0.072
124 000	1.72	0.047
136 000	1.58	0.063
142 000	1.61	0.045
127 000	1.77	0.059
133 000	1.64	0.064
平均数＝131 714.285 7	平均数＝1.648 571 429	平均数＝0.054 428 571 43

10. 按要求计算下列数据的和。

X	Y
5	8
3	6
6	4
0	5
4	7

A. $\sum X$　　B. $\sum Y$　　C. $\sum X^2$
D. $\sum Y^2$　　E. $(\sum X)^2$　　F. $(\sum Y)^2$

11. 按要求计算下列数据的和。

X	Y
3.2	0.47
4.1	0.79
2.6	0.84
4.8	0.91
7.5	0.38
2.7	0.29
3.9	0.16
2.7	0.22
5.4	0.35
3.7	0.65

A. $\sum X$　　B. $\sum Y$　　C. $\sum X^2$
D. $\sum Y^2$　　E. $(\sum X)^2$　　F. $(\sum Y)^2$

12. 计算下列频次分布的和。

X	f
10	9
9	14
8	20
7	16

A. $\sum Xf$　　B. $\sum X^2 f$　　C. $(\sum Xf)^2$

13. 假设 12 题是一个样本分布，计算其频次分布的平均数。

14. 下面是一组样本数据，计算每组的平均数，并保留正确的位数。

组Ⅰ	组Ⅱ	组Ⅲ	组Ⅳ	组Ⅴ	组Ⅵ
5	8	40	500	3.2	0.38
3	5	10	500	4.1	0.45
6	4	60	800	2.6	0.84
0	5	40	700	4.8	0.91
4	7	30	200	7.5	0.38
	5	50	700	2.7	0.29
		10	500	3.2	0.16
			300	2.7	0.22
				5.4	0.35
					0.65

15. 用简便算法计算第 14 题中每组数据的中数。

16. 用精确算法计算第 14 题中每组数据的中数。并与第 15 题的计算结果相比较,解释为什么会不同。

17. 下面三组数据都是样本数据。用列表给出的数值直接计算每组数据的平均数。

组Ⅰ：学生的 IQ 值		组Ⅱ：学生的 GPA		组Ⅲ：学生的收入($)	
115	110	3.5	3.1	20 000	14 000
113	110	3.5	3.1	20 000	14 000
113	110	3.4	3.0	19 000	12 000
112	110	3.4	2.9	19 000	12 000
112	109	3.4	2.9	19 000	12 000
112	109	3.4	2.9	17 000	10 000
111	109	3.3	2.8	17 000	10 000
111	109	3.3	2.8	15 000	10 000
111	108	3.3	2.7	15 000	9 000
110	106	3.2	2.5	14 000	8 000

18. 用 17 题的数据建构频次分布。使用频次分布的公式计算每组数的平均数。验证计算结果与 17 题的是否一样。

19. 用简便算法计算 17 题各组数的中数,再使用简便方法,计算 18 题构建的频次分布的中数,比较两者结果是否相等。

20. 用精确算法计算 17 题各组数的中数,再使用精确算法,计算 18 题构建的频次分布的中数,并与 19 题的结果比较。

21. 下面右边的是根据左边的频次表编制的分组频次表,这些数据代表一个样本。计算两组分布的平均数,并比较结果,解释它们为什么不等。

年龄	f	年龄	f
40	1	30	7
39	2	29	10
38	5	28	6
37	4	27	5
36	3	26	7
35	8	25	4
34	6	24	2
33	5	23	4
32	10	22	2
31	8	21	1

年龄	f
39—41	3
36—38	12
33—35	19
30—32	25
27—29	21
24—26	13
21—23	7

22. 用简便算法计算 21 题频次分布和分组频次分布的中数。对分组频次分布用区间的中点值来计算中数。试比较两者的结果。

23. 用精确算法计算 21 题频次分布和分组频次分布的中数。对分组频次分布用区间的中点值来计算中数。试将结果与 22 题的结果相比较。

24. 分别用简便算法和精确算法计算下列五个分布的中数。

A. 4　6　8　10　12

B. 4　6　7　7　8　8　8　10　11

C. 10　30　40　40　40　40　50　50　80　90

D. 1.3　1.4　1.6　1.8　1.8　1.9　2.0

E. 0.01　0.04　0.04　0.05　0.05　0.06　0.06　0.07　0.08　0.08　0.09

25. 下列六组数中，Ⅰ、Ⅱ、Ⅲ组代表智商值；Ⅳ、Ⅴ组是学生智商在七个等级(7 代表优秀，1 代表差)的分布人数。Ⅵ组是地区分布。试计算每组的众数。

组Ⅰ IQ	f	组Ⅱ IQ	f	组Ⅲ IQ	f
135	1	135	1	135	5
130	3	130	5	130	3
125	5	125	8	125	1
120	6	120	8	120	2
115	8	115	6	115	4
110	7	110	4	110	8
105	5	105	3	105	6
100	2	100	2	100	2
95	1	95	1	95	1

组Ⅳ		组Ⅴ		组Ⅵ	
等级	*f*	等级	*f*	地区	*f*
7	1	7	3	Baptist	1
6	3	6	6	Catholic	4
5	6	5	1	Jewish	5
4	8	4	6	Lutheran	8
3	6	3	8	Methodist	6
2	3	2	3	Presbyterian	3
1	1	1	1	Other	1

26. 观察 25 题分布的图形和测量标尺，确定平均数、中数、众数哪一个是最恰当的集中量数，并验证你的结果。

第五章 差异量数

前面介绍的集中量数仅仅告诉我们数据分布的中心在数轴的什么位置，而在实际描述一组分布时，往往还需要描述数据围绕数轴中心分布的离散情况。比如，在对心理学专业毕业生收入状况的研究中，我们可能既想了解是否大多数毕业生的收入都在平均值＄52 600左右，也想知道他们收入的差异情况，即是否有一些毕业生收入很低，而另一些毕业生收入很高。在统计学中，以下问题均涉及**差异量数**[1]：毕业生们的收入与平均收入相差有多大？大多数人的收入是差异很小，集中在平均收入周围，还是分布得比较分散？

本章中我们将介绍几种计算差异量数的方法。与第四章所探讨的集中量数的计算相似，在计算差异量数时，也没有一种适用于所有情况的方法，每种差异量数都有其独到之处。

全距

描述一组数据离散程度的最简单方法就是计算这组数据在数轴上的分布距离，即**全距**[2]。演示步骤5－1详细描述了计算全距的方法。

演示步骤5－1

求一组数据的全距

$$全距 = 最大值 - 最小值 + i$$

这里，i 表示区间大小。

1. 找出分布中的最大数据值和最小数据值；
2. 用最大值减去最小值；
3. 在第2步所得的结果上再加上区间大小 i，即求出全距。

试求以下这组数据的全距：

4英尺　5英尺　7英尺　8英尺　10英尺

这组数据中最小的是4英尺，最大的是10英尺。如前所

〔1〕差异量数：用来描述一组分布中数据偏离中心点的程度的数值。
〔2〕全距：指数轴上数据分布的距离，也就是指该组分布中最大数值的实际上限与最小数值的实际下限之间的距离。

述，区间大小 i 的值与测量的单位相等。本例中的数据是以英尺为单位进行度量的，所以区间大小 $i=1$ 英尺。根据演示步骤 5-1 计算全距：

$$全距=最大值-最小值+i=10-4+1=7 英尺$$

你可能会问："为什么要加上一个区间大小 i 呢？仅仅用最大值减去最小值不行吗？"要回答这个问题，让我们先给这 5 个数据作一幅图，如图 5-1 所示。由此图可以看出，这组数据是以英尺为单位的连续变量。需要强调的是，4 英尺这个数据在数轴上并不仅仅代表一个点，而是代表了由 3.5 英尺到 4.5 英尺之间的这段距离。如果我们只计算 4 英尺至 10 英尺间的这段距离，那么在两端就各有 0.5 英尺的距离被忽略掉了，这两段距离分别是 3.5 至 4 英尺和 10 至 10.5 英尺。要想将这两段也包含在内，就必须在最大值与最小值之差上再加 1 英尺，即一个区间大小。

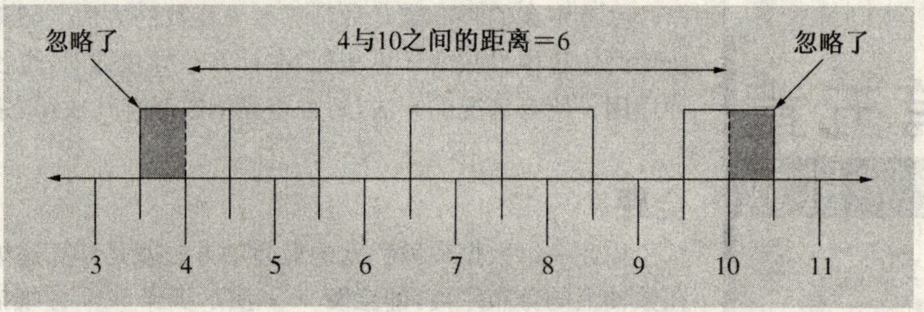

图 5-1　全距计算举例

使用演示步骤 5-1 可以计算简女士关于心理学专业毕业生收入研究的全距。在该研究中，心理学专业毕业生中最低收入为 \$6 000，最高收入为 \$117 000，测量单位为千美元，故一个区间大小为 \$1 000。将以上数值带入公式，计算出全距。

$$全距=\$117\,000-\$6\,000+\$1\,000=\$112\,000$$

在描述分布的离散程度时，全距是一种简便快捷的方法。全距的缺点在于不能详细地描述数据在最大值和最小值之间的离散情况，即除了最大值和最小值之外，我们并不清楚其他数据是集中在一起的还是分散开来的。毕竟，仅仅知道这组数据在数轴上分布的距离，还不能够清晰地反映出该距离间数据具体的分布状况。

图 5-2 中有两组数据，每组均有 40 个数据，尽管两数据组的全距相同，但无疑两端数据分布较多的 B 组数据，其离散程度大于 A 组数据，也就是说使用全距这一差异量数是无法反映出其差别的。假如这两组数据分别代表两个班的测验分数，对两个班而言，平均分都是 6，全距都是 11。但是，A 班的大多数学生都答对了 5 道、6 道或 7 道题目，而 B 班学生答对的题目数目却相对分散得多。从成绩分布的高分端可以看出，B 班学生的高分比 A 班学生要多，这一非常有意义的信息并不能够通过全距反映

出来。由此可见，尽管全距可以告诉我们一组数据中的最大值与最小值之间的距离，但却不能反映该组中其他数据的差异情况。

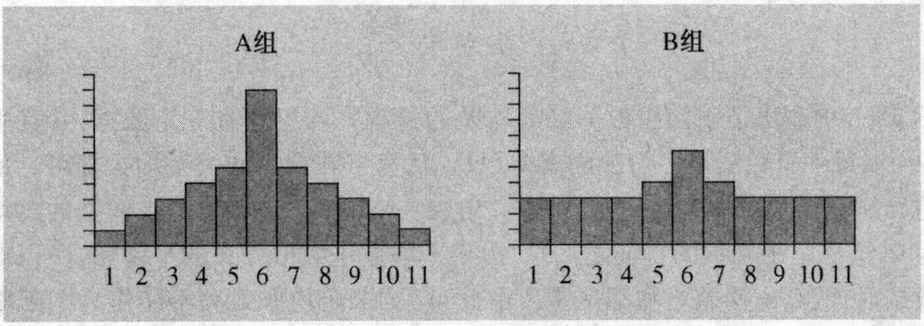

图5-2 对全距相同的两组数据的分布比较

方差与标准差

离均差的度量

如果想要测量一个分布中所有数据的离散程度，可以通过单纯地计算每个数据偏离中心的程度来得出。**离差**[1]是指数据与任意给定点之间的距离。如果计算的是数据与平均数之间的距离，得出的就是**离均差**。统计中的离差概念近似于社会学中偏差的概念。在社会学中测量道德感问题，大多数人都会因为得到接近平均分的分数而被认为是处于平均或正常水平，而少数得分明显低于平均水平者（如连环杀手特德·邦迪）或者得分显著高于平均水平者（如已故诺贝尔和平奖获得者特里萨修女）则会被认为是异于常人或者说与常人有偏差。从这个角度来看，社会学中的偏差仅仅反映了所得分数与平均水平或一般标准的差异。同样，统计学中的离差也是度量数据与分布的平均数之间差异程度的一种统计量。

另外一种计算离差的常用方法是标准差，下面即为计算总体标准差的公式：

$$\sigma=\sqrt{\frac{\sum(X-\mu)^2}{N}}$$

式中的$(X-\mu)$表示数据与平均数间的距离或离均差，先将每个离均差求平方，再求出它们的平均数，最后求其平方根。为什么要求平方和平方根呢？这对于度量离差有何帮助？这就是本节要介绍的内容。至于该公式的具体使用过程，我们将在下一节中详细讲解。

〔1〕 离差：指数据与某给定点间的距离。离均差是指数据与分布的平均数点之间的距离。

求平均离均差最简便的方法是：首先求出每一个数据与平均数的差异值，然后求出这些差异值的平均数。

$$\text{平均离均差} = \frac{\sum(X-\mu)}{N}$$

图 5-3 中列出了求两组数据的离均差的过程。两组均有 5 个数据，并且平均数都是 6。求每一个数据与平均数的离差，只要从每个数据中减去平均数即可。如果将这些差异加起来求平均离均差的话，则会出现一个明显的问题：两组数据的离均差之和均为 0(这也是平均数的特征之一)。由于平均数是数据分布的平衡点，所以对任何一组数据而言，其离均差之和都是零。由此可见，求离均差之和不能作为判断数据离散程度的方法。

X组			Y组		
X	$X-\mu$	$\|X-\mu\|$	Y	$Y-\mu$	$\|Y-\mu\|$
8	8 − 6 = +2	2	10	10 − 6 = +4	4
7	7 − 6 = +1	1	8	8 − 6 = +2	2
6	6 − 6 = 0	0	6	6 − 6 = 0	0
5	5 − 6 = −1	1	4	4 − 6 = −2	2
4	4 − 6 = −2	2	2	2 − 6 = −4	4
离均差的和	0	6		0	12

$$\text{AAD} = \frac{\Sigma|X-\mu|}{n} = \frac{6}{5} = 1.2 \qquad \text{AAD} = \frac{\Sigma|Y-\mu|}{n} = \frac{12}{5} = 2.4$$

图 5-3 计算平均绝对值差的例子

解决这个问题的一种方法是取离均差的绝对值，即去掉正负号，使所有的离均差均为正值。求平均绝对离均差的公式为：

$$\text{平均绝对离均差} = \frac{\sum|X-\mu|}{N}$$

图 5-3 中列出了两组数据的绝对离均差，对这些绝对离均差进行分析可以发现：X 组中数据的绝对离均差之和为 6，Y 组中数据的绝对离均差之和为 12。分别除以数据个数 5 求出平均值，则 X 组的平均绝对离均差为 1.2，Y 组的为 2.4，即 Y 组的平均绝对离均差是 X 组的两倍，这就表明 Y 组数据的离散程度是 X 组数据的两倍。

以上介绍的是**平均绝对离均差**[1]，在统计学上这一名称比较复杂，但它准确地反映了统计计算的整个过程。

方差和标准差：定义公式

在求平均绝对离均差中，使用绝对值的目的在于将为负值转化为正值，以解决离均差之和为零的问题。然而，因为平均绝对离均差中使用了绝对值，使得它不适用于较高级别的统计运算。由此又引发了新的问题。另外一种将数据由负变正的方法是将其平方。将一个数据乘其本身所得的结果总是正值。将任何离差求平方，其结果永远为正数。

图 5－4 中给出了之前比较过的两组数据，但这次我们不是取每个离均差的绝对值，而是求每个离均差的平方。X 组的离均差平方之和为 10，除以数据个数 5 之后，得到离均差平方的平均数为 2.0；Y 组的离均差平方之和为 40，除以数据个数 5 之后得到的离均差平方的平均数是 8.0。以上我们计算的是离均差平方的平均数，鉴于该名称过长，我们将其简称为**方差**[2]。

X组			Y组		
X	$X-\mu$	$(X-\mu)^2$	Y	$Y-\mu$	$(Y-\mu)^2$
8	8 − 6 = +2	4	10	10 − 6 = +4	16
7	7 − 6 = +1	1	8	8 − 6 = +2	4
6	6 − 6 = 0	0	6	6 − 6 = 0	0
5	5 − 6 = −1	1	4	4 − 6 = −2	4
4	4 − 6 = −2	4	2	2 − 6 = −4	16
方差之和	0	10		0	40

$$方差 = \frac{\Sigma(X-\mu)^2}{n} = \frac{10}{5} = 2.0 \qquad 方差 = \frac{\Sigma(Y-\mu)^2}{n} = \frac{40}{5} = 8.0$$

$$标准差 = \sqrt{方差} = \sqrt{2.0} = 1.4 \qquad 标准差 = \sqrt{方差} = \sqrt{8.0} = 2.8$$

图 5－4　计算方差和标准差的例子

在计算方差时有一个问题，即在求离均差平方的时候改变了原有的单位。假设图 5－4 中的数据是以英尺为单位的，则离均差的单位也应是英尺，如 8 英尺的离均差为 2 英尺。但是离均差平方后，单位就变成了平方英尺，方差的单位也相应地变

〔1〕 平均绝对离均差：指离均差绝对值的平均数。
〔2〕 方差：指离均差平方的平均数。

成了平方英尺。因此,X 组的方差为 2.0 平方英尺,Y 组的方差为 8.0 平方英尺。但是,我们需要用原始单位来度量差异量数,即在本例中需要的单位是英尺而不是平方英尺。

解决这一问题最简单的方法是对方差求平方根。图 5-4 中求得 X 组数据的方差平方根为 1.4 英尺,Y 组的为 2.8 英尺,由此数据回到了原始单位。统计学上,方差的平方根叫做**标准差**[1]。值得注意的是,由平均绝对离均差公式和标准差公式求出的结果是不相同的。X 组的平均绝对离均差为 1.2 英尺,而标准差为 1.4 英尺。尽管平均绝对离均差与标准差所度量的对象并不完全相同,但两者都可以用来度量数据偏离平均数程度的大小。

演示步骤 5-2 列出了根据总体或样本中的数据来计算标准差的方法。方差是标准差的平方。按照惯例,通常用 σ^2 和 σ 来表示总体的方差与标准差,用 s^2 和 s 来表示样本的方差和标准差。

演示步骤 5-2

求一个分布的标准差:定义公式

对于总体

对于简单数据表

$$\sigma = \sqrt{\frac{\sum (X-\mu)^2}{N}}$$

对于频次分布表

$$\sigma = \sqrt{\frac{\sum (X-\mu)^2 f}{N}}$$

式中,σ 表示总体标准差;

X 表示简单数据表的数据,或频次分布表的数据值;

μ 表示总体平均数;

f 表示频次分布表中每个数据值出现的频次;

N 表示总体中数据的个数。

对于样本

对于简单数据表

$$s = \sqrt{\frac{\sum (X-\bar{X})^2}{n-1}}$$

对于频次分布表

$$s = \sqrt{\frac{\sum (X-\bar{X})^2 f}{n-1}}$$

式中,s 表示样本标准差;

〔1〕 标准差:指方差的平方根,也就是指离均差平方的平均数的平方根。

X 表示简单数据表的数据，或频次分布表的数据值；
$\overline{X}$表示样本平均数；
f 表示频次分布表中每个数据值出现的频次；
n 表示样本中数据的个数。

1. 计算该组数据的平均数。
2. 将该组的每一个数据减去平均数。
3. 将第 2 步中求得的结果分别求平方。对于简单数据表，将所有的平方值求和；对于频次分布表，将每一个离均差的平方值乘以该数据出现的频次，再求和。
4. 对于总体，将第 3 步的结果除以数据个数 N，求得总体方差 σ^2；对于样本，先将数据个数 n 减去 1，再将第 3 步所得结果除以$(n-1)$，求得样本方差 s^2。
5. 求出 4 所得结果的平方根，即为总体标准差 σ 或样本标准差 s。

然而，总体标准差和样本标准差的计算公式是不同的。在求总体标准差时，公式的分母是数据的个数 N；而在求样本标准差时，分母为$(n-1)$。原因在于，如果考察的是整个总体，那么由样本进行计算仅仅是为了对总体参数做出估计。总体标准差衡量的是总体数据的离散程度，而样本标准差则只是对总体数据离散程度的一种估计。

还有一个问题值得关注，样本数据的离散程度往往并不能确切地反映样本所在总体的离散程度。当我们从一个大的总体中抽取一组个体作为样本进行研究时，这一组个体的数据的离散程度不能确切地反映总体的离散程度。样本的差异量小于总体的差异量，也就是说，样本标准差往往倾向于比总体标准差小。但是我们又希望样本标准差能够成为总体标准差的较好的估计值。统计学家们发现，如果在计算样本标准差时，分母除以$(n-1)$而非 n，则得到的结果将能够更准确地估计总体标准差。

有些教科书介绍了求标准差的另一种方法，即

$$s=\sqrt{\frac{\sum(X-\overline{X})^2}{n}}$$

这一公式只适用于计算样本标准差 s，而不适用于估计总体标准差 σ。因为该公式计算出的数值趋向于低估 σ 值，所以这是一种有偏估计。当进行假设检验时，需要对总体标准差进行无偏估计，正如我们前面所讲的，s 值：除数为$(n-1)$而非 n 求得，满足这一要求。为避免对差异量数的讨论过于复杂化，本书仅仅探讨 σ 和 s。

使用演示步骤 5-2，求乔先生关于学生数学焦虑研究中的方差和标准差。由于该研究中的学生仅仅是作为样本而非总体，所以使用的是适用于样本的公式。图 5-5给出了具体计算步骤，最终求得数学测试成绩的方差 $s^2=217.37$，标准差 $s=14.7$。

步骤1：　计算平均数，先前求得为66。

$(X-\bar{X})$	$(X-\bar{X})^2$
95 − 66 = 29	29^2 = 841
90 − 66 = 24	24^2 = 576
90 − 66 = 24	24^2 = 576
80 − 66 = 14	14^2 = 196
75 − 66 = 9	9^2 = 81
75 − 66 = 9	9^2 = 81
70 − 66 = 4	4^2 = 16
70 − 66 = 4	4^2 = 16
70 − 66 = 4	4^2 = 16
60 − 66 = −6	-6^2 = 36
60 − 66 = −6	-6^2 = 36
60 − 66 = −6	-6^2 = 36
60 − 66 = −6	-6^2 = 36
60 − 66 = −6	-6^2 = 36
55 − 66 = −11	-11^2 = 121
55 − 66 = −11	-11^2 = 121
55 − 66 = −11	-11^2 = 121
50 − 66 = −16	-16^2 = 256
50 − 66 = −16	-16^2 = 256
40 − 66 = −26	-26^2 = 676

步骤2：求每个分数与平均数的差。

步骤3：将每个离均差平方，然后求和得 $\Sigma(X-\bar{X})^2 = 4\,130$。

步骤4：对于样本，用步骤3的结果除以$(n-1)$求得方差：

$$s^2=\frac{\Sigma(X-\bar{X})^2}{n-1}=\frac{4\,130}{19}=217.37$$

步骤5:计算步骤4的结果的平方根，即为标准差：

$$s=\sqrt{s^2}=\sqrt{217.37}=14.7$$

图5－5　用定义公式计算乔先生的数学测试成绩的标准差

到目前为止，我们已经讨论了如何从数据列表求标准差。如果数据列表很长，计算标准差将十分繁琐，从省时省力的角度考虑，可以将数据表先制成频次表，然后再计算标准差。这一过程在演示步骤 5－2 中也已介绍了。

通过使用一组数据的组中值作为数据的代表，估算其频次分布的标准差。图5－6中给出了心理学专业毕业生收入各分组的中点。由于收入数据以＄1 000 作为单位，故数据的平方无疑极大且难以处理。为简化工作量，图 5－6 中的中点数据转化为以千美元为单位的数据表（如列表中的＄4 500 被转化成了＄4.5 千），这有助于简化运算过程。为保证其合理性，务必注意计算结束后将其转换为原先的单位。图5－6给出了按照公式 5－2 计算心理学专业男毕业生收入的方差和标准差的具体步骤，求得方差是＄672 740 000，标准差是＄25 900。

步骤1：计算平均数，先前求得为52.6千美元。

(组中值 $-\bar{X}$)	$(X-\bar{X})^2$
114.5 − 52.6 = 61.9	61.9^2 = 3 831.61
104.5 − 52.6 = 51.9	51.9^2 = 2 693.61
94.5 − 52.6 = 41.9	41.9^2 = 1 755.61
84.5 − 52.6 = 31.9	31.9^2 = 1 017.61
74.5 − 52.6 = 21.9	21.9^2 = 479.61
64.5 − 52.6 = 11.9	11.9^2 = 141.61
54.5 − 52.6 = 1.9	1.9^2 = 3.61
44.5 − 52.6 = −8.1	-8.1^2 = 65.61
34.5 − 52.6 = −18.1	-18.1^2 = 327.61
24.5 − 52.6 = −28.1	-28.1^2 = 789.61
14.5 − 52.6 = −38.1	-38.1^2 = 1 451.61
4.5 − 52.6 = −48.1	-48.1^2 = 2 313.61

步骤2：求每个分数与平均数的差。

步骤3：第一部分：将步骤2中所得的每个离均差平方。

3 831.61 × 4 = 15 326.44
2 693.61 × 6 = 16 161.66
1 755.61 × 8 = 14 044.88
1 017.61 × 12 = 12 211.32
479.61 × 14 = 6 714.54
141.61 × 21 = 2 973.81
3.61 × 26 = 93.86
65.61 × 29 = 1 902.69
327.61 × 24 = 7 862.64
789.61 × 19 = 15 002.59
1451.61 × 13 = 18 870.93
2313.61 × 4 = 9 254.44

第二部分：将每个离均差平方乘以其频次，然后求和：$\Sigma(X-\bar{X})^2f$ 为120 419.80。

步骤4：对于样本，用步骤3的结果除以$n-1$求得方差。

$$s^2=\frac{\Sigma(X-\bar{X})^2f}{n-1}=\frac{120\,419.80}{180-1}=\frac{120\,419.80}{179}=672.74$$

步骤5：计算步骤4的结果的平方根，即为标准差。

$$s=\sqrt{s^2}=\sqrt{672.74}=\$25.9\text{ 千}=\$25\,900$$

图5-6 用定义公式计算简女士的研究中收入的标准差(以千美元为单位)

方差与标准差：计算公式

我们前面介绍的计算方差和标准差的公式叫做定义公式，因为它是根据方差和标准差的定义推导出的。方差被定义为离均差平方的平均数，用定义公式计算方差是非常准确的。我们首先介绍了根据方差和标准差的定义而推导出的公式，旨在使你对这些统计计算形成初步印象。但是，在实际运算中使用这种定义公式可能会十分繁琐。

除定义公式外，还有一套便于计算方差和标准差的公式，称为计算公式。演示步骤5-3中列出了求总体标准差和样本标准差的计算公式。使用定义公式和计算公式得出的结果是相同的。求总体方差的定义公式和计算公式分别如下：

$$\underset{\text{定义公式}}{\frac{\sum(X-\mu)^2}{N}}=\underset{\text{计算公式}}{\frac{\sum X^2-\frac{(\sum X)^2}{N}}{N}}$$

这两个公式的分子部分，即分数线以上的部分看起来差异很大，但实际上由它们得出的计算结果是完全相同的。右边的公式计算时容易一些,因为它直接使用原始数据,省略了计算平均数和离均差的步骤,而这些步骤恰好相当繁琐。

为了证明计算公式与定义公式计算的结果是相同的,还是以数学考试成绩的标准差为例。之前我们已经运用定义公式求出了标准差为 14.7,图 5-7 给出了运用计算公式按演示步骤 5-3 求其方差和标准差的步骤。由图 5-7 可知,方差为 217.4,标准差为 14.7,这一结果与我们用定义公式按演示步骤 5-2 求得的结果完全相同。因此,定义公式和计算公式求得的方差和标准差是相同的。

X	X^2
95	$95^2 =$ 9 025
90	$90^2 =$ 8 100
90	$90^2 =$ 8 100
80	$80^2 =$ 6 400
75	$75^2 =$ 5 625
75	$75^2 =$ 5 625
70	$70^2 =$ 4 900
70	$70^2 =$ 4 900
70	$70^2 =$ 4 900
60	$60^2 =$ 3 600
60	$60^2 =$ 3 600
60	$60^2 =$ 3 600
60	$60^2 =$ 3 600
60	$60^2 =$ 3 600
55	$55^2 =$ 3 025
55	$55^2 =$ 3 025
55	$55^2 =$ 3 025
50	$50^2 =$ 2 500
50	$50^2 =$ 2 500
40	$40^2 =$ 1 600
$\Sigma X = 1\ 320$	$\Sigma X^2 = 91\ 250$

步骤1:将所有的分数求和:$\Sigma X = 1\ 320$

步骤2:将每个分数平方,然后求和:$\Sigma X^2 = 91\ 250$

将步骤1和步骤2所得值代入公式,进行计算:

$$s^2 = \frac{\Sigma X^2 - \frac{(\Sigma X)^2}{n}}{n-1} = \frac{91\ 250 - \frac{1\ 320^2}{20}}{20-1} = \frac{91\ 250 - \frac{1\ 742\ 400}{20}}{19}$$

$$= \frac{91\ 250 - 87\ 120}{19} = \frac{4\ 130}{19} = 217.37$$

$$s = \sqrt{s^2} = \sqrt{217.37} = 14.7$$

图5-7 用计算公式求乔先生的研究中数学测试成绩的标准差

演示步骤 5-3 也描述了如何使用计算公式求频次分布的标准差。以组中值代替数据,仍以求心理学专业毕业生收入研究的标准差为例。计算过程见图 5-8,为了便于运算,以千美元为单位。最终结果与用定义公式计算的一样,毕业生收入的方差为

\$ 672 740 000，标准差为 \$ 25 900。

演示步骤 5－3

求分布的标准差：计算公式

对 于 总 体

对于简单数据表

$$\sigma = \sqrt{\frac{\sum X^2 - \frac{(\sum X)^2}{N}}{N}}$$

对于频次分布表

$$\sigma = \sqrt{\frac{\sum X^2 f - \frac{(\sum Xf)^2}{N}}{N}}$$

式中，σ 表示总体标准差；

X 表示简单数据表中的数据，或频次分布表的数据值；

f 表示频次分布表中每个数据值出现的频次；

N 表示总体中数据的个数。

对 于 样 本

对于简单数据表

$$s = \sqrt{\frac{\sum X^2 - \frac{(\sum X)^2}{n}}{n-1}}$$

对于频次分布表

$$s = \sqrt{\frac{\sum X^2 f - \frac{(\sum Xf)^2}{n}}{n-1}}$$

式中，s 表示样本标准差；

X 表示简单数据表中的数据，或频次分布表的数据值；

f 表示频次分布表中每个数据值出现的频次；

n 表示样本中数据的个数。

1. 对于简单数据表，将所有的数据相加求 $\sum X$；对于频次分布表，将每个数据值乘以其频次，然后再求和得到 $\sum Xf$。
2. 将每一个数据平方。对于简单数据表，将所有的平方值相加求 $\sum X^2$；对于频次分布表，先将所有的平方值乘以其频次，再求和得到 $\sum X^2 f$。
3. 将步骤 1 的结果平方，即对于简单数据表求出 $(\sum X)^2$，对于频次分布表求出 $(\sum Xf)^2$。
4. 将步骤 3 的结果除以数据的个数。
5. 从步骤 2 的结果中减去步骤 4 的结果。
6. 对于总体，将步骤 5 的结果除以数据个数 N，求得总体方差 σ^2；对于样本，先将数据个数 n 减去 1，再将步骤 5 所得结果除以 $(n-1)$，求得样本方差 s^2。
7. 求步骤 6 所得结果的平方根，即为总体标准差 σ 或样本标准差 s。

组中值		f		(组中值)f
114.5	×	4	=	458.0
104.5	×	6	=	627.0
94.5	×	8	=	756.0
84.5	×	12	=	1 014.0
74.5	×	14	=	1 043.0
64.5	×	21	=	1 354.5
54.5	×	26	=	1 417.0
44.5	×	29	=	1 290.5
34.5	×	24	=	828.0
24.5	×	19	=	465.5
14.5	×	13	=	188.5
4.5	×	4	=	18.0

$\Sigma f = 180$

步骤1：将每一个分数乘以其频次，然后求和，得到$\Sigma Xf =$ 9 460.0。

组中值	组中值^2
114.5^2 =	13 110.25
104.5^2 =	10 920.25
94.5^2 =	8 930.25
84.5^2 =	7 140.25
74.5^2 =	5 550.25
64.5^2 =	4 160.25
54.5^2 =	2 970.25
44.5^2 =	1 980.25
34.5^2 =	1 190.25
24.5^2 =	600.25
14.5^2 =	210.25
4.5^2 =	20.25

步骤2：第一部分：将每个数据平方。

(组中值)^2		f		(组中值)^2f
13 110.25	×	4	=	52 441.00
10 920.25	×	6	=	65 521.50
8 930.25	×	8	=	71 442.00
7 140.25	×	12	=	85 683.00
5 550.25	×	14	=	77 703.50
4 160.25	×	21	=	87 365.25
2 970.25	×	26	=	77 226.50
1 980.25	×	29	=	57 427.25
1 190.25	×	24	=	28 566.00
600.25	×	19	=	11 404.75
210.25	×	13	=	2 733.25
20.25	×	4	=	81.00

步骤2：第二部分：将每个平方后的数据乘以其频次，然后求和$\Sigma X^2f = 617\,595$

n代表数据的数目，通过频次分布表可以对数据的频次求和得出n的值。对于本题，n=180。将步骤1和步骤2所得值代入公式，对方差和标准差进行计算：

$$s^2 = \frac{\Sigma X^2 f - \frac{(\Sigma Xf)^2}{n}}{n-1} = \frac{617\,595 - \frac{9\,460^2}{180}}{180-1} = \frac{617\,595 - \frac{89\,491\,600}{180}}{179}$$

$$= \frac{617\,595 - 497\,175.76}{179} = \frac{120\,419.44}{179} = 672.74$$

$$s = \sqrt{s^2} = \sqrt{672.74} = \$25.9\text{千} = \$25\,900$$

图5-8　用计算公式求简女士的研究中收入的标准差(以千美元为单位)

方差与标准差的特征

方差和标准差是表示一组数据离散程度的良好指标，这一点我们已经验证过了。它们具备了良好的差异量数所应有的特征：第一，方差和标准差可以作为其他统计分析的基础，这对于后面将要学到的假设检验非常重要。第二，方差和标准差都是正值，这是因为任何数的平方都是大于零的。这一点解决了在使用平均差时其和为零的问题。第三，方差和标准差的分子是数据与平均数的差的平方和，它小于其他数值的差的平方和，这是我们优先选择标准差而不是其他差异量数的原因之一。这一特征对于第九章中将要介绍的回归概念非常重要。第四，方差和标准差反应灵敏。离均差求平方的结果使得较大的离均差有更大的影响力。比如说，与平均数相差为 1 和 10 的两个数，它们的离均差分别为 1 和 10，对差异量的影响差别不大。而它们离均差的平方却是 1 和 100，对差异量的影响有显著差别。可见方差和标准差对极端值的反应是很灵敏的。第五，如果一组数据中完全没有差异，那么这组数据的方差和标准差都为零。所谓一组数据中完全没有差异是指该组中所有数据的值都相等，并且与其平均数也相等。因此，方差和标准差为零表明一组数据没有差异。

四分差

因为方差与标准差的计算中用到了平均数，所以只有在数据为等距或比率数据时才可使用这类差异量数。而且由于平均数不适用于分布严重偏态的情况，故在这种情况下也不能够使用方差和标准差。在现实计算中，难免会遇到不适用方差和标准差的情况，此时，就要考虑使用四分差了。

四分点

上一章我们介绍了中数，它是指位于一组数据较大一半和较小一半中间位置的那个数，即有 50%的数据小于中数而 50%的数据大于中数。据此，我们可以用一个相似的概念来度量数据的离散程度。比如我们可以求出有 25%的数据小于的点和有 25%数据大于的点，这两点与中数点共同将全距分为四份，合称为**四分点**[1](以 Q_k 表示，k 为 1/4 数值)。

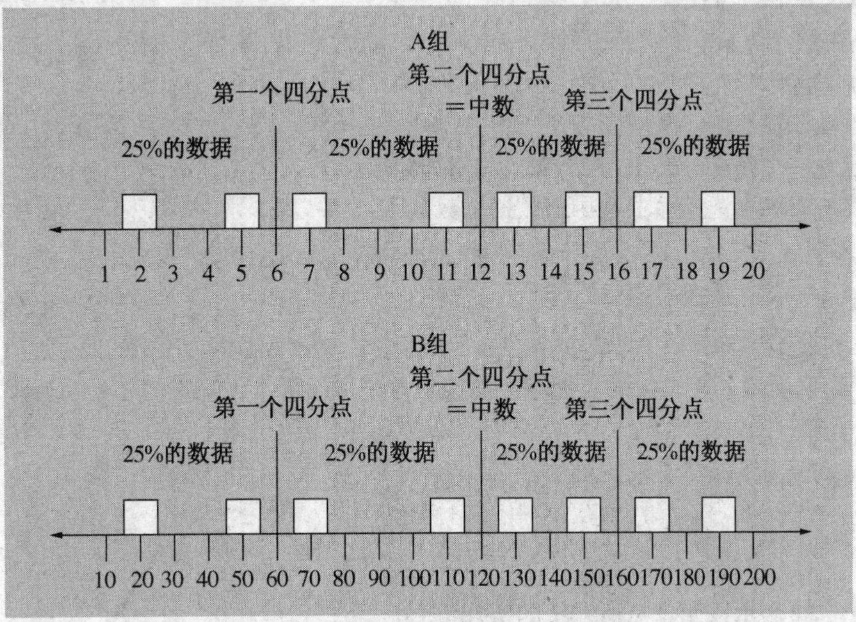

图 5－9 以四分点分割的一组数据

〔1〕 四分点：指将分布分成四份的三个点中的任何一个。第一个四分点 (Q_1) 是指数轴上有 25%的数据都小于的那个点；第二个四分点 (Q_2) 与中数点为同一个点，是指数轴上有 50%的数据都小于的那个点；第三个四分点 (Q_3) 是指数轴上有 75%的数据都小于的那个点。

图 5-9 给出了由四分点分割的两组数据。两组中均含 8 个数据，惟一的不同之处在于两组中度量数据的单位不同。A 组数据中以数值 6、12 和 16 将数列四分，每两个数据为一组；B 组数据分别以 60、120 和 160 为第一个四分点、第二个四分点(即中数点)和第三个四分点。第一个四分点在数据分布中有 25%的数据小于它，第二个四分点在数据分布中有 50%(或 2/4)的数据小于它，同理，第三个四分点则在数据分布中有 75%(或 3/4)的数据小于它。求四分点的过程是对求中数过程的一个延伸。与求中数的情况类似，求四分点时也可以采用简便方法或更为精确的方法。可参看演示步骤 5-4。

我们可用演示步骤 5-4 中介绍的简便方法求得心理学专业毕业生收入情况的四分点，结果见图 5-10。可以看出，有 25%的毕业生收入低于第一个四分点 $34 500；有 50%的毕业生收入低于第二个四分点，即中数 $54 500；有 75%的毕业生收入低于第三个四分点 $64 500。需要强调的是，在简女士的研究中，使用此简便方法求得的三个四分点都是分组区间的中点，这是因为该简便方法强调的是给定四分点存在于哪个分组中，而不是强调存在于这个分组的哪个具体位置上。要想求得更精确的四分点，我们需要用演示步骤 5-4 中描述的更为精确的方法。

演示步骤 5-4

求频次分布的四分点

注意：以下各步对所求的每一个四分点而言都是独立的。其中，第一个四分点的 $q=0.25$，第二个四分点的 $q=0.50$，第三个四分点的 $q=0.75$。

A. 准备步骤：

1. 建立一个频次分布表，列出频次和累加频次；
2. 将所有频次 f 相加求和得出数据个数 n，用 n 乘以 q；
3. 找出等于或大于 A2 步骤中所得 qn 值的最小值。

B. 求四分点的简便方法：

如果步骤 A 中求得的累加频次的数值大于 qn，则该数值即为所求的四分点值；

如果步骤 A 中求得的累加频次的数值等于 qn，则该数值的实际上限为所求的四分点值。

C. 求四分点的精确方法：

$$Q_k = \text{LRL} + i\left(\frac{qn - f_b}{f_w}\right)$$

式中，LRL 表示该四分点所在组的实际下限；

i 表示分布的区间大小；

q 表示 $Q_1 = 0.25$，$Q_2 = 0.50$，$Q_3 = 0.75$；

n 表示分布中数据的个数；

f_b 表示比该四分点所在区间小的数据个数；f_w 表示该四分点所在组的数据个数；

k 表示四分点数。

1. 计算比四分点所在区间小的数据个数 f_b，即得到了步骤 A 中所得数值所在组，及其以下的累加频次；
2. 用步骤 A 中所得数值减去第 1 步的结果；
3. 计算四分点所在组的频次 f_w；
4. 用第 2 步的结果除以第 3 步的结果，精确到一位小数；
5. 第 4 步的结果乘以区间大小 i，记住区间大小等于测量的单位；
6. 求出四分点所在组的实际下限 LRL；
7. 将第 5 步与第 6 步的结果相加，即求得精确四分点值。

组中值($)	频次	累加频次
114 500	4	180
104 500	6	176
94 500	8	170
84 500	12	162
74 500	14	150
64 500	21	136
54 500	26	115
44 500	29	89
34 500	24	60
24 500	19	36
14 500	13	17
4 500	4	4

对于 Q_3 来说，q=0.75，n=180，qn=135。累加频次等于或略大于135的最小分组的组中值为＄64 500，因此 Q_3 等于＄64 500。

对于 Q_2 的 q=0.50，n=180，qn=90。累加频次等于或略大于 90 的最小分组的组中值为＄54 500，因此 Q_2 等于＄54 500。

对于 Q_1 的 q=0.25，n=180，qn=45。累加频次等于或略大于 45 的最小分组的组中值为＄34 500，因此 Q_1 等于＄34 500。

将第一个四分点值和第三个四分点值代入公式，进行计算求四分差。

$$\text{四分差} = \frac{\text{第三个四分点值} - \text{第一个四分点值}}{2}$$

$$= \frac{\$64\,500 - \$34\,500}{2} = \frac{\$30\,000}{2} = \$15\,000$$

图 5－10 用简便方法求简女士的研究中收入的四分点和四分差

图 5－11 给出了用精确方法求心理学专业毕业生收入研究中收入的第一个四分点和第三个四分点的过程。第二个四分点即中数，在第四章中求得的中数为＄49 900。图 5－11

中求得第一个四分点为＄33 300，即参加该研究的心理学专业毕业生中 25％的人收入等于或低于＄33 300；第三个四分点为＄69 000，即有 75％的毕业生收入低于＄69 000。

分组	频次	累加频次
\$110 000–\$119 000	4	180
100 000–109 000	6	176
90 000–99 000	8	170
80 000–89 000	12	162
70 000–79 000	14	150
60 000–69 000	21	136
50 000–59 000	26	115
40 000–49 000	29	89
30 000–39 000	24	60
20 000–29 000	19	36
10 000–19 000	13	17
0–9 000	4	4

共有 180 个数据，因此 n 为 180。

Q_3 的区间：60 000–69 000

Q_3 数所在组的频次 f_w。

Q_3 数所在组小的数据的累加频次 f_b。

Q_1 的区间：30 000–39 000

Q_1 数所在组的频次 f_w。

Q_1 数所在组小的数据的累加频次 f_b。

分组区间大小 i 是指两个相邻的分组的表述下限之间的距离，比如\$20 000至\$10 000相距\$10 000。

Q 所在组＄30 000－＄39 000 的实际下限为＄29 500，将其代入公式计算 Q_1：

$$Q_1 = \mathrm{LRL} + i\left(\frac{qn - f_b}{f_w}\right) = \$29\,500 + \$10\,000\left[\frac{0.25(180) - 36}{24}\right] = \$29\,500 + \$10\,000\left(\frac{45 - 36}{24}\right)$$

$$= \$29\,500 + \$10\,000\left(\frac{9}{24}\right) = \$29\,500 + \$10\,000(0.38) = \$29\,500 + \$3\,800 = \$33\,300$$

Q_3 所在组＄60 000－69 000 的实际下限为＄59 500，将其代入公式计算第三个四分点 Q_3：

$$Q_3 = \mathrm{LRL} + i\left(\frac{qn - f_b}{f_w}\right) = \$59\,500 + \$10\,000\left[\frac{0.75(180) - 115}{21}\right] = \$59\,500 + \$10\,000\left(\frac{135 - 115}{21}\right)$$

$$= \$59\,500 + \$10\,000\left(\frac{20}{21}\right) = \$59\,500 + \$10\,000(0.95) = \$59\,500 + \$9\,500 = \$69\,000$$

将以上所求第一个四分点和第三个四分点的值代入计算四分差的公式得：

$$四分差 = \frac{第三个四分点值 - 第一个四分点值}{2}$$

$$= \frac{\$69\,000 - \$33\,300}{2} = \frac{\$35\,700}{2} = \$17\,850$$

图 5－11 用精确方法求简女士的研究中收入的四分位数和四分差

四分差

第一、二、三个四分点将数轴上的数据分成了四份，我们可以利用这些数值来描述一组分布的离散程度。如在图 5－9 的 A 组数据中，第一个四分点与第二个四分点间的距离为 6，第二个四分点与第三个四分点之间的距离为 4，这两段距离的平均值为 5。因此 A 组中有 50％的数据在中数 5 的范围内。在 B 组数据中，第一个四分点与第二个四分点间的距离为 60，第二个四分点与第三个四分点之间的距离为 40，这两段距离的平均值为 50。因此 B 组中有 50％的数据在中数 50 的范围内。

这一差异量数就叫做**四分差**[1]（以 Q 表示）。所谓四分差是指在一个频次分布中，中间 50％数据的全距之半。四分差是差异量数的一种，对图 5－9 的计算结果显示：B 组数据的离散程度是 A 组数据的 10 倍。在方差和标准差都不适用的情况下，求四分差不失为一种有效度量差异量数的方法。由于求四分差必须先将数据编制列表，故只适用于数据为顺序变量的情况，而不适用于数据为称名变量的情况。

演示步骤 5－5 中给出了计算四分差的详细步骤。在计算心理学专业毕业生收入研究中的四分差时，图 5－10 中用到了求第一个四分点和第三个四分点的简便计算方法。图 5－11的计算方法更为精确一些，正如图 5－11 所示，该研究中四分差的精确值应为＄17 850。

演示步骤 5－5
求四分差

$$Q = \frac{Q_3 - Q_1}{2}$$

式中，Q 表示四分差；
Q_1 表示第一个四分点的值；
Q_3 表示第三个四分点的值。

1. 用演示步骤 5－4 求出第一个四分点的值。
2. 再用演示步骤 5－4 求出第三个四分点的值。
3. 用第 2 步的结果减去第 1 步的结果。
4. 用第 3 步的结果除以 2，即求出四分差。

描述数据分布

在前五章中，我们介绍了许多统计概念。在此我们作一个复习，分析为什么研究者

〔1〕 四分差：指第一、第二个四分点之差与第二、第三个四分点之差的平均数，它表示数轴上某分布中以中数点为中心包含 50％的数据的一段距离。

进行实验研究时要使用这些概念。研究者做实验的目的是为了找出证据以支持其观点：乔先生力图证明这种观点——数学考试中时间压力会导致有数学焦虑的学生成绩更差。在实验中，研究者对各种事件进行观察及测量：乔先生在研究中，观察并测量了20名学生在数学考试中答对题目的数量。测量结果可以为研究者提供支持其观点的证据。如果乔先生仅仅是观察到这些学生参加了数学考试，而不对其成绩进行测量，那么，他所能给出的支持其观点的所有证据，恐怕只有他自己的想象了："是的，如果数学考试没有了时间限制，学生们当然会少些紧张。"如果对事件进行测量，则使得其观点更有说服力。

我们已经介绍了将数据编制成表格或图表的多种方法，也介绍了将数据按照一定距离进行分组的技术。这样做的根本目的在于将数据做成图表后，便于读者理解，也使数据在支持研究者的观点方面显得更加清晰。图5-12是第三章已经出现过的图表，它列出了简女士对心理学专业毕业生的收入状况研究所收集的数据。比起180名毕业生收入情况的简单列表来说，此表无疑更易于理解。

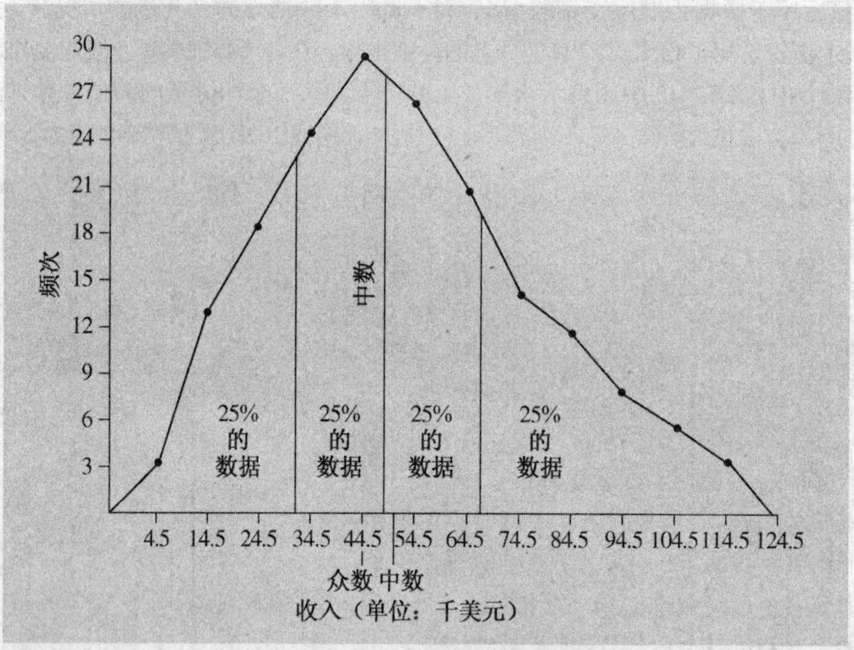

图5-12 表3-12中简女士的心理学毕业生收入研究的频次多边形图

接下来我们又学习了统计学上描述一组数据的几种方法。在心理学专业毕业生的收入情况的研究中，我们知道平均收入为＄52 600，即在数轴上高于和低于＄52 600的收入到中点的距离是对等的。我们可以求得最中间的收入（运用精确方法求得）是＄49 900，即所收集的数据中，有一半人的收入高于＄49 900，有一半人的收入低于＄49 900；最后，我们还可以发现收入在＄40 000至＄49 900之间的心理学专业毕业生的人数最多。

在学习度量数据离散程度的过程中，我们了解到心理学专业毕业生的最低收入为＄6 000，最高收入为＄117 000，全距为＄112 000。所求的四分差告诉我们，50％的收入在＄17 850 至＄49 900 之间。所求的四分点告诉我们，毕业 10 年以后，一名心理学专业学生的收入有 25％的可能低于＄33 300，有 25％的可能在＄33 300 和＄49 900 之间，有 25％的可能在＄49 900 和＄69 000 之间，还有 25％的可能超过＄69 900。此外，我们还可以知道收入的标准差为＄25 900。

这些统计量为我们提供了大量的关于心理学专业毕业生收入情况的信息。通常情况下，研究者不会使用以上提到的所有统计量来描述一组分布，他们只会选取某一种集中量数和差异量数来进行描述。我们已经运用所有的统计量对简女士的研究进行了分析，将每种统计量之间的区别及其各自的意义予以了充分的介绍。

难点提示

1. 在进行统计计算时，知道一些判断答案是否合理的知识是很有帮助的。对于一组数量较少的数据，标准差和四分差的值通常与四分之一个全距相当，也就是与最大值减最小值的差再除以 4 后所得的结果相当。如果某分布近似正态且所含数据较多，则标准差接近于六分之一个全距。因此，如果将标准差乘以 6，所得结果应该接近于全距。当然，以上所说均为“近似”。

2. 在检查四分点和四分差时，计算一下第一个四分点与中数之间以及中数与第三个四分点之间的数据个数，它们应该分别等于该组数据个数的 1/4。检查四分差时，先从第三个四分点中减去中数，再从中数中减去第一个四分点，四分差应该在以上所得的两个结果数值之间。

3. 在计算标准差时，如果根号下得到了一个负值，那么很明显是计算错误。方差与标准差都不可能是负值。犯错的原因之一可能是混淆了$\sum X^2$和$(\sum X)^2$。务必注意$\sum X^2$是先平方再求和，而$(\sum X)^2$是先求和再平方。

4. 根据频次分布表计算标准差时，切记要使用合适的公式（演示步骤 5－2 或 5－3）。在频次分布表中，必须将每个数据乘以其频次。如果仅仅把数据相加而不乘以其频次，那么你所得到的答案就不是标准差。

5. 你进行各种数据组的离散趋势的计算训练越多，你对什么是正确答案的感觉就越准确。但要记住，检查答案最好的方法还是将题目再做一遍。

小结

- 差异量数是以数字形式计算出某分布中数据差异的程度。
- 全距是指数据在数轴上分布的距离，用它来描述一组数据的离散程度简单又方便，但是它仅仅反映数据两端点之间的差异程度，而不能给出其他非端点数据的任何信息。

- 离差是指数据与给定点之间的距离。离均差是指数据与平均数之间的距离。
- 一组数据中平均离均差和等于 0，因为一组数据中所有离均差的和始终为 0。
- 平均绝对离均差是指离均差绝对值的平均数。
- 方差是指离均差平方后的平均数；标准差是指方差的平方根。
- 标准差的定义公式是用离均差的平方来表达的；而计算公式不需要计算每个数据的离均差，适用于数量较大的样本。
- 在实际运用中，方差和标准差有很多优点。首先，求方差和标准差的公式中用的是数据与平均数的差的平方和，它要小于数据与任何其他值的差的平方和；与较小的离差相比，较大的离差对方差和标准差的影响更大。因此方差和标准差对离均差的度量非常灵敏；最后，当数据不存在差异时，数据组的方差和标准差都为 0。
- 由于方差和标准差是建立在离均差的基础之上的，所以它们只能适用于可以求平均数的情况，即数据为等距或比率数据，且分布是近似对称的情况。
- 四分点是将分布分成等量的四份三个数值。有 25%的数据小于第一个四分点；第二个四分点等于中数，有 50%的数据小于它；有 75%的数据小于第三个四分点。
- 四分差适用于顺序数据或分布较偏态的情况，它通常在第一个和第三个四分点之间。

练习

概念题

1. 名词解释。

差异量数	全距	离差
平均绝对离均差	方差	标准差
四分点	第一个四分点	第二个四分点
第三个四分点	四分差	

2. 求以下七组数据的全距，比较其异同，并说明原因。

组一	组二	组三	组四	组五	组六	组七
0.317	3.17	31.7	317	3 170	31 700	317 000
0.312	3.12	31.2	312	3 120	31 200	312 000
0.301	3.01	30.1	301	3 010	30 100	301 000
0.297	2.97	29.7	297	2 970	29 700	297 000
0.291	2.91	29.1	291	2 910	29 100	291 000
0.284	2.84	28.4	284	2 840	28 400	284 000
0.273	2.73	27.3	273	2 730	2 7300	273 000

3. 求以下三组数据的全距及平均绝对离均差，解释其全距相等而平均绝对离均差不等的原因。

组一	组二	组三
36	36	36
20	29	35
19	22	34
18	15	3
17	8	2
1	1	1

4. 求以下三组样本的离均差及平均绝对离均差，解释离均差为 0 而平均绝对离均差不为 0 的原因。

组一	组二	组三
9	9	9
8	8	9
7	7	9
6	6	9
5	2	8
4	1	4
3	1	3
2	1	2
1	1	1

5. 求以下每组数据的平均绝对离均差。

组一	组二	组三
7	14	70
6	12	60
5	10	50
4	8	40
3	6	30
2	4	20
1	2	10

A. 第一组中的数据都相差 1，第二组中的数据都相差 2，这对于求两组数据的平均绝对离均差有何影响？

B. 第一组中的数据都相差 1，第三组中的数据都相差 10，这对于求两组数据的平均绝对离均差有何影响？

6. 假设练习 5 中三组数据均为总体，分别求它们的标准差。

A. 第一组中的数据都相差1,第二组中的数据都相差2,这对于求两组数据的标准差有何影响?

B. 第一组中的数据都相差1,第三组中的数据都相差10,这对于求两组数据的标准差有何影响?

C. 将本题所求得的标准差与练习5中求得的平均绝对离均差相比较,解释它们的不同。

7. 描述全距、平均绝对离均差及标准差的优缺点。

8. 何种特征的分布,使用四分差比标准差更合适?

9. 买一包巧克力,按照要求将各种颜色的巧克力进行编号。棕色=1,红色=2,橙色=3,黄色=4,绿色=5,蓝色=6。

A. 数一下各种颜色的巧克力,列出一个颜色结构频次表,将数值填入表中。例如:如果蓝色的是12颗,就在表中蓝色对应的栏目中填入12。然后用计算总体标准差的公式求出其标准差。

B. 从总体中抽出10颗巧克力构成一个样本,制成频次分布表,用计算样本标准差的公式求其标准差。

C. 然后再这样重复做5次,每次抽取不同的样本,得到6个样本标准差。比较这6个样本标准差与总体标准差的差异。用样本标准差估计总体所得结果与总体标准差接近的程度如何?

计算题

10. 求以下各组样本数据的全距。

组一	组二	组三	组四	组五	组六
7	29	300	129 000	1.69	0.031
6	31	600	131 000	1.53	0.072
8	37	400	124 000	1.72	0.047
5	26	700	136 000	1.58	0.063
9	43	900	142 000	1.61	0.045
6	36	500	127 000	1.77	0.059
4	28	200	133 000	1.64	0.064

11. 求以下各组样本数据的全距。

组一:学生的IQ分数		组二:学生的GPA成绩		组三:学生的收入($)	
115	110	3.5	3.1	20 000	14 000
113	110	3.5	3.1	20 000	14 000
113	110	3.4	3.0	19 000	12 000
112	110	3.4	2.9	19 000	12 000

112	109	3.4	2.9	19 000	12 000
112	109	3.4	2.9	17 000	10 000
111	109	3.3	2.8	17 000	10 000
111	109	3.3	2.8	15 000	10 000
111	108	3.3	2.7	15 000	9 000
110	106	3.2	2.5	14 000	8 000

12. 根据练习 11 中的各组数据进行计算：
  A. 将数据放入简单数据表中，用定义公式求每列数据的标准差。
  B. 将数据放入简单数据表中，用计算公式求每列数据的标准差；将结果与 A 所得结果进行比较。
13. 将练习 11 中的各组数据建构一个频次分布表，据此表进行以下计算：
  A. 用定义公式求每列数据的标准差，将结果与练习 12 所得结果进行比较。
  B. 用计算公式求每列数据的标准差，将结果与 A 所得结果进行比较；再将结果与练习 12 所得结果进行比较。
14. 以下为样本分布：

组一	组二	组三	组四	组五	组六
5	8	40	500	3.2	0.38
3	5	10	500	4.1	0.45
6	4	60	800	2.6	0.84
0	5	40	700	4.8	0.91
4	7	30	200	7.5	0.38
	5	50	700	2.7	0.29
		10	500	3.2	0.16
			300	2.7	0.22
				5.4	0.35
					0.65

  A. 用定义公式计算每组样本的标准差。
  B. 用计算公式计算每组样本的标准差，将结果与 A 所得结果进行比较。
15. 以下数据是从不同总体中抽取的智力分数：

组一		组二		组三	
IQ	*f*	IQ	*f*	IQ	*f*
135	1	135	1	135	5
130	3	130	5	130	3
125	5	125	8	125	1
120	6	120	7	120	2

115	8	115	6	115	4
110	7	110	4	110	8
105	5	105	3	105	6
100	2	100	2	100	2
95	1	95	1	95	1

A. 用定义公式计算每组分布的标准差。

B. 用计算公式计算每组分布的标准差，将结果与A所得结果进行比较。

16. 以下数据为具有反传统倾向学生的总体的年龄分数：

年龄	频次	年龄	频次
40	1	30	7
39	2	29	10
38	5	28	6
37	4	27	5
36	3	26	7
35	8	25	4
34	6	24	2
33	5	23	4
32	10	22	2
31	8	21	1

A. 首先用定义公式计算总体标准差，然后再用计算公式计算。

B. 用简单方法求第一、第二、第三个四分点，再求出四分差。

C. 用精确方法求第一、第二、第三个四分点，再求出四分差；与B所得结果进行比较。

17. 以下分布为一个学生总体的智力测验分数：

IQ	135—139	130—134	125—129	120—124	115—119
f	7	9	13	15	22
IQ	110—114	105—109	100—104	95—99	90—94
f	5	27	33	29	25
IQ	85—89	80—84	75—79		
f	21	10	4		

A. 首先用定义公式计算总体标准差，然后再用计算公式计算。

B. 用简单方法求第一、第二、第三个四分点，再求出四分差。

C. 用精确方法求第一、第二、第三个四分点，再求出四分差；与B所得结果进行比较。

第六章 相对量数

前面介绍了用于描述某一组数据分布特征的统计方法，但有时候我们希望能够描述某一分数在特定分布中的位置或状况，能实现这一要求的统计方法叫做**相对量数**[1]的度量，它是对分布中某一数据相对于其他数据的位置进行度量。

设想参加一次历史考试，共计 40 道问题，你答对了 34 道。那么你怎么知道与班级中其他同学相比，自己的成绩如何呢？你在全班的排名是居前、居中，还是居后呢？另外，与一起参加考试的其他班级同学相比，你的成绩又如何？在其他班级里，与你分数相同的同学的排名是靠前一些还是靠后一些呢？以上这些都是关于相对量数的问题。

相对量数的度量是通过**转换数据**[2]来实现的，也就是将数据由原先的度量尺度转化为一种新的度量尺度。用实验中最初度量数据的单位来表示的数据叫做**原始数据**[3]。在乔先生的实验中，学生的成绩最初是以答对的题目数来记录的，因此原始数据为"正确数"。后来根据需要，乔先生把这些原始数据转换成了"正确率"。由"正确数"向"正确率"的转换，是通过对分布中的每一个数据采用同样的数学计算，即用每个学生的原始数据分别除以本次数学考试的问题总数得到的。

以百分比形式表达的数据，可以用来度量相对频次。相对频次的概念在第三章建构频次分布表部分提到过。相对量数的度量与相对频次的度量相似，比如上面提到的"正确率"。"正确率"表示的不是某学生答对题目的真实数量，而是考试中相对于题目总数而言，该学生答对的题目数量。以相对量数表达的分数可以告诉我们分布中某一特定分数相对于其他分数所处的位置。本章中，我们将介绍两种相对量数的度量方法：标准分数和百分位数。

---

〔1〕 相对量数：是指将分布中的数据转化为相对于其他数据，其位置如何的数据形式。

〔2〕 转换数据：是指将数据进行一种或多种数学运算，使原始数据的中心点或离散程度发生变化，甚至两者都发生变化，从而最终形成的数据组。

〔3〕 原始数据：是指用最初的度量并记录数据的测量单位来表达的数据。

标准分数

转化分数以及改变度量单位的影响

在学习标准分数之前,我们先介绍一下改变度量单位可能产生的效应。了解一下当我们改变数据的度量单位时,对我们理解标准分数会有哪些影响。

在第二章中,我们学习了测量的概念,发现研究者通常会选择一个单位来度量数据。比如,我们可能会选用英尺、英寸、厘米或者其他用于度量物体高度的单位来测量人们的身高。可能开始时决定用厘米来度量身高,随后又决定使用英寸。表 6-1 给出的是由皮尔高中板球队中的 9 名队员组成的一个样本的情况,该样本最初就是以厘米为单位度量的。

表 6-1 转换数据

学 生	身高(厘米)	身高(英寸)	着 2 英寸鞋后的身高
Aloysius	190	75	77
Brian	186	73	75
Carl	182	72	74
David	180	71	73
Ernie	170	67	69
Fred	160	63	65
Gertrude	158	62	64
Harry	154	61	63
Igor	150	59	61
$\overline{X}$	170	67	69
s	15	5.9	5.9

当对一项分布中的所有数据作相同的数学运算时,可以通过一个常量对数据进行变换。表 6-1 中给出了将板球队员的身高单位由厘米转化为英寸时的情况,这是通过将每名队员的身高都除以 2.54 来实现的。可以发现,经过转化后的数据保持了原有的次序。也就是说,在一项分布中,对所有的数据同时乘以或者除以同一数值(零除外),不会改变原有数据的次序;同样,同时加上或者减去同一数值,数据的次序也不会改变。比如表 6-1 中同时给出了 9 名队员穿上 2 英寸高的鞋后的身高情况,将每一

个数据都加上 2 英寸，数据的次序依旧没有发生变化。

因此，当对一组数据中的每一个数据进行完全相同的加减乘除运算时，可以简单地直接改变度量单位即可。只要使用完全相同的方式来转换每一个数据，那么数据的次序就不会改变。将以厘米为单位的身高分别除以 2.54 后，可以实现测量单位由厘米向英寸的转化，但是，不论用厘米还是用英寸、甚至用英尺来度量，艾戈(Igor)的身高都是最矮的。当然，数据比较必须在数据度量单位一致的前提下才可以进行，如果用卡尔(Carl)182 厘米的身高与戴维(David)71 英寸的身高进行比较的话，就很难说出他们究竟谁更高一些了。

此外，表 6 - 1 中还列出了在每种度量单位下板球队员身高的平均数($\overline{X}$)和标准差(s)(注意：既然 9 名队员是从球队中抽出的一个样本，那么在求标准差时就要用样本标准差的公式进行计算)。当以厘米为单位度量身高时，平均数是 170 厘米，标准差为 15 厘米：

$$\overline{X}_{厘米}=\frac{\sum X}{n}=\frac{1\,530}{9}=170\text{ 厘米}$$

$$s_{厘米}=\sqrt{\frac{\sum X^2-\frac{(\sum X)^2}{n}}{n-1}}=\sqrt{\frac{261\,900-\frac{1\,530^2}{9}}{9-1}}=15\text{ 厘米}$$

以同样的方法计算，以英寸为单位时，板球队员身高的平均数和标准差：

$$\overline{X}_{英寸}=\frac{\sum X}{n}=\frac{603}{9}=67\text{ 英寸}$$

$$s_{英寸}=\sqrt{\frac{\sum X^2-\frac{(\sum X)^2}{n}}{n-1}}=\sqrt{\frac{40\,683-\frac{603^2}{9}}{9-1}}=5.9\text{ 英寸}$$

当然，用这种方法来计算单位改变后的数据的平均数和标准差，比较费时。这里有一个简单的方法可以解决此类问题。我们知道，将身高的单位从厘米变为英寸，只需将每个身高除以 2.54 即可，同样，我们也可以通过将以厘米为单位的平均数和标准差直接除以 2.54，求出以英寸为单位的平均数和标准差。过程如下：

$$\overline{X}_{英寸}=\overline{X}_{厘米}\div 2.54=170\text{ 厘米}\div 2.54=67\text{ 英寸}$$

$$s_{英寸}=s_{厘米}\div 2.54=15\text{ 厘米}\div 2.54=5.9\text{ 英寸}$$

可见，由此方法求得的平均数和标准差与使用公式计算出的结果完全相同，但这一方法只需对数据单位进行一次转换运算即可，节省了时间。因此，如果要改变测量单位，可以采用与数据转换相同的方式，直接对平均数和标准差进行转换。演示步骤 6 - 1 中呈现了通过加减乘除四则运算来转换平均数的测量单位的公式。

演示步骤 6－1

分布中数据变化对平均数的影响

同时加上某值：如果某分布中的每一数据同时加上某常量，则其平均数等于原数据的平均数加上这一数值：

$$\mu_{X+C} = \mu_X + C$$

同时减去某值：如果某分布中的每一数据同时减去某常量，则其平均数等于原数据的平均数减去这一数值：

$$\mu_{X-C} = \mu_X - C$$

同时乘以某值：如果某分布中的每一数据同时乘以某不为零的常量，则其平均数等于原数据的平均数乘以这一数值：

$$\mu_{CX} = C\mu_X$$

同时除以某值：如果某分布中的每一数据同时除以某不为零的常量，则其平均数等于原数据的平均数除以这一数值：

$$\mu_{X/C} = \frac{\mu_X}{C}$$

简而言之，改变数据的测量单位就是对其在数轴上的位置进行向右或向左的移动。比如，在图 6－1 以英寸为单位的数据中，板球队员由赤脚身高到穿着高 2 英寸鞋子的身高的转化，是通过将整组身高数据在数轴上向右移动 2 英寸实现的。队员穿上 2 英寸高的鞋子后，他们身高的平均数也相应地在数轴上右移了 2 个单位，由原先的 67 英寸变成了 69 英寸。同样，如果我们把每个数据都减去一个数值，那么整组数据

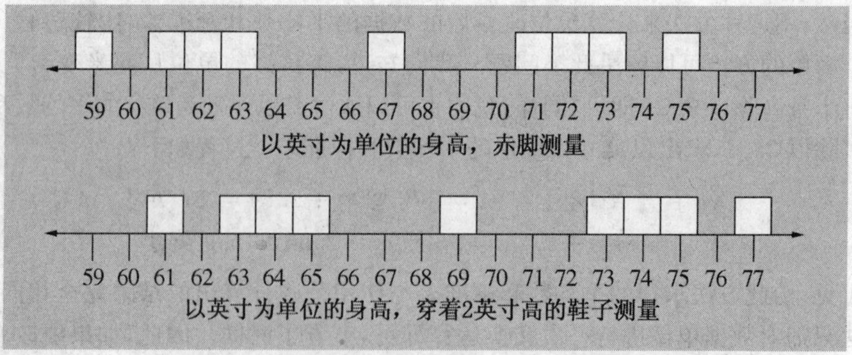

图 6－1 分布中每个数据加上一个相同的值对平均数和标准差的影响

也会在数轴上左移相应的数值，平均数随之作相同的改变。对一组数据进行同样的乘或除的运算时也是如此。也就是说，数据转化时，只需在数轴上对整组数据进行移动就可以了，平均数也是这样。

演示步骤 6－2 给出了通过对测量单位进行加减乘除来转换标准差的公式。注意：在对测量单位进行加、减变换时，标准差没有改变。由图 6－1 可以看出，板球队员穿上 2 英寸高的鞋子后，整组数据在数轴上右移了 2 英寸，但是身高数据的离散程度没有任何变化。不论队员们是赤脚还是穿鞋，他们身高的标准差都是 5.9 英寸。

演示步骤 6－2

分布中数据变化对标准差的影响

同时加上某值：如果某分布中的每一数据同时加上某常量，则其标准差不变：

$$\sigma_{X+C} = \sigma_X$$

同时减去某值：如果某分布中的每一数据同时减去某常量，则其标准差不变：

$$\sigma_{X-C} = \sigma_X$$

同时乘以某值：如果某分布中的每一数据同时乘以某不为零的常量，则其标准差等于原始数据的标准差乘以这一数值：

$$\sigma_{CX} = C\sigma_X$$

同时除以某值：如果某分布中的每一数据同时除以某不为零的常量，则其标准差等于原始数据的标准差除以这一数值：

$$\sigma_{X/C} = \frac{\sigma_X}{X}$$

但是，当对测量单位进行乘、除转换时，即每个数据乘以或除以某个常量，则标准差的数值会发生变化。一项分布中每个数据乘以一个相同的数值，其分布的标准差也应随之乘以相同的数值；同样，如果除以一个相同的数值，那么标准差也应除以该值。使用不同的度量单位，板球队员身高的标准差分别是 15 厘米和 5.9 英寸。其实两个不同的数字代表的两段距离是完全相同的，只是测量单位不同而已。

总之，只要分布中的数据同时发生变化，那么它们的平均数就会发生同样的变化。如果分数的变化是通过乘以或除以某数值实现的，则其标准差也随之作乘以或除以某数值的变化。但是，如果变化是通过加上或减去某数值实现的，则标准差保持不变。最后，如果一组分布中的每个数据都进行了同样的变化，那么数据的次序不变，最高值依然最高，最低值依然最低。

将分数转化为标准分数

由于对数据进行相同的加减乘除转换不会影响到数据在分布中的次序，所以我们可以利用这一原理来进行数据相对量数的计算。先将每个数据减去平均数求出其离均差。表 6-2 再次呈现了 9 名板球队员的厘米身高，数据的第二列中给出了每个数据减去平均数（170 厘米）后所得的结果，这一结果就是每名队员身高的离均差（回忆一下第五章学习方差和标准差概念时提到的离均差的概念）。阿洛伊修斯（Aloysius）高于平均身高 20 厘米（离均差＝20），而艾戈（Igor）低于平均身高 20 厘米（离均差＝－20）。前面讲过，从每名队员的身高中减去平均数不会改变身高的次序：阿洛伊修斯依然最高，他向右偏离平均身高的程度最大；艾戈仍然最矮，他向左偏离平均身高的程度最大。厄尼（Ernie）的身高偏离平均数为零，即他的身高恰好等于平均身高。

表 6-2 将数据转化为标准数据

学　生	身高(厘米)	$X-\mu$	$(X-\mu)/\sigma$
Aloysius	190	20	1.33
Brian	186	16	1.07
Carl	182	12	0.80
David	180	10	0.67
Ernie	170	0	0.00
Fred	160	－10	－0.67
Gertrude	158	－12	－0.80
Harry	154	－16	－1.07
Lgor	150	－20	－1.33
$\overline{X}$	170	0	0
s	15	15	1.00

将数据转化为离均差，可以得到此数据相对于同一分布中其他数据的位置的有关信息。负的离均差表示数据小于平均数，正的离均差表示数据大于平均数。由此我们知道，阿洛伊修斯身高的离均差为正的 20 厘米，即他的身高高于平均身高 20 厘米。同理，艾戈身高的离均差为负的 20 厘米，即他的身高低于平均身高 20 厘米。

此外，我们还可以判断出，阿洛伊修斯比戴维高，因为阿洛伊修斯高于平均身高 20 厘米，而戴维只高于平均身高 10 厘米。我们甚至不需要知道他们的实际身高，只需从离均差所提供的信息就可以推断出谁更高一些。

正如刚才所讨论的例子,离均差可以使我们对一个分布中数据的相对位置作出比较,但是它不适用于测量尺度不同的两组分布中数据相对位置的比较。这是因为离均差使用的依然是原始数据的度量单位,不同单位的数据无法进行比较。比如,阿洛伊修斯的身高高于平均身高 20 厘米,布赖恩(Brian)的身高则高于平均身高 6 英寸。哪一个更高一些呢?我们无法判断,因为这里的离均差一个是用厘米来度量的,而另一个却是用英寸来度量的。

要想比较两组分布,必须先将其转化为相同的度量单位。只要阿洛伊修斯和布赖恩的身高都使用厘米或英寸作单位,进行比较就非常容易。但是如果数据处于两个不同单位的分布中,比较起来就不那么简单了,因为通常情况下不可能用一项分布的度量单位来对另一项分布进行转化。试想,将板球队员的身高与他们的智力分数进行比较,我们既不能用智力分数的单位来度量身高,也不能用身高的单位(厘米或英寸)来度量智力。解决这一难题的办法是将两者的单位同时转化为第三种度量单位,即用标准差作为一种新的度量单位。尽管用标准差作为单位听起来非常奇怪,但是根据前面的所学内容,通过使用相同的方法对数据进行转化,就可以实现对整组数据度量单位的转化,从而使度量单位达成统一,这就为使用标准差作为度量单位提供了条件。

图 6-2 给出了度量板球队员身高的三种单位。在每一度量单位中,选取三名板球队员——阿洛伊修斯(A)、厄尼(E)、弗瑞德(F)作为代表。刻度 1 使用的是原始度量单位,队员身高用厘米计量:阿洛伊修斯的身高是 190 厘米,弗瑞德的身高是 160

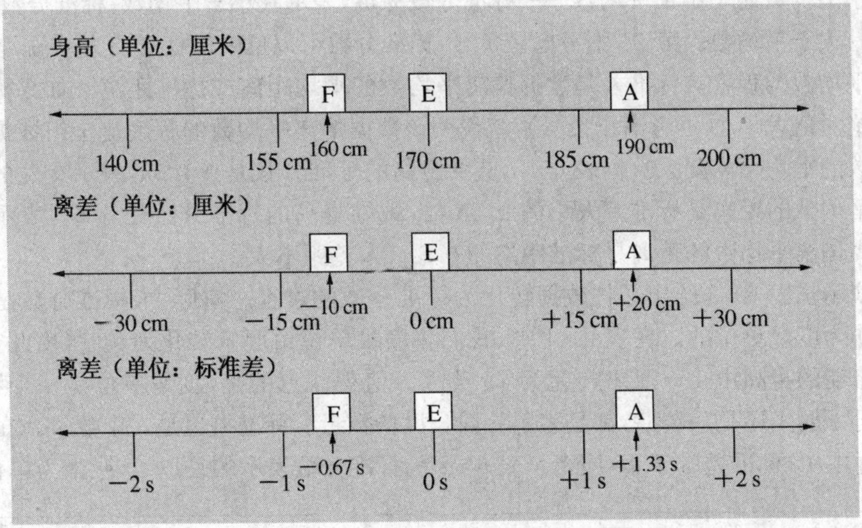

图 6-2 以标准差作为测量单位

厘米，厄尼的身高是 170 厘米（恰好等于平均数）。刻度 2 是以离均差为单位进行度量：阿洛伊修斯的身高高出平均数 20 厘米，弗瑞德的身高低于平均数 10 厘米，厄尼的身高恰好等于平均数。最后，刻度 3 没有使用厘米单位，而是用了标准差为单位来进行度量：阿洛伊修斯的身高高出平均数 1.33 个标准差，弗瑞德的身高低于平均身高 0.67 个标准差，厄尼的身高与平均身高间不存在偏差。

回想前面提到的把队员身高由厘米转化为英寸的过程，是通过将厘米身高除以 2.54 得到的，因为 1 英寸＝2.54 厘米。阿洛伊修斯的身高由厘米转化为英寸通过以下计算实现：

$$\frac{\text{阿洛伊修斯身高(以厘米为单位)}}{\text{每英寸厘米数}}=\frac{190\text{ 厘米}}{2.54\text{ 厘米}}=75\text{ 英寸}$$

将队员的身高由厘米单位转化为标准差单位，需要将每个身高的离均差除以 15，因为此组数据的标准差等于 15 厘米。还是以阿洛伊修斯为例，计算过程如下：

$$\frac{\text{阿洛伊修斯身高的离均差(以厘米为单位)}}{\text{标准差(以厘米为单位)}}=\frac{20\text{ 厘米}}{15\text{ 厘米}}=1.33\text{ 个标准差}$$

因此，阿洛伊修斯的身高高出平均数 1.33 个标准差，也就是 20 厘米。

这就是**标准分数**[1]的概念：是以标准差作为单位来反映一个数据在分布中所处的相对位置，标准分数又被称为 Z 分数。表 6－2 中给出了所有板球队员身高的标准分数。

每个标准分数都会给我们提供两条信息。第一，标准分数的正负号表示原始数据是大于平均数还是小于平均数——标准分数为负，表示其小于平均数；标准分数为正，表示其大于平均数。第二，不考虑正负号，标准分数可以反映以标准差为单位，该数据偏离平均数的程度。标准差是数据偏离平均数的平均距离或标准距离。如果标准分数的绝对值大于 1（不考虑正负号），就说明该数据偏离平均数的程度比全组数据偏离平均数的平均距离要大。据表 6－2，艾戈身高的标准分数是－1.33，表示艾戈的身高偏离平均数的距离是标准差大小的 1.33 倍；戴维身高的标准分数是 0.67，表示戴维的身高偏离平均数的距离是标准距离的 0.67 倍，差距不大。

演示步骤 6－3 给出了将数据转化为标准分数的过程。实际上，标准分数是以标准差作为度量单位的。在表 6－1 中，我们将度量单位由厘米转化为英寸，由此，将阿洛伊修斯的身高由 190 厘米转化为 75 英寸。值得注意的是，度量单位是一个数量。无论是一厘米还是一英寸，都是表示一段长度的数量。标准差也是一个数量。在板球队员样本中，标准差等于 15 厘米。表 6－2 的标准分数表示的是以 15 厘米为单位、每

〔1〕 标准分数：是指以标准差为单位来描述某数据在分布中所处位置的一种相对量数。它以标准差为单位表示数据偏离平均数的程度。

个数据偏离平均数的程度。格特鲁特(Gertrude)的身高在平均数之下 0.80 个标准差,阿洛伊修斯的身高在平均数之上 1.33 个标准差。

演示步骤 6-3

将数据转化为标准分数

对于总体:

$$z=\frac{X-\mu}{\sigma}$$

式中,X = 数据

μ = 总体平均数

σ = 总体标准差

z = 标准分数

对于样本:

$$z=\frac{X-\overline{X}}{s}$$

式中,X = 数据

$\overline{X}$ = 样本平均数

s = 样本标准差

z = 标准分数

1. 计算该组数据的平均数和标准差。
2. 从给定数据中减去平均数。
3. 将第 2 步的结果除以标准差即求得给定数据的标准分数。

标准分数的平均数和标准差

当一组数据被转化为标准分数时,其平均数始终为 0。

$$\overline{X}_Z=\frac{\sum Z}{n}$$

$$=\frac{(-1.33)+(-1.07)+(-0.80)+(-0.67)+0+0.67+0.80+1.07+1.33}{9}$$

$$=0$$

在对板球队员的身高的标准分数求标准差的过程中可以看到,一组标准分数的标准差始终为 1。

$$s_Z=\sqrt{\frac{\sum(z-\bar{X}_z)^2}{n-1}}$$

$$=\sqrt{\frac{(-1.33)^2+(-1.07)^2+(-0.80)^2+(-0.67)^2+0^2+0.67^2+0.80^2+1.07^2+1.33^2}{9-1}}$$

$$=\sqrt{1.00}=1.00$$

将一组数据转化为标准分数，实际上就是用平均数为0、标准差为1的一种度量尺度来对数据进行转化。标准分数的度量单位是一个标准差。标准分数为1，表示该数据在平均数之上一个标准差；标准分数为－2，表示该数据在平均数之下两个标准差。标准分数反映的就是这个数据偏离平均数多少个标准差。

标准分数对数据相对位置的度量

由于一项分布中的标准分数的平均数始终是0，标准差始终是1，这便于我们对该分布中的数据位置进行比较。一项分布中，标准分数为2的数据高出平均数的程度是标准分数为1的数据的两倍；标准分数为－1的数据低于平均数的程度与标准分数为＋1的数据高于平均数的程度相同。

因为每组标准分数都有着相同的平均数(0)和标准差(1)，所以也可以对两组分布的数据进行比较。当阿洛伊修斯的身高以厘米度量，而布赖恩的身高以英寸度量的时候，我们不能判断他们两人谁更高，因为他们身高的测量单位不同。而将两人的身高都被转化为标准分数时，就可以作出比较了。阿洛伊修斯和布赖恩的身高转化为标准分数后分别为＋1.33和＋1.07。这意味着阿洛伊修斯比平均身高要高出1.33个标准差，而布赖恩比平均身高高出1.07个标准差，因此，阿洛伊修斯的身高高于布赖恩。可见，通过将数据转化为标准分数，即便在测量单位不同的情况下，我们也可以对它们进行比较。

标准分数可以帮助我们对不同分布中的数据进行比较。试想，查理的IQ数据为140，他在SAT口试中得了450分。能否依据他的IQ数据来判断他的SAT数据水平？我们很难对140分的IQ与450分的SAT口试成绩进行比较，因为它们属于不同的分布。但是，如果我们先把这两个数据转化为标准分数，就可以对其进行比较了。大多数IQ测试的平均分都是100分，标准差为15，故可以据此将140分的IQ转化为标准分数，过程如下：

$$Z_{IQ}=\frac{140-100}{15}=2.67$$

所以，查理的智力高于平均智力2.67个标准差。理论上，SAT口试成绩的平均分为500，标准差为100，由此可以将查理的SAT成绩转化为标准分数，计算如下：

$$Z_{\mathrm{SAT}}=\frac{450-500}{100}=-0.50$$

可见，查理 SAT 口试成绩低于平均成绩 0.5 个标准差。因此，查理的 IQ 水平明显高于平均水平，但是 SAT 成绩却低于平均水平，因此他的 SAT 成绩与 IQ 水平未达成一致。

再举一例来说明如何将原始数据转化为标准分数。回想一下第二章中讲过的简女士关于心理学专业学生毕业 10 年后收入状况的研究。图 6-3 中给出了以两种测量单位表示的心理学专业毕业生的收入情况。第一组尺度下收入用千美元为单位，也即原始单位。第二组尺度下收入被转化成了标准分数。注意观察，曲线图的形状和大小没有任何变化，变化的只是图表下面的刻度而已。度量收入可以用美分、美元，也可以用千美元。一百万美分的收入与一万美元的收入是一样的，收入的数额没有任何变化，变化的只是度量收入的单位而已。同样，对于一位收入是 78 500 美元的心理学专业毕业生而言，其收入水平与那些收入高于平均数一个标准差的人的收入是相同的，不同的只是度量收入的单位而已。

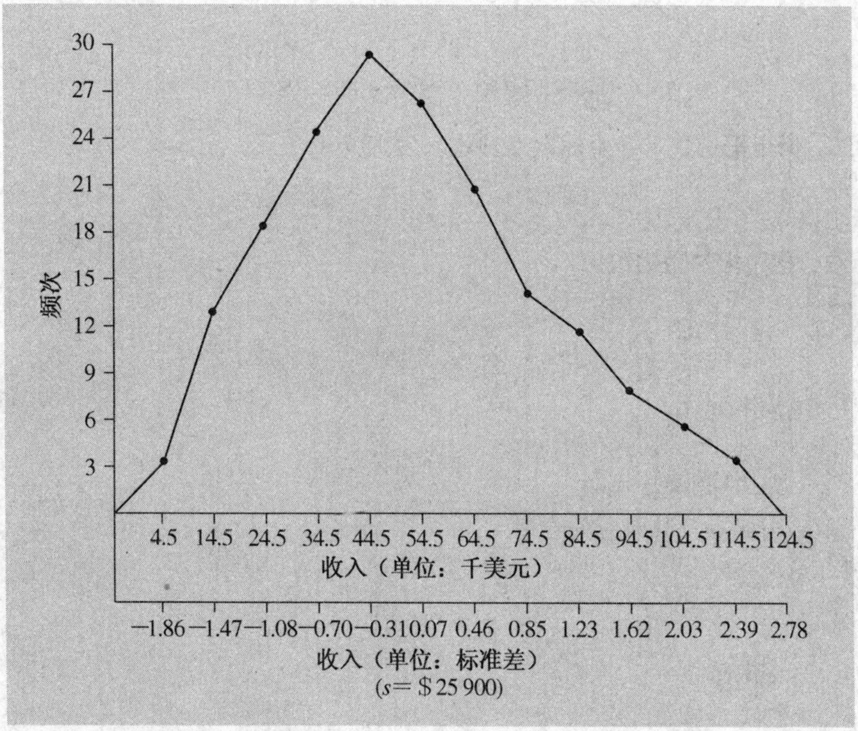

图 6-3　将表 3-2 中总的收入转化为标准分数

标准分数转化为原始数据

我们不仅能够将数据转化为标准分数，也可以将标准分数转化为原始数据。演示步骤 6－4 中给出了实现这一过程的步骤。试想，如何能够找出简女士的研究中恰好高出平均收入两个标准差的实际收入？回忆一下，已经求得的平均收入为 52 600 美元，标准差为 25 900 美元，高于平均数两个标准差的标准分数为 2，将以上数字代入演示步骤 6－4 中呈现的公式进行计算，可以求出：

$$X = Zs + \overline{X}$$
$$= (2.00)(\$25\,900) + \$52\,600$$
$$= \$51\,800 + \$52\,600 = \$104\,400$$

可见，在简女士关于心理学专业毕业生收入状况的研究中，高于平均数两个标准差的收入是 104 400 美元。

同样，也可以求出低于平均数 1.5 个标准差的收入：

$$X = Zs + \overline{X}$$
$$= (-1.50)(\$25\,900) + \$52\,600$$
$$= -\$38\,850 + \$52\,600 = \$13\,750$$

可见，低于平均数 1.5 个标准差的收入为 13 750 美元。

演示步骤 6－4

将标准分数转化为原始数据

对于总体：

$$X = z\sigma + \mu$$

式中，z = 标准分数

μ = 总体平均数

σ = 总体标准差

X = 与标准分数对应的数据

对于样本：

$$X = zs + \overline{X}$$

式中，z = 标准分数

$\overline{X}$ = 样本平均数

s = 样本标准差

X = 与标准分数对应的数据

1. 计算该组数据的平均数和标准差。
2. 将标准分数乘以标准差。
3. 将第 2 步的结果加上平均数，即求得对应的原始数据。

心理测验中标准分数的运用

标准分数经常用于心理与教育测验中。比如，在某智力测验中，被试答对的题目数并不能够真正说明什么，重要的在于，与其他参加该智力测验的人相比较而言，被试答对的题目数量如何。这也正是在智力测验、成就测验（如 SAT 和 ACT）以及大多数心理测验中，以数据在分布中的相对位置、尤其是标准分数作为计分基础的重要原因。

当为一项智力测验设计计分系统时，测验编制者首先要做的就是建构一套测试项目，并对之进行修订，使之能够较好地度量智力水平。接着，他们会从人群中抽取样本进行测试，记录每个人回答正确的测试题目数。随后计算出这些数据的平均数和标准差，并将其转化为标准分数。比如，测试中含有 100 个题目，回答正确的平均题目数为 54，标准差为 14。那么，回答正确 54 个题目就意味着标准分数为 0（也即等于平均数），回答正确 68 个题目则意味着标准分数为 1（也即高于平均数一个标准差）。

测验编制者的下一步工作就是将这些标准分数再转化为一种新的测量标准。在已有的智力测验中，通常情况下平均数为 100，标准差为 15。将这种平均数和标准差运用到上述测验中，标准分数为 0 的答对率就被转化成了 100 的智力分数，标准分数为 1 则被转化成了 115 的智力分数。测验编制者在发行其新的智力测验系统时，会附上一套表格，上面列出了所有可能出现的答对题目的数量，以及从已收集样本中得出的对应的 IQ 分数。如此一来，心理学家若要对来访者进行智力测验，只需要根据来访者回答问题的正确数目进行计分，就可以从表格中查到相对应的分及从原始样本中收集到的智力分数，并及时反馈给来访者。

一些成绩测验，如 SAT 和 GRE，使用的都是平均数为 500，标准差为 100 的测量标准。因此，如果上面所设计的测验是一项成就测验而非智力测验的话，那么答对 82 个题目，其分数就是 700，高于平均数 500 恰好两个标准差。得到 700 分就意味着与在 SAT 原始测验中得分高于平均数 2 个标准差的人所答对的题目数量是一样的。与智力测验一样，成就测验（如 SAT 和 GRE）的分数所反映的也是与原始样本中的人相比较而言，该被试所得分数的具体情况。

大多数心理测验都用相对位置作为数据的度量单位，目的是便于将被试的成绩与原始样本中的被试成绩进行比较。有一点需要注意，只有在对参与者和原始样本的同种特征进行测试时，进行这种比较才有意义。这一点超出了统计测验的范畴，属于心理测验中要注意的问题。但很显然，测量相对位置的统计概念确实是心理测验中最基本的概念。

标准分数使用的条件

由于将数据转换为标准分数的过程中需要用到平均数和标准差，因此，标准分数只适用于那些可以求平均数和标准差的分布。我们在第四章中了解到，顺序变量和称名变量不适合求平均数，因此，顺序变量和称名变量的数据也不适合转化为标准分数。我们还提到，对非常偏斜的分布（即分布在中心点周围严重失衡）求集中量数时，通常使用中数而不是平均数，因此也不适合用标准分数。对于上述不适用平均数和标准差的分布类型，可以使用另外一种较为适当的相对量数加以度量，这就是下面我们将要介绍的百分位数。

百分位数

第四章中我们介绍了中数的概念，中数是指一项分布中数轴上有 50%的数据都比它小的那个数。第五章介绍了四分点的概念，把中数的概念延伸到了将分布分为 4 份的情形。我们再复习一下，第一个四分点是指在数轴上有 25%的数据小于的数，第二个四分点也即中数，有 50%的数据小于的数，第三个四分点则是有 75%的数据都小于的数。同理，由这一概念我们可以继续延伸，找出任意给定百分数比例的数据的点。

这就是**百分位数的概念**。**第 k 个百分位数**[1]就是指某分布的数轴上有 k%的数据小于它的那个数。第 90 个百分位数就是指数轴上有 90%的数据小于的数。由此，中数就是第 50 个百分位数，第一个四分点就是第 25 个百分位数，第三个四分点就是第 75 个百分位数。

求百分位数的简便方法

正如求中数一样，求百分位数也有两种方法——简便方法和相对较精确的方法。简便方法可以求出百分位数（或频数分布的中值）所在的区间，精确方法则能求出区间中具体的百分数值。首先我们来看一下求百分位数的简便方法，参看演示步骤 6－5。

演示步骤 6－5

计算百分位数和百分等级：简便方法

要求百分位数和百分等级，首先要做的就是先建立一个频次分布表，表中标明频次和累加频次。注意频次的总和就是数据的总数 n。

求第 k 个百分位数：

〔1〕 第 k 个百分位数：是指分布中有 k%的数据比其低的那个数据值。

1．k 除以 100，然后再乘以数据的总数 n。
2．找出等于或大于第 1 步中所求值的最小的数据值及其累加频次。
3．根据以下两种情况，确定第 k 个百分位数的值。
  A．如果第 2 步中所求数据值的累加频次与第一步所求值相等，则要将该数据与相邻较大的数据相加再除以 2，所得即为第 k 个百分位数。
  B．如果第 2 步中所求数据值的累加频次比第一步所求值大，则数据即为第 k 个百分位数。

求某一给定数据的百分等级：

$$百分等级数 = 100\left(\frac{f_b + 0.5f_w}{n}\right)$$

式中，n = 分布中数据的数目
f_b = 第 k 个百分位数所在组以下的累加频次
f_w = 第 k 个百分位数所在组的频次

1．找出给定数据所在组的频次，将其乘以 0.5。
2．求出给定数据所在组以下的累加频次，将其与第 1 步的结果相加。
3．把第 2 步的结果除以分布中数据的总数目 n。
4．将第 3 步的结果乘以 100，所得即为所求的百分等级。

表 6－3 中给出了州立大学 650 名荣誉学员的年级平均成绩。运用演示步骤 6－5 中呈现的公式可以求出从第 1 个到第 99 个的任意一个百分位数。我们先求第 50 个百分位数，也即中点（同时还是第二个四分点）。数轴上所有的点都是一样的，其下有 50％的数据的那个点也不例外。运用演示步骤 6－5 中呈现的公式计算的准备步骤就是先要建构一个频次分布表，列出频次和累加频次。在表 6－3 中，这一步已经完成了。

表 6－3　州立大学荣誉学员的平均成绩频次分布表

GAP	f	累加频次	GAP	f	累加频次	GAP	f	累加频次
4.00	1	650	3.83	10	562	3.66	20	339
3.99	1	649	3.82	11	552	3.65	19	319
3.98	2	648	3.81	12	541	3.64	18	300
3.97	3	646	3.80	11	529	3.63	30	282
3.96	4	643	3.79	10	518	3.62	20	252

续 表

GAP	f	累加频次	GAP	f	累加频次	GAP	f	累加频次
3.95	4	639	3.78	12	508	3.61	29	232
3.94	3	635	3.77	13	496	3.60	21	203
3.93	4	632	3.76	12	483	3.59	22	182
3.92	4	628	3.75	13	471	3.58	20	160
3.91	7	624	3.74	12	458	3.57	22	140
3.90	7	617	3.73	14	446	3.56	21	118
3.89	6	610	3.72	14	432	3.55	23	97
3.88	7	604	3.71	15	418	3.54	25	74
3.87	8	597	3.70	17	403	3.53	24	49
3.86	8	589	3.69	16	386	3.52	11	25
3.85	9	581	3.68	16	370	3.51	14	14
3.84	10	572	3.67	15	354			

在演示步骤 6-5 呈现的公式中，字母 k 表示所求的第几个百分位数。如果要求第 50 个百分位数，k 就等于 50。第一步先将 k 除以 100，然后再乘以数据的总数。值得注意的是，数据累加频次的最大值就等于分布中数据的总数，因此，这一分布中的 $n=650$：

$$(k/100)\times n=(50/100)\times 650=0.50\times 650=325$$

第 50 个百分位数就是在数轴上有 325 个数据小于它的那个数。

第二步在于找出等于或大于 325 的累加频次的最小数据值，从表 6-3 中可知该数值是 GAP 等于 3.66 的数据。

如果存在一个与 325 恰好对应的累加频次的数据值，则第 50 个百分位数应该是该数据 3.66 的实际上限。表 6-3 中 3.66 的 GAP 对应的累加频次为 339，所以不适用于这种情况。根据演示步骤 6-5 中的公式，如果 3.66 的 GAP 对应的累加频次大于 325，则它本身就是第 50 个百分位数值。因此，表 6-3 给出的这个分布中的第 50 个百分位数的 GAP 就是 3.66。

另举一个例子，让我们求一下表 6-3 所给分布的第 96 个百分位数。对于第 96 个百分位数，k 等于 96。简便方法第一步的计算如下：

$$(k/100)\times n=(96/100)\times 650=0.96\times 650=624$$

因此，所求的数轴上有 624 个数据小于该数据。接下来找出累加频次等于或大于

624 的最小数据值的频次。可以看到，GAP 等于 3.91 所对应的累加频次恰好为 624，演示步骤 6-5 中指出，如果给定数据的累加频次恰好等于步骤 1 中求得的数据的数目，则所求百分位数即为该数据值的实际上限。求实际上限只需要将给定数据值与相邻较大数据相加，然后再除以 2 即得：

$$\text{第 96 个百分位数} = \frac{3.91 + 3.92}{2} = 3.915$$

由此，第 96 个百分位数为 3.915。在表 6-3 给出的分布中，95%的 GAP 值小于 3.915。

强调一点，百分位数是一个数据值，而非百分数。在该分布中，第 50 个百分位数的 GAP 为 3.66，第 96 个百分位数的 GAP 为 3.915。另外，对于此简便方法而言，第 k 个百分位数要么就是数据本身，要么就是它的实际上限。

求百分等级的简便方法

运用演示步骤 6-5，可以求出从第 1 个到第 99 个的任何一个百分位数值。从第 1 到第 99 个的次序值即为**百分等级**[1]。仍以前面的例子为例，GAP 为 3.66 的数据在第 50 个百分等级上，GAP 为 3.915 的数据在第 96 个百分等级上。因此，某给定数据值是第 k 个百分位数，同时也可以用另一种表达方式，即该数在第 k 个百分等级上。需要注意的是，不存在第 0 个和第 100 个百分等级。如果存在的话，那么最小数据值的实际下限其百分等级即为 0，最大数据值的实际上限其百分等级即为 100。

除了用简便方法求百分位数外，演示步骤 6-5 中也给出了求百分等级的简便方法。假设我们想要求 GAP 为 3.61 的百分等级，则根据公式，我们必须先求出 3 个数值：第一个是分布中的数据总数，据表 6-3 得到分布的数据总数是 650；第二个需要确定的是百分位数所在组的频次，即求 GAP 为 3.61 的数据的频次，表 6-3 给出的是 29；最后需要求出百分位数所在组以下的累加频次，即求 GAP 为 3.61 的数据值所在组以下的累加频次，表 6-3 给出的 GAP 为 3.60 所在组的累加频次，恰好就是给定的 GAP 为 3.61 所在组以下的累加频次，也就是 203，这就表示 GAP 小于 3.61 的有 203 名学员。将以上数值代入演示步骤 6-5 的公式中，就可以求出 GAP 为 3.61 的百分等级。

$$\begin{aligned}\text{百分等级} &= 100\left(\frac{f_b + 0.5f_w}{n}\right)\\ &= 100\left[\frac{203 + 0.5(29)}{650}\right]\\ &= 100\left(\frac{203 + 14.5}{650}\right)\\ &= 100\left(\frac{217.5}{650}\right) = 100(0.3346)\\ &= 33.46 \rightarrow \text{第 33 个百分等级分数}\end{aligned}$$

---

[1] 百分等级：是指分布中等于或小于某数据值的数据的百分比。

因此，该分布中 GAP 为 3.61 的百分等级在第 33.46 与第 34 个百分位数之间。也就是说，第 34 个百分位数的 GAP 为 3.61，或者说荣誉学员中 34%的人的 GAP 小于 3.61。

用简便方法求百分位数时，可以得到第 50 个百分位数对应的 GAP 为 3.66。使用简便方法计算 GAP 为 3.66 的百分等级，将结果与求百分位数的简便方法得出的结果进行比较。根据公式求出所需的数值：数据的总数 n 仍然为 650，GAP 为 3.66 的学生有 20 个，故该数据所在组的频次等于 20，3.66 的累加频次为 319，因此 3.66 所在组以下的累加频次等于 319。将以上数值代入公式进行计算：

$$
\begin{aligned}
\text{百分等级} &= 100\left(\frac{f_b + 0.5f_w}{n}\right) \\
&= 100\left[\frac{319 + 0.5(20)}{650}\right] \\
&= 100\left(\frac{319 + 10}{650}\right) \\
&= 100\left(\frac{329}{650}\right) \\
&= 100(0.5062) \\
&= 50.62 \rightarrow \text{第 51 个百分等级分数}
\end{aligned}
$$

因此，求百分等级最简便的方法表明：GAP 为 3.66 的数据恰好在第 51 个百分等级上。

强调一点，求百分位数和百分等级的简便方法间存在些许不同。用求百分位数的简便方法得出的 3.66 的 GAP 是第 50 个百分位数，而由求百分等级的简便方法得出的 3.66 的 GAP 是第 51 个百分位数。这是因为使用简便方法所致。尽管两种简便方法得出的并不是完全精确的同一数值，但是求得的结果相当接近。因此，就大多数情形而言，这种细微的差异无关紧要。下面将要介绍的是求百分位数和百分等级的精确方法，精确方法与简单方法间并不存在实质性的矛盾。

求百分位数的精确方法

演示步骤 6-6 中描述了求百分位数和百分等级的精确方法。对简便方法和精确方法得出的结果进行比较可以发现，使用精确方法进行计算，则 3.66 的 GAP 值再次对应出现在第 50 个百分位数处。首先求出按照演示步骤 6-6 进行计算所需要的一些数据值：$k = 50$，$n = 650$，$f_b = 319$，$f_w = 20$。此外还需要区间大小 i，表 6-3 中列出的 GAP 是以小数点后两位为单位的(即 0.01)，故 $i=0.01$。最后还需要 3.66 的 GAP 的实际下限 LRL。实际下限应该是数据所在区间下限值减去区间大小的一半后得到的结果，所以 LRL=3.66−0.005=3.655。将以上数据值带入公式进行计算：

$$
\begin{aligned}
\text{第 50 个百分位数} &= \mathrm{LRL} + i\left(\frac{0.01kn - f_b}{f_w}\right) \\
&= 3.655 + 0.01\left[\frac{0.01(50)(650) - 319}{20}\right] \\
&= 3.655 + 0.01\left(\frac{325 - 319}{20}\right) \\
&= 3.655 + 0.01\left(\frac{6}{20}\right) \\
&= 3.655 + 0.01(0.3) \\
&= 3.655 + 0.003 \\
&= 3.658
\end{aligned}
$$

演示步骤 6－6

计算百分位数和百分等级：更精确的方法

对于求百分位数和百分等级分数而言，准备步骤是构建一个频次分布表，标明频次和累加频次。注意一点，频次之和应该恰好等于数据的总数目 n。

求第 k 个百分位数：

1. k 除以 100，然后乘以数据总数 n。找出等于或者大于该累加频次的最小值或所在区间。

$$\text{第 } k \text{ 个百分位数} = LRL + i\left(\frac{0.01kn - f_b}{f_w}\right)$$

式中，k＝要求的百分等级

LRL＝第 k 个百分位数所在组的实际下限

i＝区间大小

n＝分布中数据的总数

f_b＝第 k 个百分位数所在组以下的累加频次

f_w＝第 k 个百分位数所在组的频次

2. k 乘以 0.01，然后再乘以数据总数 n。
3. 从第 2 步的结果中减去 f_b。注意 f_b 是第 k 个百分位数所在组以下的累加频次。
4. 用第 3 步的结果除以 f_w，即第 k 个百分位数所在组的频次。
5. 将第 4 步的结果乘以区间大小 i。
6. 第 5 步的结果加上要求百分位数所在组的实际下限 LRL（实际下限即所求数据所在区间下限值与区间大小一半的差值）。第 6 步所求的值即为第 k 个百分位数。

求给定数据的百分等级：

$$\text{百分等级} = \frac{100\left[f_b + f_w\left(\frac{X - \text{LRL}}{i}\right)\right]}{n}$$

式中，X = 给定的数据值

LRL = 给定数据值所在组的实际下限

i = 区间大小

n = 分布中数据的数目

f_b = 数据值所在组以下的累加频次

f_w = 数据值所在组的频次

1. 找出给定数据值或者数据值所在组的实际下限 LRL，从数据值中减去 LRL。
2. 第 1 步的结果除以区间大小 i。
3. 第 2 步的结果乘以该数据所在组的频次 f_w。（若找出的是该数据所在的区间，那么 f_w 就是指该区间的频次）
4. 第 3 步的结果加上该数据所在组以下的累加频次 f_b。（若找出的是该数据所在的区间，f_b 就是指该区间以下的累加频次）
5. 第 4 步的结果乘以 100。
6. 第 5 步的结果除以分布中的数据总数 n，即求得所选定数据的百分等级。

简便方法求得第 50 个百分位数是 3.66，而精确方法求得的第 50 个百分位数是 3.668。前面提过 3.66 的 GAP 并不是代表数轴上 3.66 这个点，而是代表从 3.655 的下限到 3.665 的上限的这段距离。也就是说，3.66 的 GPA 是数轴上的一段间距，不是一个点，第 k 个百分位数可能是这段间距中的任意一点。精确方法求得的第 50 个百分位数是 3.668，显然简便方法无法达到如此精确的程度。简便方法求得的第 k 个百分位数的位置就在该数据所在区间的中点处。还有一些特殊的情况，比如给定数据所在组的累加频次恰好等于数据总数的 $k\%$ 时，使用简便方法就直接将所在组的实际上限作为第 k 个百分位数。由此可以看出，简便方法可以表明第 k 个百分位数在哪一段距离上，但是不能精确指出第 k 个百分位数到底在这段距离的哪个位置上。

再举一例来比较求百分位数的简便方法与精确方法。回忆一下简女士对心理学专业毕业生的收入水平的研究，了解毕业 10 年之后他们的收入情况。根据其分组频次分布可以求出第 80 个百分位数，第 80 个百分位数是指有 80%的男毕业生收入都低于此的收入水平。

图 6－4 给出了运用了简便和精确两种方法对该例题进行计算的过程。简便方法得到的第 80 个百分位数是 74 500 美元的收入，是分组区间 70 000 至 79 000 美元的中点。精确方法得到的第 80 个百分位数是 75 200 美元。可见，用简便方法得到的是第 80 个百分位数所在的分组区间，是一段距离，而精确方法求得的是第 80 个百分位

数的确切位置。

分组	频次	累加频次
$110 000–$119 000	4	180
100 000–109 000	6	176
90 000–99 000	8	170
80 000–89 000	12	162
70 000–79 000	14	150
60 000–69 000	21	136
50 000–59 000	26	115
40 000–49 000	29	89
30 000–39 000	24	60
20 000–29 000	19	36
10 000–19 000	13	17
0–9 000	4	4

最大数据的累加频次为 n

第 80 个百分位数所在组上限以下的累加频次

第 80 个百分位数所在组的频次

第 80 个百分位数所在组以下的累加频次

实际下限 LRL，是第 80 个百分位数所在组下限与该组之下一组的上限的平均数：

$$\text{LRL} = \frac{70\,000 + 69\,000}{2} = 69\,500$$

区间大小 i 是任意两相邻组的下限之差，如 5 000 与 6 000:

$$i = 60\,000 - 50\,000 = 10\,000$$

计算第 80 个百分位数，将上述数值代入公式进行计算：

$$第\ 80\ 个百分位数 = \text{LRL} + i\left(\frac{0.01kn - f_b}{f_w}\right) = \$\,69\,500 + \$\,10\,000\left[\frac{0.01(80)(180) - 136}{14}\right]$$

$$= \$\,69\,500 + \$\,10\,000\left(\frac{144 - 136}{14}\right) = \$\,69\,500 + \$\,10\,000\left(\frac{8}{14}\right)$$

$$= \$\,69\,500 + \$\,10\,000(0.57) = \$\,69\,500 + \$\,5\,700 = \$\,75\,200$$

简便方法：其下的累加频次大于 0.80 n 的最小组，即区间分组 7 000 – 79 000，该组的中点 74 500就是以简便方法求得的第 80 个百分位数。

图 6 – 4 在分组频次分布中计算心理学专业毕业生收入的第 80 个百分位数

求百分等级的精确方法

演示步骤 6－6 中给出了求任意数据值的百分位数和百分等级的精确方法。当数据是被放在简单数据表或频次分布表中时，就某给定数据而言，无论用简便方法还是精确方法，所求得的百分等级值是相同的。但是用简便方法运算的速度更快一些，所以对于以简单数据表或频次分布表呈现的数据，我们优先选择使用简便方法进行计算。

但如果数据是被放在一个分组频次分布表中时，用两种方法求给定数据的百分等级所得的结果会有所不同。图 6－5 给出了心理学专业毕业生收入的分组频次分布表和同时使用两种方法求 62 000 美元的收入的百分等级的具体步骤。

分组	频次	累加频次
$110 000–$119 000	4	180
100 000–109 000	6	176
90 000–99 000	8	170
80 000–89 000	12	162
70 000–79 000	14	150
60 000–69 000	21	136
50 000–59 000	26	115
40 000–49 000	29	89
30 000–39 000	24	60
20 000–29 000	19	36
10 000–19 000	13	17
0–9 000	4	4

最大数据的累加频次为 n

给定数据所在组上限以下的累加频次

给定数据所在组的频次

给定数据所在组以下的累加频次

实际下限 LRL，是第 80 个百分位数所在组的下限与该组之下一组的上限的平均数：

$$\text{LRL} = \frac{60\,000 + 59\,000}{2} = 59\,500$$

区间大小 i 是任意两相邻组的下限之差，如 5 000 与 6 000：

$$i = 60\,000 - 50\,000 = 10\,000$$

续 图

计算 62 000 美元的百分等级，将上述数值代入公式进行计算：

$$百分等级 = \frac{100}{n}\left[f_b + f_w\left(\frac{X-\text{LRL}}{i}\right)\right] = \frac{100}{180}\left[115 + 21\left(\frac{62\,000-59\,500}{10\,000}\right)\right]$$

$$=0.56\left[115+21\left(\frac{2\,500}{10\,000}\right)\right] = 0.56[115+21(0.25)] = 0.56[115+5.25]$$

$$=0.56[120.25] = 67.34 \rightarrow 第\ 67\ 个百分等级$$

简便方法：

$$百分等级 = 100\left(\frac{f_b+0.5f_w}{n}\right) = 100\left[\frac{115+0.5(21)}{180}\right) = 100\left(\frac{115+10.5}{180}\right)$$

$$=100\left(\frac{125.5}{180}\right) = 100(0.697\,2) = 69.72 \rightarrow 第\ 70\ 个百分等级$$

图6-5 在分组频次分布中计算心理学专业毕业生收入为 62 000 美元的百分等级

精确方法求得 62 000 美元的收入所对应的百分等级是 67.34 或 67，而简便方法求得其对应的百分等级是 70。究其原因在于两种方法给出的值不同，简便方法给出的乃估计所得。

百分位数对数据相对位置的度量

百分位数是用来度量某分布中一个数据相对于其他数据，其位置如何的一种方法。比如计算第 80 个百分位数，将上述数值代入公式进行计算。在简女士的研究中，75 200美元的收入是第 80 个百分位数，表明与分布中的其他收入水平相比，这一收入所处的位置——即有 80%的收入低于 75 200 美元，有 20%的收入高于 75 200 美元。可见，百分位数可以表示出分布中某特定数据相对于其他数据的位置如何。因此，百分位数是度量相对位置的方法之一。

一些心理测验不选用标准差，而倾向于选用百分位数。教育测验中就经常使用百分位数记分。如十岁的马里奥(Mario)参加一次四年级期末的标准化测验，成绩单上显示：他的阅读水平在第 95 个百分位数处，数学成绩在第 40 个百分位数处。这些百分位数说明了他的阅读能力比同时参加考试的 95%的四年级学生都好，但他的数学水平仅比同时参加考试的 40%的四年级学生优秀。百分位数并没有告诉我们这次测验中马里奥究竟答对了几道题，而是告诉我们与参加同样测验的其他同学相比，其成绩如何。可见，百分位数揭示的是一项分布中每个数据相对于其他数据的位置。

同标准分数一样，百分位数揭示的是相对于原始样本而言，一个人的测验成绩如何。标准分数和百分位数都是用来度量数据相对位置的，只是度量的方法有所不同。标准分数是以标准差为单位反映数据偏离平均数的程度，百分位数使用的则是分布中低于某给定数的数据的百分比。下一章中我们将要介绍如何将标准分数转化为百分位数，以及如何将百分位数转化为标准分数，以有助于我们更好地理解标准分数与百分位数之间的关系。

难点提示

1. 计算标准分数时首先应对结果进行预测。如果将要转化的数据比平均数大的话，可以预测标准分数为正；如果比平均数小的话，则可以预测标准分数为负。估计一下数据大于或小于平均数几个标准差，这将有助于你对标准分数的绝对值作出估计。

2. 将标准分数转换为原始数据时，也应该首先估计一下合理的结果。如果标准分数为负数，则答案应该小于原始分布中的平均数；如果标准分数为正数，则答案应该大于平均数。观察一下标准分数的大小，标准分数绝对值越大，答案高出或低于平均数的程度就越大。

3. 将标准分数转化为原始数据时，应确保答案单位的合理性。比如，如果你所计算的智力分数是 116.32，那么肯定是错的，因为智力分数不可能有小数部分，它们永远只能是整数。

4. 常犯的一个错误是将百分位数与百分等级混淆。记住一点，百分位数是一个数据值。在智力分数的分布中，第 90 个百分位数是指有 90％的智力分数比其小的数。百分等级与百分比有些相似，智力分数为 100 的百分等级是 50，因为（理论上）有 50％的智力分数小于 100。

5. 在计算百分位数和百分等级之前，应该首先对分布进行观察，对答案做出估计。求某给定数据的百分等级时，要对小于它的数据的百分比进行估计，然后再进行实际的计算，用估计值检查实际计算结果，如果二者出入很大，则应引起注意。

小结

- 相对量数是表示分布中某指定数据相对于其他数据的位置如何的数。它既可以用于同一分布内某数据与其他数据相对位置的比较，也可以用于不同分布之间某数据与其他数据相对位置的比较。
- 当对分布中每个数据的测量单位进行加减乘除的变换时，不会改变分布中数据的顺序。
- 对分布中的每个数据进行加减变换时，平均数会发生相同的变化，而标准差保持不变。因此这一操作只是使分布中的数据整体在数轴上进行了向右或者向左的移动，而分布的离散程度不变。
- 对分布中的每个数据进行乘除变换时，平均数和标准差都会随之发生相同的变化。因此这一操作不只是使分布中的数据整体在数轴上进行了向上或者向下的移动，而且分布的离散程度也随之发生了变化。
- 标准分数（Z 分数）用来表明分布中数据以标准差为单位偏离平均数的水平。标准分数的正负号表明数据是大于还是小于平均数。正号表示数据大于平均数,负号表示数据小于平均数。标准分数的绝对值表明数据大于或小于平均数几个标准差。

- 任何分布的数据转化为标准分数时,平均数均为 0,标准差始终为 1。
- 百分位数是指分布中小于某给定百分比的数据值。百分等级是指分布中比给定数据小的数据的百分比。在一项智力分数分布中,智力分数 100 是第 50 个百分位数,同时智力分数 100 也在第 50 个百分等级上。
- 很多心理测验使用相对量数来报告个体的测试成绩。因此,一旦给出了相对量数形式的心理测试成绩,我们就可以知道与其他参加测试的人的成绩相比,该参与者的成绩如何,但无法知道该参与者的实际成绩。

练习

概念题

1. 名词解释:

原始数据	标准分数
转换数据	百分位数
相对量数	百分等级

2. 教师给出一套 25 道题目的判断题,班级平均得分为 15,标准差为 5。
   A. 如果教师将每一题的分数增加 3 分,那么平均分和标准差会是多少?
   B. 如果不通过加分,而是通过将每个人的分数都乘以 4,则平均分和标准差会是多少?
   C. 如果教师首先将每一题的分数增加 3 分,然后再将每个人的分数都乘以 4,则平均分和标准差会是多少?
   D. 为什么以上三种情况平均数都发生变化?
   E. 为什么标准差在 B 和 C 情况下发生变化,而 A 情况下没有改变呢?
3. 以下每一组数据代表一个总体,将其转化为标准分数。

组 1	组 2	组 3	组 4
7	9	9	70
6	7	8	60
5	5	7	50
4	3	6	40
3	1	5	30

   A. 为什么组 1 中的 7 与组 2 中的 7 的 Z 分数不同?
   B. 为什么组 1 中的 6 的 Z 分数为正,而组 3 中 6 的 Z 分数为负?

C. 为什么组 1 和组 2 中的 5 的 Z 分数相同，而组 3 中 5 的 Z 分数却与它们不同？

D. 为什么组 1 中的 7 与组 4 中的 70 的 Z 分数相同？

E. 尽管这四组分布中相应位置的原始数据不同，但它们的标准分数却相同，请解释一下原因。

4. 以下 10 个数据组成一个总体：

8 8 8 8 6 6 6 4 4 2

A. 用求总体的平均数和标准差的公式，计算这一分布的平均数和标准差。

B. 将分布中的每一个数据转化为标准分数。

C. 计算标准分数分布的平均数和标准差。

D. 为什么标准分数分布的平均数为 0，而标准差为 1？

5. 以下有三组数据，其中组 1 和组 2 的区间大小为 5，组 3 的区间大小为 10。运用简便方法，分别求出三组分布中每个数据的百分等级。

组 1	组 2		组 3	
50	50	25	100	50
45	50	25	100	50
40	45	20	90	40
35	45	20	90	40
30	40	15	80	30
25	40	15	80	30
20	35	10	40	20
15	35	10	40	15
10	30	5	40	10
5	30	5	35	5

A. 为什么尽管组 2 中的数据数量多于组 1，但是组 1 和组 2 中的 40 却有着相同的百分等级？

B. 为什么组 2 和组 3 中的 40 的百分等级不同？

C. 为什么组 2 中的 40 与组 3 中的 80 的百分等级相同？

6. 为什么标准分数和百分位数都可以度量数据在分布中的相对位置？

计算题

7. 对于一个总体，$\mu = 75$，$\sigma = 10$，原始数据区间大小为 1。

A. 将以下原始数据转化为标准分数：(1) $X = 89$ (2) $X = 67$ (3) $X = 75$ (4) $X = 54$ (5) $X = 93$ (6) $X = 74$

B. 将以下标准分数转化为最接近的原始数据：(1) $Z = 1.00$ (2) $Z = -1.70$ (3) $Z = 1.90$ (4) $Z = 2.50$ (5) $Z = -1.90$ (6) $Z = 0.00$

8. 对于一个总体，$\mu = 400$，$\sigma = 25$，原始数据区间大小为 10。

A. 将以下原始数据转化为标准分数：(1) $X = 440$ (2) $X = 460$ (3) $X = 370$ (4) $X = 420$ (5) $X = 340$ (6) $X = 410$

B. 将以下标准分数转化为最接近的原始数据：(1) $Z = 1.05$ (2) $Z = -1.99$ (3) $Z = 1.64$ (4) $Z = 2.54$ (5) $Z = -1.64$ (6) $Z = 0.00$

9. 对于一个总体，$\mu = 12.5$，$\sigma = 1.5$，原始数据区间大小为 1。

A. 将以下原始数据转化为标准分数：(1) $X = 12.6$ (2) $X = 13.4$ (3) $X = 10.9$ (4) $X = 15.7$ (5) $X = 11.0$ (6) $X = 9.9$

B. 将以下标准分数转化为最接近的原始数据：(1) $Z = -1.00$ (2) $Z = 1.59$ (3) $Z = -1.65$ (4) $Z = 2.38$ (5) $Z = 2.00$ (6) $Z = 0.00$

10. 智力分数分布的平均数为 100，标准差为 15，区间大小为 1：

A. 将以下智力分数转化为标准分数。

(1) 65 (2) 78 (3) 92 (4) 106 (5) 126 (6) 142

B. 将以下标准分数转化为最接近的智力分数。

(1) $Z = -2.00$ (2) $Z = -1.65$ (3) $Z = -0.50$ (4) $Z = 0.00$ (5) $Z = 1.65$ (6) $Z = 2.00$

11. 在 SAT 测验中，理论上平均分为 500，标准差为 100，区间大小为 1：

A. 将以下 SAT 数据转化为标准分数。

(1) 325 (2) 465 (3) 499 (4) 501 (5) 633 (6) 700

B. 将以下标准分数转化为最接近的 SAT 数据。

(1) $Z = -2.55$ (2) $Z = -1.96$ (3) $Z = -0.75$ (4) $Z = 0.00$ (5) $Z = 1.50$ (6) $Z = 2.33$

12. 智力分数分布的平均数为 100，标准差为 15；SAT 测验理论上的平均分为 500，标准差为 100。

A. 以下为智力分数，求出有与之相同的标准分数的 SAT 数据：

(1) 100 (2) 115 (3) 70 (4) 112 (5) 87 (6) 139

B. 以下为 SAT 数据，求出有与之相同的标准分数的智力分数：

(1) 400 (2) 650 (3) 375 (4) 770 (5) 500 (6) 505

13. 以下 10 个数据构成一个总体。

36 36 36 36 32 32 32 28 28 24

A. 计算平均数和标准差。

B. 将以下数据转化为标准分数：36 32 28 24

C. 将每个标准分数变形，使之成为一个平均数为 50，标准差为 10 的新分布。

14. 以下三组数据均为样本。

组一：学生的智力分数		组二：学生的GPA成绩		组三：学生的收入($)	
115	110	3.5	3.1	20 000	14 000
113	110	3.5	3.1	20 000	14 000
113	110	3.4	3.0	19 000	12 000
112	110	3.4	2.9	19 000	12 000
112	109	3.4	2.9	19 000	12 000
112	109	3.4	2.9	17 000	10 000
111	109	3.3	2.8	17 000	10 000
111	109	3.3	2.8	15 000	10 000
111	108	3.3	2.7	15 000	9 000
110	106	3.2	2.5	14 000	8 000

A. 将以下智力分数转化为标准分数：(1) 112 (2) 110 (3) 108

B. 将以下GPA数据转化为标准分数：(1) 3.4 (2) 3.1 (3) 2.8

C. 将以下收入数据转化为标准分数：(1) $19 000 (2) $15 000 (3) $12 000

D. 求出标准分数是以下数值的智力分数：(1) 1.19 (2) 0.24 (3) −2.14

E. 求出标准分数是以下数值的GPA数据：(1) 1.31 (2) −0.41 (3) −1.45

F. 求出标准分数是以下数值的收入数据：(1) 0.69 (2) −0.08 (3) −1.62

15. 对于14题中给出的三个样本，运用简便方法和精确方法进行以下计算。

A. 求出以下百分等级的智力分数：(1) 第90个 (2) 第37个 (3) 第20个

B. 求出以下百分等级的GPA数据：(1) 第90个 (2) 第37个 (3) 第20个

C. 求出以下百分等级的收入数据：(1) 第90个 (2) 第37个 (3) 第20个

16. 对于14题中给出的三个样本，运用简便方法和精确方法进行以下计算。

A. 求出以下智力分数的百分等级：(1) 112 (2) 110 (3) 108

B. 求出以下GPA数据的百分等级：(1) 3.4 (2) 3.1 (3) 2.8

C. 求出以下收入数据的百分等级：(1) $19 000 (2) $15 000 (3) $12 000

17. 以下是220人的总体的智力分数分布情况：

IQ	135—139	130—134	125—129	120—124	115—119
f	5	7	9	13	15
IQ	110—114	105—109	100—104	95—99	90—94
f	22	27	33	29	25
IQ	85—89	80—84	75—79		
f	21	10	4		

A. 求以下中点的百分等级：

(1) 137 (2) 132 (3) 127 (4) 122 (5) 117 (6) 112 (7) 107
(8) 102 (9) 97 (10) 92 (11) 87 (12) 82 (13) 33

B. 求这组数据中以下百分位数对应的智力分数：

(1) 第 90 个 (2) 第 80 个 (3) 第 70 个 (4) 第 60 个 (5) 第 50 个
(6) 第 40 个 (7) 第 30 个 (8) 第 20 个 (9) 第 10 个

18. 用 17 题的分布进行以下计算：

A. 将每段分组的中点转化为标准分数。

B. 求以下标准分数对应的智力分数：

(1) 2.00 (2) 1.50 (3) 1.00 (4) 0.50 (5) 0.00
(6) −0.50 (7) −1.00 (8) −1.50 (9) −2.00

C. 根据 17 题智力分数求以下百分等级的标准分数：

(1) 第 90 个 (2) 第 80 个 (3) 第 70 个 (4) 第 60 个 (5) 第 50 个
(6) 第 40 个 (7) 第 30 个 (8) 第 20 个 (9) 第 10 个

第七章 正态分布

在第三章里，我们介绍了分布的概念。分布是用来描述一组数据及这组数据频次变化情况的统计概念。在该章中，我们学习了频次分布，频次分布中的数据是由研究者在实验过程中通过精确的观察和测量得到的。乔·约翰逊在研究数学焦虑，简·杰弗斯在研究心理学专业毕业生收入情况时所获得的数据都属于频次分布。

本章中，我们将介绍理论分布的概念。**理论分布**[1]是基于一定理论之上的一组数据和该组数据出现的频次。频次分布中所用的数据均来自对被试的实际观测。在理论分布中，如果假定理论是真的，那么就可以用此理论来预测数据变化的趋势。本章中，我们主要介绍正态分布，正态分布将是以后章节中所用到的许多统计方法的基础。在第十章中，我们还将介绍另一种理论分布——二项式分布。

什么是正态分布

正态分布是理论分布的一种，其形状如同倒置的钟，故又被称为“钟形曲线”。正态分布是由卡尔·弗里德里奇·高斯(1777—1855)定义的，因此又被称作高斯分布。正态分布在数理统计和实际应用中非常重要，许多物理特征，诸如身高、体重，以及许多心理特征，如智力和其他认知能力测量数据，其分布多为正态分布。在正态分布中，那些大多数集中在“钟形曲线”中部的数据被称为常态数据，少部分偏离“钟形曲线”中心而位于两端的数据被称为极端数据。从某种意义上说，极端数据不具有典型性和代表性。

正态分布实际上是一个族分布。图 7 - 1 中的两个分布都是正态分布，它们的差异只是在曲线的中心值和分布的伸延方式上。正态分布曲线的形态受两个参数的制约，即平均数和标准差。在图 7 - 1 中，因为 B 分布的平均数大于 A 分布，且其标准差小于 A 分布，所以 B 分布较 A 分布高而狭。

正态分布的函数为：

〔1〕 理论分布：是建立在一定理论基础上，一组数据值及其可能出现的频次。

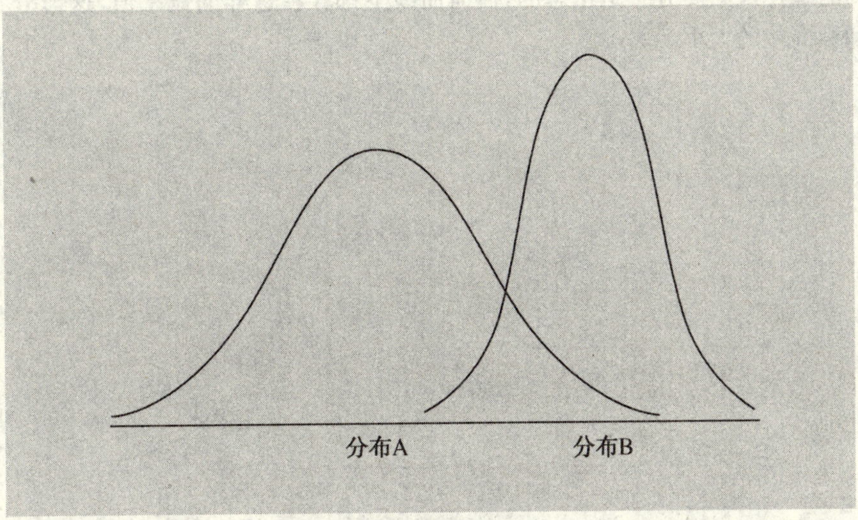

图7-1 正态分布的例子

$$f(X)=\frac{1}{\sqrt{2\pi\sigma^2}}e^{-(X-\mu)^2/2\sigma^2}$$

其中 $\pi=3.1416$，$e=2.7183$。使用该公式是非常复杂的，需要用到微积分的一些知识，这超出了本书所要讲授的内容。但我们知道公式中的 e 和 π 都是常量，将 e 和 π 代入公式后，实际上剩下 3 个变量：数据 X 以及参数 μ、σ。X 是随机变量，因此正态分布曲线的形状实质上取决于分布的 μ 和 σ。

正态分布的特征

虽然**正态分布**[1]图在基线上位置以及曲线的伸延方式不同，但它们仍有一些共同的特征：(1) 正态分布曲线是对称的，即图形二等分后两边互为镜像；(2) 正态分布是单峰分布，每个图形中只有一个峰；(3) 因为正态分布是对称的、单峰的，所以它的平均数、中数、众数相等；(4) 由于大量数据都群聚在平均数附近而形成一个凸起，而少量的数据在两端形成钟尾形的下降，从而使得所有的正态分布都形如倒钟；(5) 正态分布理论上向两端无限延伸，越远离平均数就越逼近 X 轴，但与 X 轴永远不会相交。

图 7-2 表示事件在正态曲线下各区域出现的概率值。在任何一个正态分布中，有 68.26%的事件分布在距平均数一个标准差范围之内；有 27.18%的事件分布在距平均数一个到两个标准差之间的范围之内；而距平均数两个标准差以外，只包含

〔1〕 正态分布：是对称、单峰、钟形的概率分布，是可以用于描述许多物理和心理变量的理论分布。

4.56%的事件。只要分布是正态的,任何曲线下都存在这样的概率值,这与分布的平均数和标准差的大小无关。

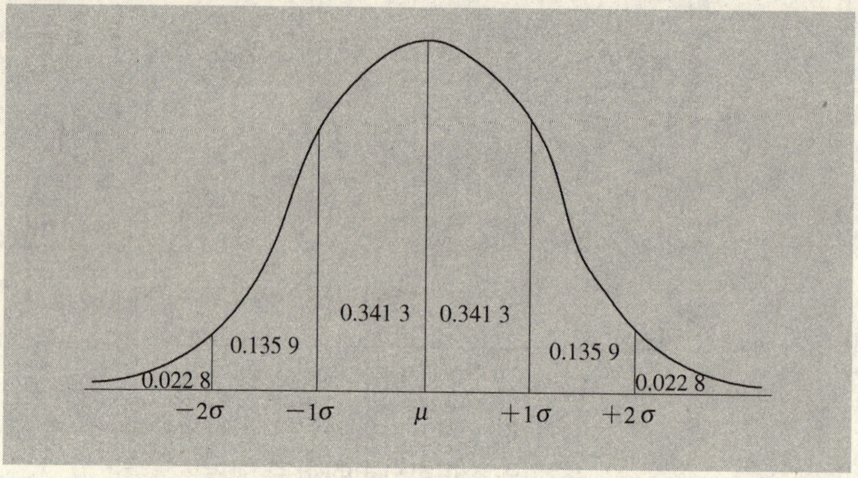

图 7-2　事件在正态曲线下各区域出现的概率值

图 7-2 反映了正态分布中一些数据值之间的事件概率值。如果我们能找到一种方法来计算正态分布中两个数据值之间的数据出现的概率值(诸如平均数与 1.5 个标准差之间的概率值),那将是非常有用的。统计学家已经为我们提供了这样的一个表格,如附录 A-1。如果能够确定分布是正态的,那么就可以用这个表来确定任意两个数据值之间的概率。比如,智力分布一般是正态的,我们可以通过查阅该表来确定智力水平在两个数据值之间(如智商在 110 到 120 之间)的人群在总体中所占的概率值。正态分布表虽然很有用,但在使用之前,必须确定分布是正态的。

正态分布是一种理论分布

许多智力测验都有一个平均数和标准差。如韦氏智力测验的平均数 μ 为 100,标准差 σ 为 15。假设总体中的智力分数是正态分布,那么智力分数在 85 到 115 之间(或距平均数 1 个标准差之内)的人占总体的 68.26%。通过查阅正态分布表 A-1,我们就可以确定任意两个智力分数之间的人群(如智力分数在 70—75 之间或 93—122 之间的人群)在总体中所占的概率值。由于我们可以用正态分布表中所列出的概率值来建构智力分数的分布,所以这个分布是一个理论分布。我们无需通过测量真实被试来收集数据,并使用实际的频次来构建正态分布了。更确切地说,智力分数的分布是基于正态分布的理论模型为基础的。

正态分布是基于这样的假设,即所要测量事物的基本特征是连续变量,而非离散变量。心理学家认为,智力分数的分布是不完全的正态分布。因为,智力测验获得的分数是连续的仅仅是一种假设。但实际上，智力分数是离散的，如 112 或 113。连续变量是指理论上有无限可能取值的变量，它的单位可以划得很细微。理论上，我们可以建构一个测验对智力进行更精细的测量，并用诸如 112.4 或 112.789 之类的智力分数来表示。事实上，正如有多少人就有多少智力水平一样，没有任何两个人的智力水平是相同的。然而，如此精确地去测量智力是不可能的，也是不现实的。因此，实际中的智力分数大多是一些整数。

对所有的连续变量来说，我们仅能获得有限的分数。这是确信无疑的。也就是说，所测特征虽然有无数个可能值，但实际测得的却往往是有限的。因此，任何测量所得的分布都只能是近似的正态。正如我们在图 7－3 中所看到的一样，A 分布中只有 10 个数据，不过已经粗略地勾勒出了正态分布的外形。显然，这不是精确的正态分布。类似的，由 20 个数据勾勒出的 B 分布也是近似的正态分布。但显然，B 分布较 A

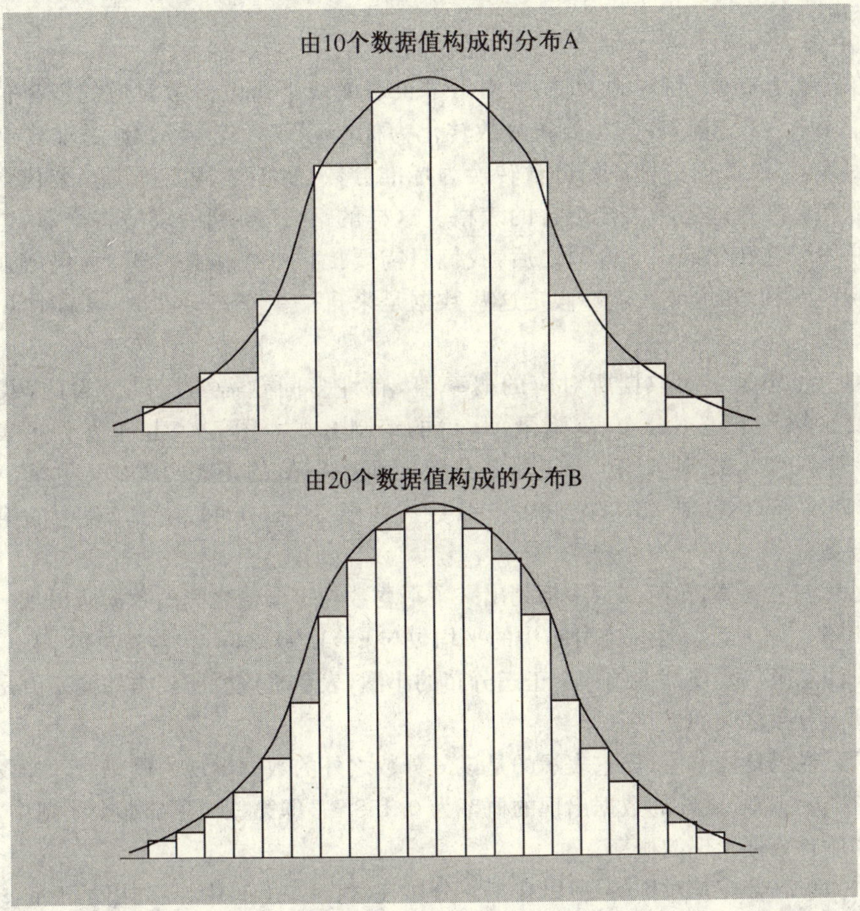

图 7－3 近似正态分布的有限分布的例子

分布更接近正态分布些。一般而言，在其他条件都相等的情况下，如果所测特征满足正态分布，那么我们测得越精确(也就是说，所测数据的数量越多)，那么分布就会越近似正态。

研究者究竟是如何知道特征值是否属于正态分布的呢？事实上，我们从来就不能确切地判断。对所有测得的特征而言，我们得到的数据都是有限的。正如图 7-3 所示，如果该特征根据经验测得的分布接近于正态，那么研究者可以假设这一特征值为正态分布。总之，测量得越精确，其值的分布就越接近理论上的正态分布。

正态分布的应用

正态分布表

在正态分布表(附录 A-1)中，列出了正态曲线下每个分数对应的概率值。在使用附录 A-1 之前，我们需要将分数转化为标准分数(z 分数)。这是非常有必要的。因为，如果我们不把原始分数转换为标准分数，我们还需要提供一个包含所有平均数和标准差的各种可能组合的表格。这样的话，所得到的表格将会非常繁杂。当把原始分数转化成为 z 分数之后，我们只需要提供一个表格。然而，仍需强调的是，只有当我们知道或者能够假定这些数据是来自一个正态分布时，才能使用附表 A-1。

关于正态分布中数据所对应的概率值，有许多问题需要探讨。为此，我们首先需要了解一下正态分布表(附录A-1)的编制方式。图 7-4 是正态分布表的一部分，列举了 0.90 到 1.00 之间的 z 分数。而在完整的正态分布表(附录 A-1)中，则列举了 0.00 到 4.00 之间的 z 分数。在图 7-4 中可以看到，表中的第一栏是 z 分数。

对每一个 z 值，在第二栏中都列出来了平均数与该 z 值之间的数据所出现的概率值。如图 7-4 所示，在正态分布中的平均数与 $z=1.00$ 之间，包含着总体 34.13%的数据。注意第二栏顶部上的那个正态分布的小图，表示着该栏所列举的概率值是从平均数到 z 分数之间的。

第三栏仍是概率值，但它表示的是该 z 分数之外的数据出现的概率值。如图7-4 所示，在 $z=1.00$ 之外的数据出现的概率为 0.158 7。即第三栏顶部那个小图中，分布的尾部所含数据出现的概率。

因为正态分布是对称的，所以在正态分布表(附录 A-1)中，只列出了正的 z 分数及其对应的概率值，负的 z 分数及其对应概率值是一样的。因此，概率值为 0.341 3 即表示从平均数到正的 1 个标准差之间数据出现的概率值，也表示从平均数到负的 1

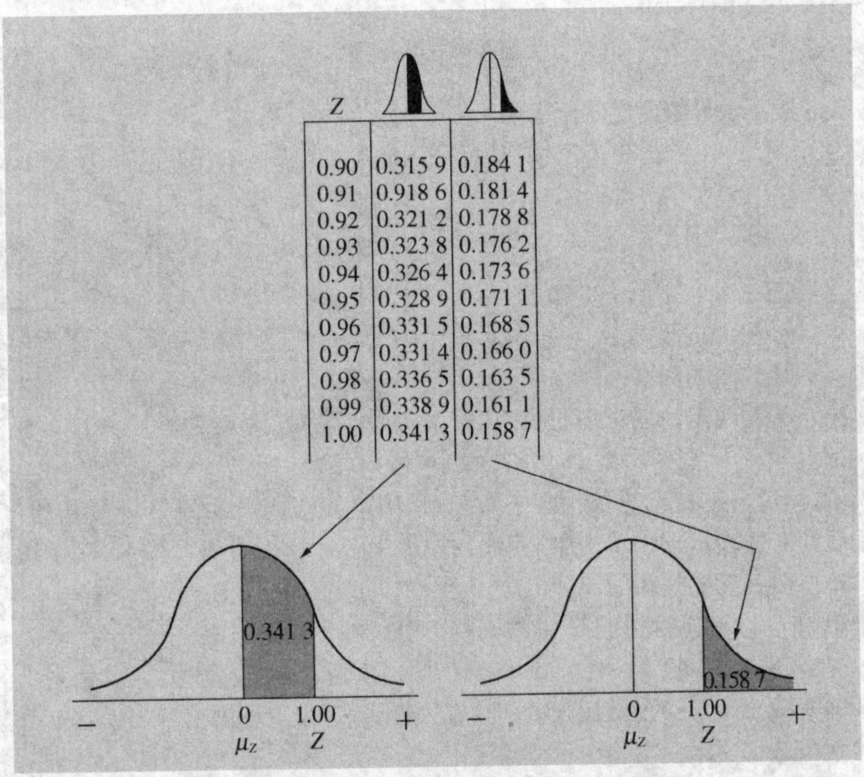

图 7－4 正态分布表的一个例子

个标准差之间数据出现的概率值。

当我们需要用正态分布表来解决问题时，先画出一个类似于图 7－4 的简易正态分布图对我们是很有帮助的。在图的中心画一条垂线，在这个位置标上平均数的值。然后，在垂线的右边标上正号（+），左边标上负号（−）。随后再在相应的位置画一条垂线，用来标明所论及的 z 分数的位置。如果有多个不同的 z 分数，则分别画上不同的垂线。之后根据需要将某些部分涂上阴影，用以表示你将查找的数据所对应的概率值。然后，再用正态分布表（附录 A－1）去查找相应的概率值，就显得非常简单了。

在正态曲线下求分数对应的概率值

演示步骤 7－1 描述了如何求正态曲线下各段数据出现的概率值。要求出正态曲线下一段数据的概率值，需要解决 5 类问题。我们将以智力分数的分布为例，来分别阐述这 5 类问题的解答。智力分数一般被假设为正态分布，如韦氏智力测验，其智力分数的分布是以平均数为 100，标准差为 15 的正态分布。因此，可以使用附录 A－1

来确定数据对应的概率值。

演示步骤 7-1

在正态曲线下求分数对应的概率值

1. 在使用附录 A-1 之前，需要用下面的公式先将所有的数据都转化为 Z 分数。

$$Z=\frac{X-\mu}{\sigma}$$

其中，X 为正态分布中的一个数据

μ 为该分布的平均数

σ 为该分布的标准差

2. 画出正态曲线图。在正态曲线的中心画一条垂线以表示平均数，并且在它与基线的交点处标上平均数 0；然后，在垂线的右边标上正号(+)，左边标上负号(-)；随后再在相应的位置画一条垂线，用来标明所涉及到的 Z 分数的位置。垂线在右边表示正的 Z 分数，垂线在左边表示负的 Z 分数。然后，用阴影标识出正态曲线下要查找的部分。
3. 查附录 A-1，在所画的正态曲线下标出每一部分的概率值。
   A. 在附录 A-1 的第一栏中找出第二步中需要确定的 Z 分数，第二栏列出的是平均数到 Z 分数之间的数据对应的概率值。第三栏则表示大于该 Z 分数的数据对应的概率值。
   B. 对负的 Z 分数来说，就查找与之绝对值相等的正的 Z 分数所对应的概率值。因为正态曲线是对称的，所以负的和正的 Z 分数所对应的概率值都是相等的。
   C. 如果两个 Z 分数在正态曲线下的同侧，查附录 A-1，先确定介于平均数和离平均数较近的 Z 分数之间的概率值，然后再确定离平均数较远的 Z 分数之外数据所对应的概率值，将这两个概率值相加，再用 0.500 0 减去两个概率之和。
   D. 正态曲线中平均数的两侧对应的概率值分别为 0.500 0。
4. 检查一下你所画的图，确保平均数每一侧所有数据对应的概率值之和为 0.500 0。在正态曲线下，所有数据对应的概率值之和为 1.000。
5. 从你所画的图中可以直接得到问题的答案。

求一个既定 z 分数与平均数之间的概率值。在正态曲线下求概率值的第一类问题中，常会遇到两种情况，即 z 分数要么大于平均数，要么小于平均数。首先，让我们先看一下 z 分数大于平均数的情况。假如我们想知道智力分数介于平均数与 120 之间的概率值。根据演示步骤 7-1，第一步将 120 的智力分数转化为标准分数：

$$Z=\frac{X-\mu}{\sigma}=\frac{120-100}{15}=1.33$$

第二步是作出正态曲线图，用平均数和既定的 z 分数将曲线划分成几个部分。然后再利用附录 A－1 确定每个部分的概率值。如正态曲线图 7－5 所示，在平均数的右侧有一个 $z=1.33$ 的点。从附录 A－1 中可以得出三个部分的概率值，分别如图所示。智力分数在 100 到 120 之间的概率值为 0.408 2。也就是说，如果有 100 个智力分数是呈正态分布的话，那么就有 40 或 41 个分数是介于 100 到 120 之间的。

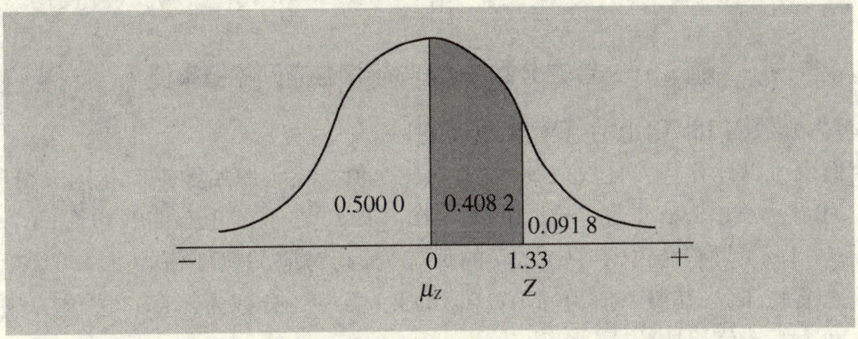

图 7－5　智力分数在平均数与 120 之间的概率值

上面列举了如何计算平均数与正的 z 分数之间的概率值。接下来，我们举例说明如何计算平均数与负的 z 分数之间的概率值。比如，求智力分数在 80 到平均数(100)之间的人在总人群中所占的比率。同样，第一步是将智力分数转化为 z 分数：

$$Z=\frac{X-\mu}{\sigma}=\frac{80-100}{15}=-1.33$$

需要注意的是，当 $X=120$ 时，$z=1.33$，而当 $X=80$ 时，$z=-1.33$，实际上这两个 z 分数的绝对值都是 1.33。这就意味着它们与平均数的距离是相等的。

第二步，作出正态曲线图。然后，确定出智力分数在 80 和 100 之间的概率值。如图 7－6 所示，在平均数的左侧有一个标记，即 z 为 -1.33。图 7－6 与图 7－5 互为镜像，即两个 z 分数所在位置是以平均数为中心对称的。

因为正态曲线是对称的，所以 $z=-1.33$ 和 $z=1.33$ 二者所对应的概率值是相等的。因此智力分数在 80 到 100 之间的概率值为 0.408 2。也就是说，如果有 100 个智力分数是呈正态分布的话，那么就有 40 或 41 个分数是介于 80 到 100 之间的。

求一个既定 z 分数之上的概率值。第二类问题是求一个既定 z 分数之上的概率值。我们仍用上述的例子来说明。如，求智力分数在 120 以上的概率值。同样，第一步先将原始数据转化成为 z 分数，即 $z=1.33$。第二步是作出正态分布图，如图 7－5

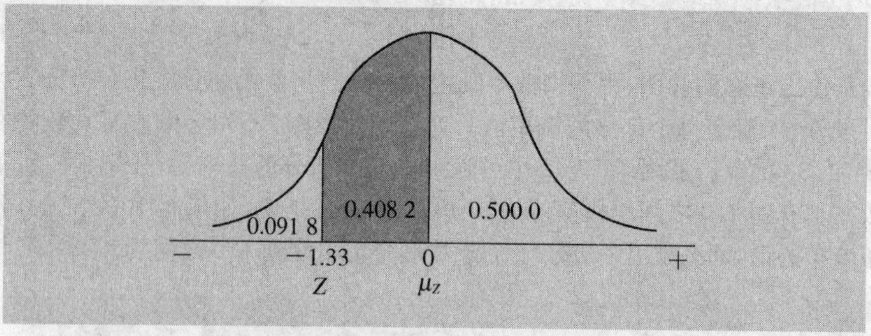

图7-6　智力分数在80与平均数之间的概率值

所示，智力分数在120以上的概率值为0.091 8。

我们也可以计算智力分数在80以上的概率值。先将原始数据转化为 z 分数：当 $X=80$ 时，$z=-1.33$。如图7-6所示，z 在 -1.33 之上的正态曲线包含两个部分：一是 $z=-1.33$ 与平均数（$Z=0$）之间的那部分，其对应的概率值为0.408 2；另一是平均数之上的部分，其概率值为0.500 0。因此，要求 Z 分数为 -1.33 之上的概率值，需将这两个概率值相加：

$$Z\text{分数为}-1.33\text{之上的概率值 } P=0.4082+0.5000=0.9082$$

即在人群中，有90.82%人的智力分数大于80。

上述两个例子介绍了如何求一个既定 z 分数之上的概率值。当 $z>0$ 时，概率值可以直接从所作的正态曲线中得出；而当 $z<0$ 时，概率值则需将正态曲线下的两部分的概率值加起来。

求一个既定Z分数之下的概率值。第三类问题是如何求一个既定 z 分数之下的概率值。我们依然用上述例子来说明。如同第二类问题，根据 z 的正负性不同，也有两种情况。如，求智力分数在80之下的概率值。首先将 $X=80$ 转化为 $z=-1.33$。如图7-6所示，智力分数在80以下的概率值为0.091 8。

如果既定的 z 分数是正值，那么所求的概率值就应该是两部分的概率值之和。如，求智力分数在120之下的概率值。首先将 $X=120$ 转化为 $z=1.33$，如图7-5，得出从平均数与 $z=1.33$ 之间的概率值为0.408 2，而平均数之下的概率值为0.500 0。将两部分所对应的概率值相加，就得到 z 分数在1.33之下的概率值。即：

$$Z\text{分数在}1.33\text{之下的概率值 } P=0.4082+0.5000=0.9082$$

求两个 z 分数之间的概率值。在第四类问题中，仍有两种情况可能出现。第一种情况是：有两个 z 分数，一个为正，一个为负，求它们之间的概率值。比如，求智力分数在90到130之间的概率值。第一步先将两个数据转化为 z 分数：

$$Z=\frac{90-100}{15}=-0.67,\ Z=\frac{130-100}{15}=2.00$$

智力分数 90 的 z 分数为−0.67,智力分数 130 的 Z 分数为 2.00。那么智力分数在 90 到 130 之间的概率就应该介于−0.67 到 2.00 之间。如图 7-7 所示,这两个 z 分数将正态曲线分成了四部分,从−0.67 到平均数的概率值为 0.248 6,从平均数到 2.00 的概率值为 0.477 2。将这两部分的概率值相加才能得到 z 分数介于−0.67 到 2.00 之间的概率值:

z 分数介于−0.67 到 2.00 之间的概率值 $P=0.2486+0.4772=0.7258$

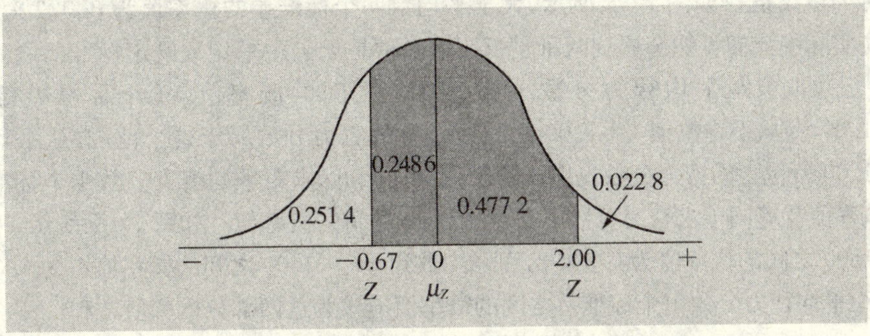

图 7-7 智力分数在 90 与 130 之间的概率值

也即智力分数在 90 到 130 之间的概率值为 0.725 8 或 72.58%。

第二种情况是:求在平均数同侧的两个 z 分数之间的概率值(同为正或同为负)。如,求智力分数在 120 与 130 之间的概率值。第一步将两个智力分数分别转化为 z 分数。从前面可知,当 $X=120$ 时,$z=1.33$;当 $X=130$ 时,$z=2.00$。如图 7-8 所示,正态曲线被分成了四个部分,从平均数到 1.33 的概率值为 0.408 2;$z=2.00$ 以上的概率值为 0.022 8,要求得 z 分数介于 1.33 与 2.00 之间的概率值,需将两部分概率值相加,然后再用 0.500 0 减去两部分概率之和:

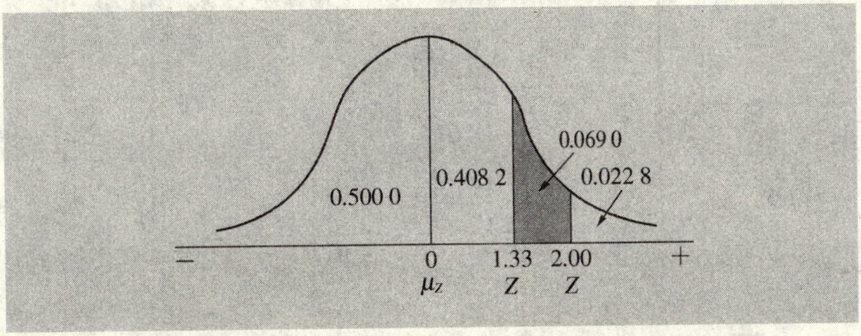

图 7-8 智力分数在 120 与 130 之间的概率值

$$Z\text{分数介于 1.33 到 2.00 的概率值 } P=0.5000-(0.4082+0.0228)$$
$$=0.5000-0.4310=0.0690$$

也就是说智力分数在 120 到 130 之间的概率值为 0.069 0。

求相对于标准差的概率值。此类问题与上述四类情况有些不同。上述四类问题是根据某一既定数据来求概率值，而我们也可以根据标准差来求概率值。比如，求大于平均数的两个标准差的概率值。当问题涉及标准差时，就不需要再将原始分数转化为 z 分数了。因为 z 分数的含义就是某一点距离平均数多少个标准差，大于平均数两个标准差就是 $z>2.00$。所以，求大于平均数的两个标准差的概率值时，就是求 $z>2.00$时的概率值。如图 7-8 所示，大于平均数两个标准差的概率值为 0.022 8。

在实际中我们可能会遇到两种情况：第一种是求出距平均数既定标准差之间的概率值。比如，求距平均智力分数 1 个标准差之间的概率值。1 个标准差等价于 $z=\pm1.00$，即从平均数到 $z=1.00$ 之间所包含的智力分数属于这个范围，从平均数到 $z=-1.00$ 所包含的智力分数也属于这个范围。因此，求距平均智力分数 1 个标准差之间的概率值就等同于求智力分数 z 介于±1.00 之间的概率值。如图 7-9 所示，平均数到$z=1.00$ 之间的概率值为 0.341 3，而平均数到 $z=-1.00$ 之间的概率值也为 0.341 3，所以，距平均智力分数 1 个标准差之间的概率值应该为这两部分概率值之和：

$$\text{距平均数个标准差之间的概率值 } P=0.3413+0.3413=0.6826$$

即距平均数 1 个标准差之间的概率值为 0.682 6。

另一种情况是求距平均数某个标准差之外的概率值。上面的第一种情况是求以平均数为中心一定范围之内的概率值，而第二种情况则是求距平均数一定范围之外的概率值。

比如，求距平均智力分数 1 个标准差之外的概率值。这个概率值包含两个部分。首先，所有 $z>1.00$ 的数据，其距平均分数都在 1 个标准差之外；其次，所有 $z<-1.00$的数据，其距平均分数也都在 1 个标准差之外。如图 7-9 所示，$z=\pm1.00$ 之外的概率值均为 0.158 7。所以距平均智力分数 1 个标准差之外的概率值需求这两部分之和：

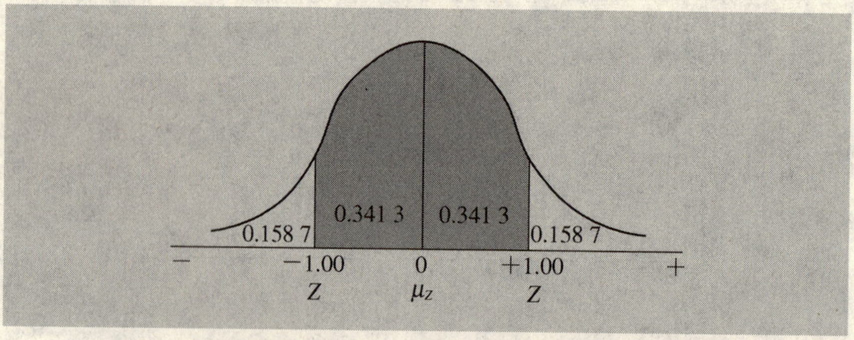

图 7-9 求距平均数 1 个标准差的智力分数的概率值

距平均数 1 个标准差之外的概率值 $P=0.1587+0.1587=0.3174$

距平均智力分数 1 个标准差之外的概率值为 0.317 4。

上述五类问题都是在讨论：在一个正态分布中，如何根据一个或多个数据来求概率值。此类问题的解题模式，无需死记硬背。在解决这些问题时，首先作出正态曲线图，标识出平均数及既定数据对应的 z 分数的位置。然后利用平均数为 0 的值及其他涉及的 z 分数，将正态曲线划分成几个部分。最后，利用附录 A－1 查出每个部分所对应的概率值。由此可以从所作的图中很容易地解答正态曲线下求概率值的任何问题。

在正态曲线下根据概率值求分数

上面讲述了如何将正态曲线下的数据或 z 分数转化为概率值。接下来，我们要讨论如何将正态曲线下的概率值转换为相应的数据。演示步骤 7－2 描述了将正态曲线下的任意一个概率值转化为相应数据的一般程序。

根据所给的概率求相应的数据，共有四种情况。下面仍以智力分数为例，对每种情况进行逐一的讲解。

根据某数据之上的概率值来求该数据。如，某智力分数之上的概率值是 0.200 0，求该分数的大小。首先，作正态曲线分布图，如图 7－10 所示。因为 $0.2000<0.5000$，所以概率值 0.200 0 应位于平均数的右侧，在平均数的右侧作一条垂线并标识上 0.200 0。该垂线将曲线分割出两部分，右边的尾部就是所求智力分数分布的区域。在附录 A－1 的表中，没有一个 z 值与 0.200 0 对应，但有 0.200 5和 0.197 7 所对应的 z 分数，分别为 0.84 和 0.85。当我们不能在正态分布表中找到精确对应的概率值时，可用最接近的值代替。这里可用 0.200 5 替代，该概率值对应的 z 分数为 0.84。

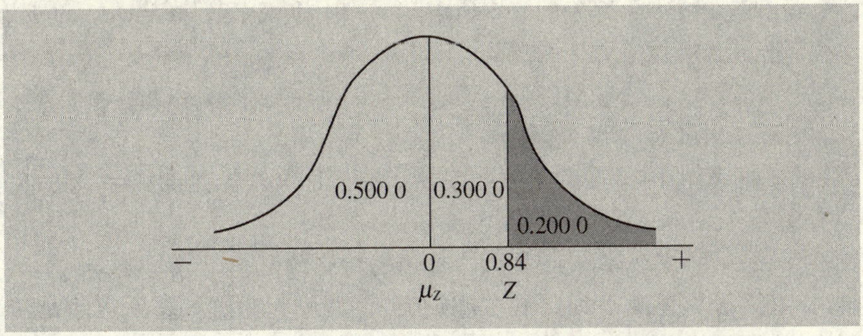

图 7－10　求有 20％的智力分数大于它的分数

最后一步，用演示步骤 7－2 中的公式将 z 分数转化为原始数据：

$$X = \mu + Z\sigma = 100 + (0.84)(15) = 100 + 12.6 = 112.6 \rightarrow 113$$

演示步骤 7－2

在正态曲线下由概率值求分数

1. 首先，作一正态曲线图。在正态曲线的中心处画一垂线，并标识以平均数 0。平均数的左端为负、右端为正。再画一条或两条垂线，将正态曲线分成几个部分。有如下几种情况：
   A. 根据某数据之上的概率值来求该数据。当此概率值大于 0.500 0 时，则在平均数左侧画一垂线。反之，垂线画在平均数的右侧。
   B. 根据某数据之下的概率值来求该数据。当此概率值小于 0.500 0 时，则在平均数左侧画一垂线。反之，垂线画在平均数的右侧。
   C. 根据正态曲线中央部分的概率值求数据。画两条垂线，一条在平均数的左侧，另一条在平均数的右侧。
   D. 根据正态曲线两个尾部的概率值求数据。同样画两条垂线，一条在平均数的左侧，另一条在平均数的右侧。
2. 根据概率值，将正态曲线分成几个部分。
   A. 根据某数据之上的概率值来求该数据。当此概率值小于 0.500 0 时，则在平均数右端的尾部标出对应的 Z 分数；当概率值大于 0.500 0 时，则用该概率值减去 0.500 0，根据相减得到的概率值，在平均数的左侧标出对应的 Z 分数。
   B. 根据某数据之下的概率值来求该数据。当此概率值小于 0.500 0 时，则在平均数左端的尾部标出对应的 Z 分数。当概率值大于 0.500 0 时，则用该概率值减去 0.500 0，根据相减得到的概率值，在平均数的右侧标出对应的 Z 分数。
   C. 根据正态曲线中央部分的概率值求数据。则将概率值除以 2，在平均数两侧的部分标出所对应的 Z 分数。
   D. 根据正态曲线两个尾部的概率值求数据。则将概率值除以 2，在平均数两侧的尾部标出所对应的 Z 分数。
3. 标出正态曲线图中剩余部分的概率值，使得平均数各侧的概率值之和等于 0.500 0。整个正态曲线下概率值之和等于 1.000。
4. 若所求的是一个数据值，则根据图中标出的相应的概率值，查附录 A－1，确定 Z 值。如果 Z 分数位于平均数的左侧则为负，右侧则为正。若所求的是两个数据，则根据图中相应的概率值查附录 A－1，确定 Z 值。那么得到的两个 Z 分数的绝对值相等，但符号相反，一正一负。

5. 用下面的公式，将 Z 分数转化为原始数据：

$$Z = \mu + z\sigma$$

其中，Z 表示标准分数

　　μ 表示分布的平均数

　　σ 表示分布的标准差

概率值 0.20 所对应的智力分数近似为 113，也就是说有 20%的智力分数大于 113。注意智力分数取 113，而不是 112.6，智力分数通常取整数。任何数据的确定都应以原始的测量单位为基础。

再举一例，求某一智力分数，使得有 90%的智力分数都比它高。这意味着该智力分数应该位于平均数的左侧，因为有 50%的数据都高于平均数，余下 40%的数据比平均数小，但大于该智力分数。根据演示步骤 7-2，第一步要作图，见图 7-11。这里需要注意的是，我们已经将 0.900 0 分为两个部分，即平均数之上的概率值 0.500 0，以及平均数与我们所求数据之间的 0.400 0。查附录 A-1，得 z 分数为−1.28，如图 7-11 所示。最后，用演示步骤 7-2 中的公式将 z 分数转化为原始数据。

$$X = \mu + Z\sigma = 100 + (-1.28)(15) = 100 - 19.2 = 80.8 \rightarrow 81$$

这一结果表明，有 90%的智力分数都高于 81。

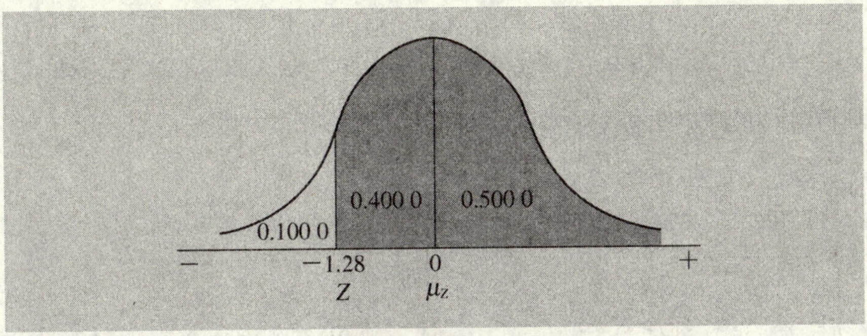

图 7-11　求有 90%的智力分数大于它的分数

根据某数据之下的概率值来求该数据。该问题与上一个问题类似。比如，求一个数据，使 10%的数据比其小。事实上，这与“求一数据，使 90%的分数比其大”是同一个问题。

下面举例说明如何根据某数据之下的概率值求该数据。求某个智力分数，使 95%的智力分数都比它低。这个问题与“求一智力分数，使 5%的分数都比它大”是等同的。查附录 A-1，得到 z 分数 1.65，如图 7-12 所示。最后，用演示步骤 7-2 中的

公式将 z 分数转化为智力分数，如下：

$$X=\mu+Z\sigma=100+(1.65)(15)=100+24.75=124.75\rightarrow 125$$

这意味着有 95％的智力分数低于 125。

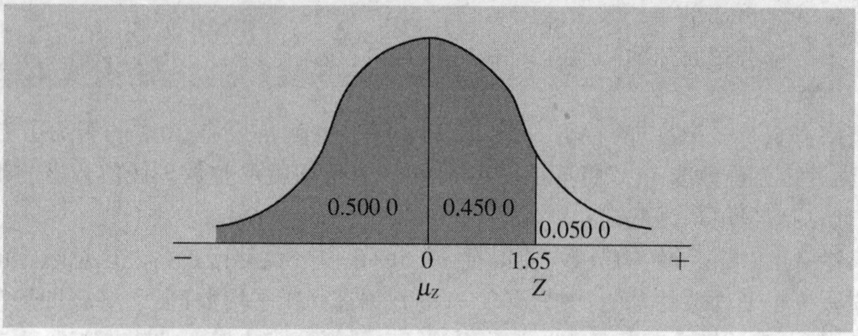

图 7－12 求有 95％的智力分数小于它的分数

根据正态曲线中央部分的概率值求数据。比如，两个数据之间包含了正态曲线中央部分 75％的数据，求这两个数据。因为 75％的数据在正态分布的中央，所以需要将 75％除以 2，即平均数两端各占 37.5％（如图 7－13 所示）。相应的，我们可获得两个 z 分数，其绝对值相等，但一正一负。通过查附录 A－1，可得 $z=\pm1.15$。最后，将这两个 z 分数分别转化为智力分数：

$$X=\mu+Z\sigma=100+(+1.15)(15)=100+17.25=117.25\rightarrow 117$$
$$X=\mu+Z\sigma=100+(-1.15)(15)=100-17.25=82.75\rightarrow 83$$

这意味着在智力分数 83 和 117 之间，包含了 75％的智力分数。

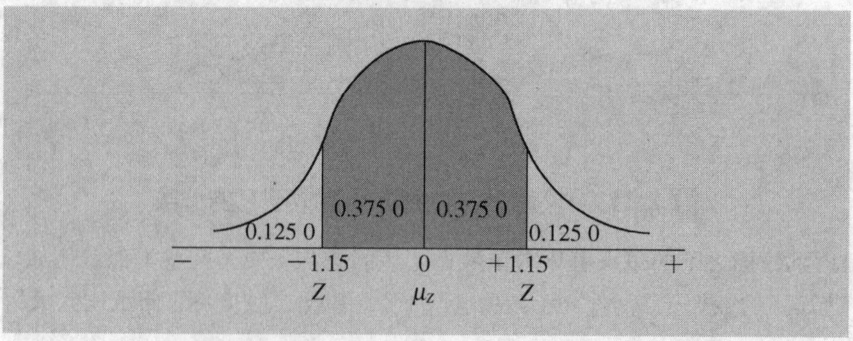

图 7－13 求将正态曲线下中央部分有 75％的智力分数切去的分数

根据正态曲线尾部的概率值求数据。除了能根据正态曲线中央部分的概率值求相应的数据之外，我们还可以根据正态曲线尾部的概率值求相应的数据。比如，求正态曲线两端共5%概率值所对应的智力分数，这5%的智力分数远离平均数，分布在正态曲线的两个尾部(如图7-14所示)。

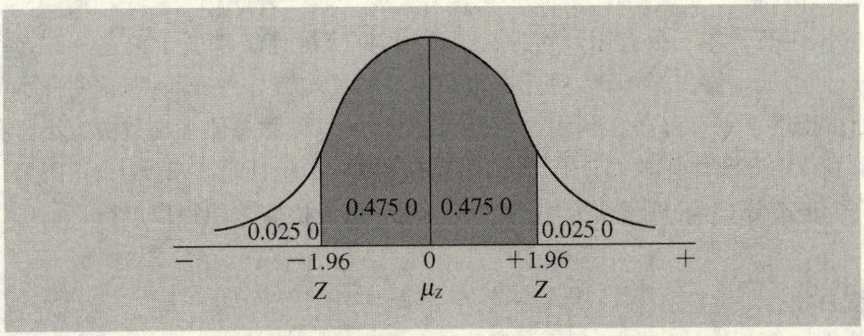

图7-14 求将正态曲线两端之外有5%的智力分数切去的分数

需要注意的是，不能求两端各5%的智力分数，否则就变成了求“两端10%的概率值所对应的数据”了。如果我们要求智力分布在两端共5%的分数，必须先将5%除以2，然后再查附录A-1。通过查表，可得到如图7-14所示的两个z分数±1.96。然后将Z分数转换为智力分数，就得到了题解：

$$
\begin{aligned}
X &= \mu + Z\sigma \\
&= 100 + (+1.96)(15) \\
&= 100 + 29.4 = 129.4 \rightarrow 129
\end{aligned}
$$

$$
\begin{aligned}
X &= \mu + Z\sigma \\
&= 100 + (-1.96)(15) \\
&= 100 - 29.4 = 70.6 \rightarrow 71
\end{aligned}
$$

这一结果表明，有5%的智力分数分布在小于71以及大于129的区域内。

与正态分布相关联的其他理论分布

在这一章里，我们对正态分布进行了广泛的探讨。理论分布还有许多种类，第十章将要介绍的二项式分布也是理论分布的一种。所有的理论分布都有一个共同的特点，即数据并不是源于对实验中被试的观察、测量。本章中所讨论的概率不是建立在对被试的测量上，而是建立在分布是正态的假设或“理论”的基础上，然后查正态分布表获得。在某种意义上，这就是理论分布。用理论的观点来解释就是：如果测量无限多的群体，其测量值的分布将是一个正态分布。

在统计学的学习中，了解理论分布的有关知识是十分重要的。在本章中，我们已经以智力分数为例，详尽介绍了正态分布的重要作用。在心理学研究中，许多心理特征都是正态分布的。许多物理特征，如身高、体重等也都近似于正态分布。类似的，许多心理特性，尤其是认知领域中的许多成就测验，如SAT(学习能力倾向测验)和GRE，都被假定为正态分布。掌握正态分布知识，有助于我们正确分析和预测这些物理的、心理的特征。

此外，正态分布十分有用。因为在统计中，许多统计量都属于正态分布。举个例子，从总体中抽出许多样本，然后计算每个样本的平均数。一般而言，这些样本的平均数的分布接近于正态分布。利用这一点，我们就可以预测总体平均数的大小。我们将在第十一章中介绍如何根据正态分布理论来预测样本统计量。事实上，正因为许多统计量符合正态分布，心理学研究中的许多预测和假设检验才能得以进行。

难点提示

1. 在正态分布的使用过程中，缺乏耐心是导致错误的一个常见原因。你应该耐心地作出正态曲线图，在 X 轴上标识出已找到或正要寻找的数值，这些数值将把正态曲线图分成几个部分，查附录A-1，标出每一部分所对应的概率值。

2. 切记小于平均数的任何一个 Z 分数都是负数。在查附录A-1时，应记住在小于平均数的 Z 分数前加一个“－”号。

3. 切忌在概率值前加“－”号。有的学生认为：Z 是负值，那么与 Z 相对应的概率值也应该是负值。这种理解是错误的。在附录A-1中，概率值 P 永远都是正的，负的概率值是绝不存在的。

4. 当求给定概率所对应的随机变量(即原始数据)时，务必把问题彻底解决。一些同学把概率值 P 转化成 Z 分数之后就认为问题解决了，其实不然。应该再把 Z 分数转化成为原始数据 X，这才算是真正解答完毕。

5. 在使用附录A-1之前，首先要判断分布是否为正态分布。即使可以将随机变量转化为 Z 分数，也不意味着就能使用附录A-1。因为，只要知道平均数和标准差，就可以将任何数值转换成 Z 分数，但只有在符合正态分布的前提下，才能使用附录A-1。

小结

- 理论分布是根据一定的理论来研究一系列数值及其频次分布的情况。在频次分布中所用的数据来源于对被试的观测。在理论分布中，如果理论是正确的，则可被用来预测数值变化的趋势。
- 正态分布是理论分布的一种，称为“钟形曲线”。许多物理和心理特征都是正态分布(或者假设其是正态分布)。
- 正态分布是以平均数为中心的单峰对称图形。在正态分布中，平均数、中数、众数是相等的。只有连续随机变量才有可能符合正态分布。

➢利用正态分布表(附录 A－1),可以查出正态分布中某个数据值所对应的概率,如某个数据之上或之下的概率、介于两个数据之间的概率等。当给出一个数据之上或之下的概率值时,我们也可以利用此表来查出这个数据。

➢正态分布在心理学的研究中十分有用,因为许多物理、心理属性都被假设为正态分布。此外,许多样本统计量在特定的条件下也是正态分布的。正态分布在心理学研究中常用于假设检验。

练习

概念题

1. 名词解释:

理论分布　　　　正态分布

2. 请建立这样的两个分布:(1)你所在班级的男生和女生人数的概率分布;(2)男生和女生人数相等的概率分布。

A. 两个分布中,哪一个是经验分布,哪一个是理论分布?请加以说明并解释。

B. 建立这两种分布的方法有什么不同?

3. 描述正态分布的特征。

4. 描述如何将一个随机变量转化成为 Z 分数。解释在什么情况下使用正态分布,并说明这两者之间有何不同。

5. 假设数学测验的平均数为 75,标准差为 5,历史测验的平均数为 80,标准差为 10。某学生在这两个测验中得分均为 85,请问哪门功课的测验成绩更好些?请说明理由。

6. 解释正态曲线下各区域所代表的含义。

计算题

7. 计算下列正态分布中 Z 分数的概率值。

A. Z 在 1.00 以上　　B. Z 在 -2.00 以上
C. Z 在 2.00 以上　　D. Z 在 -1.67 以上
E. Z 在 1.67 以上　　F. Z 在 ± 1.00 之间
G. Z 在 1.00 以下　　H. Z 在 ± 1.67 之间
I. Z 在 2.00 以下　　J. Z 在 1.00 与 2.00 之间
K. Z 在 1.67 以下　　L. Z 在 -1.67 与平均数之间
M. Z 在 -1.00 以上　　N. Z 在 2.00 与平均数之间

8. 在正态分布中,计算下列范围的概率值。

A. 在平均数之上的 1 个标准差范围之内

B. 在平均数之下的 1.5 个标准差范围之内

C. 在距平均数 1.75 个标准差范围之内

D. 在大于平均数 1.65 个标准差之外的区域里

E. 在小于平均数 1.96 个标准差之外的区域里

F. 在距平均数 2.58 个标准差范围之内

9. 在正态分布中，根据下述概率值求其标准分数。

A. 该数据之上有 15%的事件出现率　B. 该数据之上有 5%的事件出现率

C. 该数据之下有 20%的事件出现率　D. 该数据之上有 90%的事件出现率

E. 该数据与平均数之间有 50%的事件出现率(两个值)

F. 该数据距平均数之外有 5%的事件出现率(两个值)

10. 智力分数分布为正态分布，其平均数为 100，标准差为 15。求下列智力分数对应的概率值。

A. 大于 120 的智力分数　B. 介于 110 到 120 之间的智力分数

C. 小于 120 的智力分数　D. 介于 75 到 85 之间的智力分数

E. 大于 87 的智力分数　F. 介于 90 到 110 之间的智力分数

G. 小于 72 的智力分数

11. 智力分数为正态分布，平均数 100，标准差为 15，求智力分数。

A. 使得有 25%的智力分数大于该分数

B. 使得有 75%的智力分数大于该分数

C. 使得有 90%的智力分数小于该分数

D. 使得有 5%的智力分数大于该分数

E. 使得有 15%的智力分数大于该分数

F. 使得有 5%的智力分数小于该分数

12. 在平均数为 100，标准差为 15 的正态分布的智力分数中，求下列智力分数对应的概率。

A. 距平均数 1 个标准差之内的智力分数

B. 距平均数 2 个标准差之外的智力分数

C. 距平均数 1 到 2 个标准差之间的智力分数

D. 大于平均数 1.5 个标准差之外的智力分数

E. 小于平均数 2.5 个标准差之外的智力分数

F. 距平均数 1.75 个标准差之外的智力分数

13. 学习能力倾向测验(SAT)中，数学成绩理论上为正态分布，其平均数为 500，标准差为 100，求下列 SAT 分数对应的概率值。

A. 500 分以上　B. 300 分以上

C. 650 分以上　D. 450 与 500 分之间

E. 727 分以上　　F. 425 与 525 分之间
G. 450 分以下　　H. 550 与 575 分之间
I. 367 分以下

14. 学习能力倾向测验(SAT)中,数学成绩理论上为正态分布,其平均数为 500,标准差为 100。求下列分数。

A. 使得有 25%的学生的测验成绩大于该分数
B. 使得有 90%的学生的测验成绩小于该分数
C. 使得有 20%的学生的测验成绩小于该分数
D. 使得有 5%的学生的测验成绩大于该分数
E. 使得有 60%的学生的测验成绩大于该分数
F. 使得有 10%的学生的测验成绩小于该分数

15. 约翰测量了许多学生的反应时间,发现平均反应时间为 1.5 秒,标准差为 0.5 秒,假设这些反应时的分布为正态分布,求下面反应时间所对应的概率值。

A. 反应时间大于 2.0 秒所对应的概率值
B. 反应时间大于 1.8 秒所对应的概率值
C. 反应时间大于 1.1 秒所对应的概率值
D. 反应时间小于 1.4 秒所对应的概率值
E. 反应时间小于 2.1 秒所对应的概率值
F. 反应时间介于 1.2 秒到 1.6 秒所对应的概率值
G. 反应时间介于 1.8 秒到 2.0 秒所对应的概率值
H. 反应时间介于 0.8 秒到 1.0 秒所对应的概率值

16. 同上,约翰测量了许多学生的反应时间,发现平均反应时间为 1.5 秒,标准差为0.5秒,假设这些反应时间的分布为正态分布,求下列反应时间。

A. 使得有 25%的反应比该反应快
B. 使得有 10%的反应比该反应慢
C. 使得有 95%的反应比该反应快
D. 使得有 50%的反应比该反应慢

17. 在正态分布的智力分数中,已知平均数为 100,标准差为 15,根据下列的百分数求其智力分数。

A. 50%　　B. 95%　　C. 25%　　D. 12%

18. 在正态分布的智力分数中,已知标准差为 15,平均数为 100,根据下列的智力分数求其百分数。

A. 130　　B. 120　　C. 100
D. 89　　E. 75　　F. 62

第八章 线性相关

我们在前几章介绍了描述和概括一组数据的方法，利用这些方法，我们不仅可以描述这组数据的集中趋势和离散趋势的情况，还可以描述这组数据的分布形态，比如是否平衡对称。除此以外，我们还介绍了几种描述某特定值在一组数据中所在位置的方法。所有这些统计手段都称为**单变量描述统计**[1]，因为它们用于描述对单个变量进行测量所得到的数据。在本章及下一章，我们将要介绍**双变量描述统计**[2]，它是测量两个变量数据之间关系的一种统计技术。

相关的概念

在本章，我们将要介绍测量两组数据间关系强度的方法，两组数据分别代表两个不同的变量。假定我们以100个孩子为测量参与者，年龄上从幼儿到青少年都有，测量每个参与者的年龄和身高。我们可以预期这两个变量——年龄和身高——将会有联系，即儿童年龄越大，身高越高。现在假定我们测量了100名大学生的IQ和鞋码，能不能假定IQ和鞋码也有关系呢？是不是鞋码越大的学生IQ也越高呢？很可能不！这些都是**相关**[3]的问题，即两组数据之间的关联程度。我们将要介绍三种方法来测量两个变量之间的相关，其中每种方法都会得到一个数值，叫**相关系数**[4]，它表示两变量间的相关程度。

早在19世纪90年代，“correlation”(相关)这一术语被写作“co-relation”。相关度量的是两个变量间是否相互关联以及关联的程度。下面让我们来看看家庭中小孩个数与卧室间数的关系，表8-1列出了6组家庭的情况。第1组的小孩个数和卧室间数之间有很紧密的关系，Adams家有5个小孩、6间卧室，而Eastman家有1个小孩、2间卧室。这组家庭是孩子越多，卧室也越多。

〔1〕 单变量描述统计：使用一个变量来描述一组数据的统计方法。
〔2〕 双变量描述统计：度量两个变量数据之间关系的统计技术。
〔3〕 相关：描述两个变量数据之间关系的一种统计方法，它描述的是两个变量的数据相联系或共变的程度。
〔4〕 相关系数：表示两变量间的相关程度的数字指标。

表8-1 5个家庭中小孩个数与卧室间数

A组	小孩个数	卧室间数	B组	小孩个数	卧室间数
Adams	5	6	Feldman	5	2
Brown	4	5	Giardo	4	3
Carey	3	4	Hoffmeyer	3	4
Davidson	2	3	Ingolls	2	5
Eastman	1	2	Johannson	1	6
C组	**小孩个数**	**卧室间数**	**D组**	**小孩个数**	**卧室间数**
Kurz	5	5	Pekovich	5	3
Long	4	6	Quigley	4	2
Meyers	3	4	Roberts	3	4
North	2	2	Smith	2	6
Olsen	1	3	Taylor	1	5
E组	**小孩个数**	**卧室间数**	**F组**	**小孩个数**	**卧室间数**
Underwood	5	5	Jones	5	2
Vincent	4	2	Johns	4	4
Wright	3	4	Jensen	3	6
Xavier	2	6	Johnson	2	4
Young	1	3	Jepson	1	2

从图 8-1 中也可看出这一关系，这种图叫**散点图**〔1〕。在我们前面介绍过的图中，一般来说，X 轴代表变量数值，Y 轴代表数值出现的频次，但是散点图代表的是两

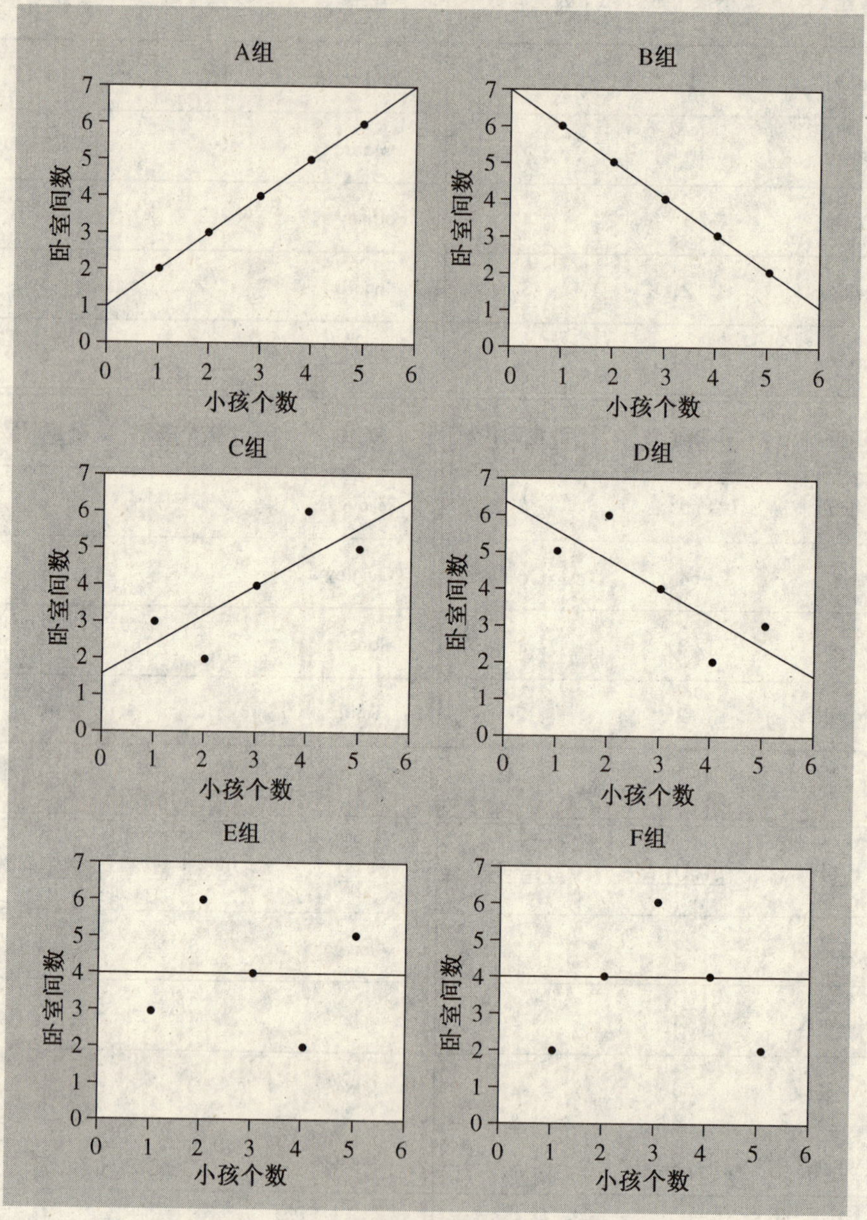

图 8-1 小孩个数与卧室间数关系的散点图

〔1〕 散点图：表示两变量联系的一种图形。X 轴代表变量 X 的值，Y 轴代表变量 Y 的值，图中的点代表相联系的变量 X 和变量 Y。

个变量。图 8-1 的散点图中,X 轴代表小孩个数,Y 轴代表卧室间数,图中一个点就代表一个家庭。比如,A 图右上角最高的点就代表 Adams 家,表示有 5 个小孩、6 间卧室;而左下角最低的点代表 Eastman 家,表示有 1 个小孩、2 间卧室。A 图再次表明孩子个数与卧室间数之间有很紧密的关系。实际上,代表这些家庭的点都落到一条直线上,由左向右逐渐上升,说明家里的小孩越多,卧室也越多。

相关的方向

像表 8-1 中 A 组一样,B 组家庭小孩个数和卧室间数之间也有关系,但这一关系正好与 A 组中的关系相反。B 组中小孩越多的家庭,卧室反而越少。如 Feldman 家的小孩在该组是最多的(有 5 个),但卧室却最少(只有 2 间);而 Johannson 家小孩最少(1 个),但卧室最多(6 间)。再看图 8-1 中的 B 图,代表每个家庭的点都落到一条直线上,这与 A 组一样。但是,B 组图中的点是由左向右逐渐下降,说明家里的小孩越多,卧室反而越少。

A 组与 B 组中,小孩个数和卧室间数之间均有联系,但这种联系在两组中是相反的。A 组中两个变量之间的关系叫**正相关**[1],即一个变量分越高,与之相应的另一个变量分也越高;反之,一个变量分越低,另一个变量分也越低。比如,A 组中,小孩越多的家庭,卧室也越多。B 组中两个变量之间的关系叫**负相关**[2],即一个变量分越高,另一个变量分则越低;反之亦然。在 B 组中,小孩越多的家庭,卧室反而越少。

虽然相关分“正”、“负”两种,但并不是说正相关才是好的,或者说负相关就不好。这里的“正”与“负”源自相关系数的正负,正相关系数为正数,负相关系数为负数,简而言之,“正”和“负”实际上指的是相关系数的符号(+或-)。这些正负号表示的就是两个变量关系的方向,表现在散点图上即是:点的连线由左向右上升的为正相关,由左向右下降的为负相关。

相关关系的强度

C 组中小孩个数与卧室间数之间也呈正相关,几乎其中所有的家庭都明显表现出小孩越多,卧室也越多的趋势。然而,图 8-1 的 C 图上,并不是所有的点都像 A 组那样落在一条直线上。A 组的那种相关称为**完全正相关**,其中每个家庭都符合这种情况:小孩越多,卧室也越多。而 C 组的相关是不完全的,如 Kurz 家有 5 个小孩、5 间卧室,而 Long 家有 4 个小孩、6 间卧室。纵观 C 组中所有家庭,散点图显示的整体趋势是小孩越多,卧室也越多,二者为正相关,但并不是完全正相关。同样,D 组中小孩

---

〔1〕 正相关:一个变量的值越大,另一个变量的值也倾向于更大;一个变量的值越小,另一个变量的值也倾向于更小,这种相关称为正相关。

〔2〕 负相关:一个变量的值越大,另一个变量的值倾向于更小,这种相关称为负相关。

个数和卧室间数之间呈负相关，但也不是完全负相关。而B组表现出的却是完全负相关。一般而言，散点图上的点越靠近那条贯穿于它们的直线，则表示相关程度越高。

相关程度的高低表现为相关系数的大小，但与其正负无关（即只看绝对值大小）。相关系数±0.80比±0.60的相关程度更高，−0.80和+0.80所表示的相关程度一样高。±1.00的相关程度最高，为完全相关。相关系数的符号（正或负）表示相关方向，而其绝对值大小则表示相关程度。

零相关

还有一种相关是像表8-1中E组那样，小孩个数与卧室间数没有明显联系。比如，小孩多的家庭中，有的卧室很少，有的卧室较多；同样，在小孩少的家庭中，有的卧室较多，而有的则卧室较少。E组散点图上，代表各个家庭的点散布于整个图上，没有由左向右的大致上升趋势。像E组这样，小孩个数与卧室间数没有联系的情况就叫**零相关**[1]。

线性和曲线相关

最后，在这里有个非常重要的区别需要说明。前面，我们在评价5个家庭的小孩个数与卧室间数的相关时，主要是根据散点图上的点落到直线上的情况来判断其相关程度的。由此，我们评价的是两个变量的**线性相关**[2]。线性相关度量的是一条直线能在多大程度上描述两个变量之间的关系。另外，两个变量之间还有其他类型的相关，其中一种叫**曲线相关**[3]。曲线相关度量的是一条曲线能在多大程度上描述两个变量之间的关系。

表8-1中，F组家庭的小孩个数和卧室间数呈曲线相关。随着小孩个数增多，卧室也增加，直至某一点后再下降。这样，小孩最多的家庭其卧室却最少。从图8-1的F组图上可看出，两个变量的关系不是直线关系。事实上，如果我们计算这组数据的线性相关系数的话，结果将会是零，表示变量之间为零相关。但事实上，F组中小孩个数与卧室间数的关系是曲线关系而不是直线关系。

心理学研究中的变量关系，既可能是线性相关，又可能是曲线相关。虽然我们有度量曲线相关的方法，但很复杂，已超出了本书的范围。在本章中，我们只介绍度量线性相关的方法。注意：若相关系数为零，这只能表示两个变量之间没有线性相关，但它们之间还可能存在着曲线相关。因为线性相关系数并不能反映可能存在的曲线相关，所以两变量间的实际相关程度，可能比线性相关系数反映的还要高。

---

〔1〕 零相关：两个变量的值之间没有联系，因此一个变量的值越大，另一个变量的值可能越大，也可能越小。

〔2〕 线性相关：线性相关度量的是一条直线能在多大程度上描述两个变量的关系。

〔3〕 曲线相关：曲线相关度量的是一条曲线能在多大程度上描述两个变量的关系。

最后要说明的一点是，本章中我们将线性相关的测量作为描述统计的一部分来讲解。我们既可以测量总体中两个变量的线性相关程度，也可以测量从总体中抽取的样本的两个变量的线性相关程度。作为描述性统计，我们只关心数据之间的关系程度。因此，相关系数为零，表明用来计算相关系数的数据之间没有线性关系。如果我们抽取的样本呈现零相关，则表明该样本中变量之间没有线性关系。样本的相关为零，并不一定意味着样本所在的总体中变量之间没有任何关系。关于这一点，我们将在第十四章和第十五章详细介绍，那时我们会用样本相关系数来检验这些假设。

本章后面部分，我们将介绍测量相关的三种不同方法，第一种是皮尔逊积差相关，适用于两列等距或比率变量。第二种为斯皮尔曼等级相关，适用于两个变量为顺序变量的情况。第三种方法是 ϕ 系数（希腊字母 phi，发音为"fie"），适用于两个变量均是称名变量的情况。对于上述测量相关的方法，我们既要了解公式计算的是什么，又要了解如何进行计算。

测量等距或比率变量的相关：皮尔逊积差相关

解释皮尔逊积差相关

皮尔逊积差相关[1]适用于两列等距或比率变量的线性关系的测量。回忆一下，对等距标尺和比率标尺来说，标尺的间距大小是相等的。计算皮尔逊积差相关要求每列变量均是由等距或比率标尺来度量的，因而皮尔逊公式只适用于等距或比率变量。

为了说明这一点，让我们来看看前面讲过的 5 组家庭的小孩个数与卧室间数之间的关系。表 8－2 除列出了与表 8－1 相同的信息外，还将小孩个数和卧室间数转换成了标准分数。回想一下，标准分数度量的是一个数据离平均数的距离。这样，Feldman 家的小孩个数高于平均数 1.41 个标准差，而卧室间数却低于平均数 1.41 个标准差。

下面是皮尔逊积差相关的定义公式：

$$r=\frac{\sum Z_X Z_Y}{n}$$

字母 r 表示皮尔逊积差相关系数。注意：这个定义公式是建立在标准分基础上的，使用标准分可以便于我们理解皮尔逊系数到底测量的是什么。接下来，在本章中我们会讲解如何计算皮尔逊积差相关系数，包括如何使用原始数据计算皮尔逊积差相关系数。

---

〔1〕 皮尔逊积差相关：度量两列等距或比率变量的线性关系程度的统计方法。皮尔逊积差相关系的值的取值范围在－1.00 到＋1.00 之间，±1.00 代表完全相关，0 代表没有任何相关。

积差相关的方向

在积差相关的定义公式里，r 是由标准分的乘积之和除以被试个数，即 $\sum Z_X Z_Y$ 除以 n 得到的。表 8-2 列出了 $\sum Z_X Z_Y$ 的值及每组家庭的 r 值。首先，让我们看看积差相关的方向。前面讲到相关方向是由相关系数的符号来判断的，相关系数大于零表示正相关，小于零表示负相关。表 8-2 中，当 $\sum Z_X Z_Y$ 的值为正时，r 的值也为正；当 $\sum Z_X Z_Y$ 的值为负时，r 的值也为负。可以说，r 的符号是由 $\sum Z_X Z_Y$ 的正负决定的。

表 8-2 由 r 表示两列变量的相关程度示例

A 组	小孩个数(X)	卧室间数(Y)	Z_X	Z_Y	$Z_X Z_Y$
Adams	5	6	1.41	1.41	2.00
Brown	4	5	0.71	0.71	0.50
Carey	3	4	0.00	0.00	0.00
Davidson	2	3	−0.71	−0.71	0.50
Eastman	1	2	−1.41	−1.41	2.00
					$\sum Z_X Z_Y = 5.00$

$$r = \frac{\sum Z_X Z_Y}{n} = \frac{5.00}{5} = 1.00$$

B 组	小孩个数(X)	卧室间数(Y)	Z_X	Z_Y	$Z_X Z_Y$
Feldman	5	2	1.41	−1.41	−2.00
Giardo	4	3	0.71	−0.71	−0.50
Hoffmeyer	3	4	0.00	0.00	0.00
Ingolls	2	5	−0.71	0.71	−0.50
Johannson	1	6	−1.41	1.41	−2.00
					$\sum Z_X Z_Y = -5.00$

$$r = \frac{\sum Z_X Z_Y}{n} = \frac{-5.00}{5} = -1.00$$

续 表

C 组	小孩个数(X)	卧室间数(Y)	Z_X	Z_Y	Z_XZ_Y
Kurz	5	5	1.41	0.71	1.00
Long	4	6	0.71	1.41	1.00
Meyers	3	4	0.00	0.00	0.00
North	2	2	−0.71	−1.41	1.00
Olsen	1	3	−1.41	−0.71	1.00
					$\sum Z_XZ_Y = 4.00$
$r = \frac{\sum Z_XZ_Y}{n} = \frac{4.00}{5} = 0.80$					
D 组	小孩个数(X)	卧室间数(Y)	Z_X	Z_Y	Z_XZ_Y
Pekovich	5	3	1.41	−0.71	−1.00
Quigley	4	2	0.71	−1.41	−1.00
Roberts	3	4	0.00	0.00	0.00
Smith	2	6	−0.71	1.41	−1.00
Taylor	1	5	−1.41	0.71	−1.00
					$\sum Z_XZ_Y = -4.00$
$r = \frac{\sum Z_XZ_Y}{n} = \frac{-4.00}{5} = -0.80$					
E 组	小孩个数(X)	卧室间数(Y)	Z_X	Z_Y	Z_XZ_Y
Underwood	5	5	1.41	0.71	1.00
Vincent	4	2	0.71	−1.41	−1.00
Wright	3	4	0.00	0.00	0.00
Xavier	2	6	−0.71	1.41	−1.00
Young	1	3	−1.41	−0.71	1.00
					$\sum Z_XZ_Y = 0.00$
$r = \frac{\sum Z_XZ_Y}{n} = \frac{0.00}{5} = 0.00$					

一般而言，当大部分 Z_XZ_Y 为正时，$\sum Z_XZ_Y$ 也为正。看一下表 8－2 中 A 组和 C 组的乘积，你就会发现：当两个 Z 值都为正或两个 Z 值都为负时，两者的乘积就为正。当小孩个数和卧室间数均大于平均数时，两者的 Z 分数均为正；当小孩个数和卧室间数均小于平均数时，则它们的 Z 分数都为负。这样，当一个变量分数高时，另一个变量分数也高；或者，一个变量分数低时，另一个变量分数也低。在这两种情况下，两个变量的乘积都为正，因而 $\sum Z_XZ_Y$ 为正值，则 r 也为正。

再看另一种情况，当大部分 Z_XZ_Y 为负时，$\sum Z_XZ_Y$ 也为负。表 8－2 的 B 组和 D 组就属于这类情况，当其中一个 Z 分数为正，另一个 Z 分数为负时，二者的乘积为负。若其中一个变量的分数高于平均数，而另一个低于平均数，则这两个变量 Z 分数符号不同。因此，当一个变量的分数高于平均数，而另一个变量分数低于平均数时，这两个 Z 分数的乘积为负，因而 $\sum Z_XZ_Y$ 为负值，则 r 也为负。

这些有关皮尔逊积差相关的例子说明，相关系数的符号表示两变量相关的方向。假如有两组成对数据，要么都高于各组的平均数，要么都低于各组平均数，这时计算出的 r 值为正值。在散点图上，代表每对数据的点的分布情况由左向右逐渐升高，表示的是正相关。另一方面，如果两组成对数据中一个数据高于该组的平均数，而另一个低于该组平均数，则 r 值为负。在散点图上表现为点的分布由左向右依次下降，表示的是负相关。

积差相关强度

皮尔逊积差相关中，两变量的相关程度是由 r 的绝对值大小表示的（即 r 的大小，不管其符号如何）。表 8－2 中，A 组和 B 组代表完全相关，r 的绝对值为 1.00。看一下这两组的 Z 分数，我们注意到，一个变量中距平均分最远的分值，与另一个变量中距平均分最远的分值相匹配；两个变量中距平均分第二远的分值也相匹配；最后处在平均分位置的两个成对数据也相匹配，这就是完全相关。

而 C 组和 D 组中，两个变量并不是完全相关的。在这两个组中，一个变量中距平均分最远的分值，与另一个变量中距平均分最远的分值并不相对应。C 组和 D 组 r 的绝对值都为 0.80，虽然相关程度很高，但并不是完全相关。

最后看看 E 组，其中孩子的个数与卧室间数之间根本没有相关。看看表 8－2 中 E 组的 Z 分数，Underwood 和 Vincent 两个家庭的孩子数都很多，其中 Underwood 家的卧室较多；而 Vincent 家的卧室较少，所以在 Underwood 家，孩子个数和卧室间数两个变量的 Z 分数均为正，由此推知其 Z_XZ_Y 的值为正；而在 Vincent 家，孩子个数和卧室间数两个变量中一个的 Z 分数为正，另一个为负，故 Z_XZ_Y 值为负。另外两个孩子个数较少的家庭 Xavier 家和 Young 家的情况也与此类似。实际上，这些 Z 分数的乘积的效果相互抵消了，导致其和，即 $\sum Z_XZ_Y$ 为零，因此相关系数 r 也为 0.00。我们要时刻牢记：皮尔逊积差相关系数度量的是两个变量之间的线性相关。如果两变量之间的皮尔逊相关系数 r 为零，这只能表示这两个变量之间没有线性相关，但这并不说明这两个变量之间就没有关系，正如我们在F组中所看到的一样，如果变量之间呈现的是一种曲线关系，则由皮尔逊积差相关系数 r 无法反映出来。

皮尔逊积差相关的计算

为了说明如何计算皮尔逊积差相关系数 r，我们还是使用乔先生关于学生数学焦虑的研究结果。乔先生给了学生20道题的数学测验，并记录了学生正确回答的百分比。假定乔先生还记录了10名学生的血压以测量他们的焦虑水平（假定越是焦虑，血压越高）。图8-2列出了这10名参与者的数学测验成绩和血压值。我们可能会问，数学成绩和血压之间是否为线性关系？如果乔先生的观点是对的，那么高焦虑的学生其血压值也较高，而高焦虑水平又导致他们在数学测验中发挥不好，得到较低分数。由此，我们预测数学成绩和血压值之间呈负相关。

建立在标准分数基础之上的皮尔逊积差相关的定义公式计算起来相当麻烦。为了使用这个公式，我们还需要把每一个分数都转换为标准分数，非常花时间。演示步骤8-1呈现了另外一个计算皮尔逊积差相关的公式，可利用原始数据而不是标准分数来计算。

演示步骤 8-1

皮尔逊积差相关(r)的计算

$$r=\frac{\sum XY-\frac{\sum X\sum Y}{n}}{\sqrt{\left[\sum X^2-\frac{(\sum X)^2}{n}\right]\left[\sum Y^2-\frac{(\sum Y)^2}{n}\right]}}$$

此处，X 表示某个变量的数据

Y 表示另一个变量的数据

n 表示被试个数

1. 计算所有被试变量 X 数据之和$\sum X$。
2. 计算所有被试变量 Y 数据之和$\sum Y$。
3. 计算变量 X 的平方，并求和，$\sum X^2$。
4. 计算变量 Y 的平方，并求和，$\sum Y^2$。
5. 再将被试变量 X 与 Y 的分数相乘，并求其和，即得到$\sum XY$。
6. 将第1步和第2步的结果相乘，并除以 n，即被试数。
7. 第5步的结果减去第6步的结果。
8. 求$\sum X$ 的平方，再除以 n。用第3步的结果$\sum X^2$减去 $\frac{(\sum X)^2}{n}$。

9. 求$\sum Y$的平方，再除以n。用第4步的结果$\sum Y^2$减去$\frac{(\sum Y)^2}{n}$。

10. 将第8步的结果和第9步的结果相乘，再求所得结果的平方根。

11. 用第7步的结果除以第10步的结果，得到r。

我们可以使用演示步骤8-1中的公式计算数学焦虑研究中数学成绩和血压值之间的线性关系。为了避免出错，可以像图8-2那样列一个表，将学生的数学成绩、血压值、变量的平方以及两变量的乘积等都逐一列出来。图8-2列出了计算皮尔逊积差相关r值的步骤，运算中的数值可能会很大，因此要一步步认真地做。

被试 (1)	数学成绩(X) (2)	X^2 (3)	血压值(Y) (4)	Y^2 (5)	XY (6)
1	95	9,025	120	14 400	11 400
2	80	6,400	130	16 900	10 400
3	75	5 625	140	19 600	10 500
4	75	5 625	130	16 900	9 750
5	70	4 900	150	22 500	10 500
6	60	3 600	140	19 600	8 400
7	60	3 600	150	22 500	9 000
8	60	3 600	170	28 900	10 200
9	50	2 500	180	32 400	9 000
10	40	1 600	200	40 000	8 000
	$\Sigma X = 665$	$\Sigma X^2 = 46\ 475$	$\Sigma Y = 1\ 510$	$\Sigma Y^2 = 233\ 700$	$\Sigma XY = 97\ 150$

$$r = \frac{\Sigma XY - \frac{\Sigma X \Sigma Y}{n}}{\sqrt{\left(\Sigma X^2 - \frac{(\Sigma X)^2}{n}\right)\left(\Sigma Y^2 - \frac{(\Sigma Y)^2}{n}\right)}} = \frac{97\ 150 - \frac{(665)(1\ 510)}{10}}{\sqrt{\left(46\ 475 - \frac{(665)^2}{10}\right)\left(233\ 700 - \frac{(1\ 510)^2}{10}\right)}}$$

$$= \frac{97\ 150 - 100\ 415}{\sqrt{(46\ 475 - 44\ 222.5)(233\ 700 - 228\ 010)}} = \frac{-3,265}{\sqrt{(2\ 252.5)(5,690)}} = \frac{-3\ 265}{\sqrt{128\ 167.25}} = \frac{-3\ 265}{3\ 580.05}$$

$$= -0.91$$

图8-2 在乔先生关于数学焦虑的研究中，计算学生的数学成绩与血压值之间的相关系数

计算出来的皮尔逊积差相关的值r为-0.91，如图8-2，表明在乔先生进行的研究中，学生的数学成绩与血压值之间有很高的负相关，即血压值偏高的学生焦虑水平也高，其在数学测验中得到的分数偏低。

影响r值的因素

一个影响r值大小的因素是样本中出现一个或多个**极端值**。请看表8-3中的组Ⅰ的数据(与表 8-2 中 E 组数据相同),组Ⅰ中标准分乘积之和为 0,则两个变量的相关为 0。

表 8-3 极端值对 r 大小的影响

组Ⅰ				
X	Y	z_X	z_Y	z_Xz_Y
5	4	1.41	0.71	1.00
4	1	0.71	−1.41	−1.00
3	3	0.00	0.00	0.00
2	5	−0.71	1.41	−1.00
1	2	−1.41	−0.71	1.00

$\sum z_Xz_Y = 0.00$

$$r_{组Ⅰ} = \frac{\sum z_Xz_Y}{n} = \frac{0}{5} = 0.00$$

组Ⅱ				
X	Y	z_X	z_Y	z_Xz_Y
5	4	0.00	−0.21	0.00
4	1	−0.21	−0.86	0.18
3	3	−0.43	−0.43	0.18
2	5	−0.64	0.00	0.00
1	2	−0.86	−0.64	0.55
15	15	2.15	2.15	4.62

$\sum z_Xz_Y = 5.53$

$$r_{组Ⅱ} = \frac{\sum z_Xz_Y}{n} = \frac{5.53}{6} = 0.92$$

除了加入了一对极端值之外,组Ⅱ与组Ⅰ完全相同。因为组Ⅱ加入了新的数据,所以必须重新计算标准分数。现在乘积之和为 5.53,r 值不再接近 0,见表 8-3。由于加入了一对极端值,r 值从 0 升至 0.92,极端值的加入使得两变量相关变得很高。能否根据一对极端值引起的相关系数的变化,就确定表 8-3 组Ⅱ中的变量间有高相关?当样本中有一些极端值时,我们必须非常谨慎地考虑所得的相关结果是否真实有效。如果在被测群体中产生极端值是合理的,那么高相关也是有效的;但是,如果极端值是伪造的,那我们完全可以对相关程度的有效性提出质疑。

另外一个影响 r 值大小的因素是将来自两个截然不同总体的样本加以合并。例如,将婴儿与成人置于一个组中,计算出来的身高与体重的相关系数,比分别计算婴儿组和成人组的身高与体重的相关系数大。表 8-4 列出了三组数据,组Ⅰ中每个变量的数值大小是从 11 到 15,组Ⅰ的两变量相关系数 $r=0.00$;组Ⅱ的数值范围要比组Ⅰ小 10,但变量 X 与 Y 相关系数仍然为零。因此,组Ⅰ和组Ⅱ都是零相关。

第三组仅仅是将前两组数据合并,即将原来均是零相关的两组数据并为一组。重新计算合并后的数据的标准分数。请注意,在组Ⅲ中,来自组Ⅰ的数据均有正的标准分,而来自组Ⅱ的数据均有负的标准分。组Ⅲ中标准分的乘积之和为是 9.26,r 值为 0.926,这是一个极高的正相关。

导致表 8-4 的结果可能有两种原因:第一,表 8-4 中的两个组可能代表两个完全不同的总体,比如幼儿和成人,所以合并后的相关才会虚假偏高;第二,这两个样本虽属同一总体,但可能代表着不同的取值范围,造成分别测量时相关偏低。下面我们来具体介绍取值范围的问题。

表 8-4 合并几组数据对 r 大小的影响

组 Ⅰ

X	Y	z_X	z_Y	z_Xz_Y
15	14	1.41	0.71	1.00
14	11	0.71	−1.41	−1.00
13	13	0.00	0.00	0.00
12	15	−0.71	1.41	−1.00
11	12	−1.41	−0.71	1.00

$$\sum z_Xz_Y = 0.00$$

组 Ⅱ

X	Y	z_X	z_Y	z_Xz_Y
5	4	1.41	0.71	1.00
4	1	0.71	−1.41	−1.00
3	3	0.00	0.00	0.00
2	5	−0.71	1.41	−1.00
1	2	−1.41	−0.71	1.00

$$\sum z_Xz_Y = 0.00$$

$$r_{组Ⅰ或组Ⅱ} = \frac{\sum z_Xz_Y}{n} = \frac{0}{5} = 0.00$$

组 Ⅲ

X	Y	z_X	z_Y	z_Xz_Y
15	14	1.35	1.15	1.55
14	11	1.15	0.58	0.67
13	13	0.96	0.96	0.92
12	15	0.77	1.35	1.04
11	12	0.58	0.77	0.45
5	4	−0.58	−0.77	0.45
4	1	−0.77	−1.35	1.04
3	3	−0.96	−0.96	0.92
2	5	−1.15	−0.58	0.67
1	2	−1.35	−1.15	1.55

$$\sum z_Xz_Y = 9.26$$

$$r_{组Ⅲ} = \frac{\sum z_Xz_Y}{n} = \frac{9.26}{10} = 0.926$$

影响 r 值大小的第三个因素是数值全距的大小。表 8-5 中有 9 对数据，大小在

表 8-5 减小全距对 r 大小的影响

组 Ⅰ

X	Y	z_X	z_Y	z_Xz_Y
9	9	1.55	1.55	2.40
8	8	1.16	1.16	1.35
7	6	0.78	0.39	0.30
6	3	0.39	−0.78	−0.30
5	5	0.00	0.00	0.00
4	7	−0.39	0.78	−0.30
3	4	−0.78	−0.39	0.30
2	2	−1.16	−1.16	1.35
1	1	−1.55	−1.55	2.40

$$\sum z_Xz_Y = 7.50$$

$$r_{组Ⅰ} = \frac{\sum z_Xz_Y}{n} = \frac{7.50}{9} = 0.83$$

组 Ⅱ

X	Y	z_X	z_Y	z_Xz_Y
7	6	1.41	0.71	1.00
6	3	0.71	−1.41	−1.00
5	5	0.00	0.00	0.00
4	7	−0.71	1.41	−1.00
3	4	−1.41	−0.71	1.00

$$\sum z_Xz_Y = 0.00$$

$$r_{组Ⅱ} = \frac{\sum z_Xz_Y}{n} = \frac{0.00}{5} = 0.00$$

1—9之间。从表 8-5 中可以看到，组Ⅰ的 r 为 0.83。组Ⅱ是由组Ⅰ剔除了两对最高分和两对最低分构成的，因此，数据的全距仅在 3—7 之间。组Ⅱ的数据与组Ⅰ中间的五对数据是相同的，但是组Ⅱ的 r 值却为零。因此，若只选用原始范围的一部分数据，则有可能降低相关。重要的是，当我们解释皮尔逊积差相关系数 r 时，应考虑到：以上三个因素中的任何一个都会影响到皮尔逊积差相关。

测量顺序变量的相关：斯皮尔曼等级相关

前面介绍的皮尔逊积差相关只适用于等距或比率数据，有时我们想测量两个顺序变量之间的相关。**斯皮尔曼等级相关系数**[1]（叫 rho，希腊字母 ρ，发音为"row"，r_S 是对样本而言，ρ_S 是对总体而言）测的是至少为顺序变量的两个变量间的线性相关。回想一下第二章介绍的顺序变量，变量值的顺序是有意义的，值越大表示测量到的东西越多。按照常规，可以用字母表示等级，A 代表 4，B 代表 3，4 比 3 等级高。依次类推一套系统，就是顺序变量。斯皮尔曼相关系数就是针对这一类变量而设计的，它也可以用于一个顺序变量与一个等距或比率变量之间相关的度量。

斯皮尔曼等级相关的计算

演示步骤 8-2 中呈现了斯皮尔曼等级相关系数的计算方法，r_S 的计算包括两个阶段：一是对每个变量的数据进行排序；二是计算这些等级的相关。因 r_S 是用等级来计算，所以斯皮尔曼等级相关系数只用于计算可进行等级排序的变量。这样，我们就可利用斯皮尔曼相关系数来计算顺序变量、等距变量或比率变量间的相关。但如果两个变量中有一个或两个是称名变量，就不能用斯皮尔曼等级相关来计算两个变量间的相关，因为称名变量是不能排序的。

演示步骤 8-2

斯皮尔曼等级相关（r_S）的计算

$$r_S = 1 - \frac{6\sum D^2}{n(n^2-1)}$$

式中，D 表示配对等级间的差

n 表示配对数，与被试数相同

1. 分别对每个变量中的数据进行排序：

A. 对最小值赋予等级 1，对较小的值赋予等级 2，依次赋予等级，直到最大值。

---

〔1〕 斯皮尔曼等级相关系数：度量至少是顺序变量的两个变量间的线性相关程度的统计方法。斯皮尔曼等级相关系数的值的取值范围在−1.00 到+1.00 之间，±1.00 代表完全相关，0 代表没有任何相关。

B. 如果出现两个相同数据值,则两个等级取平均值,分别赋予这两个数据。如果有三个相同等级,则这三个等级取平均值,分别赋予这三个数据。一般而言,如果有三个以上的相同数据,则对依次排列的 k 个等级取平均值后分别赋予各个数据。

C. 检查一下,等级之和应等于$0.5n(n+1)$。

2. 将每个被试的两个变量的等级相减,X 减去 Y 得 D,即两个变量的等级差。求 D 的平方。
3. 求出所有被试 D^2 之和,再乘以 6。
4. 将被试个数 n 求平方,并将得到的结果减去 1。
5. 将第 4 步结果乘以 n。
6. 第 3 步结果除以第 5 步的结果。
7. 用 1 减去第 6 步结果,得到 r_S,即斯皮尔曼等级相关系数。

r_S 计算中最复杂的部分是第一步——等级排列。表 8-6 列出的是两组 IQ 分数。组 A 中没有相同的分数,即任何两个人的 IQ 分数都是不同的。这是最简单的排列等级的例子,我们将最低分排为等级 1。组 A 中,被试 7 的 IQ 分数最低,100 分,因此排为等级 1;被试 6 次之,为 103 分,排为等级 2,以此类推。最高等级 7 与该组的被试数相等,我们可用 $0.5n(n+1)$ 检验一下,即 $0.5\times7\times(7+1)=28$,组 A 的等级之和为 $1+2+3+4+5+6+7=28$,两个结果相同。

表 8-6 IQ 分数排列等级举例

组 A			组 B		
被试	IQ	等级	被试	IQ	等级
1	125	7	1	130	9
2	119	6	2	121	7
3	113	5	3	121	7
4	108	4	4	121	7
5	105	3	5	117	5
6	103	2	6	109	3.5
7	100	1	7	109	3.5
			8	105	2
			9	102	1

表 8-6 中 B 组的数据中有两对相同数据：被试 2,3 和 4 的 IQ 分均为 121 分，被试 6 和 7 的 IQ 分都为 109 分。与 A 组一样，我们先从最低分开始排序，将得分 102 排为等级 1，其次 105 分排为第 2，再次是 109 分。有两名被试都是 109 分，依次排为第 3 和第 4，但要取等级的平均值，即 3.5，因此将 3.5 分别赋予两个 109 分。因为第 3 和第 4 已经用过了，所以下一个 117 分排为第 5。接下来是 121 分，有三个被试 IQ 分相同，依次排为第 6、7、8，但要对这些等级取平均值，即第 7，分别把 7 这个等级赋予这三个分数相同的被试。最后是最高分 130，排为最高等级 9。

与 A 组一样，B 组中最高等级也等于 n，即被试数。用公式 $0.5n(n+1)$ 检验一下，$0.5\times9\times(9+1)=45$，B 组的等级之和为 $1+2+3.5+3.5+7+7+7+9=45$，两个结果相同。如果等级之和不等于 45，则表明排序出错了。

上面我们已经介绍了如何排序。接下来，我们将以数学考试焦虑研究为例，介绍斯皮尔曼等级相关 r_S 的计算步骤。乔先生给学生 20 道数学题并记下了每位学生的答题正确率，前一节我们用皮尔逊相关 r 测数学成绩和血压值之间的关系。现在假定乔先生不是测学生的血压值，而是让这 10 名学生评定自己的考试焦虑水平，共 10 个等级（1 为毫不焦虑，10 为非常焦虑）。图 8-3 是学生答题的正确率，图 8-4 是学生自我评定的数学考试焦虑水平。

我们可以用斯皮尔曼等级相关公式计算乔先生的研究中学生考试焦虑和数学考试成绩间是否存在相关。第一步，分别对学生的数学成绩、焦虑水平排序，图 8-3 列出了排序过程。学生的数学成绩依次由高到低排出，以方便划分等级。同样，在图 8-4 中，学生的焦虑水平也由高到低排列，以便于划分等级，注意在“学生”一列中不再是

学生	数学成绩	被分配的等级		在计算中的等级
1	95	10		10
2	80	9		9
3	75	8	有两个 75 分，因此给这两个分数都分配 7 和 8 的平均等级 7.5。	7.5
4	75	7		7.5
5	70	6		6
6	60	5	有三个 60 分，因此给这三个分数都分配 3、4 和 5 的平均等级 4。	4
7	60	4		4
8	60	3		4
9	50	2		2
10	40	1		1
				等级和 = 55

图 8-3 将乔先生关于数学焦虑研究中的数学成绩排列等级

有序排列，但在计算斯皮尔曼等级相关时，需要根据学生的序号将焦虑等级和数学成绩配对。为了检验数学成绩和焦虑水平的等级排列正确与否，我们先要求各自的等级之和。图 8－3 和 8－4 都算出各自等级和为 55，与应用公式 $0.5n(n+1)$ 算出的结果一致，即 $0.5\times10\times11=55$。

学生	焦虑程度	被分配的等级		焦虑
8	9	10	有两个数据为 9，因此给这两个都分配 9 和 10 的平均等级 9.5。	9.5
9	9	9		9.5
5	6	8	有三个数据为 6，因此给这三个都分配 6,7 和 8 的平均等级 7.0。	7
7	6	7		7
10	6	6		7
4	3	5	有两个数据为 3，因此给这两个都分配 4 和 5 的平均等级 4.5。	4.5
6	3	4		4.5
1	2	3	有两个数据为 2，因此给这两个都分配 2 和 3 的平均等级 2.5。	2.5
3	2	2		2.5
2	1	1		1
				等级和＝55

注：在这个列表中，焦虑的数据是按照从大到小的顺序来排列的。计算斯皮尔曼等级相关系数之前，需要将数据重新按照被试的顺序进行排列。

图 8－4　将乔先生关于数学焦虑研究中的焦虑程度排列等级

图 8－5 是 r_S 的计算步骤，其中数学成绩等级和焦虑等级按学生序号依次排列。比较一下图 8－4 和 8－5 中焦虑等级的排列顺序，在图 8－4 中是按由高到低的顺序排序的，而在图 8-5 中则是按学生序号来排列的。与皮尔逊积差相关的计算注意事项一样，斯皮尔曼等级相关 r_S 的计算也需要仔细地按步骤进行。图 8－5 中还列出了乔先生的研究中，数学成绩和焦虑等级的相关为－0.74，这是一种较高的负相关，表明学生的焦虑等级越高，数学成绩越差。

用被试的数学测验等级减去焦虑等级，得到 D。

将算得的 D 求平方，得到每个被试的 D^2。

被试	数学测验等级	焦虑等级	D	D^2
1	10	2.5	7.5	56.25
2	9	1	8.0	64.00
3	7.5	2.5	5.0	25.00
4	7.5	4.5	3.0	9.00
5	6	7	−1.0	1.00
6	4	4.5	−0.5	0.25
7	4	7	−3.0	9.00
8	4	9.5	−5.5	30.25
9	2	9.5	−7.5	56.25
10	1	7	−6.0	36.00

$\sum D^2 = 287.00$

将所有 D^2 加起来，算得 $\sum D^2$。

将得到的$\sum D^2$ 的值，代入计算斯皮尔曼等级相关系数的公式，进行计算：

$$r_s = 1 - \frac{6\sum D^2}{n(n^2-1)} = 1 - \frac{6(287)}{10(10^2-1)} = 1 - \frac{1\,722}{10(100-1)}$$

$$= 1 - \frac{1\,722}{10(99)} = 1 - \frac{1\,722}{990} = 1 - 1.74 = -0.74$$

图8－5 计算数学成绩与焦虑等级之间的相关

斯皮尔曼等级相关的解释

斯皮尔曼等级相关用于顺序变量的计算，皮尔逊积差相关用于等距或比率变量的计算。记住斯皮尔曼公式测量的是等级之间的关系，而不是直接测量数据间的关系。实际上，用皮尔逊公式计算出结果，与将等级代入斯皮尔曼公式计算的结果是相同的。（注意：如存在相同等级的情况，皮尔逊公式和斯皮尔曼公式算出的结果不同）

像皮尔逊积差相关一样，斯皮尔曼相关系数的值也在－1.00 和＋1.00 间。＋1.00表示完全正线性相关，－1.00 表示完全负线性相关。同皮尔逊积差相关一样，斯皮尔曼相关系数为零时，表示零相关，即测量的两个变量间没有任何线性相关。

称名变量间的相关测量：ϕ 相关

至此，我们已经介绍了顺序、等距和比率变量间相关的测量方法，但是对变量间的相关测量并未到此结束。本节将简要介绍另一种变量——称名变量间的相关的测量方法，即 **ϕ(phi) 相关**[1]（发音为“fie”）。第十八章我们还会讲到其他更为常用的测量称名变量相关的方法，如 χ^2（卡方）。

对称名变量来说，给它们的值赋予数字或名字仅仅是为了加以区分。比如性别就是一个称名变量，赋予男性和女性的名称，并没有一种性别比另一种性别更好的意思，而仅仅是用于划分两类性别。类似地，如果用数字来代表不同专业，那么这些数字仅仅是用来区分不同专业的，并无其他意思。

ϕ 系数测定的是两个二分称名变量的相关。二分变量指变量只有两个值，性别是一个二分变量，因为性别只有“男”和“女”两个值；测验成绩也可用二分变量来表示，分为“及格”和“不及格”。事实上，几乎所有变量都可成为二分变量，比如年龄二分为“成人”和“儿童”。

假如我们调查 100 名学习普通心理学课程的学生，问他们是否阅读了指定的章节以及是否通过了那章的当堂测验。我们可以将结果用 2×2 的列联表表示（该表格有两行、两列，故称为 2×2 列联表），见表 8-7。

表 8-7 中的变量既是二分的，又是相互独立的，我们可用 ϕ 系数度量它们的相关。ϕ 系数只适用于二分变量，如果变量不是二分的，而是分为更多的类别时，则只有将变量转化为二分的，才能使用该公式计算相关。演示步骤 8-3 列出了 ϕ 系数的计算过程。

表 8-7 阅读与没有阅读及通过与没通过测验的学生个数

通过测验	阅读：是	阅读：否
是	40	10
否	5	45

使用演示步骤 8-3 中提供的公式，我们可以计算学生是否阅读指定内容及是否通过测验之间的相关，计算过程如下：

$$\phi=\frac{(40)(45)-(10)(5)}{\sqrt{(40+10)(5+45)(40+5)(10+45)}}=\frac{1\,800-50}{\sqrt{(50)(50)(45)(55)}}$$

$$=\frac{1\,750}{\sqrt{6\,187\,500}}=\frac{1\,750}{2\,487.47}=0.70$$

〔1〕 ϕ(phi) 相关：度量两个二分称名变量之间相关程度的统计方法。

演示步骤 8-3
ϕ 系数的计算

$$\phi = \frac{AD - BC}{\sqrt{(A+B)(C+D)(A+C)(B+D)}}$$

这里的 A、B、C、D 分别代表二分称名变量的 2×2 列表中四个单元格中的被试频次。

A	B
C	D

1. A 乘以 D。
2. B 乘以 C。再用第 1 步结果减去 $B \times C$。
3. 计算：A 加 B，C 加 D，A 加 C，B 加 D。
4. 将第 3 步的 4 个结果相乘，再求其平方根。
5. 用第 2 步结果除以第 4 步的结果，就得到 ϕ 系数。

表 8-7 中的数据使用演示步骤 8-3 呈现的方法进行计算，得到阅读指定内容与通过测验这两个变量之间的相关为 0.70。

同皮尔逊 r 和斯皮尔曼 r_S 一样，ϕ 值为正表示正相关，为负表示负相关，为零则表示没有任何相关。因此，相关系数的符号(＋或－)表示的是相关方向，而相关强度则是通过系数的绝对值大小来表示的。－1.00 与＋1.00 所表示的相关程度一样高(实际上是完全相关)。最弱的相关用零表示，即无任何相关。

相关和因果

本章我们介绍了几种测量相关的方法，其中每种方法都是测量两个变量之间的相关程度。值得注意的是，不论是正相关还是负相关，两变量间的相关都不表示一个变量是另一变量的原因。比如，在乔先生的研究中，数学测验成绩和血压值之间相关高达－0.93，但这不能说明血压高导致数学成绩差，或数学成绩差引起血压高。相关系数－0.93 只表示数学测验成绩和血压值之间有很密切的联系，但相关并没有告诉我们是什么导致了这种关系。

当两个变量间呈现高相关时，很容易假定一个变量引起了另一个变量的变化，但相关系数并不能让我们就关系的原因作出任何假设。比如，过去的 100 多年里，美国的电冰箱和癌症的数量都在上升，如果计算每年电冰箱数量和癌症死亡人数之间的相关，肯定会得到正相关的结果。但是我们不能据此就推断说，电冰箱导致癌症，或者癌症引起了电冰箱数的增加。相关仅仅表明两变量间存在一种关系，但并不能解释这一关系为什么会出现。记住：由相关不能直接推出因果！

难点提示

1. 计算相关系数时，记住其值在－1.00到＋1.00之间。如果你算出的结果超出这一范围，说明你的计算肯定有误。

2. 计算皮尔逊r时，注意区别$\sum X^2$和$(\sum X)^2$。如果分母的平方根里的括号中有任何一项为负，很可能是因为你颠倒了$\sum X^2$和$(\sum X)^2$。

3. 计算斯皮尔曼r_S和皮尔逊r时，检查答案正确与否的一种办法就是在开始计算之前作一个散点图，估计是正相关还是负相关，以及相关的程度等，然后比较你的计算结果与估计的情况是否一致。

4. 计算斯皮尔曼r_S和皮尔逊r时，记住n代表被试数，它与成对数据的数目相等。

5. 在计算斯皮尔曼等级相关时，有的学生忘记对数据排等级，而将原始分直接代入公式计算。在用公式计算之前，你必须先对原始数据进行等级排序。除此之外，还要记住是对X和Y分别排等级。

6. 用公式计算斯皮尔曼r_S时，注意方程的第一部分是“1”。在计算时，有的学生把1错误地当做分子来计算，用1减去$\sum D^2$，而不是将$\sum D^2$除以$n(n^2-1)$。为了得到正确答案，你应该先计算分式，然后再用1去减。另一方面，不要忘记用1减去分式结果。一些学生计算分式时太投入，结果忘记了最后还要用1减去分式结果。

小结

- 相关是对两个变量联系密切程度的测量，表示这一关系的相关系数在＋1.00和－1.00间。
- 散点图是显示两变量间关系的图，X轴代表其中一个变量的值，Y轴代表另一个变量值。图中的点代表两个变量中每对数据的位置。
- 正相关中，一个变量增大，另一个变量也增大；或者一个变量减少，另一个变量也减少。带正号的相关系数表示正相关；负相关中，一个变量减少，另一个变量反而增加；或者一个变量增加，另一个变量反而减少。带负号的相关系数表示负相关；相关系数为零则是零相关，表明两变量间不存在任何关系。
- 相关系数中，相关系数的符号（＋或－）表示的是相关方向，而其绝对值则表示相关程度。相关系数为±1.00都是完全相关，－1.00与1.00表示同样高的相关。
- 皮尔逊积差相关用符号r表示，它是对等距和（或）比率变量的相关程度的测量。皮

尔逊 r 测量被试的成对数据高于或低于平均数的距离的相似性。

➤斯皮尔曼等级相关系数,用 ρ_S 或 r_S 表示,测量两个顺序变量间,或者一个顺序变量与一个等距或比率变量间的相关。斯皮尔曼 r_S 测的是被试的成对数据等级的相似性。

➤ϕ 系数是测两个称名变量或者一个称名变量与一个顺序、等距、比率变量间的相关。它只能用二分变量来计算(即变量有两个值,如 A 或 $-A$,B 或 $-B$)。ϕ 系数是对 A 在有无 B 的条件下发生频次的比较。

➤相关仅仅表示两变量间有一定关系,但并没有说明这一关系为什么会出现,即由相关不能推出因果关系。

练习

概念题

1. 名词解释:

相关	零相关
相关系数	ϕ(phi)相关
正相关	斯皮尔曼等级相关
负相关	皮尔逊积差相关

2. 吉姆请几对夫妇用 10 点式量表(1 表示完全不满意,10 表示完全满意)对他们的婚姻满意水平进行等级评定,以研究他们的婚姻满意度,结果如下:

第Ⅰ组:订婚

夫妇	丈夫	妻子
1	10	10
2	8	8
3	6	6
4	4	4
5	2	2

第Ⅱ组:新婚

夫妇	丈夫	妻子
1	10	8
2	8	10
3	6	6
4	4	2
5	2	4

第Ⅲ组:同居

夫妇	丈夫	妻子
1	10	8
2	8	2
3	6	6
4	4	10
5	2	4

第Ⅳ组:分居

夫妇	丈夫	妻子
1	10	4
2	8	2
3	6	6
4	4	10
5	2	8

第Ⅴ组：离婚

夫妇	丈夫	妻子
1	10	2
2	8	4
3	6	6
4	4	8
5	2	10

A. 计算每组夫妇的斯皮尔曼等级相关系数。

B. 哪一组的等级之和最小？该组的 ρ 值为多大？

C. 哪一组的等级之和最大？该组的 ρ 值为多大？

D. 观察这五组，等级之和与 ρ 值之间有何关系？

E. 观察这五组，等级之和与样本大小 n 之间又有何关系？

F. 用 ρ 值来描述每组中相关的类型。

3. 假定前一道题中提供的数据是等距量表测得的，那么可以用皮尔逊积差相关来测男性和女性在婚姻满意度方面的相关。假定每一组就是一个总体。

A. 将每组中的数据转换成标准分。注意每一组中，丈夫和妻子的得分都是相同的五个值，因此，你只需要计算一次平均数和标准差就可以了。

B. 用标准分公式计算每组的皮尔逊 r。

C. 哪一组的标准分乘积之和最大？该组的 r 值为多少？

D. 哪一组的标准分乘积之和最小？该组的 r 值为多少？

E. 看看这五组结果，标准分乘积之和与 r 值之间有何关系？

4. 乔希通过调查几组被试，研究锻炼与体重减轻之间的关系，结果如下，看一下 2×2表中的数据，但不要计算相关系数，请回答后面的问题。

Ⅰ组

锻炼	体重减轻：是	否
是	40	0
否	0	40

Ⅱ组

锻炼	体重减轻：是	否
是	30	10
否	10	30

Ⅲ组

锻炼	体重减轻：是	否
是	20	20
否	20	20

Ⅳ组

锻炼	体重减轻：是	否
是	10	30
否	30	10

Ⅴ组

体重减轻

锻炼	是	否
是	0	40
否	40	0

Ⅵ组

体重减轻

锻炼	是	否
是	40	0
否	20	20

Ⅶ组

体重减轻

锻炼	是	否
是	20	20
否	0	40

Ⅷ组

体重减轻

锻炼	是	否
是	20	20
否	40	0

Ⅸ组

体重减轻

锻炼	是	否
是	0	40
否	20	20

A. 哪些组中锻炼与体重减轻间有正相关，即锻炼的人，体重减轻；没锻炼的人，体重没减？

B. 哪些组中锻炼与体重减轻间有负相关，即锻炼的人，体重没减；没锻炼的人，体重减轻？

C. 哪些组没有相关，即锻炼与否与体重是否减轻没有关系？

D. 哪些组的相关最高？

5. 用ϕ系数计算前一道题中的相关系数，你估计得有多准确？

6. 假设有一组被试，其中男性 90 人，女性 60 人，共 150 人。其中有 50 人是民主党，100 人为共和党。

A. 建立一个 2×2 表，格子里分别填男民主党、女民主党、男共和党、女共和党的人次，使性别与党派之间无任何相关。

B. 建立一个 2×2 表，格子里分别填男民主党、女民主党、男共和党、女共和党的人次，使性别与党派之间有尽可能高的相关。

C. 算出你建立的两个 2×2 表的ϕ系数，其值与你的预测一致吗？

7. 思考一下皮尔逊积差相关、斯皮尔曼等级相关、ϕ系数公式算出的相关系数：

A. 相关系数的符号（＋或－）告诉我们什么？

B. 相关系数的绝对值（即除去符号）又告诉我们什么？

C. 相关系数为多少时表示完全相关？为多少时表示最低的相关？

计算题

8. 乔赛亚饶有兴趣地研究了学生在考前一晚上花在学习上的时间，做完考题所用时间(即考试时间)与他们考试成绩之间的关系，这 8 名学生的数据如下：

学生	学习时间	考试时间	考试成绩
A	85	39	85
B	135	55	98
C	90	47	81
D	115	59	92
E	45	43	70
F	60	40	68
G	105	37	89
H	70	51	76

A. 计算每两个变量间的皮尔逊积差相关系数：(i) 学习时间与考试成绩；(ii) 考试时间与考试成绩；(iii) 学习时间与考试时间。

B. 对这组的 8 名学生而言，哪两个变量间的相关最高？哪两个变量间的相关最低？

9. 贾斯廷研究了父母对育儿的三个因素重要性的看法，即严厉管制、教养儿童和与儿童在一起的时间，她调查了 9 对父母，让他们在每个因素上按 1(最不重要)到 10(最重要)来评分。

父母	严厉管制	教养儿童	与儿童在一起的时间
A	5	10	8
B	10	4	9
C	5	8	7
D	9	6	2
E	6	8	6
F	9	6	5
G	3	10	9
H	7	6	4
I	4	9	5

A. 计算每两个变量间的斯皮尔曼等级相关系数：(i) 严厉管制与教养儿童；(ii) 严厉管制和与儿童一起的时间；(iii) 教养儿童与同儿童一起的时间。

B. 对这组的 9 对父母，哪两个变量相关最高？哪两个变量相关最低？

10. 詹妮特研究了大学等级评定分(GPA)与SAT分之间的关系,其中SAT分为高中的SAT分数,等级评定分为大学一年后的学分平均值。

学生	SAT分	GPA
1	1 160	2.52
2	1 250	3.14
3	1 470	3.52
4	1 020	2.31
5	1 220	3.15
6	1 390	3.76
7	1 140	2.93
8	1 280	2.76
9	1 070	2.68
10	1 190	3.39

A. 这组数据适合用哪种方法来计算相关?为什么?

B. 计算这些数据的相关。

C. 根据你算出的相关系数说明SAT分与大学GPA间有怎样的关系?

11. 乔妮在她的统计课上记录了学生在家庭作业中提出问题的数量与考试成绩,以研究花在学习上的时间和考试成绩的关系,结果如下:

学生	问题数	考试成绩(百分制)
1	17	85
2	23	93
3	15	81
4	24	90
5	10	78
6	18	89
7	13	78
8	21	94
9	12	70
10	19	87
11	15	80
12	20	96

A. 这组数据宜采用哪种相关方法来计算?为什么?

B. 计算这组数据的相关。

C. 根据你算出的相关系数,说说作业出错量与考试成绩间有何关系。

12. 贾斯廷记录了10名男性每周锻炼的小时数和锻炼的困难感等级(用10点量表表示,1为非常容易,10为非常困难),以研究锻炼量与锻炼困难感之间的关系,记录如下:

被试	锻炼小时数	困难感
1	2.0	4
2	3.5	3
3	1.0	8
4	5.0	3
5	2.0	6
6	3.0	5
7	4.5	4
8	7.0	2
9	4.0	6
10	5.0	4

A. 这组数据适合用哪种相关方法计算?为什么?

B. 计算这组数据的相关。

C. 根据你算出的结果,说说锻炼量与困难感之间有何关系。

13. 有人认为儿童上幼儿园的年龄越晚,则表现越好。乔斯林为了检验这个观点,对16名儿童在幼儿园学期末的年龄以及在班级中的排名进行记录(表现最好的记为1,表现最差的记为16),结果如下:

孩子	年龄	班级中的排名
1	6.8	2
2	6.6	10
3	6.0	14
4	6.9	3
5	5.8	13
6	6.4	9
7	5.9	6
8	6.6	5
9	6.1	15
10	6.5	8
11	6.8	7
12	6.2	16
13	6.6	1
14	6.4	11
15	6.0	12
16	6.7	4

A. 对这组数据用哪种相关方法计算更好？为什么？

B. 计算这组数据的相关。

C. 根据你的计算结果，说说上幼儿园的儿童年龄与表现间有何关系。

14. 人们普遍认为观看暴力电视节目的儿童比没有观看的儿童表现出更强的攻击性。约拿为检验这个观点，对一组儿童进行观察，并记录他们是否观看暴力电视节目，以及在运动场上是否表现出攻击性，结果如下：

	攻击性	
观看暴力电视节目	是	否
是	41	9
否	17	33

A. 对这组数据用哪种相关方法计算更好？为什么？

B. 通过这组数据计算观看暴力电视节目与攻击性之间的相关。

C. 根据你的计算结果，说说观看暴力电视节目与攻击性之间有何关系。

15. 教授们常有这样的疑惑：宽松的评分者得到学生更高的评价，而严厉的评分者却常得到较低的评价。杰克对这一疑惑进行了检验，他让学生对 8 名教授按宽松评分者或严厉评分者进行分类，然后再看学生对教授的评价情况是高于还是低于平均水平，结果如下：

	评分者类型	
学生的评价	宽松	严厉
高于平均分	20	20
低于平均分	25	15

A. 对这组数据用哪种相关方法计算更好？为什么？

B. 计算这组数据的相关。

C. 根据你的计算结果，说说教授在学生眼中是宽松或严厉的评分者与教授所得评价间有何关系。

第九章 回归与预测

在前一章，我们介绍了相关的概念及测量两变量相关的方法。我们可利用已知的两变量的相关来作一些预测，对相关了解得越多，越有助于我们作出准确的预测。比如，大学招生委员会希望预测出哪些考生将来在大学里会有出色的表现。假设某大学有2 000名考生报考，但只收500名，用怎样的方法录取学生呢？

一种方法是大学招生委员会不考虑学生以前的成绩，而是进行随机录取，比如，招生委员会可以在每四名报考的学生中录取一名。用这种方法存在的问题是，不易录取到那些更可能在大学里有出色表现的学生。如果该大学不能录取所有考生的话，那么招生委员会肯定希望录取那些更可能有出色表现的学生。

另一种方法是根据收集到的考生情况，来预测哪些学生更可能在大学里表现出色，而哪些不能，并以此决定录取与否。比如，招生委员会用考生高中的成绩来预测哪些学生在大学更可能表现出色。一个高中GPA分数为39.5分的学生，比一个GPA为1.75分的学生更可能在大学里有出色的表现。当然，这里假定高中成绩与大学成绩有相关关系，在高中学习好的学生在大学里也能学习好。我们可以通过这一相关，帮助招生委员会依据学生高中时的成绩来预测其在大学里的表现。像这样建立在相关基础之上的决策比随机挑选更为准确。根据相关的信息来进行预测也是本章的重点。

预测

我们每天都在进行预测，比如，当我们早上出门仰望天空时，会想是否要带伞，这实际上就是在预测下雨的可能性。预测成为我们日常生活的一部分，同时它也是心理学研究的一部分。当学校的心理学家根据IQ分来选拔儿童，对其进行天才教育时，就是在对儿童将来的学业表现作预测。当咨询师根据人格测验结果向来访者进行职业指导时，也就是在对来访者的事业成功与职业满意度作预测。

所谓**预测**[1],就是在某种条件下,对特定变量的值进行猜测。对学校心理学家而言,预测的变量是学习成绩,心理学家预测高 IQ 的儿童在天才教育方案中比在普通教育方案中发展得更好。职业咨询师要对两个变量进行预测:事业成功和职业满意度。咨询师对来访者的这两个变量进行预测,即成功水平和满意水平,然后向来访者推荐两个变量上得分高的职业。

迄今,我们所讲的统计方法中,有一些是对事件真正地进行测量。乔先生观察学生数学考试并测量了他们的真实成绩,简女士调查了心理学毕业生的真实收入。然而,当我们进行预测时,并不是真正地去测量我们所研究的事件,而是估计:如果我们实际去测量这些变量时,其值会是多少。

盲估

有时,我们所作的预测,是在没有任何有关信息帮助的情况下进行的,这种情况称为**盲估**[2]。比如,当你抛硬币猜正反时,就是在盲估,因为没有任何信息帮助你预测硬币会朝上或者朝下(假定这枚硬币为普通硬币)。又如,大学招生委员会随便从四名考生中录取一名,而不借助与考生有关的任何信息,那么招生委员会就是进行盲估。

假定给你个有奖竞猜任务,猜测别人的身高,你蒙着眼坐在房间里,不知道有关被猜者的任何信息,甚至连声音也听不到,是男是女都不知。这一项任务突出了盲估的实质,即没有任何有关信息为作预测提供参考。

你猜的身高会是多少?你的最佳预测要视奖励规则而定。假定你猜的 15 个人在表 9-1 中列出,如果猜对了,或接近答案,你就会得到 1 美元奖励,则你的最佳估计应为众数。表 9-1 中的身高,众数为 72 英寸。如果你猜每个人的身高都是 72 英寸,则 15 次中你有 5 次猜对,或者说答对了 33%,你会挣到 5 美元。假如你猜的是其他高度,则正确率会更低。因此,如果每猜对一次奖励 1 美元,你的最佳估计就是身高的众数。虽然猜众数不会每次都对,但是比你猜其他值答对的机会更多。

表 9-1 不同预测的误差比较,误差=|真实身高-猜测身高|

被试	真实身高(英寸)	平均数:68 英寸	中数:猜测身高 71 英寸	众数:72 英寸
Abe	74	6	3	2
Bob	72	4	1	0
Cal	72	4	1	0

〔1〕 预测:在某种条件下,对特定变量的值进行猜测。
〔2〕 盲估:没有任何有关信息帮助下进行的预测。

续 表

被 试	真实身高（英寸）	平均数：68 英寸	中数：猜测身高 71 英寸	众数：72 英寸
Don	72	4	1	0
Erv	72	4	1	0
Fred	72	4	1	0
Gus	71	3	0	1
Hal	71	3	0	1
Ike	71	3	0	1
Jack	68	0	3	4
Ken	63	5	8	9
Lou	62	6	9	10
Moe	61	7	10	11
Ned	60	8	11	12
Opy	59	9	12	13
总 误 差		70	61	64
总 赢 得		$ 11.50	$ 11.95	$ 11.80

现在假定你猜测一次获得 1 美元，但若与答案每差 1 英寸就要扣去 5 美分。若你每次猜对，一共会得到 15 美元，但你也会因猜错而受罚。比如，一个 70 英寸的人，你猜为 67 英寸，那你只能得到 0.85 美元，而不是 1 美元。这里误差定义为真实身高与你猜测的身高之差的绝对值，即|真实身高－猜测身高|。假如你想赢得尽可能多的钱，那么你的最佳估计是多少呢？这种条件下，你的最佳估计应为中数。表 9－1 列了三种不同的猜测，即平均数、众数和中数的误差。如果你还是按众数来猜，认为这 15 个人的身高为 72 英寸，那总误差就为 64 英寸，仍得到 11.80 美元。如果你用平均数来猜每个人的身高，即 68 英寸，那总误差为 70 英寸，你只能得到 11.50 美元。但若你猜这 15 个人的身高均为 71 英寸，即中数，你猜测的总误差就只有 61 英寸，会得到 11.95 美元。假定每差一英寸就扣掉 5 美分的话，要使误差最小，你就应该用中数来猜。

至此，我们得知：假如猜对就得到奖励，则你的最佳估计是众数；但如果你猜测的总误差越小，奖励越多的话，则你的最佳估计是中数。现在仍假设你每猜一次就得到 1 美元，但猜错一次会受惩罚，并且惩罚量取决于误差大小：如果你猜的高度比实际差 1 英寸，你就会失去 1 美分；如果比实际差 2 英寸，则按照每英寸 2 美分来扣，即要扣去 4 美分；如果差 3 英寸，则每差 1 英寸就扣 3 美分，共扣 9 美分；如果差 10 英寸，则每差1英寸要扣掉10美分，共1美元。总之，扣除量就是误差大小的平方。在这套规则中，你猜的结果离实际情况越远，惩罚量也越大。惩罚量界定为(真实数据－猜测数据)^2，即真实数据与猜测数据之差的平方。

在这种条件下，你的最佳猜测应是平均数。表9-2列出了与表9-1预测方法相同时，你会受到的惩罚量。如果你用众数来猜测所有人的身高，即72英寸，你就会失去6.38美元，只得到8.62美元。如果你用中数来猜测这15人的身高，即71英寸，你的损失会少些，为5.33美元，可得到9.67美元。另一方面，如果你用平均数来猜的话，即68英寸，你只失去3.98美元，会得到11.02美元。在这种条件下，要使误差最小，你就应该用平均数来猜。

表9-2 不同预测的误差比较，误差＝(真实数据－猜测数据)^2

被　试	真实身高(英寸)	平均数：68英寸	中数：猜测身高71英寸	众数：72英寸
Abe	74	36	9	4
Bob	72	16	1	0
Cal	72	16	1	0
Don	72	16	1	0
Erv	72	16	1	0
Fred	72	16	1	0
Gus	71	9	0	1
Hal	71	9	0	1
Ike	71	9	0	1
Jack	68	0	9	16
Ken	63	25	64	91
Lou	62	36	81	100
Moe	61	49	100	121
Ned	60	64	121	144
Opy	59	81	144	169
总　误　差		398	533	638
总　赢　得		$11.02	$9.67	$8.62

在大多数情况下，我们作预测时，都没办法保证绝对精确。我们的目的不是完全猜对——那是不可能的，我们只是希望尽量减少误差，以提高精确性。达到这一目标

的最好办法取决于对误差的界定。如果我们只是把误差定义为不正确的猜测，那我们的最佳猜测为众数。如果将误差界定为真实值与预测值的绝对值，那我们的最佳猜测为中数。但如果误差越大，惩罚比例越大，那我们的最佳猜测为平均数。因此，最佳猜测取决于怎样对误差进行界定或惩罚。

用一个变量的值预测另一个变量的值

我们进行盲估时，即使进行了最佳预测，仍然存在相当大的误差。但是如果我们拥有预测对象的相关信息，就可减少一定的误差。比如，我们要对在校儿童身高进行预测，如果我们对这些儿童的情况一无所知，就只能作盲估。但是，如果知道儿童的年龄，就会有助于我们对身高进行较准确的预测。一个 6 岁和一个 10 岁的儿童，我们当然会预测前者的身高矮一些。

表 9 - 3 列出了 25 名假想的儿童身高，这些儿童平均身高为 49 英寸。如果我们对这些儿童的情况一无所知，则只能根据平均数 49 英寸对其身高进行最佳的盲估。当然进行这样的盲估，会产生几乎 8 英寸的误差。如果我们还知道儿童的年龄，就可减少这一误差。假定我们知道该儿童 6 岁，则我们的最佳预测是 6 岁组儿童身高的平均值，即 43 英寸。借助儿童年龄这一信息，我们预测误差降低到 2 英寸。

表 9 - 3 不同年龄组的 25 名儿童身高情况(单位: 英寸)

	6 岁	7 岁	8 岁	9 岁	10 岁
	45	48	51	54	57
	44	47	50	53	56
	43	46	49	52	55
	42	45	48	51	54
	41	44	47	50	53
平均数	43	46	49	52	55

根据变量的相关信息，可以提高我们预测的准确性，当然，这些信息是要与预测有关的。比如，儿童年龄这一信息与儿童身高的预测有关，因为儿童的身高是随年龄增长的。但是不可以用儿童的 IQ 来预测身高，因为并不是儿童的 IQ 越高，身高也就越高，IQ 与身高之间没有任何联系(至少从理论上是这样)，所以关于 IQ 的信息对预测身高是没有意义的。

如果两个变量相关，则其中一个变量可用来预测另一个变量。比如，用年龄可预测身高，因为年龄和身高相关。IQ 则不可用来预测身高，因为 IQ 与身高不相关。如果两变量存在相关，则可用其中一个变量的信息预测另一个变量。因此，可以通过相关来提高预测的准确性，相关越高，预测的准确性也就越高。

我们用一个变量来预测另一个变量时，用来预测的变量叫**预测变量**[1]。比如，用儿童年龄来预测身高时，年龄就是预测变量，预测变量一般记为变量 X。被预测的那个变量叫**被预测变量**[2]。比如，要预测儿童身高，身高就是被预测变量，被预测变量一般记为变量 Y。X 表示被试在 X 变量上的真实分数，Y 表示被试在 Y 变量上的真实分数。为区别真实分数与被预测分数，我们用记号 Y' 代表 Y 变量的被预测分数。这样，Y 代表真实的测量值，而 Y' 代表被预测的值。

两变量的关系图

直线图

在前一章我们了解到，可以用一个散点图来表示两变量的关系。散点代表回归，X 轴表示预测变量的值，Y 轴代表被预测变量的值。图 9-1 是根据表 9-3 中儿童身高所作的散点图。假如用图 9-1 中的信息预测一名 6 岁小孩的身高，图中有 5 个 6

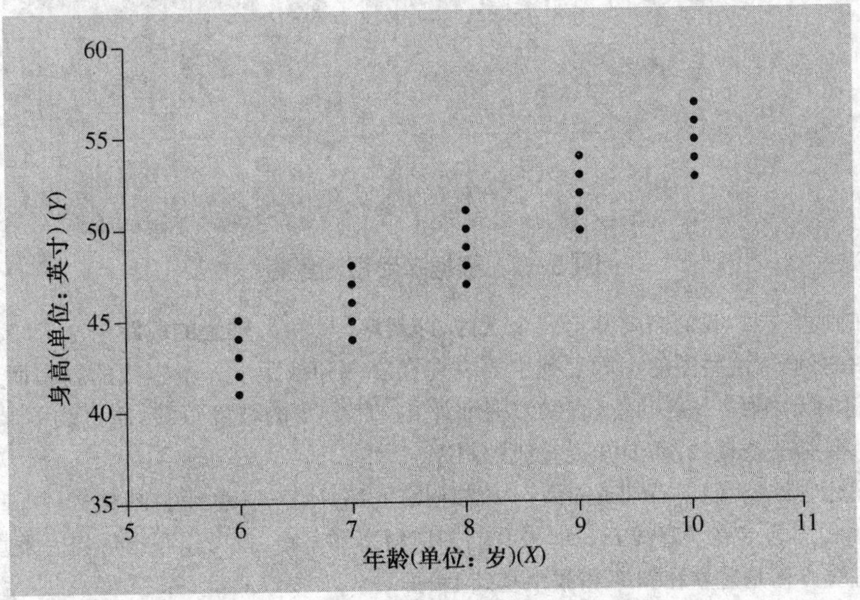

图 9-1 25 名儿童年龄与身高的关系

〔1〕 预测变量：在回归方程中，提供相关信息帮助预测另一个变量的值的那个变量，通常用 X 表示。

〔2〕 被预测变量：在回归方程中，被预测的那个变量，通常用 Y 表示。一个被预测分数通常表示为 Y'。

岁儿童的身高，你预测的身高是多少呢？为了预测，我们为每个 X 值确定一个 Y 值。这样，我们要作一条直线而不是一堆散点。

我们可以利用图 9 - 2 中的直线来进行预测。根据此图来预测一名 8 岁儿童的身高，首先我们在 X 轴上的 8 岁处画一条垂线，使之与图中的直线相交于一点，然后从这一点画一条直线与 Y 轴交于一点。用这种方法，可以找到与 8 岁年龄的儿童相对应的身高，即 49 英寸。根据该图，我们可预测 8 岁儿童身高为 49 英寸。这样，如果图中有一条直线，而不是一堆散点，我们就可以找到与每个 X 值相对应的 Y 值。

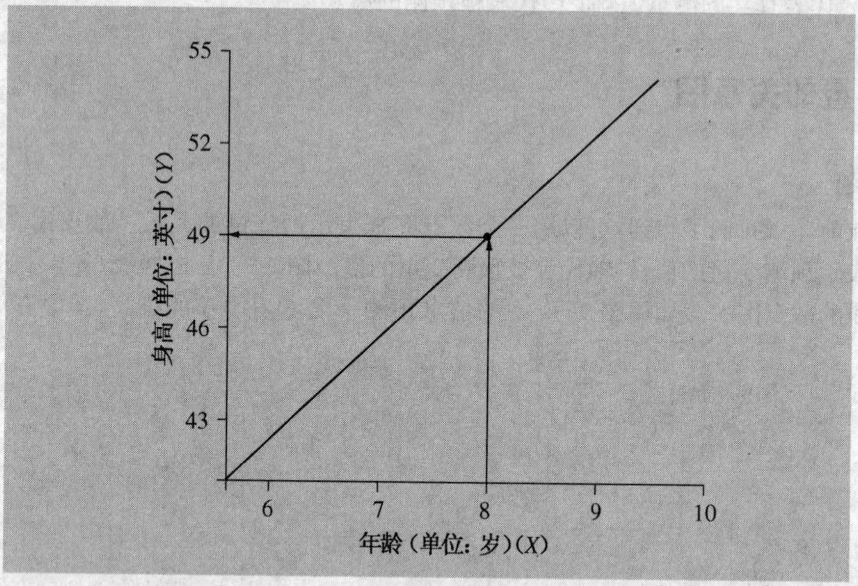

图 9 - 2 根据年龄预测身高

在画直线时，我们需要知道两个条件，即**斜率**[1]和 **Y 轴上的截距**[2]。图 9 - 3 是直线图的例子，这些图的不同之处主要表现在斜率和截距上。就直线的斜率而言，直线 A 斜向上，直线 B 斜向下，直线 C 是水平的，直线 E 的坡度很陡，而直线 F 要平缓一些。要画一条直线，需要知道直线的斜率。

除此之外，我们还需知道直线与 Y 轴相交的那一点——截距。图 9 - 3 中，直线 A 与 Y 轴相交的点高于直线 D。如果我们知道斜率和截距，就可以画出任何一条直线。

直线方程是建立在斜率和截距基础上的：

$$Y = a + bX$$

〔1〕 斜率：在图形中表示为一条直线与水平线的偏斜程度，表示为该直线上的某个点到 Y 轴的距离与到 X 轴的距离的比。

〔2〕 Y 轴上的截距：一条直线与 Y 轴相交的那个点。

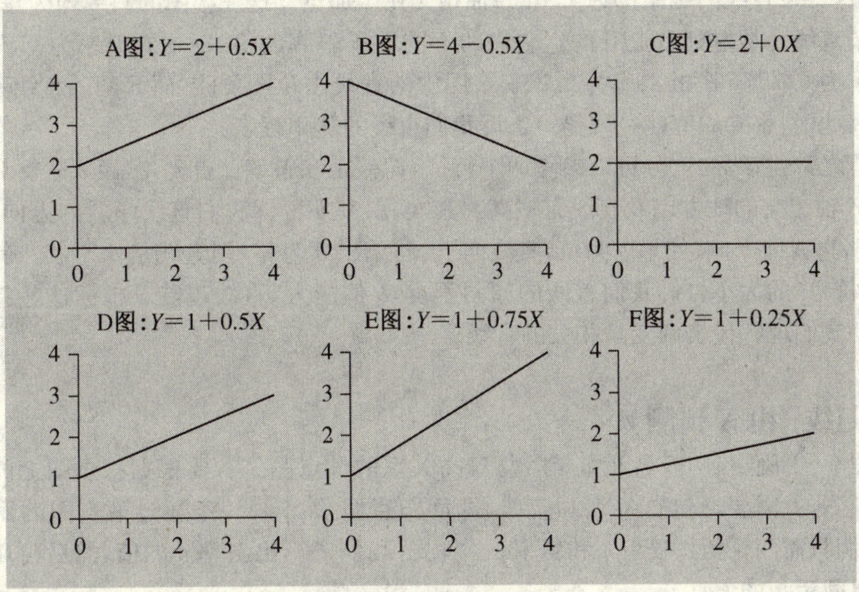

图 9-3　直线方程图

这里，a 表示截距，b 表示直线斜率。为说明该方程的含义，请看下面的例子：

$$Y = 2 + 0.5X$$

其中，截距 a 为 2，斜率 b 为 0.5。画一条直线，只需要确定两点，每一点都代表一对数据，其中一个是 X 变量的值，另一个是 Y 变量的值。至于选择哪两点，这并不重要。我们只需选两个不同的 X 值代入方程中，即可求出相应的 Y 值。可任选两个值，以用 $X=0$ 和 $X=4$ 为例：

$$Y = 2 + 0.5(0) = 2 + 0 = 2$$
$$Y = 2 + 0.5(4) = 2 + 2 = 4$$

当 X 为 0 时，Y 为 2；当 X 为 4 时，Y 为 4。我们可以在图中画出这两点，再将两点连成一条直线，得到图 9-3 中的 A 图，该图符合方程 $Y = 2 + 0.5X$。

图 9-3 中的 B 图符合方程 $Y = 4 - 0.5X$，A 图的方程与 B 图的方程相似，但斜率不同：A 图斜率是 +0.5，B 图的斜率为 −0.5。请注意，当斜率为正数时，直线是从左到右上升的；当斜率为负数时，直线从左到右下降。C 图的方程为 $Y = 2 + 0X$。C 图中斜率为 0，当直线斜率为零时，即为水平线。因此，斜率 b 告诉我们直线的方向。

图 9-3 中，D 图的方程为 $Y = 1 + 0.5X$。A 图与 D 图的方程，除了截距 a 不同外，其他部分都是相同的。比较一下这两个方程，除 A 图的直线比 B 图的要高些外，它们很相似。因此，截距 a 的值告诉我们直线有多高。方程 E 和方程 F 都是 D 图的

变形,这三条直线的截距都为 1,与 Y 轴相交在 1 那点。这三幅图的斜率均为正,所以这三条直线是从左到右上升的。它们的不同在于斜率的值,D 图的斜率为 0.5,E 图的斜率为 0.75,F 图的斜率为 0.25。E 图中的直线比 D 图要陡,而 F 图的直线不那么陡。因此,斜率 b 的值(除了符号)告诉我们直线的陡峭程度。

总之,对直线的区分可以参考两个特征,即截距和斜率。首先,截距 a 告诉我们直线与 Y 轴相交的地方以及直线有多高。其次,斜率 b 告诉我们直线倾斜的方向,如果 b 为正,直线向上倾;如果 b 为负,直线向下倾;如果 b 为零,则直线呈水平状。斜率值(去除符号)的大小告诉我们直线的倾斜程度,b 值越大,直线越陡。根据这些特征可以帮助我们理解代表两变量相关的直线。

作回归线: 由 X 预测 Y

图 9-1 画出了 25 名儿童年龄与身高关系的散点图。若要根据散点图上的信息进行预测,就需要通过这些点画直线,即**回归直线**〔1〕。画一条通过散点图的回归线时,我们只需两个值: 截距 a 和斜率 b。首先,我们要算出斜率 b 的值,然后再用 b 的值求出截距 a 的值。

演示步骤 9-1 中列举了一种求斜率的方法,其中所使用的相关系数是皮尔逊积差相关系数 r。

演示步骤 9-1

求 X 预测 Y 的回归直线斜率值

$$\text{直线斜率:} \ b = \frac{s_Y}{s_X} r_{XY}$$

式中,b 表示回归线斜率

s_Y 表示 Y 变量的标准差

s_X 表示 X 变量的标准差

r_{XY} 表示变量 X 与 Y 的相关系数

1. 计算 X 变量的标准差。
2. 计算 Y 变量的标准差。
3. 计算变量 X 与 Y 之间的皮尔逊积差相关系数。
4. 用第 2 步中 Y 的标准差,除以第 1 步中 X 的标准差,再乘以第 3 步中的相关系数,结果得到 b,即回归线斜率。

〔1〕 回归直线: 基于两个变量的相关,表达已知的预测变量 X 的值与被预测变量 Y 的值的关系。线性回归方程通常表示为: $Y'=a+bX$。回归直线的斜率表示的是,预测变量 X 增大时,被预测变量 Y',增大或减小的程度。回归直线在 Y 轴上的截距表示的是,当预测变量 X 的值为零时 Y' 的值。在回归方程中,a 表示的就是 Y 轴上的截距。

为了求出图 9-1 中散点图的回归线的斜率，我们需要知道变量 X 和 Y 的标准差，以及 X 和 Y 的皮尔逊积差相关系数。参看表 9-3 中的数据，其中儿童年龄的标准差为 1.44，身高的标准差为 4.56，儿童的年龄与身高的相关为 0.95，将这些值代入演示步骤 9-1 中，求出回归线的斜率：

$$b=\frac{s_Y}{s_X}r_{XY}=\frac{4.56}{1.44}(0.95)=3$$

因此，由儿童年龄预测身高的回归线斜率就为 3。

演示步骤 9-2 介绍了求斜率的另一种方法，这种方法不需要知道皮尔逊积差相关系数 r。演示步骤 9-2 中，我们要知道 $\sum X$ 和 $\sum X^2$ 的值，其中 X 代表预测变量，在本例中即为儿童的年龄。表 9-3 中列出了儿童年龄，$\sum X$ 值为 200，$\sum X^2$ 为1 650。我们还需要 $\sum Y$ 的值，本例中为儿童的身高之和，即 1 225 英寸。最后求 $\sum XY$ 的值，即儿童年龄与身高乘积之和，从表 9-3 中算出 $\sum XY$ 为 9 950，这些就是步骤 9-2 列出的公式所需的值。

演示步骤 9-2

求回归直线斜率值的另一种方法

$$\text{直线斜率：}b=\frac{n\sum XY-(\sum X)(\sum Y)}{n\sum X^2-(\sum X)^2}$$

式中 b 表示回归线斜率

X 表示预测变量的数据值

Y 表示被预测变量的数据值

n 表示配对数据的对数

1. 将预测变量 X 的所有数据相加，求得 $\sum X$。
2. 将被预测变量 Y 的所有数据相加，求 $\sum Y$。再与第 1 步的结果相乘。
3. 将配对数据两两相乘，并把所有结果相加，求得 $\sum XY$。再乘以配对数 n，然后减去第 2 步结果。
4. 平方第 1 步的结果。
5. 将预测变量 X 的每个数据平方后，求和，即 $\sum X^2$，再乘以 n，然后减去第 4 步的结果。
6. 将第 3 步的结果除以第 5 步结果，得到 b 的值，即回归线斜率。

$$b=\frac{n\sum XY-(\sum X)(\sum Y)}{n\sum X^2-(\sum X)^2}=\frac{25(9\,950)-(200)(1\,225)}{25(1\,650)-200^2}$$

$$=\frac{248\,750-245\,000}{41\,250-40\,000}=\frac{3\,750}{1\,250}=3$$

使用这一公式，我们可求得斜率值为 3，与演示步骤 9-1 的结果一样。所以，演示步骤 9-1 和 9-2 得出的回归直线的斜率值是相同的。

下一步是根据演示步骤 9-3，用算出的斜率来求截距，以构造回归方程。为此，我们需要知道预测变量 X 和被预测变量 Y 的平均数。比如，由年龄来预测身高的回归直线，其预测变量为年龄，表 9-3 中儿童的平均年龄为 8 岁。被预测变量是身高，其平均数为 49 英寸。最后，使用演示步骤 9-3 中的公式还要知道斜率值 b，这在前面就已求得了：

$$a = \overline{Y} - b\overline{X} = 49 - (3)(8) = 49 - 24 = 25$$

演示步骤 9-3

求截距并构建由 X 预测 Y 的回归直线

$$截距：a = \overline{Y} - b\overline{X}$$

$$回归线：Y' = a + bX$$

式中，a 表示截距

$\overline{Y}$表示变量 Y 的平均数

$\overline{X}$表示变量 X 的平均数

b 表示斜率

1. 求预测变量 X 的平均数。
2. 用演示步骤 9-1 或 9-2 中求出的斜率 b 乘以第 1 步的结果，即变量 X 的平均数。
3. 求被预测变量的平均数。
4. 用第 3 步的结果减去第 2 步结果，得到截距 a。
5. 将演示步骤 9-1 或 9-2 中的 b 值及第 4 步中得出的 a 值代入方程，得回归系数。

现在我们知道了 a、b 的值，可代入回归方程：

$$身高' = 25 + 3(年龄)$$

该方程中，被预测身高 Y'是儿童年龄 X 的三倍再加 25。为了画出这条回归直线，我们还需要用该方程求出与两个 X 值对应的 Y 的被预测值。我们选取两个年龄，即 6 岁和 10 岁，作为 X：

$$Y' = 25 + 3X = 25 + 3(6) = 25 + 18 = 43$$
$$Y' = 25 + 3X = 25 + 3(10) = 25 + 30 = 55$$

6 岁儿童与 10 岁儿童的被预测身高分别是 43 英寸和 55 英寸。在散点图中找到这两点，然后连成一条直线，即回归直线，见图 9-4。

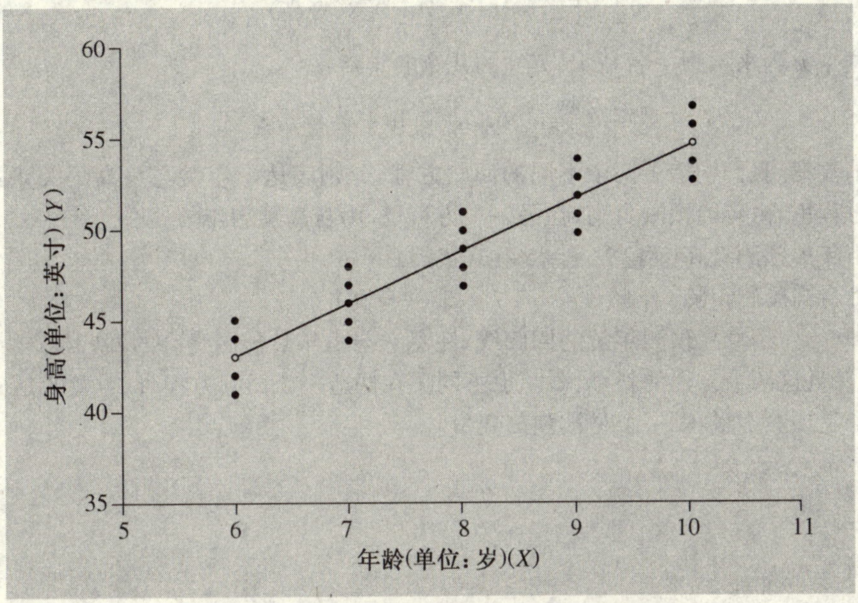

图 9-4 由儿童年龄预测身高的回归直线

现在我们用该回归方程来预测初始样本数据以外的儿童身高。比如，要预测一个 6 岁半儿童的身高：

$$Y' = 25 + 3X = 25 + 3(6.5) = 25 + 19.5 = 44.5$$

根据回归方程，预测出 6 岁半儿童的身高是 44.5 英寸。

第二条回归线

至此，我们已经构造了用儿童年龄预测身高的回归线。同样，我们还可以反过来用儿童身高来预测年龄。在这种情况下，身高就成了预测变量 X，年龄是被预测变量 Y，之前我们已经知道 25 名儿童的平均年龄为 8 岁，标准差 1.44，平均身高是 49.0 英寸，标准差为 4.56。年龄与身高的相关 r_{XY} 是 0.95。

我们仍用演示步骤 9-1 和 9-3 来构造回归方程。首先要算的是回归直线斜率，注意儿童年龄的标准差是分子，因为现在年龄作为 Y 变量了：

$$b = \frac{s_Y}{s_X} r_{XY} = \frac{1.44}{4.56}(0.95) = 0.3$$

然后用 b 的值去求截距 a，现在的被预测变量 Y 是年龄：

$$a = \overline{Y} - b\overline{X} = 8 - (0.3)(49) = 8 - 14.7 = -6.7$$

现在已经知道了 a、b 的值，就可代入方程中求出回归直线：

$$年龄' = -6.7 + 0.3(身高)$$

利用这个方程来预测一名高 45 英寸的儿童的年龄：

$$年龄' = -6.7 + 0.3(45) = 6.8\ 岁$$

请注意，我们构造了两个不同的回归方程，分别表达了年龄与身高的关系：在第一个方程里，由年龄预测身高；在另一个方程里，由身高预测年龄。

由年龄预测身高：身高$' = 25 + 3$(年龄)

由身高预测年龄：年龄$' = -6.7 + 0.3$(身高)

图 9－5 是身高预测年龄的回归线，注意它与由年龄预测身高的回归线(图 9－4)不同，并且这两个方程的斜率、截距也不同。在构造一个回归方程时，重要的是分清楚哪一个是预测变量，哪一个是被预测变量。

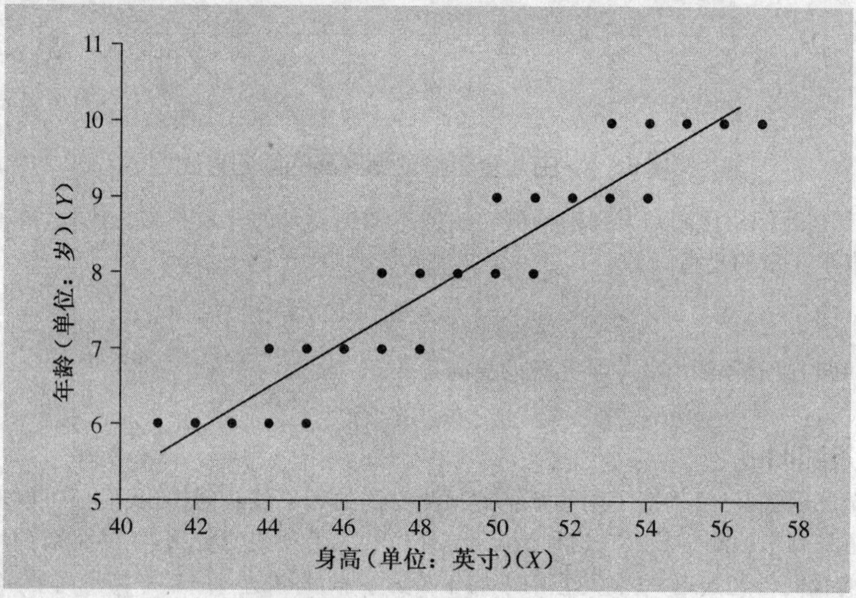

图 9－5 由儿童身高预测年龄的回归直线

回归

预测平均数的回归

假如所有被试在预测变量 X 上具有一个相同的给定值，那么回归方程在变量 Y 上会预测到相同的值。因而，用上述构造好的回归方程，预测所有 6 岁半儿童的身高，都将是 43.5 英寸，回归方程预测任何一名 8 岁儿童的身高都是 49 英寸。也就是说，回归方程预测变量 X 值相同的所有被试，都会得到一个单一的 Y 值。

回归方程预测出的 Y 值是多少？表 9－4 列出了表 9－3 中 25 名已知身高的儿童的平均身高。在本研究中，6 岁儿童的平均身高是 43 英寸。那么用这个回归方程来预测一个不属于本研究样本中的 6 岁儿童的身高，又会是多少？表 9－4 显示同样是 43 英寸高。这一数据是我们初始样本中 6 岁儿童的平均身高。实际上，回归方程预测每个儿童的身高，都是其所属年龄段儿童的平均身高。

表 9－4　25 名儿童的平均身高和预测的身高

年　龄(岁)	平均身高(英寸)	回 归 方 程	预测身高(英寸)
6	43	$\hat{Y}=25+3(6)=$	43
7	46	$\hat{Y}=25+3(7)=$	46
8	49	$\hat{Y}=25+3(8)=$	49
9	52	$\hat{Y}=25+3(9)=$	52
10	55	$\hat{Y}=25+3(10)=$	55

回想一下，进行盲估时，最佳估计是平均数。初始样本中所有儿童的平均身高为 49 英寸。如果我们不知道一个儿童的年龄，那么对其身高的最佳预测就是平均数。但是，如果我们知道其年龄，就可以提高我们预测的准确性。假如已知儿童的年龄，那么回归方程将其身高预测为该年龄组儿童的平均身高。当然，并非每一个 6 岁儿童都是 43 英寸高，因此我们用回归方程作的预测不是绝对精确的，但如果所用的信息可靠的话，这样的预测也就算是最好的。

如表 9－4，儿童身高的分布正好使每个年龄组儿童的平均身高都落在回归线上，这种现象在现实生活中通常是不会出现的。如图 9－6 是根据数学焦虑研究中的数学测验成绩与血压值所作的散点图，从图中可看到，并不是每组相同数学测验成绩的学生的平均血压值都落在回归线上。图 9－6 中的直线是由数学测验成绩来预测血压值的回归线。虚线把与每种正确率（从 40％到 95％）对应的平均血压值连接起来。实际上，回归直线就是把连接每组平均数的那条锯齿线拉直了。

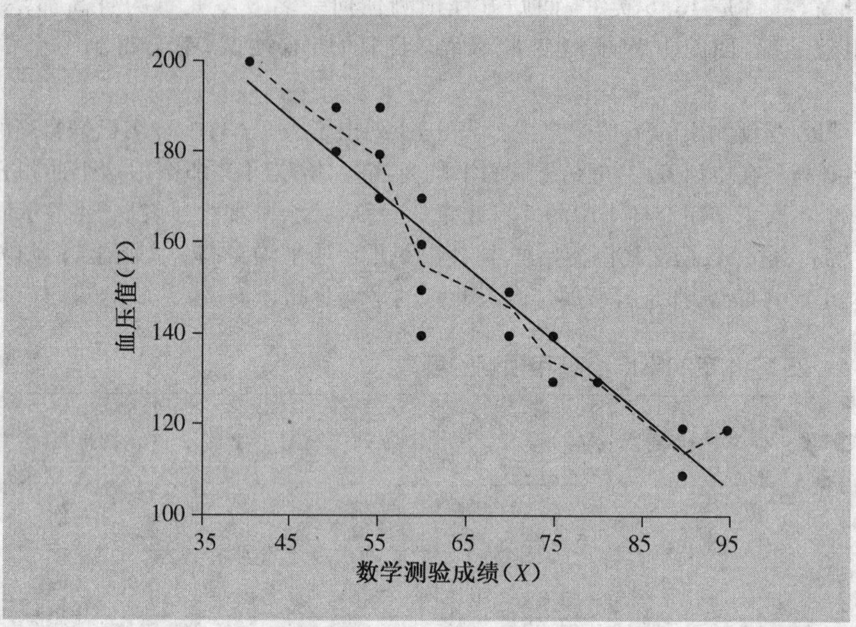

图 9-6 乔先生的研究中数学测验分数和血压值之间关系的散点图

对平均数的回归

至此，我们已经介绍了回归直线，但还没有讲回归的含义。为了说明这一术语的含义，我们将先介绍以标准分为基础的回归方程。在演示步骤 9-1、9-2 和 9-3 中，求斜率 b、截距 a 的公式都是建立在原始数据基础上。但实际上如果用标准分来进行计算的话，计算 a、b 的公式就可以简化许多。任何 Z 分数分布的标准差都是 1.00，如果把 X 和 Y 变量的值都转化为标准分，其各自分布的标准差都是 1.00，这样斜率 b 的值就为 $r_{Z_XZ_Y}$：

$$b=\frac{s_{z_Y}}{s_{z_X}}r_{Z_XZ_Y}=\frac{1.00}{1.00}r_{Z_XZ_Y}=r_{Z_XZ_Y}$$

转化为 Z 分数后，两个变量 Z 分数分布的平均数都等于零，所以截距 a 的值就为零：

$$a=\overline{Y}-b\overline{X}=0-r_{Z_XZ_Y}(0)=0-0=0$$

要预测一个被试在变量 Y 上的标准分，我们只需将被试在 X 变量上的标准分乘以 X 与 Y 的相关系数 r_{XY}。

假定我们要预测相同年龄的三个人在 30 岁时的 IQ 分数。年龄为 20 岁时：Zach 的 IQ 为 120，Yolanda 的 IQ 为 100，Xavier 的 IQ 为 80。表 9-5 呈现了根据不同的相关系数 r 值，对 30 岁时的 IQ 进行预测。如果 20 岁和 30 岁的 IQ 分数完全相关（$r=$

1.00)，那么回归方程预测 30 岁的 IQ 分数与 20 岁的一样。注意此时被预测分数与预测分数是一样的。

如果 20 岁的 IQ 与 30 岁的 IQ 相关较高(但比完全相关低)，回归方程预测出 30 岁的 IQ 分数就与 20 岁的不同。Zack 20 岁时的 IQ 为 120 分，如果 r 为 0.75，预测他 30 岁时的 IQ 就只有 115。显然，他的 IQ 下降了 5 分。另外，如果 r 为 0.75，则 Xavier 的 IQ 分数却提高了 5 分。实际上，对 Zack 和 Xavier 预测的 IQ 分数都靠近了平均数 5 分。如果 r 为 0.5，则预测 Zack 和 Xavier 30 岁时的 IQ 将更靠近平均数 10 分；如果 r 为 0.25，则预测 30 岁时的 IQ 更靠近平均数 15 分。

让我们看看表 9-5 中被预测 IQ 的标准分。当为完全相关时，r 是 1.00，以 Zack 为例，30 岁时预测他的 Z 分数为 1.33，与他 20 岁时一样；当 r 为 0.75 时，预测出的 Z 分数只有 1.00，是 20 岁时的 75%；同样的，r 为 0.50 时，预测出的 Z 分数为 0.67，是 20 岁时的 50%；当 r 为 0.25 时，预测出的 Z 分数为 0.33，只有 20 岁时的 25%；当预测变量和被预测变量没有任何相关时(即 $r=0$ 时)，回归方程预测表 9-5 中这三个人 30 岁时的 IQ 都是 100 分，不管他们 20 岁时的 IQ 各为多少。

表 9-5 相关 r 对被预测分数的影响

	预测 30 岁时的 IQ				
20 岁时 IQ; Z	$r=1.00$	$r=0.75$	$r=0.50$	$r=0.25$	$r=0$
IQ 120	120	115	110	105	100
z: 1.33	1.33	1.00	0.67	0.33	0.00
IQ 100	100	100	100	100	100
z: 0.00	0.00	0.00	0.00	0.00	0.00
IQ 80	80	85	90	95	100
z: −1.33	−1.33	−1.00	−0.67	−0.33	0.00

记住，标准分数是度量原始数据与平均数距离的一个指标。表 9-5 中的分数说明，相关越低，被预测的数据越接近平均数。用统计术语来讲，这种关系叫做**对平均数的回归**[1]。回归，这一术语就是“转回、返回”的意思。被预测的数据比用来进行预测的数据，更倾向回归于或接近于平均数。其靠近平均数的程度是由 r 值决定的。相关越低，被预测分数越靠近平均数。实际上，如果根本不存在相关，即 r 为 0，那么被预测的分数就是平均数。因为被预测分数倾向靠近平均数，即对平均数的回归，所以回

〔1〕 对平均数的回归：当预测变量和被预测变量的相关系数越接近 0，被预测变量的值越接近平均数。因此，与预测的值相比，被预测的值倾向于对平均数回归。

归这一术语用于统计预测。

回归与最小平方准则

对预测变量 X 的每一个值，回归方程都会产生惟一一个被预测变量 Y 的值。回归方程预测每名 8 岁儿童的身高都是 49 英寸，但显然并非每名 8 岁儿童的实际身高都是 49 英寸。这只是回归方程得出的一个预测值，是对被试测量分数的估计。如果预测变量与被预测变量间不是完全相关，则回归方程所起的预测作用也不是绝对准确的。

假设由回归方程所进行的预测本来就不是绝对准确的，那么就有必要测量误差大小。为了测量误差，我们首先要界定什么是误差。我们以图 9－7 列出的 10 名儿童的年级水平和阅读水平为例，介绍误差的测量方法。同时，图中也列举了以儿童年级水平去预测阅读水平的回归方程的计算方法。该回归方程是：

学生	年级 (X)	阅读水平 (Y)	预测的阅读水平 (Y')	误差 ($Y - Y'$)	$(Y - Y')^2$
Abe	7	7	7.4	−0.4	0.16
Bob	6	8	6.6	1.4	1.96
Cal	6	5	6.6	−1.6	2.56
Dee	5	6	5.8	0.2	0.04
Eve	4	7	5.0	2.0	4.00
Flo	4	4	5.0	−1.0	1.00
Gig	3	5	4.2	0.8	0.64
Hal	2	3	3.4	−0.4	0.16
Ina	2	2	3.4	−1.4	1.96
Jim	1	3	2.6	−0.4	0.16
				$\Sigma(Y - Y') = 0.0$	$\Sigma(Y - Y')^2 = 12.64$

$$\bar{X} = \frac{\Sigma X}{n} = \frac{40}{10} = 4.0 \qquad \bar{Y} = \frac{\Sigma Y}{n} = \frac{50}{10} = 5.0$$

$$s_X = \sqrt{\frac{\Sigma(X - X)^2}{n-1}} = \sqrt{\frac{36}{9}} = 2.0 \qquad s_Y = \sqrt{\frac{\Sigma(Y - Y)^2}{n-1}} = \sqrt{\frac{36}{9}} = 2.0$$

$$r = \frac{\Sigma XY - \frac{(\Sigma X)(\Sigma Y)}{n}}{\sqrt{\left(\Sigma X^2 - \frac{(\Sigma X)^2}{n}\right)\left(\Sigma Y^2 - \frac{(\Sigma Y)^2}{n}\right)}} = \frac{229 - \frac{(40)(50)}{10}}{\sqrt{\left(196 - \frac{40^2}{10}\right)\left(286 - \frac{50^2}{10}\right)}} = 0.8$$

$$b = \frac{s_Y}{s_X} r_{XY} = \frac{2.0}{2.0}(0.8) = 0.8 \qquad a = \bar{Y} - b\bar{X} = 5.0 - (0.8)(4.0) = 1.8$$

回归方程：$Y' = 1.8 + 0.8X$

图 9－7 用年级来预测阅读水平

预测阅读水平＝1.8＋0.8(年级)

用这个回归方程，我们可预测任何一名 1 年级儿童的阅读水平为 2.6 级，任何一名 4 年级儿童的阅读水平是 5.0 级。这 10 名儿童的被预测阅读水平在图 9－7 中第三列列出。

我们所用的符号中，Y 表示被试的真实分数，Y' 表示由回归方程预测的分数，这两个值的差$(Y-Y')$是预测产生的误差。如果 X 和 Y 之间完全相关，这个回归方程的预测将完全准确，并且任何被试的 Y 和 Y' 之间没有差别。被预测分数 Y 与真实分数 Y 相差越远，预测的误差就越大。

$(Y-Y')$的值是一次预测所产生的误差。为了测量一条回归直线的误差，我们要测量所有这些 Y 值的偏差，即所有真实分数与被预测分数的偏差之和 $\sum(Y-Y')$。从图 9－7 中，我们看到其和为零。为了突出这一差异，我们将偏差平方。图 9－7 列出了真实分数与被预测分数间偏差的平方和，即 $\sum(Y-Y')^2$ 为 12.64。

和 $\sum(Y-Y')^2$ 是对预测误差量的测量。和越小，误差量就越小，预测也就越准确。我们希望所用的预测中这一和尽可能小，即回归方程预测的分数应使 $\sum(Y-Y')^2$ 最小。当然，$\sum(Y-Y')^2$ 理论上的最小值为零，但这只能在完全相关条件下才会出现。假如不是完全相关，那么预测就有误差。我们的目标是使误差尽可能小，并且要使由回归线得出的被预测分数与真实分数误差的平方和最小，有时简称为“最小平方”。**最小平方准则**〔1〕是指用回归线进行预测时，真实分数与被预测分数之间偏差的平方和最小。产生误差最小的回归线，预测最准确，其中误差是由真实分数与被预测分数间偏差的平方加起来得到的。

估计标准误

在前一节中，我们知道 $\sum(Y-Y')^2$ 反映了利用回归方程进行预测时产生的误差。我们可用这种和来对预测中的误差进行测量。

$$s_{Y|X}=\sqrt{\frac{\sum(Y-Y')^2}{n-1}}$$

这个公式叫**估计标准误**〔2〕，记为 $s_{Y|X}$。

将之与标准差公式比较：

$$s_Y=\sqrt{\frac{\sum(Y-\overline{Y})^2}{n-1}}$$

〔1〕 最小平方准则：被预测分数与真实分数之差的平方和最小，则回归越精确。当所有被预测分数都在回归直线上时，这种平方和最小。

〔2〕 估计标准误：度量的是真实分数与被预测分数之间偏差的大小，也是对被预测分数精确性的度量。

标准差是真实分数与分布的平均分之间的偏差大小，估计标准误是真实分数与被预测分数之间偏差的大小。标准差测的是一组分数的分布范围，而估计标准误测的是被预测分数偏离真实分数的距离。

估计标准误是以 $\sum(Y-Y')^2$ 为基础的，所以它测的是误差的大小。我们使用回归方程的目的就是为了使预测比盲估有更高的准确性，并减少误差。估计标准误度量的是这些预测中有多少误差存在。

为更好地理解如何计算预测误差的估计标准误，我们先看看盲估误差的大小。我们知道，最佳盲估为平均数，因此盲估时的被预测分数 Y' 是每次预测的平均数。因此，我们可以将被预测分数 Y' 的平均数代入估计标准误公式中：

$$s_{Y|X}=\sqrt{\frac{\sum(Y-Y')^2}{n-1}}=\sqrt{\frac{\sum(Y-\overline{Y})^2}{n-1}}=s_Y$$

如果我们进行的是盲估，则估计标准误与 Y 变量的标准差一样。

以图 9-7 中的 10 名儿童为例，如果盲估他们的阅读水平，则估计标准误与阅读水平的标准差一样，都是 2.0。但是如果我们使用回归方程所预测的阅读水平，则估计标准误是：

$$s_{Y|X}=\sqrt{\frac{\sum(Y-Y')^2}{n-1}}=\sqrt{\frac{12.64}{9}}=1.2$$

因此，用回归方程预测比盲目地估计误差更小。

我们知道，回归方程建立在预测变量与被预测变量是相关的基础上。为了减小预测误差，要利用两变量的相关信息，因此，估计标准误与相关有关。两变量相关越高，预测误差越小。事实上，根据 r 值可以计算估计标准误的值。具体见演示步骤 9-4。

演示步骤 9-4

计算估计标准误

$$s_{Y|X}=s_Y\sqrt{1-r^2}$$

式中，$s_{Y|X}$ 表示 X 预测 Y 的估计标准误

s_Y 表示变量 Y 的标准差

r 表示 X 与 Y 的相关

1. 计算被预测变量 Y 的标准差。
2. 计算预测变量 X 与被预测变量 Y 的皮尔逊积差相关 r。
3. 将第 2 步结果平方后用 1 去减，再求平方根。
4. 用第 3 步结果乘以第 1 步求出的标准差 Y，得到估计标准误。

在计算估计标准误的公式中，误差大小受两个因素影响：预测变量与被预测变量之间的相关 r 值以及被预测变量的标准差。表 9－6 中列出了与几个 r 值和 Y 的标准差对应的估计标准误。首先，估计标准误大小部分取决于初始标准差。对每个 r 值，s_Y 为 100 比 s_Y 为 80 时的标准误要大。被预测变量的标准差越大，估计标准误就越大。因此，初始分布越广，预测的误差越大。

表 9－6 不同 r 和 s_Y 值对应的估计标准误

	s_Y				
r	100	80	60	40	20
0.00	100.0	80.0	60.0	40.0	20.0
0.10	99.5	79.6	59.7	39.8	19.9
0.20	98.0	78.4	58.8	39.2	19.6
0.30	95.4	76.3	57.2	38.2	19.1
0.40	91.7	73.3	55.0	36.7	18.3
0.50	86.6	69.3	52.0	34.6	17.3
0.60	80.0	64.0	48.0	32.0	16.0
0.70	71.4	57.1	42.8	28.6	14.3
0.80	60.0	48.0	36.0	24.0	12.0
0.90	43.6	34.9	26.2	17.4	8.7
1.00	0.0	0.0	0.0	0.0	0.0

预测误差的大小还受到预测变量与被预测变量相关程度的影响。当 r 为 0 时，即 X 变量与 Y 变量之间没有相关，估计标准误就等于标准差。当没有相关存在时，回归直线也不能减少一点预测误差。所以，预测变量 X 与被预测变量 Y 不相关时，用回归直线所进行的预测与盲估是一样的。

当 r 为 0.10 或 0.20 时，误差减少得并不明显；但当 r 为 0.60 时，误差减小 20%。比如，当标准差为 100 时，若 r 为 0，这时估计标准误为 100；若 r 为 0.60，则估计标准误为 80，即误差减小了 20%。当 r 大到 0.90 时，误差减小量超过了 50%，标准差为 100，r 为 0.90 时的估计标准误只有 43.6。因而，预测变量和被预测变量相关越高，估计标准误就越小。这就意味着，r 增大，误差就减小。r 值大，被预测分数就越接近真实值。

最后，请注意 r 为 1.00 时，估计标准误是 0。预测变量与被预测变量之间完全相关时，绝对不存在误差，每个被预测分数都等于真实分数，二者之间的差总是为 0。只有在完全相关的条件下，预测才是绝对准确的。

决定系数和非决定系数

估计标准误测的是在回归方程中用 X 预测 Y 时所产生的误差量。在预测时，对其准确程度进行测量是有必要的，误差程度和准确程度呈反向关系：准确性越高，误差越小。

如果真实分数与被预测分数之间的偏差是对误差的测量的话，那么被预测分数与平均数之间的偏差就是对准确性的测量。正如在本章开头所讲的，如果我们没有可供参考的信息，则对一名被试分数的最佳估计为平均数。但用回归方程可帮助预测被试分数。因此，平均数与被预测分数的差$(Y'-\overline{Y})$反映的是准确性。

为了计算测量准确性提高的程度，我们需将分布中的所有分数的偏差求和。但其和总为零，所以要在求和之前先平方每个偏差，即 $\sum(Y'-\overline{Y})^2$。图 9－7 中 10 名儿童被预测阅读水平的这一偏差和为 23.04。儿童阅读水平的偏差可由他们的年级水平来解释。$\sum(Y-\overline{Y})^2$ 测的是儿童真实阅读水平的总变异，为 36。这两个值的比率说明了儿童阅读水平的总变异被年级水平解释的比例。

$$\text{解释变异的比例}=\frac{\text{解释的变异平方}}{\text{总变异的平方}}=\frac{\sum(Y'-\overline{Y})^2}{\sum(Y-\overline{Y})^2}=\frac{23.04}{36}=0.64$$

因此，年级变异可以解释儿童阅读水平变异中的 64%。这种量度叫**决定系数**[1]。它测的是被预测变量 Y 的变异由预测变量 X 解释的比例。

决定系数与 X 和 Y 的相关系数 r 的平方相等。回想一下图 9－7 中 10 名儿童年级与阅读水平的相关为 0.80，0.80 的平方为 0.64，与上面的决定系数相等。因此，如果我们知道 r 的值，很容易就可以算出决定系数的值：

$$\text{决定系数}=r^2$$

如果决定系数是 Y 的变异由 X 变异来解释的比例，那么其余变异就是不能由 X 解释的部分。所以，如果图 9－7 中儿童阅读水平变异的 64%可由他们的年级水平解释，那么，余下的(100%－64%)，即 36%的阅读水平变异不能由儿童年级水平解释，而只能归因于其他因素。这一部分叫**非决定系数**[2]，它由 1 减去决定系数而得：

$$\text{非决定系数}=1-r^2$$

---

〔1〕 决定系数：决定系数的值等于 r^2，它度量的是被预测变量 Y 的变异由预测变量 X 解释的比例。

〔2〕 非决定系数：非决定系数的值等于 $1-r^2$，它度量的是被预测变量 Y 的变异不能由预测变量 X 解释的比例。

回归、相关和因果

在第八章,我们简要介绍了相关和因果的关系,强调两变量之间存在相关并不能证明两者有因果关系。这里还要重申一下,比如,高中的SAT分数与他们大学第一年成绩之间有中等程度相关(在0.40与0.50之间)。实际上招生委员会根据这一相关,用考生SAT分数来预测新生可能的GPA。有必要强调的是,SAT分与大学GPA之间只是相关关系,这并不意味着每个SAT得分高的学生在大学也同样得高分。相关表示所有被测试量的总趋势,但并不保证每个被试都如此。

更重要的是,相关指两变量间的关系,它并不解释这一关系如何产生。本章中,我们知道儿童阅读水平的变异可由他们的年级水平的变异来解释,这也只是说阅读水平和年级水平有共同变化的趋势,但不能解释这一趋势是如何产生的。我们用相关信息进行预测时,也无法得知或推断这一趋势是如何产生的。我们应该谨慎,不能夸大事实。

难点提示

1. 在构造回归方程时,注意不要混淆了预测变量和被预测变量。预测变量(记为X)是已知量,被预测变量(记为Y)是要预测的量。

2. 记住,就两个变量而言,应该有两条独立的回归直线。假定有两个变量:IQ和GPA,其中一个回归方程是GPA预测IQ(IQ|GPA);另一个是IQ预测GPA(GPA|IQ)。注意区分哪一个是预测变量,哪一个是被预测变量。

3. 构造回归方程时,你只需两个值,X最简单的值为0和平均数。当$X=0$时,Y等于截距a,当X'等于X的平均数时,Y'等于Y的平均数。如果计算第三个值,你就可检验这条回归线是否为直线。

4. 区别标准差s_X或s_Y和估计标准误$s_{Y|X}$很重要。标准差是度量数据与其平均数的距离。估计标准误是度量被预测分数与真实分数的距离。

小结

- 预测是对变量值的估计,如果没有相关信息帮助我们预测,就是盲估。
- 盲估时,如果只是选对答案就给予奖励,则最佳估计是众数;如果猜错了要受惩罚,并且按误差大小来受惩罚,则最佳估计为中数;如果每次猜错的受惩罚程度是依据每次误差大小的平方决定,则最佳估计为平均数。
- 当预测某个变量时,我们可利用另一个变量(预测变量)的信息,当然两变量应相关。这些信息可减少预测误差。我们进行预测的那个变量是被预测变量。
- 回归方程是根据预测变量X的值去预测Y变量值的一个数学表达式,X与Y这两个变量是相关的。

- 线性回归方程的形式：$Y' = a + bX$。b 值为直线斜率，反映了被预测变量随预测变量增加(或)减小的程度。a 值为截距，是当预测变量为零时，被预测变量的值。
- 如果被预测变量和预测变量之间不是完全相关(±1.00)，则被预测分数大体倾向于比被试真实分数更接近平均数。这一恒定趋势称为平均数的回归。相关越低，则被预测分数越倾向于接近平均分。如果被预测变量与预测变量间相关为零，则每次预测结果都为平均数。
- 最小平方准则将预测准确性界定为真实分数与被预测分数之间差异的平方。基于这一准则，由回归方程对数据进行预测，其误差平方和最小。
- 估计标准误是对回归方程预测分数与真实分数之间的差异程度的度量，即对准确性的测量。估计标准误可通过被预测变量标准差和被预测变量与预测变量的相关获得。当为完全相关(±1.00)时，标准误为零，则每次预测都绝对准确。当相关为零时，估计标准误等于被预测变量的标准差，说明此时回归方程根本不能提高预测的准确性。
- 决定系数等于 r^2，度量的是被预测变量 Y 的变异在多大程度上可以由预测变量 X 来解释。非决定系数等于 $1-r^2$，是被预测变量 Y 的变异中不能由预测变量 X 解释的部分。

练习

概念题

1. 名词解释：

预测	回归线
盲估	对平均数的回归
预测变量	最小平方准则
被预测变量	估计标准误
斜率	决定系数
截距	非决定系数

2. 下面是 10 名儿童的年龄，该组的众数为 9 岁，中数为 8 岁，平均数为 7 岁。

   年龄：9，9，9，9，8，8，6，5，4，3

假定你不知道这些儿童的年龄，必须盲估。下面列出了三种不同的奖励方式，对每一种方式，你都要计算用下面几种统计量进行估计时所得的奖励数。(i) 平均数、(ii) 中数和(iii) 众数。并且在每种方式中，你的最佳估计为几岁？

A. 每次猜测完全正确时得 1.00 美元。

B. 每猜对一次得 50 美分，但猜测结果与真实年龄每差一岁扣 10 美分。

C. 每猜对一次得 50 美分，但猜测结果与真实年龄每差一岁扣 1 美分，差两岁扣 4 美分，差 3 分扣 9 美分，差 4 岁扣 16 美分，差 5 岁扣 25 美分，差 6 岁扣 36 美分。

3. 画出下面方程的直线图，并指出每条直线的斜率和截距。

A. $Y = X$　　B. $Y = 2X$

C. $Y = 0.5X$　　D. $Y = 4 - X$

E. $Y = 4 - 0.5X$　　F. $Y = 2 + X$

G. $Y = 4 + X$　　H. $Y = 2 + 0.5X$

I. $Y = 4 + 0.5X$　　J. $Y = 2 - 0.5X$

4. 下面列出了五组学生的 IQ 分与 GPA 分数：

Ⅰ组			Ⅱ组			Ⅲ组		
学生	IQ	GPA	学生	IQ	GPA	学生	IQ	GPA
1	140	3.9	1	140	3.7	1	140	3.5
2	135	3.7	2	135	3.9	2	135	3.3
3	135	3.7	3	135	3.3	3	135	3.7
4	130	3.5	4	130	3.5	4	130	3.9
5	130	3.5	5	130	3.5	5	130	3.5
6	130	3.5	6	130	3.5	6	130	3.1
7	125	3.3	7	125	3.7	7	125	3.3
8	125	3.3	8	125	3.1	8	125	3.7
9	120	3.1	9	120	3.3	9	120	3.5

Ⅳ组			Ⅴ组		
学生	IQ	GPA	学生	IQ	GPA
1	140	3.3	1	140	3.1
2	135	3.1	2	135	3.3
3	135	3.7	3	135	3.3
4	130	3.5	4	130	3.5
5	130	3.5	5	130	3.5
6	130	3.5	6	130	3.5
7	125	3.3	7	125	3.7
8	125	3.9	8	125	3.7
9	120	3.7	9	120	3.9

A. 画出每组学生分数的散点图。

B. 确定每组中 IQ 分与 GPA 分之间的相关类型（正、负或零相关）。

C. 计算每组的皮尔逊 r 值。

D. 计算每组 IQ 对 GPA 的回归方程中的斜率及截距，写出回归直线方程，并在 A 中的散点图上画出回归直线。

5. 用第 4 题构造的回归方程，求下面这些 IQ 分的 GPA 分数：(i) 140，(ii) 135，(iii) 130，(iv) 125，(v)120。

A. 哪些组学生被预测的 GPA 分与真实 GPA 分相同？为什么？

B. 哪些组学生被预测的 GPA 分与真实 GPA 分不同？为什么？

C. 哪些组学生被预测的 GPA 分与真实 GPA 分是整组一样的？为什么？

6. 用第 4 题建立的回归方程求下面这些 IQ 分数的 GPA 分：(i) 137，(ii) 131，(iii) 128，(iv) 124。

A. 一个 IQ 为 137 分的人在Ⅱ组中的预测分数要比在Ⅰ组中低，一个 IQ 为 124 分的人在Ⅳ组中预测的 GPA 分比在Ⅴ组中高，为什么？

B. IQ 分别为 137、131、128 和 124 的人所预测的 GPA 分不同；但 IQ 为 130 的人在这五组中所预测的 GPA 分却一样，为什么？

C. IQ 为 137 和 124 的人，在Ⅰ和Ⅱ组中，前者比后者预测的 GPA 分高，但在Ⅳ和Ⅴ组中，前者比后者预测的 GPA 分低，为什么？

7. 根据第 4 题的五组分数，由 GPA 预测 IQ，分别计算每组回归方程的斜率和截距，并画出回归线。

8. 用第 7 题构造的五个回归方程，求以下 GPA 分预测的 IQ 分：(i) 3. 9，(ii) 3. 7，(iii) 3. 5，(iv) 3. 3，(v) 3. 1。

A. 哪些组学生被预测出的 IQ 分与真实 IQ 分相等？为什么？

B. 哪些组学生被预测出的 IQ 分与真实 IQ 分不同？为什么？

C. 哪些组学生被预测出的 IQ 分是整组一样的？为什么？

9. 用第 7 题构造的五个回归方程，求以下 GPA 分预测的 IQ 分：(i) 3. 8，(ii) 3. 6，(iii) 3. 4，(iv) 3. 2。

A. GPA 为 3. 8 的人在Ⅱ组中的被预测的 IQ 分比Ⅰ组中低，GPA 为 3. 2 的人在Ⅳ组中的被预测分比在Ⅴ组中高，为什么？

B. GPA 为 3. 8、3. 6、3. 4 和 3. 2 的人在不同组中的被预测 IQ 不同，而 GPA 为3. 5的人在五组中的被预测 IQ 分数都一样，为什么？

C. GPA 为 3. 8 和 3. 2 的人，在Ⅰ和Ⅱ组中前者比后者的被预测 IQ 高；但在Ⅳ和Ⅴ组中，前者比后者的被预测 IQ 低，为什么？

10. 分别计算第 4 题的五个 IQ 对 GPA 的回归方程的估计标准误，以及第 7 题的五个 GPA 对 IQ 的回归方程的估计标准误。

A. 比较每组学生的两个估计标准误，即 IQ 预测 GPA 的和 GPA 预测 IQ 的估计标准误，哪组学生的两个估计标准误不同？为什么？

B. 比较每组学生的两个估价标准误，即 IQ 预测 GPA 的和 GPA 预测 IQ 的，哪组学生的这两个估计标准误相同？为什么？

11. 理论上总体 IQ 分的平均数为 100 分，标准差为 15；SAT 语言测试平均分为 500，标准差为 100。

A. 用以下每个 r 值构造 IQ 分对 SAT 语言测试分的回归方程：(i) 1.00，(ii) 0.80，(iii) 0.60，(iv) 0.40，(v) 0.20。

B. 将 A 中 IQ 预测 SAT 语言测试分的回归线画在一幅图中，观察这 6 条直线是什么样的？r 从 1.00 到 0.00，直线的斜率有何变化？这 6 条线交于何处？为什么？

12. 用第 11 题的 6 个回归方程，求以下 IQ 分对应的被预测 SAT 语言测试分数：(i) 130，(ii) 115，(iii) 100，(iv) 85，(v) 70。

A. 比较在 6 个不同 r 下，由 130 分 IQ 预测的 SAT 语言测试。其中哪个 r 值下的被预测 SAT 语言测试分最高？哪个 r 值下的被预测 SAT 语言测试分最低？为什么？

B. 比较在 6 个不同 r 下，由 70 分 IQ 预测的 SAT 语言测试分，其中哪个 r 值下的被预测 SAT 语言测试分最高？哪个 r 值下的被预测 SAT 语言测试分最低？为什么？

C. 求 IQ 为 130 分和 115 分分别对应被预测 SAT 语言测试分之差，即用与 IQ 是 130 分对应的 SAT 语言测试分减去与 IQ 是 115 分对应的 SAT 语言测试分。观察这两者之差怎样？哪一个 r 值下，两者之差最大？哪个 r 值下，两者之差最小？为什么？

D. 由哪个 IQ 分所预测的 SAT 语言预测分在每种 r 值下都一样？为什么？

13. 将 IQ 为 115 分和 85 分预测得来的 SAT 语言测试分转化为标准分，其中 SAT 语言测试平均分为 500，标准差为 100。

A. IQ 为 115 分时，每个 r 值下的被预测 SAT 语言测试分高于 500 多少个标准差？为什么？

B. IQ 为 85 分时，每个 r 值下的被预测 SAT 语言测试分低于 500 多少个标准差？为什么？

14. 用第 12 题中的每个 r 值，计算 IQ 预测 SAT 语言测试分的估计标准误。

计算题

15. 已知 SAT 的总体平均分为 500，标准差为 100；IQ 的总体平均分为 100，标准差为 15。根据下面的 r 值构造 IQ 对 SAT 的回归线，并用列出的 IQ 分计算被预测的 SAT 分。

A. IQ 为 128，$r=0.73$
B. IQ 为 93，$r=0.47$
C. IQ 为 109，$r=0.54$
D. IQ 为 77，$r=0.35$
E. IQ 为 100，$r=0.82$
F. IQ 为 100，$r=0.39$

16. 根据第 15 题求出的所有被预测 SAT 分，计算所有估计标准误。

17. 杰西纳测量了一组小白鼠的年龄和走迷宫的速度。

小白鼠	年龄(周)	速度(秒)
A	3	8
B	8	14
C	6	9
D	5	11
E	1	5
F	4	7

A. 构造小白鼠年龄对走迷宫速度的回归方程。
B. 用这一回归方程来分别预测 2 周和 7 周大的小白鼠走迷宫的速度。
C. 计算估计标准误。
D. 计算决定系数。

18. 乔贝丝通过测量幼儿最早开始走路的年龄和他们 6 岁时的 IQ，来研究早期动作发展与后期智力水平的关系：

儿童	开始走路的月份	6 岁时的 IQ
A	10	90
B	13	100
C	11	110
D	9	130
E	12	120

A. 构造幼儿最早开始走路的年龄对 6 岁 IQ 的回归方程。
B. 用该回归方程分别预测 10.5 个月和 11.5 个月开始走路的幼儿，其 6 岁时的 IQ。
C. 求估计标准误。
D. 求决定系数。

第十章 概率与二项式分布

许多统计概念都涉及到概率。目前为止，我们介绍的统计都是描述统计，它描述了数据的分布情况或分布之间的关系。运用概率，我们就能够超越对分布进行简单的描述，进而对分布作出进一步的预测。在上一章，我们已经学习了构造回归方程，通过某人在某一变量上实际得到的数据，预测他在另一变量上可能获得的数据。概率将会扩展我们所能作出的预测的种类。

正如下面的几章中将要看到的一样，我们可以使用概率原理，根据样本的情况，对样本所在总体的情况进行预测。有了概率原理，要描述总体的情况，我们不再需要测量总体中的所有个体。大多数政治民意测验都是基于这种概率原理进行的。当华盛顿邮报报道：有 56%的选民将支持某一总统候选人时，该邮报并没对美国所有选民进行民意测验，而仅仅是对选民的一个小样本进行了民意测验，并利用**概率**〔1〕〔2〕原理，从样本的投票情况推断总体——即所有美国选民的投票情况。

本章中，我们先要介绍一下概率的基本数学原理，以便于在后面我们能够理解怎样使用样本对总体进行描述，我们也将会介绍另一种理论分布——二项式分布。第七章中，我们介绍了正态分布。正态分布作为一种理论分布，在心理学研究中非常有用。在作预测时，二项式分布也是一种很有用的理论分布。

概率的基本概念

概率与比例

在数学中，概率是用术语“比例”来定义的。实际上，某一给定数值将出现的概率被定义为该数值在数据分布中出现次数的比例。

〔1〕 概率：对一个事件出现可能性的量化表示。概率为 1 的事件必定会发生，而概率为 0 的事件则不可能发生。

〔2〕 数值 A 出现的概率 $P(A)$：数据分布中值为 A 的数据的比例：

$$P(A)=\frac{\text{数值 }A\text{ 出现的频次}}{\text{总的数据数}}=\frac{f(A)}{n}$$

在办公室，我有一台巧克力自动售货机，里面装有巧克力。当我推动一根杠杆时，就有一把巧克力跳出来。我们把售货机中的所有巧克力看作一个巧克力总体，表 10－1 呈现了自动售货机中，每种颜色巧克力的数量和比例。这是一个频次分布，就像我们在第三章所构建的频次分布一样，一个数值的相对频次就是该数值在数据分布中的比例，也就是该数值将出现的概率。

表 10－1 巧克力颜色的频次分布

颜色	频次	比例
棕色	150	0.25
蓝色	132	0.22
黄色	102	0.17
橘色	90	0.15
红色	66	0.11
绿色	60	0.10
N	600	1.00

假如我们想知道，从售货机中抽取出一颗绿色巧克力的概率。我们所要做的就是，找出绿色巧克力在容器中的比例。演示步骤 10－1 呈现了基于比例计算概率的方法。

$$P(\text{绿色巧克力})=\frac{f(\text{绿色巧克力})}{n}=\frac{60}{600}=0.10$$

售货机中绿色巧克力的比例为 0.1 或 10%，因此从自动售货机中得到绿色巧克力的概率是 0.1。

我们可以利用这一方法计算各种概率。比如，即将出生的孩子为女孩的概率，在一个班级中得 A 的概率，在某城市发生车祸的概率（算出路上车辆的总数以及发生车祸的车辆数量）等。假设在一个普通心理学班上，有 66 名男生和 84 名女生，我们可以使用演示步骤 10－1 呈现的方法，通过计算出该班女生的比例，就可以确定：从该班任选一名学生，其为女生的概率。

$$P(\text{女生})=\frac{f(\text{女生})}{n}=\frac{84}{150}=0.56$$

演示步骤 10－1

计算概率

$$P(A)=\frac{f(A)}{n}$$

式中，$P(A)$表示结果 A 将出现的概率

$f(A)$表示结果 A 出现的频次

n 表示所有结果出现的总数

1. 计算出所关注的结果 A 出现的总频次；
2. 计算所有结果（包括结果 A 在内）出现的总频次；
3. 用第 1 步的结果除以第 2 步的结果，就可得到结果 A 出现的概率。

在这个普通心理学班上，0.56 或 56%的学生是女生。因此，任意选取一个学生，其为女生的概率为 0.56，为男生的概率则是 0.44。

将概率当作比例，我们从中可以得出几个观测结果：

1. 由于概率就是比例，所以概率值总是在 0—1.00 之间，概率不可能低于 0 或大于 1.00。

2. 如果一个事件发生的概率为 0，那么就意味着该事件绝不会发生；另一方面，如果一个事件发生的概率为 1，则意味着该事情必定会发生。

3. 所有结果的概率总和为 1。比如，在有 150 名学生的普通心理学班上，学生为女生的概率为 56%，学生为男生的概率是 44%，加在一起刚好等于 1。

经验分布和理论分布

有两种确定概率的方法，第一种方法是经验性的，经验一词意味着要依赖于观察。因此，经验概率源于从观察对象处实际收集到的数据。到目前为止，我们计算的概率都是**经验概率**[1]。因为它们由实际观察结果所决定，表 10－1 所呈现的频次代表我们实际计算出的巧克力数。用于描述经验概率的另一术语是**后验概率**，它来源于拉丁语，意思是“事后”。后验概率是指我们观测并收集数据之后计算出来的概率。

第二种确定概率的方法是理论性的，比如，正态分布是一个理论分布而不是经验分布。如果我们假定 IQ 分数是正态分布，我们就能利用正态分布表查出有 0.158 7 或 15.87%的人的 IQ 分数为 115 或 115 以上，我们可以把该比例视为概率。一个人拥有 115 或 115 以上的 IQ 的概率为 0.158 7，这一概率以比例为基础，而这一比例并不是通过实际测量人们的 IQ 得到的，而是基于这样一种理论假设：IQ 分数属于正态分布，因而通过查阅正态分布表即可得到相应的比例值。因此，当我们说 IQ 为 115 或 115 以上的概率为0.158 7时，这实际上是一个**理论概率**[2]。理论概率来源于数学理论，而不是来自从实际生活中的被试那收集得到的数据。理论概率也称为**先验概率**，来源于拉丁语——“事前”。理论概率或者说先验概率在实际收集到数据之前就可确定。

假如我们想知道在乔先生的研究中，学生仅凭猜测答对数学测验问题 1 的概率(研究者用正确猜测概率来确定被试是否完全凭运气通过)。为了得到这一概率，我们需要知道学生仅凭猜测，选择问题 1 中每一选项的比例。给一组学生一道超过他们知识范围的四选一的多项选择题，我们就可以实际得出这些比例(对这道选择题，他们没有任何获取正确答案的线索)，再计算选择每个选项的学生数量。然而，我们可以更为简便地从理

〔1〕 经验概率(或是后验概率)：以从现实中观测获得的一系列数据为基础的概率。

〔2〕 理论概率(或是先验概率)：源于理论分布的概率，这一理论分布是基于数学理论，而不是根据实际观测中获得的一组数据而得到的。

论上得到这些比例。我们假定：如果学生在回答乔先生的数学测验中问题1时，确实是凭猜测，那么每个选项都有相等的可能性被选取。也就是说，我们假定：学生对每一选项都不会有偏好。基于这一假设，如果在乔先生的研究中有20名学生凭猜测回答问题1，那么我们就可以根据理论，预期每个选项都有5个学生选择。如表10-2。

表10-2 乔先生的数学测验中，学生仅凭猜测回答问题1，选择每个选项的预期频次

选 项	预期频次	选 项	预期频次
A(正确回答)	5	C	5
B	5	D	5

我们可以用演示步骤10-1，算出学生仅凭猜测正确回答问题1的概率。

$$P(\text{猜对问题 1 的学生}) = \frac{f(A)}{n} = \frac{5}{20} = 0.25$$

如果学生只是猜测，那么他们正确回答问题1的概率只是0.25。

注意：表10-2呈现的频次并不是根据实际测验得出的，而是基于假设或理论而得到的。我们首先假定学生是仅凭猜测在回答问题；我们也假设，在猜测时，四个备选答案中，每一个都有同样的可能性被选择。因此，正确猜测的概率是0.25，这是一个理论概率而不是一个经验概率。

只要我们假定：每种数据或结果出现的可能性都相等，那么我们就不必使用演示步骤10-1呈现的方法来计算理论概率，而只需要使用演示步骤10-2中呈现的更为简单的方法。

演示步骤10-2

假设每种结果出现的可能性相等时，计算理论概率

$$P(A) = \frac{\text{归为 A 类结果的个数}}{\text{结果的总数}}$$

式中，$P(A)$表示A将出现的概率

注：使用这一方法，我们必须假定所有结果出现的可能性都相等。

1. 计算归为A类的结果的个数，这是我们感兴趣的结果；
2. 计算可能的结果的总数；
3. 用步骤1的结果除以步骤2的结果，从而得到A将出现的概率。

我们可以使用这一方法来计算猜对乔先生测验中问题1的概率。问题1总共只有四个可能的结果：选a、选b、选c或者选d。如果一个学生仅凭猜测，那他选择这四

个选项的可能性就是相等的。我们把选项 a 作为问题 1 的正确答案，那么在演示步骤 10-2 呈现的公式中，只有一个结果可归为 A 类，这一结果就是选择选项 a。我们把这两个值代入演示步骤 10-2 呈现的公式。

$$P(\text{猜对问题 1}) = \frac{1}{4} = 0.25$$

因而，猜对问题 1 的概率是 0.25。

我们也可以用演示步骤 10-2 中呈现的方法，计算出猜错乔先生测验中问题 1 的概率。在本例中，演示步骤 10-2 的公式中的 A 代表错误的猜测。由于问题 1 中只有第一个选项 a 是正确的，选项 b、c、d 都是错误的，因此，A 类中包含三种可能结果，而所有可能结果的总数依然为 4，把这两个值代入演示步骤 10-2 呈现的公式中。

$$P(\text{猜错问题 1}) = \frac{3}{4} = 0.75$$

猜错问题 1 的概率是 0.75。注意，只有当我们假设：学生在进行猜测时，选择四个选项的可能性相等，我们才能使用演示步骤 10-2 中呈现的公式。如果我们不能作出这种假设，就不能使用这种方法。

经验概率和理论概率在统计研究中都是非常有用的。有时，不经过实际观测，我们无法知道结果发生的比例。在美国，男孩和女孩出生的比例是基于观测结果，而不是基于理论得出的。另一方面，如果我们能计算出理论概率，这些理论概率则更具有一致性。如果几组学生(20 人一组)接受一个测验，测验的题目是猜测有四个选项的某选择题的答案。虽然每组学生选择每个选项的比例不可能都是 25%；或者说，一组学生选择每一选项的比例有可能不同于另一组学生。然而，基于我们对猜测的假设，猜对一道四选一选择题的理论概率是相同的。经验概率和理论概率在统计中都有其各自的作用，但是理解它们之间的差别也是非常重要的。

概率的加法原理

至此，我们已探讨了如何确定一个数值、结果或选项将出现的简单概率。我们可能还想知道几个数值或结果结合在一起出现的概率。比如，假设我们想知道，从小公室的自动售货机中，抽取出一颗绿色巧克力，或者抽取出一颗红色巧克力的概率。方法之一是计算自动售货机中绿色和红色巧克的比例。

$$P(\text{得到绿色或红色巧克力}) = \frac{f(\text{绿色和红色巧克力})}{n}$$

$$= \frac{f(\text{绿色巧克力}) + f(\text{红色巧克力})}{n}$$

$$= \frac{60+66}{600} = \frac{126}{600} = 0.21$$

因此，从办公室的自动售货机中，得到一颗绿色巧克力或者一颗红色巧克力的概率为0.21。

计算这一概率时，还可采用另一种方法。如果我们知道从办公室的自动售货机中，得到一颗绿色巧克力的概率，也知道得到一颗红色巧克力的概率，那么我们将这两个概率简单地加在一起，就可以算出得到绿色或红色巧克力的概率。表10-1显示：P(得到绿色巧克力）是0.1，P(得到红色巧克力）是0.11。我们可以将这两个概率加起来，算出得到一颗绿色或红色巧克力的概率。

$$P(\text{绿色或红色}) = P(\text{绿色}) + P(\text{红色}) = 0.1 + 0.11 = 0.21$$

这个例子阐明了**概率的加法原理**[1]。

加法原理中涉及几个新的统计术语。第一个是“事件”，指我们所关注的任何结果。从自动售货机中得到一颗巧克力是一个事件；一个学生对乔先生的数学测验中第1题所作的选择，也是一个事件。在这些事件中，每一事件都有几种可能的结果。在获得一颗巧克力的事件中，可能有六种不同的结果：红色、绿色、黄色、橘色、蓝色和棕色；在一个学生回答问题1的事件中，可能有四种不同的结果：选项a、选项b、选项c和选项d。

要使用加法原理，必须保证所有可能的结果是**互斥**[2]的，即如果一个结果出现，那么在这个事件中，所有其他可能的结果都会被排除，不会再出现。如果我们得到一颗绿色巧克力，那么那颗巧克力就不可能是红色、黄色、橘色、蓝色或棕色的。“绿色”排除了所有其他可能的结果。类似地，如果学生在问题1上选择了选项a，那么他也就不可能同时再选择选项b、c或者d。然而，如果我们允许学生在问题1上，可以选择一个以上的选项(比如，选择所有符合条件的)，那么这些结果就不会相互排斥，因而我们就不能使用加法原理。我们可以将加法原理推广到两个以上的结果，从而形成一个**广义的加法原理**[3]。

我们可以用概率的加法原理，来计算乔先生的数学测验中猜错问题1的概率。一个学生猜错问题1，则他必然选择的是选项b、c或d。这些结果是相互排斥的，选择了一个选项，就意味着他不能再选择任何其他选项。我们前面已经知道，学生选择任一选项的概率为0.25。因而：

$$\begin{aligned} P(\text{选择选项 b、c 或 d}) &= P(b) + P(c) + P(d) \\ &= 0.25 + 0.25 + 0.25 = 0.75 \end{aligned}$$

---

〔1〕 概率的加法原理：在一个既定事件中，如果结果A与结果B是互斥的，即要么结果A出现，要么结果B出现，那么结果A出现的概率与结果B出现的概率的总和：$P(A\text{或}B) = P(A) + P(B)$。

〔2〕 互斥：如果当一个结果出现时，另一结果不可能出现，那么这两个结果是互斥的。

〔3〕 广义的加法原理：在一个既定事件中，如果结果A, B, C,…… 是互斥的，那么这些结果中，任一个出现的概率是每个结果出现概率的总和：$P(A\text{或}B\text{或}C\text{或}\cdots\cdots) = P(A) + P(B) + P(C)\cdots\cdots$

这与我们在前面计算得到的结果完全相同。因此,概率的加法原理为我们提供了一种简便方法,来计算一个给定事件的几个可能结果中,出现其中任何一个结果的概率。加法原理告诉我们:几个可能结果中,出现其中一个结果的概率,就是将这些结果出现的概率的总和。

概率的乘法原理

加法原理适用于一个事件结果的概率问题。有的时候,我们可能想知道一个以上的事件出现的结果的概率。比如,我们想得到,一个学生在乔先生的数学测验中,既猜对问题 1 又猜对问题 2 的概率。学生对问题 1 的回答是一个事件,对问题 2 的回答又是另一个事件。因而,我们是在寻求两个独立事件的结果的联合概率,**概率的乘法原理**[1]将有助于我们解决这一问题。

乘法原理涉到一个新术语:**独立事件**[2],该术语在统计中有独特的意义。为了理解这个术语,我们看一下这个例子:从自动售货机中得到两颗绿色巧克力的概率。在自动售货机中有 600 颗巧克力,其中 60 颗是绿色的。因此,从中得到一颗绿色巧克力的概率是 0.10。如果我从自动售货机中得到一颗绿色巧克力并将它吃掉,那么自动售货机中就只剩下 599 颗巧克力了,其中绿色巧克力只有 59 颗。现在绿色巧克力的比例是 59/599,或 0.098 5。因而,我吃掉一颗绿色巧克力之后,得到另一颗绿色巧克力的概率降低了,从 0.10 降到了 0.098 5。这两个事件的结果不是互相独立的,第二次得到一颗绿色巧克力的概率依赖于第一次得到巧克力的结果,这种方法叫做**无放回抽取**。我们在第二次得到巧克力之前,没有将第一次得到的巧克力放回自动售货机中,那么自动售货机中每种颜色巧克力的比例有所改变,使得两次事件的结果互不依赖。

假如我们第一次得到一颗巧克力,记下它的颜色,然后在第二次抽取巧克力之前再把它放回自动售货机,我们就在做**有放回抽取**:第二次事件的结果与第一次事件的结果相互独立。再假设我们有放回地抽取两颗巧克力,一次一颗。对第一次获取而言,600 颗巧克力中有 60 颗绿色巧克力,得到一颗绿色巧克力的概率是 0.10。当第一次获取的那颗绿色巧克力放回自动售后机后,里面仍然还有 60 颗绿色巧克力,巧克力总数仍然是 600 颗。因此,第二次抽取时,得到一颗绿色巧克力的概率依然是 0.10。第二次事件的结果与第一次事件的结果相互独立。

为了确定一个学生在乔先生的数学测验中,猜对前两个问题的概率,我们首先需要评价这两个事件的结果是否相互独立。如果学生仅凭猜测,那么他们猜对第一个问

---

〔1〕 概率的乘法原理:如果两个事件的结果相互独立的,那么两个事件同时出现的概率是它们各自概率的乘积:$P(A与B)=P(A)P(B)$。

〔2〕 独立事件:如果一个事件的结果对另一事件的结果没有任何影响,那么这两个事件的结果之间就是相互独立的。

题的概率并不影响他们猜对第二个问题的概率。因此，这两个事件的结果是相互独立的，我们可以使用乘法原理确定一个学生猜对两个问题的概率。

要使用乘法原理，我们需要知道猜对问题 1 的概率（此处我们已知为 0.25）和猜对问题 2 的概率。由于乔先生的数学测验中每个问题都有四个选项，因此，猜对任何一个问题的概率都是四分之一或 0.25。这是我们使用乘法原理所需要的信息。

$$P(\text{猜对问题 1 和猜对问题 2}) = P(\text{猜对问题 1}) \times P(\text{猜对问题 2})$$
$$= 0.25 \times 0.25 = 0.0625$$

我们也可以使用乘法原理来求两个事件中不同结果出现的概率。假如我们想知道一个学生猜对问题 1，同时又猜错问题 2 的概率。同样，我们首先需要知道：两个事件分别出现的概率。这里，我们知道猜对问题 1 的概率为 0.25，猜错问题 2 的概率为 0.75。

$$P(\text{猜对问题 1，同时猜错问题 2}) = P(\text{猜对问题 1}) \times P(\text{猜错问题 2})$$
$$= 0.25 \times 0.75 = 0.1875$$

我们可以把用于两个事件结果的乘法原理，扩展到用于任意数量的事件，形成一个**广义的乘法原理**[1]。

假设我们想计算在乔先生的数学测验中，猜对前三个问题的概率。分别猜对每个问题的概率都为 0.25。因此，同时猜对这三个问题的概率，就是分别猜对这三个问题的概率的乘积。

$$P(\text{猜对问题 1 且猜对问题 2 且猜对问题 3})$$
$$= P(\text{猜对问题 1}) \times P(\text{猜对问题 2}) \times P(\text{猜对问题 3})$$
$$= 0.25 \times 0.25 \times 0.25 = 0.015625$$

因此，猜对问题 1 的概率是 0.25；猜对问题 1 同时又猜对问题 2 的概率是 0.0625；同时猜对问题 1、问题 2、问题 3 的概率只有 0.015 625。你能想象得出，同时猜对乔先生的数学测验中 20 道题的概率是多少吗？

应用加法原理和乘法原理

何时使用加法原理？何时使用乘法原理？初学者很容易混淆。加法原理用于计算一个事件（得到一颗巧克力，数学测验中回答一个问题）中几个**联合结果**的概率。加法原理告诉我们：在一个事件中，如果我们想得到结果 A、B 或 C……共同出现的概率，可以将结果 A、结果 B、结果 C……其各自出现的概率相加。另一方面，乘法原理

〔1〕 广义乘法原理：如果两个或两个以上的事件之间是相互独立的，那么所有这些事件都出现的概率是它们各自概率的乘积：$P(A \text{ 与 } B \text{ 与 } C \text{ 与 } \cdots\cdots) = P(A)P(B)P(C)$。

则是用于求几个**联合事件**(得到几颗巧克力,数学测验中对几个问题的回答)的结果的概率。乘法原理告诉我们:当我们想得到事件 1 的结果、事件 2 的结果和事件 3 的结果……共同出现的概率时,可以将几个事件各自的概率相乘。

有时,一个概率问题既要使用加法原理,又要使用乘法原理。对乔先生的数学测验中的前两个问题而言,假设我们想知道只猜对其中一个的概率,这与我们在前面讨论过的问题全然不一样。在这之前,我们已经得到了猜对问题 1 且猜错问题 2 的概率,但这只是一种情况。还有另一种情况:猜错问题 1 且猜对问题 2。因而,要得到只猜对两个问题中的一个的概率,我们需要遵循以下几个步骤。首先,我们需要使用乘法原理计算 P(猜对问题 1 且猜错问题 2),如下所示:

$$\begin{aligned} P(\text{猜对问题 1 且猜错问题 2}) &= P(\text{猜对问题 1}) \times P(\text{猜错问题 2}) \\ &= 0.25 \times 0.75 \\ &= 0.1875 \end{aligned}$$

其次,我们需要计算 P(猜错问题 1 且猜对问题 2):

$$\begin{aligned} P(\text{猜错问题 1 且猜对问题 2}) &= P(\text{猜错问题 1}) \times P(\text{猜对问题 2}) \\ &= 0.75 \times 0.25 = 0.1875 \end{aligned}$$

由于我们想得到问题 1 或问题 2 中,有且仅有一个猜对的概率。因而,我们用加法原理将上面求得的两个概率加起来:

$$\begin{aligned} P(\text{猜对问题 1 和问题 2 中的一个}) &= P(\text{只猜对问题 1}) + P(\text{只猜对问题 2}) \\ &= 0.1875 + 0.1875 \\ &= 0.3750 \end{aligned}$$

显然,有关若干事件的联合概率的问题是比较复杂的。在解决这种问题时,要求计算方法正确,并且要考虑全面,这样才能得到正确的答案。

二项式分布

我们在第八章学习 ϕ 系数时,已经介绍了二分变量的概念。回忆一下,二分变量是指那些只有两种可能值的变量。比如,性别变量是二分的,因为只有两个值:男性和女性;一个硬币投掷的结果是二分的,因为只有两个值可能出现:正面和反面。这些变量属于自然的二分变量,因为它们只有两种可能值。然而,我们通过将所有可能出现的值分成两类,可以将任何变量都转化为二分变量。比如,在一门课程结束时,学生可能会有许多不同的期末考试成绩,但如果将这门课的成绩记为通过或不通过,那么所有的成绩都变为两种:通过或不通过。在前一章,尽管乔先生的数学测验中每个问题都有四个选项,但当我们仅仅考虑学生是正确还是错误时,可以将学生对每个问题的回答看做一个二分变量。

用一个二分变量对被试进行测量，获得的数据称为二项式数据。“二项式”一词来源于拉丁语，其意为“有两个名称”，这是指两个可能出现的值：正确与错误、通过与不通过、正面与反面等。对二分变量的测量得到二项式数据，从被试那收集到的一组二分变量的数据称为**二项式分布**[1]。

我们通过二分变量对被试进行测量，可以构造一个经验的或实际的二项式分布。然而，更实用的是，只要知道一个事件中两个可能出现的结果的概率，无需实际测试任何被试，我们就可以从理论上构造出一个二项式分布。让我们从最简单的例子开始：猜测一个是非题的答案所形成的二项式分布。

回忆一下，在第七章中，如果知道两个值——分布的平均数和标准差，我们就可以作出一个正态分布图。类似地，如果我们知道两个值：事件出现的总次数 N 和事件中期待结果出现的概率 P，我们就可以作出一个二项式分布图。首先，让我们来构造猜测一道是非题的二项式分布。在本例中，只有一个事件（一道是非题），因此，N为1。猜测的结果有两个：正确或错误，我们需要将其中之一视做“期待的结果”。实际上，任何一种结果都可称为我们所期待的结果，但就正确和错误而言，我们通常更喜欢正确。因而，我们将正确称为我们期待出现的结果。如果对问题的回答只是凭猜测，那么猜对的概率与猜错的概率应该相等，因此猜对的概率 P 是 0.50。表 10－3 呈现了猜测一道是非题的结果的二项式分布。

表 10－3 猜测一道是非题的二项式分布

问题正确数	比例
1	0.50
0	0.50

这是一个最简单的例子，让我们有了一个开始。现在让我们来构造一个猜测两道是非题的二项式分布，因此 N 为 2，“期待的结果”还是猜对，而猜对一道是非题的概率 P 仍然是 0.50。就两道是非题而言，我们可能是两个问题都猜对，一个猜对或者没有一个猜对。我们需要分别计算这些可能结果的概率。

首先，让我们来计算两个问题都猜对的概率。两个问题都被猜对，只有在一种情况下才可能出现，因此，我们只能使用乘法原理。

$$P(\text{猜对两个问题}) = P(\text{猜对问题 1}) \times P(\text{猜对问题 2})$$
$$= 0.5 \times 0.5 = 0.25$$

接下来，我们来计算两个问题中猜对一个的概率，这稍微复杂一些，因为有两种可能性：只猜对问题 1，或者只猜对问题 2。我们需要用乘法原理分别求这两种情况各自出现的概率，然后再用加法原理将算出来的结果相加。

---

〔1〕 二项式分布：N 个事件中得到 X 个预期结果的一组概率，X 的取值从 0 到 N，这里任一事件预期出现的概率都是已知的。

P(猜对问题 1 同时猜错问题 2) = P(猜对问题 1) × P(猜错问题 2)
=0.5 × 0.5 = 0.25
P(猜错问题 1 同时猜对问题 2) = P(猜错问题 1) × P(猜对问题 2)
=0.5 × 0.5 = 0.25
P(只猜对问题 1 或只猜对问题 2) = P(只猜对问题 1) + P(只猜对问题 2)
=0.25 + 0.25 = 0.50

最后,我们来计算两个问题都猜错的概率。就像两个问题都猜对一样,只有一种情况使得两个问题都被猜错。因而,我们可以使用乘法原理。

P(两个问题都猜错) = P(猜错问题 1) × P(猜错问题 2)
=0.5 × 0.5 = 0.25

所有这些结果都列在表 10－4:猜测两个是非题的二项式分布。

注意:在表 10－3 和表 10－4 中,比例加起来等于 1.00。对一道是非题,我们要么回答正确,要么回答错误,再没有其他的可能。因此,回答正确的概率与回答错误的概率加起来必定为 1.00。类似的,对两道是非题,我们可能做对两道、一道或者一道都没做对,再没有其他可能,因此,这三种结果的概率总和必定为 1.00。这对所有的二项式分布都是适用的。

表 10－4　猜测两道是非题的二项式分布

猜对题目的道数	比例
2	0.25
1	0.50
0	0.25

假设我们现在想构造猜测三道是非题结果的二项式分布。只有一种情况下,三道问题都猜对(RRR,这里 R 代表“猜对”)。同样,只有一种情况下,三道题都猜错了(WWW,这里 W 代表“猜错”)。因此,我们可以用乘法原理对这两个结果的概率进行计算。然而,三道问题中猜对两道的情况却有三种(RRW,RWR,WRR)。同样,三道问题中猜对一道的情况也有三种(RWW,WRW,WWR)。因此,我们需要分别求出每种情况下的概率,以便得到三道问题中猜对两道或猜对一道的概率。这样计算起来可能有些复杂。实际上,当事件总数 N 更大时,计算会更加复杂。比如,对 5 道是非题,猜对 3 道就有 10 种情况:RRRWW,RRWRW,RWRRW,WRRRW,RRWWR,RWRWR,WRRWR,RWWRR,WRWRR 和 WWRRR,其繁琐之处在于:进行计算之前,要设法找出所有可能出现的组合。其实有更为简便的方法来确定二项式分布的概率,接下来我们就要对其进行讨论。

二项式方程

我们在第七章了解到,正态分布公式可以用来计算正态分布的概率。类似的,二项式方程可以用来计算二项式分布的概率。二项式方程可以用于计算 N 个事件中 X

次预期结果的概率，此处 X 次预期结果出现的概率是 P。

$$P(N\text{ 个事件中出现 }X\text{ 次预期结果})=\left(\frac{N!}{X!(N-X)!}\right)P^{X}(1-P)^{N-X}$$

二项式方程中有三个变量：事件总数 N，一个事件中我们期待的结果的概率 P，以及我们期待的结果出现的次数 X。

二项式方程本身用起来可能比较麻烦，尤其是当 N 很大时。大多数研究者并不直接使用这一公式，而是从统计学家编制的概率表中查得二项式概率。附录 A－2 是一个二项式概率表，该表适用于几个 P 值，且 N 值在 20 以下。可将此表与我们介绍过的正态分布表（附录 A－1）相比较。我们将在下一节介绍如何使用二项式概率表。

二项式概率表

附录 A－2 中呈现的二项式概率表给出了 N 值从 1 到 20，P 值为几个特定的值的概率。我们注意到 P 的最高值是 0.50。因此，乍一看去，我们可能会认为，当 P 值大于 0.50 时，该表就不再适用。然而请记住，P 是一个事件中出现我们所期待结果的概率。如果期待的结果的概率大于 0.50，那么另一结果的概率就将小于 0.50。因此，只要将另一结果看做我们所“期待”的结果，那么 P 就将小于 0.50 了。

查二项式概率表得到的概率，与我们使用加法和乘法原理得到的概率完全相同。首先让我们看一下，N 为 2，P 为 0.50 时 A－2 所列出的概率。这些值与表 10－4 中二项分布的 N 值和 P 值一致。我们看到附录 A－2 呈现了与表 10－3 中一样的概率，它们分别为 0.25、0.50、0.25。因此，附录 A－2 的二项式概率表，给我们提供了与二项式方程完全一样的值。使用附录 A－2 可以免去许多计算。

为了进一步说明使用附录 A－2 的便利之处，我们再举一个例子：构建对乔先生的 20 道题的数学测验进行猜测的二项式分布。回忆一下，那些有四个选项的选择题，猜对一道题的概率 P 值是 0.25。由于测验中有 20 个问题，因此 N 为 20。我们可以在附录 A－2 中，通过寻找 $N=20$、$P=0.25$ 来进行查询。从猜对 1 道题到猜对 20 道题的所有概率都可以查出来，如表 10－5 所示。

表 10－5　对 20 道四选一的选择题进行猜测的二项式分布

正确问题数	概　率	正确问题数	概　率
20	0.000 0	16	0.000 0
19	0.000 0	15	0.000 0
18	0.000 0	14	0.000 0
17	0.000 0	13	0.000 2

续 表

正确问题数	概　　率	正确问题数	概　　率
12	0.000 8	5	0.202 3
11	0.003 0	4	0.189 7
10	0.009 9	3	0.133 9
9	0.027 1	2	0.066 9
8	0.060 9	1	0.021 1
7	0.112 4	0	0.003 2
6	0.168 6		

注意：在表 10－5 中，猜对 14 道题或 14 道题以上的概率显示为 0.000 0。这似乎表示不可能猜对 14 道题或 14 道题以上，但事实并非如此。猜对 14 道或更多道题的概率是非常小的（小于 0.000 05），以至于四舍五入到四位小数点时，它趋近于 0.000 0。

根据在二项式概率表中查得的概率，再利用加法原理，我们可以得到几个结果的联合概率。例如，假设我们想知道学生在乔先生的数学测验中，猜对的问题数少于三道的概率，即猜对两道题或猜对一道题或没有猜对任何一道题的概率。这三种结果的概率列于表 10－5 中，并重复如下：

P(20 道问题中猜对 2 道)	0.066 9
P(20 道问题中猜对 1 道)	0.021 1
P(20 道问题中猜对 0 道)	+0.003 2
P(20 道问题中猜对少于 3 道)	0.091 2

因而，20 道题的数学测验中猜对少于 3 道的概率是 0.091 2。

除了用表可以列出一个二项式分布的概率外，我们也可以用图来加以呈现。比如，图 10－1 呈现了由猜测乔先生的 20 道选择题的测验构成的二项式分布图。

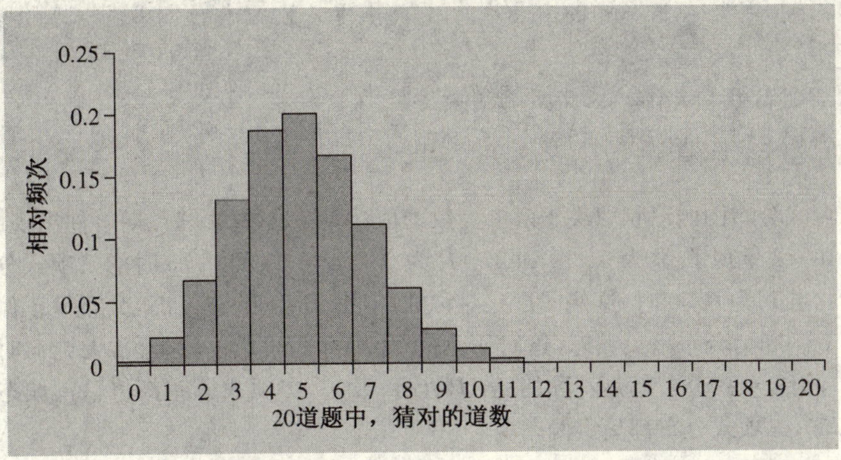

图 10－1　学生凭猜测回答 20 道四选一的数学选择题时的预期结果

图 10－1 中呈现的图在许多方面似乎与我们在第三章中构建的图相似。然而，这两者也有重要区别。第三章中的图是根据实际收集到的大量数据绘制而成的；而绘制图 10－1 使用的数据，不是直接从学生那里收集到的，而是根据二项式方程预测得来的：如果学生在数学测验中进行猜测，将会出现的一组数据。这不是从被试那里实际收集到的数据的二项式分布，而是一个理论分布。

二项式分布的平均数和标准差

演示步骤 10－3 呈现了计算一个二项式分布的平均数和标准差的方法。在二项式分布中，预测学生如果仅凭猜测将会获得怎样的成绩时，事件的总数就是测验中问题的数目，因此 N 为 20；猜对任何一个问题的概率 P 为 0.25。因此，20 个问题中猜对的平均数是 $NP=20\times0.25=5$。标准差是：

$$\sqrt{NP(1-P)}=\sqrt{(20)(0.25)(0.75)}=\sqrt{3.75}=1.9$$

因此，如果学生仅凭猜测做出回答，我们预测平均可以猜对 5 道题，标准差为 1.9。

演示步骤 10－3

计算二项式分布的平均数与标准差

$$\mu = NP$$

$$\sigma = \sqrt{NP(1-P)}$$

式中，N 表示事件总数

P 表示预期事件出现的概率

1. 要得到一个二项式分布的平均数，需将事件总数 N 与预期事件出现的概率 P 相乘。
2. 要得到一个二项式分布的标准差，首先将事件总数 N 与预期事件出现的概率 P 相乘。
3. 用 1 减去 P，然后乘以第 2 步的结果。
4. 计算第 3 步的平方根，就得到了标准差。

二项式分布图的形状取决于两个参数的值：事件总数 N 和预期事件出现的概率 P。图 10－2 呈现了 N 为 5、10 和 20，P 为 0.25、0.50 和 0.75 时的二项式分布图。请注意：当 P 为 0.50 时，这些图形是对称的；但当 P 小于 0.50 时，分布呈正偏态；当 P 大于 0.50 时，分布呈负偏态，这对所有的 N 值都适用。也就是说，无论何时，若 P 为 0.50，则二项式分布都是对称的；若 P 小于 0.50，二项式分布都将呈正偏态；若 P 大于 0.50，二项式分布都呈负偏态。

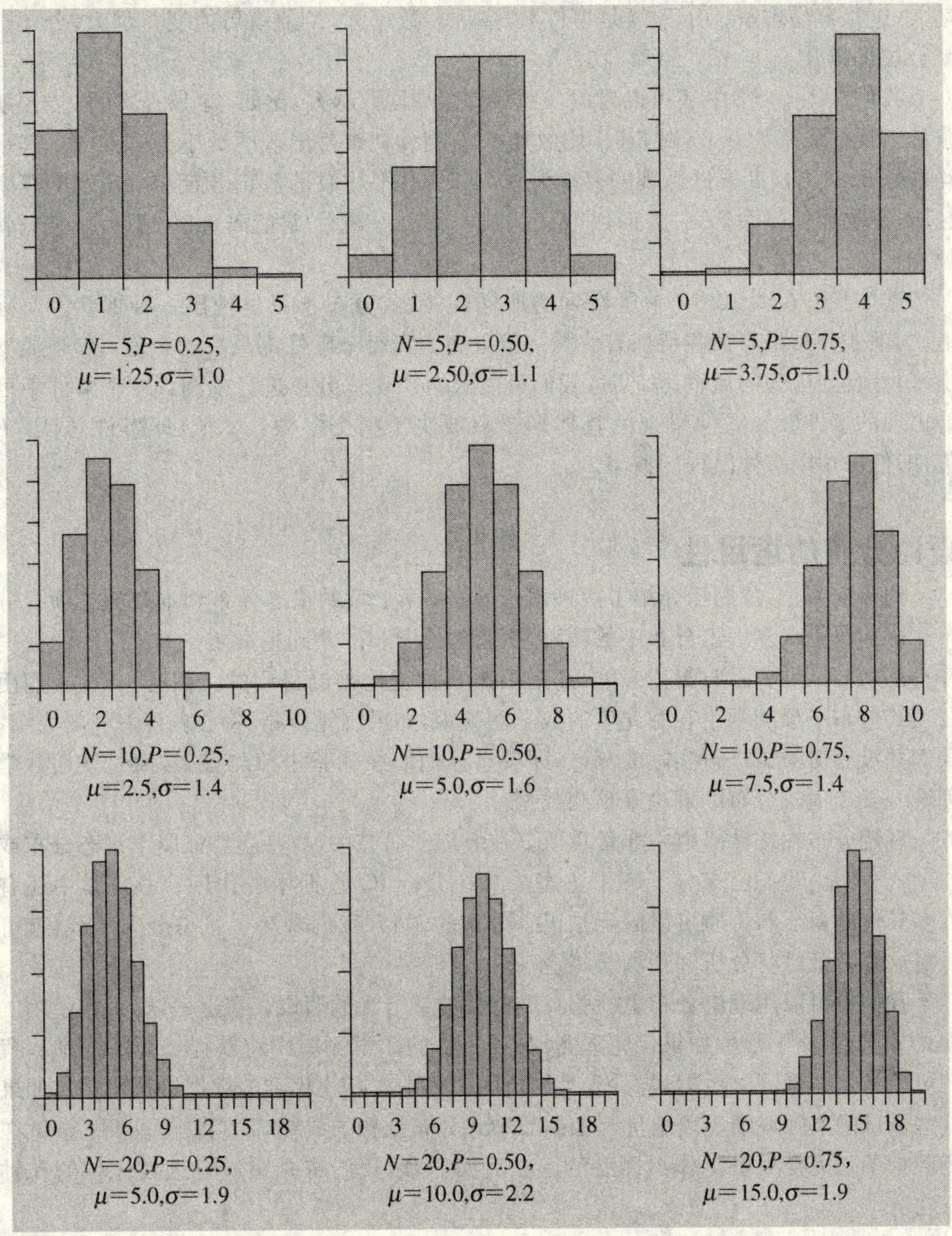

图 10-2　N 与 P 的变化对二项式分布的影响

图 10-2 表明：N 越大，平均数的值越大。比如，P 为 0.50，当 N 为 5 时，平均数是 2.5；当 N 为 10 时，平均数是 5；当 N 为 20 时，平均数是 10。标准差也随着 N 的增大而

增大。这很容易理解：由于 N 是事件数，事件总数越大，X 值就可能变得越大，分布也就会拉得越开。

我们从图 10－2 中还可以看出，P 值越大，平均数越大。比如，有 10 个事件，当预期事件出现的概率为 0.25 时，其平均数是 2.5；当预期事件出现的概率为 0.50 时，其平均数是 5.0；当预期事件出现的概率为 0.75 时，其平均数是 7.5。预期事件出现的概率越高，平均数就越大。另一方面，P 为 0.50 时，标准差最大；P 值离 0.50 越远，标准差就越小。

正如我们在图 10－2 中所看到的那样，二项式分布不只呈现出一种形状。实际上，二项式分布是与某些特征有关的一簇分布。当每个事件都只有两个值：出现或不出现，并且当出现的概率为 P 时，我们可以根据二项式分布进行预测：N 个事件中可能出现的事件数。图像呈现的具体形状只取决于两个参数：N 值，即事件总数；P 值，即任一预期事件出现的概率。

理论分布的适用性

到目前为止，我们已介绍了两种理论分布：第七章的正态分布和本章的二项式分布。这些只是众多理论分布中的两种，所有理论分布的共同特征之一是：使用的数据并不是从被试处实际收集得来的，而是根据某种理论预测得到的。在这一章，我们用二项式分布来预测学生在乔先生的数学测验中，如果仅凭猜测，将会获得怎样的成绩。我们并没有对被试进行实际的测试，即没有让他们在测验中猜测答案，而是使用数学理论——二项式分布的理论来预测数据。

理论分布在统计研究中非常重要。在心理学研究中，有许多特征属于正态分布或二项式分布。我们已充分了解了正态分布在分析 IQ 数据中的作用。心理学中还有许多其他的特征和特质可以假定是正态分布的，如果我们理解了正态分布曲线，就可以对这些特征进行分析和预测。

我们也可以用理论分布来检验我们有关被试行为的假设。在这一章，我们使用二项式分布，预测了学生如果仅凭猜测，在乔先生的数学测验中将获得怎样的成绩。我们可以将这些预测的数据，与乔先生进行的研究中实际收集到的数据进行比较。如果这些被试的实际成绩显著地优于根据二项式分布预测的成绩，我们就能证明：被试在测验中不是完全凭猜测作出回答的。在后面一章，我们将介绍进行这类比较的几种方法。

至此，我们已介绍了数据的理论分布。下一章，我们将探讨理论分布如何用来构建样本统计量的分布，如样本平均数的分布和样本比例的分布，这些分布是假设检验的基础，也是推论统计的基础。

难点提示

1. 记住：概率被定义为比例，而比例又是一些相对频次。如果你在第三章中成功地计算出了相对频次，那你就能计算概率。

2. 记住：概率决不能低于 0 或大于 1.00。如果你得到一个−0.67 或+2.59 的概率，那你肯定出现了错误。

3. 学生有时难以区分何时使用概率的加法原理，何时使用乘法原理。加法原理用于求一个事件的两个或两个以上结果的概率，问题中可能会含有连词“或”：求一个事件中结果 1 或结果 2 出现的概率。乘法原理用于求两个或两个以上事件的结果的联合概率。问题中可能会含有连词“与”：求事件 1 与事件 2 中某一既定结果出现的概率。在一些例子中，“与”或“或”可能会是隐含的，题中并没有明确说明。

4. 解决包含二项式分布的问题时，要注意准确理解问题的要求。问题“求 7 个或 7 个以上……的概率”与“求 7 个以上……的概率”并不是一回事。

5. 记住二项式公式与附录 A-2 中的二项式概率表是等价的。你可以用一种方法来检验另一种方法所得到的结果。

6. 解决二项式分布的问题时，绘制一张分布图很有帮助。画一张分布图，并标上所有已知值，在图上标出你正要找寻的值。花点时间绘制一张图，并用它来帮助解决问题，可以避免许多错误。

7. 当你被要求构建一个二项式分布时，记住所有 X 值的概率和必须为 1.00。将这些概率加起来，确保它们总和为 1，这是检验答案是否正确的一种简便方法。

小结

- 概率是有关分布中数值比例的描述。一个特定数据的值为 A 的概率，等同于分布中值为 A 的数据的比例。
- 经验概率以实际观测中获得的一系列数据为基础；理论分布是以一系列假设（理论）为基础，而不是以经验观测为基础。
- 所有概率的值都是在 0—1.00 之间。如果一个结果的概率为 0，则意味着该结果绝不可能出现。如果一个结果的概率是 1.00，则意味着该结果必定出现。一个事件所有可能结果的和总是 1.00。
- 根据加法原理，如果两个或两个以上的结果之间是互斥的，则其中一种结果共同出现的概率，就是每个结果各自出现的概率之和。如果一个结果出现，其他的结果就不可能出现，那么这些结果是互斥的。
- 根据乘法原理，如果两个或两个以上的事件是相互独立的，所有事件的某一具体结果出现的联合概率，就是每一个事件中那个结果出现的概率的乘积。如果一个事件的结果对其他任一事件的结果没有任何影响，那么这些事件的结果之间就是相互独立的。

- 二分变量是指那些只有两个值的变量，测量二分变量所得的数据称为二项式数据。
- 二项式分布是 N 个事件中 X 次预期结果的一组概率或比例，其中 X 值是 0 到 N 之间的整数，任一预期事件出现的概率都为 P。
- 如果我们知道 N 值（即事件数）和 P（即任一预期事件出现的概率），我们就能用下面任意一种方法来构建一个二项式分布：(a) 概率的加法和乘法原理，(b) 二项式方程，(c) 二项式概率表。
- 二项式方程给出了 N 个事件中 X 次预期结果的概率，其中 P 为预期事件出现的概率，对每个 X 值，二项式方程必须单独进行计算。
- 二项式概率表（附录 A－2）给出了计算二项式方程计算所得的结果。其中所有的 X 取自 1 到 20 的 N 值，P 值预先选定。二项式概率表很方便，因为它省去了使用二项式方程实际计算概率的麻烦。
- 二项式分布的平均数是 NP，标准差是 $\sqrt{NP(1-P)}$。P 为 0.50 时，二项式分布是平衡的；P 小于 0.50 时，分布是正偏态的；当 P 大于 0.50 时，分布是负偏态的。

练习

概念题

1. 名词解释：

概率	先验概率
经验概率	加法原理
后验概率	乘法原理
理论概率	二项式分布

2. 杰里迈亚想知道，猜测一个由 10 道是非题组成的测验，其猜对的概率是多少。
   A. 用附录 A－2 确定学生仅凭猜测，答对 0、1、2……10 道题的概率。
   B. 如果 10 000 名学生参加测试，且学生都是凭猜测作答，那么预测一下，有多少学生能够猜对每道问题。
   C. 把分布看作一个总体，用 B 小题计算出的频次来计算平均数和标准误。
   D. 用演示步骤 10－3 求出平均数和标准误，将这些结果与 C 小题得出的结果进行比较。
3. 用第 2 题的 A 小题构建的概率表求出以下结果：
   A. 学生正确猜测出 2 道或 2 道以下问题的概率。
   B. 学生正确猜测出 5 道以上问题的概率。

C. 学生正确猜测出 9 道或 10 道问题的概率。

D. 学生正确猜测出 3 道以下问题的概率。

E. 学生要么没有猜对一个，要么 10 道问题全部猜对的概率。

4. 杰里迈亚还想知道，对一个由 10 道四选一的选择题组成的测验进行猜测，猜测正确的概率。

A. 用附录 A-2 确定学生仅凭猜测，答对 0、1……10 道题的概率。

B. 如果 10 000 名学生参加该测验，预测一下会有多少学生猜对每个问题。

C. 将这些结果与第 2 题的结果相比较。与每个问题只有两个选项相比，每个问题有四个选项时，其结果会有什么样的变化。

5. 取来 5 枚硬币，并将这五枚硬币投掷 100 次，记下从 0 次正面朝上到 5 次正面朝上每种结果的投掷次数，把这些频次分布制成一张表，并求出下列结果：

A. 用每个频次除以 100，求出投掷一枚硬币时，得到从 0 次正面朝上到 5 次正面朝上每种结果的概率。

B. 用附录 A-2 查出：一次投掷 5 枚硬币，从 0 枚正面朝上到 5 枚正面朝上，每种结果的理论概率。

C. 将你通过投掷硬币得到的分布结果，与你在 B 小题构建的理论分布进行比较，理论分布与你通过投掷硬币得到的分布的匹配程度如何？

D. 用演示步骤 10-3 中呈现的方法计算理论分布的平均数和标准差。

计算题

6. 贾甘蒙住被试的眼睛，让其猜测从一副完整的纸牌中随机抽取出的一张牌的花色，以此来检验其超感知能力。（提醒：一副完整的纸牌有 52 张牌，其中有四组花色，每组花色有 13 张牌）

A. 被试能正确猜出一张牌的花色的概率是多少？

B. 如果有放回地连续抽出 5 张牌，被试正确猜测出 5 张牌的花色的概率是多少？

C. 如果有放回地连续抽出 10 张牌，被试至少正确猜测出 5 张牌的花色的概率是多少？

7. 杰里迈亚也对超心理现象感兴趣，他通过让被试猜测骰子投掷的值来检验其超感知能力，（提醒：一个骰子有 6 面，每一面都有相应的点数代表从 1 到 6 的数值）为了使用二项式表，我们假定正确猜测出一次投掷的概率是 0.15。

A. 被试猜对一次骰子投掷的值的概率是多少？

B. 被试猜错一次骰子投掷的值的概率是多少？

C. 被试连续 5 次猜对骰子投掷的值的概率是多少？

D. 5次投掷中，被试猜对3次投掷的值的概率是多少？

8. 假设朱莉娅在实验中给白鼠提供三种可选择的路径：白鼠可以向左转、向右转或径直走。为了使用二项式分布，我们假定选择每一方向的概率为0.35：

A. 10次实验中，白鼠5次选择向左转的概率是多少？

B. 8次实验中，白鼠有6次以上选择向右转的概率是多少？

C. 8次实验中，白鼠有6次或者6次以下选择向右转的概率是多少？

D. 8次实验中，老鼠有3次以下或者5次以上选择径直走的概率是多少？

E. 7次实验中，白鼠每次要么选择向左转，要么选择向右转的概率是多少？

9. 假设美国有20%的人是左利手：

A. 20人组成的小组中，5人是左利手的概率是多少？

B. 20人组成的小组中，3人或3人以下是左利手的概率是多少？

C. 15人组成的小组中，12人以上是右利手的概率是多少？

D. 5人组成的小组中，5人都是左利手或5人都是右利手的概率是多少？

E. 10人组成的小组中，没有1人是左利手的概率是多少？

10. 朱莉娅给某个班的学生做了一份由20道四选一选择题组成的测验。用附录A-2中的二项式表构建一个概率表，呈现学生在测验中仅凭猜测正确回答出0道题到正确回答出20道题的概率。

第十一章
抽样分布

在第二章到第八章中，我们介绍了用于描述一组数据的分布或两个分布之间关系的统计方法。在第九章，我们不再停留于描述水平，进一步探讨了有关回归的问题。使用回归方程时，我们用被试在一个变量上的得分来预测它在另一变量上可能得到的分值。回归方程主要用来预测单个被试的得分。我们也介绍了如何用正态分布和二项式分布，来预测某些分数出现的可能性，但这些都是对单个被试的分数出现的可能性所作的预测。在这一章中，我们将讨论对数据的总体作出预测的统计技术。

在第二章，我们介绍了总体与样本之间的不同之处。回忆一下，样本是指从总体中抽取出的数据的一个子集。样本统计量的作用在于预测总体参数的值。乔·约翰逊在他的数学焦虑研究中，不是对他所测试的 20 名学生的成绩感兴趣，而是试图用他们的成绩来预测有数学焦虑的所有学生的成绩。

当我们用一个样本统计量预测总体参数时，我们就是在作推论。乔先生用样本平均数估计总体参数。他估计：在其测验中，所有有数学焦虑的学生的平均成绩将是 66 分（百分制）。因而，他用样本平均数的值对总体平均数可能的值作了一个推论。实质上，乔先生是通过对样本数据的描述，来推论样本所在总体的情况。从样本推论总体的统计技术称为**推论统计**[1]。因为推论统计是研究者用来客观地检验假设的统计方法，故有时也被称为假设检验统计。

为了理解这些统计技术，我们首先需要介绍一下抽样分布的概念。我们先介绍样本比例分布的概念，用一个简单的例子来对抽样分布作初步说明，然后我们再介绍在心理学研究中经常会使用的样本平均数的分布。

构建样本比例的分布

抽样分布的实例：样本比例分布

在上一章中，曾经介绍了一个经验分布的例子：从办公

〔1〕 推论统计：是用样本数据对样本所在的总体作出推论的统计技术。

室里的巧克力自动售货机中获取巧克力,确定从中获取每种颜色的巧克力的概率。自动售货机的前部有一根杠杆,按下杠杆后,从里面就跳出来一把巧克力。假设我们将售货机中的所有巧克力看作一个总体,将每把巧克力看做一个样本。然后假设我们从售货机中依次抽取出 100 个样本,每次压杆之前,都将上次获得的巧克力放回到售货机中,我们称这种方式是有放回抽取。如果我们在压杆之前,没有把上次获得的巧克力放回到售货机中,就是无放回抽取。在抽取另一个样本之前,将前一个样本放回到售货机中,这样我们就可以确保:不管样本如何变化,总体中每种颜色的巧克力的比例保持不变,因而我们获得每种颜色巧克力的概率也不会发生变化。

在前一章的例子中,我们一次获取一颗巧克力。而在这里,我们一次获取一把巧克力。也就是说,我们获取的是一个数据样本而不是单一的数据。假设我们按压杠杆获取的样本中,每个样本正好有 20 颗巧克力。对获取的每个样本,我们都数出棕色巧克力的数量,并除以样本中巧克力的总数 20,从而计算出每个样本中棕色巧克力的比例。棕色巧克力的比例就是一个样本统计量。

我们重复上面的过程 100 次,就可以获得 100 个样本。再计算每个样本里棕色巧克力的比例,我们就得到 100 个棕色巧克力比例的值。表 11-1 呈现了 100 个这样的结果,这些数据是我们按照上述方式操作 100 次实际获得的。表 11-1 的第一栏列出了每个样本里棕色巧克力的比例。我们获取的这些样本中,有些根本就没有棕色巧克力(0.00 或 0%的巧克力为棕色),有些样本中则有一半的棕色巧克力(0.50 或 50%的巧克力为棕色),这是我们获取的样本中,棕色巧克力比例的最小值和最大值。其他样本里棕色巧克力的比例都在这两个值之间,有的样本中有 9 颗棕色巧克力(0.45 或 45%为棕色),有些样本中有 8 颗棕色巧克力(0.40 或 40%为棕色),等等。表 11-1 的第二栏列出了相对频次,也就是每组样本中棕色巧克力出现的比例。在获取的 100 个样本中,有 0.01 或 1%的样本中棕色巧克力的比例为 50%,有 0.02 或 2%的样本中棕色巧克力的比例为 45%。

表 11-1 100 个 20 颗巧克力组成的样本中,棕色巧克力的比例的经验抽样分布

每个样本中棕色巧克力的比例	相对频次
0.50	0.01
0.45	0.02
0.40	0.08
0.35	0.10
0.30	0.15

续 表

每个样本中棕色巧克力的比例	相对频次
0.25	0.19
0.20	0.18
0.15	0.15
0.10	0.10
0.05	0.01
0.00	0.01

在前面的章节中，我们介绍了许多频次分布的例子，这些频次分布列出了一个样本或总体中的所有数据，以及这些数据出现的频次。表 11－1 中呈现的数据也是一个分布，但不是数据的频次分布。它是一个样本比例的分布，也称为**抽样分布**[1]。频次分布与样本分布之间有两个重要的区别。首先，在数据的频次分布中，数据来自一个样本或一个总体；而在抽样分布中，数据则来自许多个样本。表 11－1 中呈现的数据表示有 100 个关于巧克力的样本。其次，频次分布中的数值是原始数据，而抽样分布中的数值是样本统计量。表 11－1 中列出的统计量是每个样本中棕色巧克力的比例。

抽样分布列出的不仅仅可以是样本比例这个统计量，还可以是其他统计量。比如，我们可以收集学生身高的 100 个样本，计算出每个样本的平均身高，并在表中列出这些平均身高，就构成了一个样本平均数的分布。同样，我们也能轻易地计算出这 100 个样本中，每个样本身高的标准差，这样就可以构建一个样本标准差的分布。总之，我们计算任何样本统计量，并将许多个样本的统计量放在一起，就可以构建这个样本统计量的分布。这些分布都是抽样分布，即样本统计量的分布。

抽样分布的特征

抽样分布有四个重要特征。首先，抽样分布是一个样本统计量的分布，它是从许多个样本中计算出来的。表 11－1 中呈现的从抽样分布中计算出来的样本统计量是棕色巧克力的比例。

第二，每个样本必须拥有相同数量的数据，一般用 n 表示。从自动售货机中获取的 100 个样本，每个样本中都有 20 颗巧克力。故这一抽样分布的 n 为 20。

第三，所有样本必须是从同一总体中抽取出来的。如果我们从一台巧克力售货机

〔1〕 抽样分布：是一个特定统计量的分布，这个统计量是从同一总体中独立地抽取出的大小为 n 的样本分别计算出来的。

中获取一部分样本，而从另一台巧克力售货机中获取另一部分样本，则所得到的结果就不是一个抽样分布。

最后一个特征是：用于计算样本统计量的样本必须彼此独立，这就是我们在获取100个样本时，要进行有放回抽取的原因。如果我们是无放回地获取样本，那么自动售货机中的棕色巧克力的比例就会随样本变化而发生变化。**独立样本**[1]就是用这样的方法选取被试：为该样本选择一个被试，不会影响到总体中其他任何一个被试被抽取的概率。用于确保心理学研究中样本独立的抽样方法，我们将在下一部分进行简要探讨。

抽样方法

抽样分布的特征之一就是样本要从总体中独立地抽取。在巧克力样本的例子中，独立性通过有放回地抽取得以保证。也就是说，在进行下一次抽样之前，将上一个样本中的所有巧克力都放回售货机。对一个样本而言，每颗巧克力都有相等的机会被抽取。选取一颗特定的巧克力，并不影响其他巧克力被选取的可能性，这就是**随机抽样**[2]的实质——保证样本的独立性。

随机地抽取巧克力样本很容易，但对人进行随机抽样却并非易事。对一些相对较小的总体来说，随机抽样也许还有可能。但对心理学研究中的大多数总体来说，随机抽样却要难得多。没有一个研究者能够对美国四岁儿童的总体或所有小白鼠的总体进行研究，因为这非常困难。很少有心理学研究者能够应用随机抽样的方法，来选取参加实验的被试。

心理学研究者经常使用**随机分配**[3]，而不是真正的随机抽样。大多数心理学研究涉及在两种或两种以上的实验条件下，对被试进行测试。在这些研究中，被试被随机分配到各种实验条件下。尽管在抽样时会有一些偏差，但将被试随机分配到各种实验条件下后，我们通常认为在一种实验条件下的被试，与其他实验条件下的被试没有明显的偏差。

随机抽样的目的在于确保样本能够代表其所在的总体。由于在心理学研究中，常常难以获得一个真正的随机样本。因此，研究者意识到抽样时可能存在偏差就很重要。有许多研究方法可以用来防止抽样时可能产生的偏差。对这些方法的讨论超出了本书的范围，通常在研究方法和实验设计之类课程中会对它们进行介绍。我们需要意识到抽样时可能存在偏差，而偏差对抽样分布的准确性会有影响。

---

〔1〕 独立样本：就是用这样的方法选取被试——为该样本选择一个被试，不会影响到总体中其他任何一个被试被抽取的概率。

〔2〕 随机抽样：是以这样一种方法从总体中抽取一个样本的过程——总体的每个被试都有相等的可能性被样本所抽取。

〔3〕 随机分配：是实验中以这样一种方式将被试分配到各个群组或处理条件中——一个被试被分配到每个群组或条件下的可能性相等。

理论抽样分布

棕色巧克力的比例的抽样分布是一个**经验抽样分布**[1],见表 11-1。这些比例是通过实际从总体中抽取出来的样本计算出来的。我们实际抽取出 100 个样本,并计算出每个样本中棕色巧克力的比例。再举一个例子,我们可以通过收集许多人类被试的样本,测试他们的 IQ,并计算出每个样本的平均 IQ,从而构建一个 IQ 平均数的经验抽样分布。在现实中,研究者一般不会去构建经验抽样分布。在这里以棕色巧克力的比例经验抽样分布为例,只是用来形象直观地介绍什么是抽样分布。

研究者通常不会去构建经验抽样分布,而是使用**理论抽样分布**[2]。回忆一下,理论分布是根据数学模型或理论预测的一组数值,以及这些值出现的频次构建的。正态分布就是一个理论分布。当我们说 IQ 分数是正态分布时,也就意味着假如有几百万人参加 IQ 测试,其分布的形状将与根据正态分布预测的形状一致。理论抽样可以这样理解:使用数学理论去预测的样本统计量的分布,与我们选取成千上万个样本,计算其样本统计量得到的分布相似。比如,我们可以使用二项式分布,去确定棕色巧克力比例的抽样分布的形状,而无须抽取 100 个样本。我们在演示步骤 11-1 中对这种方法进行了描述。

演示步骤 11-1

构建 n 个事件中预期结果出现比例的二项式抽样分布

1. 确定 n 和 p 的值。n 值是指我们关注的每个样本中的事件总数;p 值是事件总体中预期出现的结果的比例。
2. 用每一个样本中预期出现的结果的个数 X(从 0 到 n)除以 n,将所有的 X 值转化为比例,并列为一栏,标题为“样本比例”。
3. 用二项式概率表(附录 A-2)找到每个样本中,n 个事件中 X 个预期结果出现的概率。将查到的概率按照相应顺序列在比例一栏的右侧,并将这一栏的标题命名为“p”。

演示步骤 11-1 中介绍的方法相当简单。首先,我们需要确定 n 和 p 的值,n 值是每个样本中事件的总数。在这个例子中,一个事件就是从自动售货机中抽取一颗巧克力。每个样本中都有 20 颗巧克力,因此 n 值是 20。p 值被认为是“预期结果”出现的比例。在这个例子中,抽取到一颗棕色巧克力,就相当于预期结果出现一次。总体中(如在整个自动售货机中)棕色巧克力的比例是 0.25(自动售货机中 25%的巧克力

〔1〕 经验抽样分布:是从总体中实际地抽取出样本,并计算出具体的统计量而构建的抽样分布。
〔2〕 理论抽样分布:基于数学理论(如二项式分布或正态分布)的特征而构建的抽样分布。

是棕色的)，因而 p 是 0.25。

接下来，我们需要用 X 值除以 n，将所有的 X 值(即预期结果出现的数量)转化为比例。在这里，n 是 20。在我们构建的分布中，X 值的变化范围是 0—20。(比如，在 20 颗巧克力组成的样本中，我们得到的棕色巧克力可以从 0 到 20)。因此，我们用 0 到 20 的每个整数去除 20，以得到样本中棕色巧克力的可能比例，这些比例显示在表 11－2 的左边一栏中。

最后，我们要求出每个样本中有 X 颗棕色巧克力的抽样概率。我们可以用第十章描述的任一种方法得到二项式概率，最简单的方法就是使用二项式概率表(附录 A－2)。就我们的分布而言，是在寻求 n 为 20，p 为 0.25 时，X 的概率。附录 A－2 中的相应概率值列在表 11－2 的第二栏中。表 11－2 的这两栏就构成了 20 颗巧克力组成的样本中，棕色巧克力所占比例的理论抽样分布。

表 11－2　20 颗巧克力的样本中，棕色巧克力比例的理论抽样分布

每个样本中棕色巧克力的比例	相对频次
0.55	0.01
0.50	0.01
0.45	0.03
0.40	0.06
0.35	0.11
0.30	0.17
0.25	0.20
0.20	0.19
0.15	0.13
0.10	0.07
0.05	0.02
0.00	0.00

经验抽样分布与理论抽样分布的比较

表 11－1 是 20 颗巧克力组成的样本中，棕色巧克力所占比例的经验抽样分布，它是通过实际抽取 100 组 20 颗巧克力组成的样本构建的。表 11－2 是理论抽样分布，构建该表中的分布并没有去实际抽取任何样本，而是根据二项式分布的数学模型所预测的比例，它代表了如果抽取数百万个样本有可能出现的结果。

图 11-1 呈现了这两种抽样分布。比较这两种分布，首先注意到的是它们并不完全相同：理论分布预计有 20%的样本将拥有 5 颗棕色巧克力；但是，我们实际从自动售货机中抽取的 100 个样本中，只有 19%的样本中有 5 颗棕色巧克力。类似的，理论分布预计只有 7%的样本将会有 2 颗棕色巧克力，而我们抽取的 100 个样本中，10%的样本有 2 颗棕色巧克力。由此看来，理论抽样分布和经验抽样分布并不完全相同。然而，从图 11-1 中也可以看出，即使二者并不完全一样，但理论抽样分布和经验抽样分布之间有明显的相似之处。

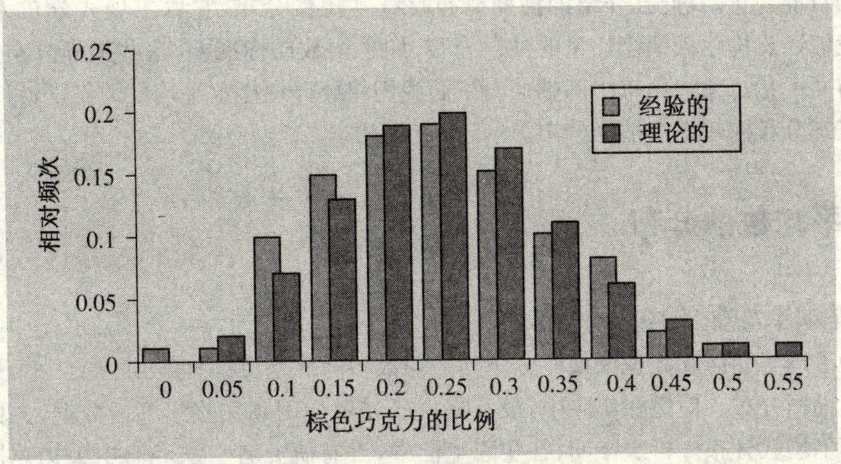

图 11-1 经验样本比例分布与理论样本比例分布的比较

你可能会问：理论抽样分布和经验抽样分布哪一个更好？我们应该使用哪一个？实际上，很少有人真正地根据经验来构建过抽样分布（除了统计书的作者，因为他们试图得出某个结论）。在实际中，研究者几乎都使用理论抽样分布，这有两方面的原因。第一是因为理论抽样分布更容易构建，只需花几分钟就可以构建一个理论抽样分布（做一些计算并在表中查一查概率）。而实际抽取许多样本可能会很费时（你能想象给几百个人群的样本做 IQ 测试所花的时间吗）。

研究者使用理论抽样分布的第二个原因是它更具有稳定性。如果我们重新进行这一工作：再次抽取 100 个样本，构建 20 颗巧克力组成的样本中，棕色巧克力所占比例的经验抽样分布。这时，我们可能得不到与第一次完全一样的结果。经验抽样分布不稳定，而理论抽样分布则相当稳定。我们只要完成构建棕色巧克力比例的理论抽样分布的所有步骤，就会得到完全一致的结果，其他任何人构建同样的理论抽样分布时，都会得到相同的结果。实际上，如果我们能够收集无限多的样本，理论抽样分布可以预测经验抽样分布的结果。在一个经验抽样分布中，抽取的样本越多，经验抽样分布就越可能接近理论分布。

既然研究者总是使用理论抽样分布，那么我们为什么仍在这里不厌其烦地探讨经验抽样分布呢？主要是为了说明一个问题：学生常常难以理解抽样分布的概念。如果让他们看到抽样分布是如何通过经验构建起来的，将会有助于他们更确切地理解抽样分布所代表的意义。当然，关键问题是我们为什么要理解抽样分布所代表的意义。

诚然，抽样分布是一种相当奇特的东西。有谁会为了绘制一张关于样本统计量的分布图，去收集成百上千的样本？这主要是因为我们在本书后面章节中将要介绍的所有推论统计，都是以抽样分布的概念为基础的。为了理解推论统计的有关内容，透彻地理解抽样分布就显得极其重要。

到目前为止，我们已介绍的抽样分布是样本比例分布，它以二项式分布为基础。也许我们还想构建其他统计量的抽样分布，如平均数或标准差，这些抽样分布是以正态分布而不是二项式分布为基础的。下面我们将要介绍样本平均数的例子，讨论怎样使用正态分布构建一个抽样分布。

样本平均数的分布

构建样本平均数的经验分布

为了理解如何计算理论抽样分布的平均数和标准差，我们首先来构建一个平均数的经验抽样分布。但是在实际中，没有哪位研究者会用真实收集到的数据，去构建一个样本平均数分布。再次申明，在实际生活中，没有研究者会从经验中去构建样本平均数的分布。我们在这里举这个例子，目的只是为了说明平均数的抽样是什么，以便于我们理解。

假设我们把 8 名儿童组成的一个小组看做一个总体，这些儿童及他们的年龄是：

安(Ann)和鲍勃(Bob)	5 岁
卡尔(Carl)和迪伊(Dee)	6 岁
伊娃(Eva)和弗雷德(Fred)	7 岁
格特(Gert)和哈尔(Hal)	8 岁

在这个 8 名儿童的总体中，从 5 岁到 8 岁，每个年龄都有两名儿童。现在，假设我们从这一总体中抽取由两个儿童组成的样本。表 11－3 呈现了我们所能抽取的所有可能样本及每个样本的平均年龄。

表 11－4 呈现了两个分布：左边是 8 名儿童年龄的频次分布，这是一个**原数据分布**；右边是表 11－3 中列出的平均数的抽样分布，这是一个**样本平均数的分布**。这两个分布密切相关，因为样本平均数的分布是从原数据分布中抽取样本编制而成。这两个分布的图形如图 11－2 所示。注意，原数据分布的形状是矩形，而样本平均数的分布的形状更像正态分布。

表 11-3 从 5—8 岁儿童的总体中抽取出来的两个儿童组成的样本

样 本	$\overline{X}$	样 本	$\overline{X}$	样 本	$\overline{X}$
$Ann_5 + Bob_5$	5.0	$Ann_5 + Carl_6$	5.5	$Ann_5 + Dee_6$	5.5
$Ann_5 + Eva_7$	6.0	$Ann_5 + Fred_7$	6.0	$Ann_5 + Gert_8$	6.5
$Ann_5 + Hal_8$	6.5	$Bob_5 + Carl_6$	5.5	$Bob_5 + Dee_6$	5.5
$Bob_5 + Eva_7$	6.0	$Bob_5 + Fred_7$	6.0	$Bob_5 + Gert_8$	6.5
$Carl_6 + Dee_6$	6.0	$Carl_6 + Eva_7$	6.5	$Carl_6 + Fred_7$	6.5
$Carl_6 + Gert_8$	7.0	$Carl_6 + Hal_8$	7.0	$Dee_6 + Eva_7$	6.5
$Dee_6 + Fred_7$	6.5	$Dee_6 + Gert_8$	7.0	$Dee_6 + Hal_8$	7.0
$Bob_5 + Hal_8$	6.5	$Eva_7 + Fred_7$	7.0	$Eva_7 + Gert_8$	7.5
$Eva_7 + Hal_8$	7.5	$Fred_7 + Gert_8$	7.5	$Fred_7 + Hal_8$	7.5
$Gert_8 + Hal_8$	8.0				

表 11-4 从 5—8 岁的儿童的总体中抽取出来的原数据分布和样本平均数分布

A：原数据分布			B：样本平均数分布		
年 龄	频 次	相对频次	年 龄	频 次	相对频次
8	2	0.25	8.0	1	0.04
7	2	0.25	7.5	4	0.14
6	2	0.25	7.0	5	0.18
5	2	0.25	6.5	8	0.28
			6.0	5	0.18
			5.5	4	0.14
			5.0	1	0.04

我们可以计算这两个分布的平均数和标准差。首先，让我们计算原数据分布的平均数和标准差。

$$\mu = \frac{2(5)+2(6)+2(7)+2(8)}{8} = \frac{52}{8} = 6.5(岁)$$

$$\sigma = \sqrt{\frac{2(5-6.5)^2+2(6-6.5)^2+2(7-6.5)^2+2(8-6.5)^2}{8}} = 1.12(岁)$$

在这 8 名儿童的总体中，平均年龄为 6.5 岁，标准差为 1.12 岁。

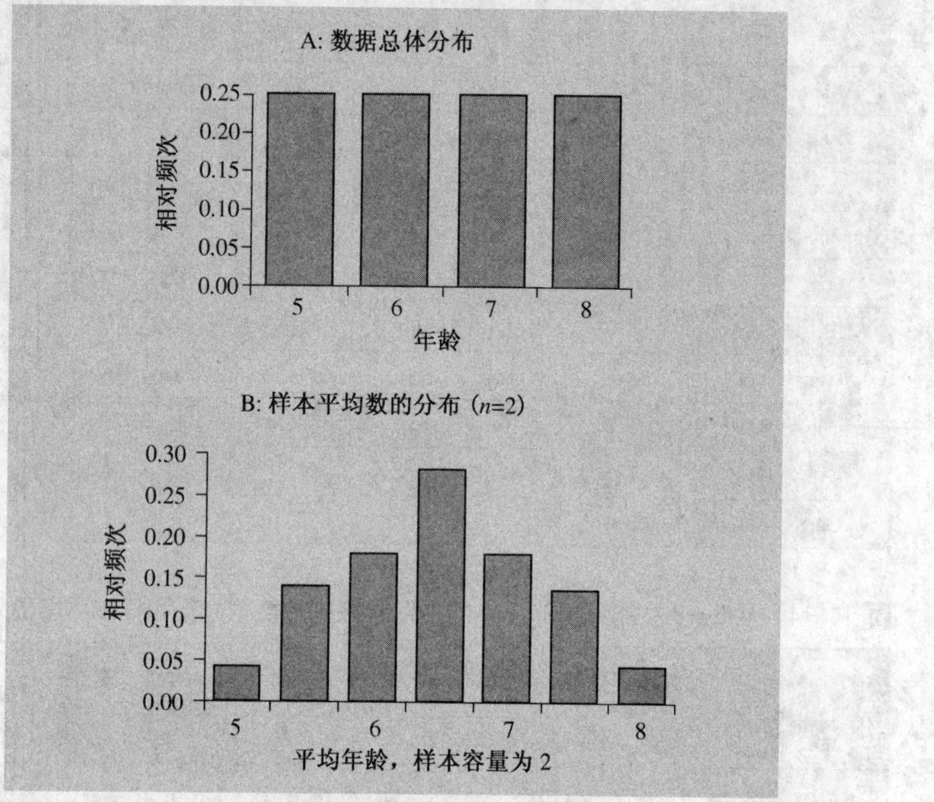

图 11-2　数据分布和样本平均数分布

接下来，让我们来计算样本平均数分布的平均数。为了区分这两种分布的平均数，我们用符号 μ 代表原数据的平均数，用符号 $\mu_{\overline{X}}$ 代表样本平均数的平均数。记住，下面呈现的计算过程中，所列出的值是样本平均数而不是原始数据。

$$\mu_{\overline{X}}=\frac{1(5.0)+4(5.5)+5(6.0)+8(6.5)+5(7.0)+4(7.5)+1(8.0)}{28}=6.5(岁)$$

样本平均数分布的平均数 $\mu_{\overline{X}}$ 是 6.5 岁，与原数据分布的平均数的值完全相同。因而，在这个例子中，$\mu_{\overline{X}}=\mu$。

我们也可以计算出样本平均数分布的标准差，如表 11-4 所示。为了加以区别，我们用符号 σ 代表原数据的标准差，用符号 $\sigma_{\overline{X}}$ 代表样本平均数的标准差。再次提醒，在下面的计算中，所得到的值不是原数据的标准差，而是样本平均数的标准差。

$$\sigma_{\overline{X}}=\sqrt{\frac{(-1.5)^2+4(-1.0)^2+5(-0.5)^2+8(0)^2+5(0.5)^2+4(1.0)^2+(1.5)^2}{28}}$$

$$=\sqrt{\frac{15}{28}}=\sqrt{0.54}=0.73(\text{岁})$$

原数据分布的标准差σ为 1.12 岁，但样本平均数分布的标准差$\sigma_{\overline{X}}$只有 0.73 岁。因而，样本平均数比原数据更紧密地聚集在分布的中心。

总的来说，就原数据分布和样本平均数分布而言，有三点值得注意。首先，原数据分布的图形是矩形，而样本平均数分布的图形则更趋向正态分布。第二，样本平均数的分布与原数据的分布有相同的平均数，即 6.5 岁。第三，样本平均数分布的标准差比原数据分布的标准差小，因此样本平均数比原数据更紧密地聚集在平均数的周围。不管是经验分布还是理论分布，这三个特点是所有样本平均数分布所具有的。下面我们将针对这些特点展开讨论。

样本平均数分布的特征[1]

样本平均数分布的形状。平均数的抽样分布的第一个特征是在形状上趋向于正态分布，不管样本所在的原数据分布形状如何。这一特点我们可以从图 11－2 中看出来：尽管原数据分布的形状是矩形，但样本平均数分布形状基本上是趋向正态分布的。

样本容量越大，样本平均数分布的形状越趋向正态分布。比如，图 11－3 对两个样本平均数分布特点进行了比较。一个分布与图 11－2 中呈现的分布相同，其样本容量 n 为 2；另一个分布也是从同一总体中抽取出来，但样本容量 n 为 4。我们可以发现，样本容量为 4 的样本平均数的分布，与样本容量为 2 的样本平均数的分布相比，其在形状上更趋于正态化。影响分布形状的不是样本的个数，而是样本的大小（即样本容量）。实际上，样本容量越大，样本平均数的分布越趋向于正态分布，这一规律是由**中心极限定理**决定的。

如果样本所在的总体，其数据的分布本身是正态的，那么不管样本容量为多大，样本平均数分布也将是正态分布的。如果总体数据不是正态分布，只要样本容量不小于 20，样本平均数的分布也将近似于正态分布。我们也可以用正态分布预测样本平均数的特定比例，这与样本比例分布的效果是相似的。就样本比例分布而言，当样本容量大于等于 20 时，我们也可以使用正态分布。

样本平均数分布的平均数。所有样本平均数分布的第二个特征是，所有样本平均

---

〔1〕 样本平均数分布的特征：(1) 不管样本所在总体的分布形状如何，随着样本容量的增加，样本平均数分布的形状越来越趋于正态分布；(2) 不管样本容量大小如何，样本平均数分布的平均数与样本所在数据总体的平均数相同；(3) 随着样本容量的增加，样本平均数越来越趋向于聚集在中心。因而，随着样本容量的增大，样本平均数的标准误反而减小。

数分布的平均数等于样本所在总体的平均数。

$$\mu_{\overline{X}} = \mu$$

回忆一下，我们用符号 μ 代表原数据总体的平均数，符号 $\mu_{\overline{X}}$ 代表样本平均数分布的平均数。对于任何理论抽样分布，如果我们计算所有样本平均数的平均数，其结果将等于数据总体的平均数如表 11－3 所示。

依据理论分布，样本平均数分布的平均数，等于样本所在总体的平均数。因此，我们不必为了计算样本平均数分布的平均数，而去选择几百个样本去计算它们的平均数。我们只需要知道：就理论分布而言，样本平均数分布的平均数，与样本所在总体的平均数相同。比如，由于我们知道 IQ 测试总体的平均数为 100，因而我们也就知道：IQ 的样本平均数分布的平均数也将为 100。

样本平均数分布的标准差。样本平均数分布的第三个特征是样本容量越大，样本平均数越趋向于聚集在分布的中心。这点可以从图 11－3 中看出来：当样本容量为 4 时，处于分布中心的样本平均数的比例较大；当样本容量为 2 时，处于分布中心的样本平均数的比例略小。我们在前面介绍过，标准差度量的是分布中数据的离散情况。在儿童年龄的原数据分布中，标准差 σ 是 1.12；就样本平均数的分布而言，当样本容量为 2 时，标准差 $\sigma_{\overline{X}}$ 为 0.73，当样本容量为 4 时，标准差 $\sigma_{\overline{X}}$ 为 0.56。

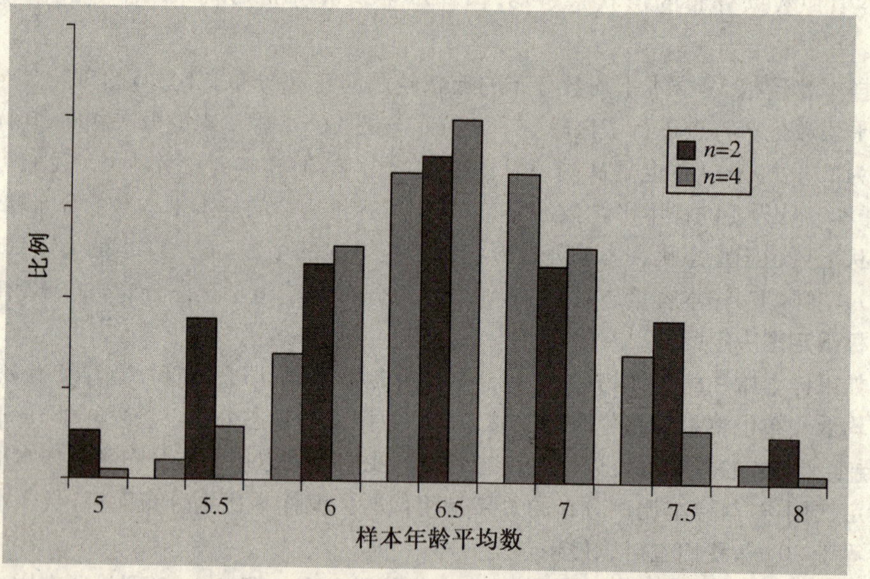

图 11－3 从 5—8 岁儿童的总体中抽取出的样本平均数分布，其中 $n=2$ 和 $n=4$

平均数的理论抽样分布与原数据分布有相同的趋势：当样本容量增大时，样本平均数的标准差减小。用下面的方程，我们可以计算出样本平均数的标准差的值。

$$\sigma_{\overline{X}} = \frac{\sigma}{\sqrt{n}}$$

在理论抽样分布中，样本平均数的标准差，等于样本所在的总体的标准差，除以样本容量的平方根。样本平均数的标准差 $\sigma_{\overline{X}}$ 称为**平均数的标准误**[1]。

$$\sigma_{\overline{X}} = \frac{\sigma}{\sqrt{n}}$$

抽样分布的标准差称为标准误，因为它度量的是使用样本统计量预测总体参数的精确程度。回忆一下，使用样本平均数的目的，是预测样本所在总体的平均数。样本平均数越接近总体平均数，则样本平均数对总体平均数的预测效果就越好。我们怎样才能知道，样本平均数与总体平均数的接近情况呢？平均数的标准误会告诉我们。

使用正态分布从理论上构建抽样分布

假定我们想用从总体中抽取的 25 人组成的样本来构建一个 IQ 分数的样本平均数分布，我们可以用演示步骤 11－2 中呈现的样本平均数分布的平均数和标准差的公式，根据抽样分布的三个特征，来绘制一个分布图。首先，因为样本容量是 25，因此我们知道分布图的形状近似为正态分布。其次，我们还知道，抽样分布的平均数会与样本所在总体的平均数相同。最后，由于这些样本是来自 IQ 平均值为 100 的总体，因此，我们知道抽样分布的平均数也将是 100。

$$\mu_{\overline{X}} = \mu = 100$$

演示步骤 11－2

计算样本平均数分布的平均数与标准误

$$\mu_{\overline{X}} = \mu$$

$$\sigma_{\overline{X}} = \frac{\sigma}{\sqrt{n}}$$

式中，μ 表示样本所在总体的平均数

σ 表示样本所在总体的标准差

n 表示样本容量

---

〔1〕 标准误：是指抽样分布的标准差。平均数的标准误是样本平均数的标准差。比例的标准误是样本比例分布的标准差。

1. 计算出总体的平均数。抽样分布的平均数等于总体的平均数。
2. 计算出数据的标准差。
3. 求出 n 的平方根，n 即每个样本中数据的数量。
4. 用第 2 步中得出的标准差除以第 3 步的结果，求出平均数的标准误。

我们也知道，平均数的标准误等于样本所在总体的标准差除以样本容量的平方根。IQ 分数总体的标准差是 15，我们可以用它来计算平均数的标准误。

$$\sigma_{\overline{X}} = \frac{\sigma}{\sqrt{n}} = \frac{15}{\sqrt{25}} = 3.0$$

我们可以用这三个特征，来绘制从 IQ 分数的总体中抽取出来的样本平均数的分布图，如图 11-4。

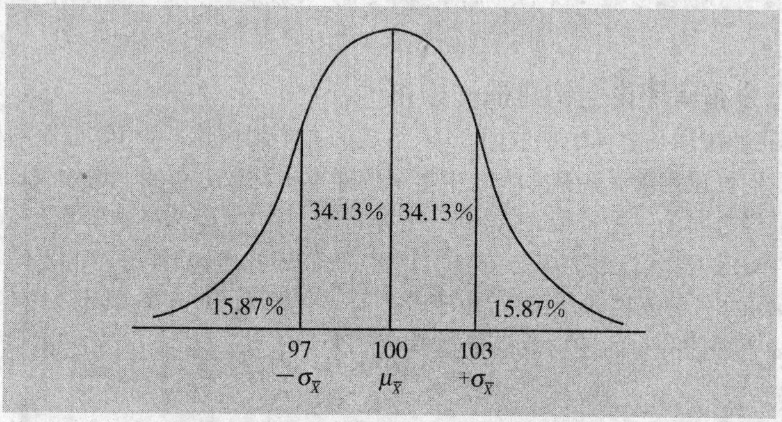

图 11-4 从 IQ 分数的总体中抽取出的样本平均数的分布，其中 $n=25$

IQ 的样本平均数分布的中心点是 100。距离中心点正向一个标准差的点是 103，距离中心点负向一个标准差的点是 97。回忆一下，附录 A-1 呈现的正态分布中，有 34.13%的数据处于平均数与高于平均数一个标准误的值之间。类似的，所有样本平均数中，有 34.13%的样本平均数会处于平均数与低于平均数一个标准差的值之间，或者说，是在 97 到 100 之间。因而，样本容量为 25 时，有三分之二以上的样本平均数将处于 97—103 之间。

我们也可以用正态分布来构建一个样本比例的分布。在前面的章节中，我们介绍了 20 颗巧克力组成的样本中，棕色巧克力的比例的抽样分布。我们可以用附录 A-2 的二项式概率表，来构建样本比例的理论抽样分布。只要样本容量不小于 20，且 np 和 $n(1-p)$ 都大于等于 5，我们也可以使用正态分布来构建样本比例的理论抽样分布。

回忆一下，在二项式分布中，P 是预期事件或结果出现的概率。在巧克力一例中，预期的事件是棕色巧克力。从自动售货机中得到一颗巧克力，其为棕色的概率 P 是 0.25，等于自动售货机中棕色巧克力的比例。在这个例子中，我们使用的是 20 颗巧克力组成的样本，因此样本容量足够大，可以使用正态分布。而且 $nP=20\times0.25=5$，$n(1-P)=20\times0.75=15$。既然这两个值都大于等于 5，因而，我们就可以使用正态分布来构建 20 颗巧克力组成的样本中，棕色巧克力的比例的抽样分布。

用演示步骤 11－3 中呈现的公式，我们能够得到棕色巧克力的样本比例分布中，比例的平均数及其标准误。

演示步骤 11－3

计算样本比例分布的平均数与标准误

$$\mu_P = P$$

$$\sigma_P = \sqrt{\frac{P(1-P)}{n}}$$

这里，n 表示样本中事件的数量；

P 表示为任一事件中期待结果出现的概率。

1. 预期结果出现的概率 P 就是样本比例分布的平均值 μ_P。
2. 用 1 减去 P，然后乘以 P。
3. 用第 2 步的结果除以 n，求出这一结果的平方根，从而得到样本比例分布的标准误 σ_P。注意：如果我们不知道 P 值，即总体中预期事件出现的概率，我们就可以用样本比例 P 代替 P 值来计算样本标准误。

$$\mu_P = P = 0.25$$

$$\sigma_P = \sqrt{\frac{P(1-P)}{n}} = \sqrt{\frac{0.25(0.75)}{20}} = \sqrt{\frac{0.1875}{20}} = \sqrt{0.009} = 0.09$$

这些计算表明，在 20 颗巧克力组成的样本中，棕色巧克力的样本比例的平均数为 0.25。因此，如果我们得到所有的由 20 颗巧克力组成的样本，那么在所有这些样本中，棕色巧克力的平均比例将是 0.25，与总体中棕色巧克力的比例完全一致。另外样本比例的标准误是 0.09。我们可以用这些值来绘制一个正态分布图，如图 11－5。从这一图中我们可以预测有 68.26％的样本，其棕色巧克力的比例在 16％到 34％之间，也就是 3.2 颗到 6.8 颗棕色巧克力之间。

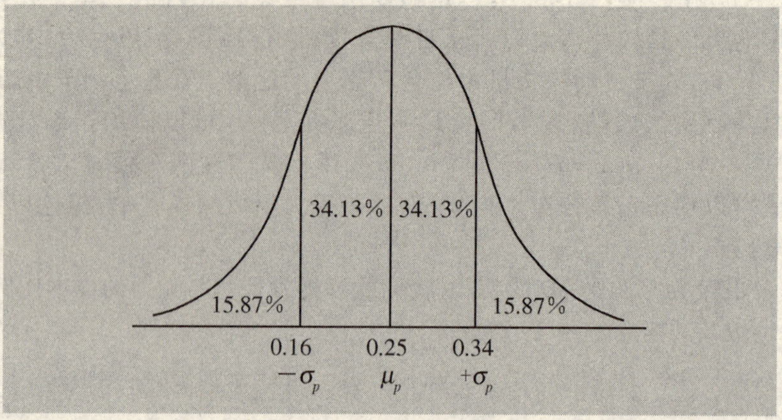

图 11－5　用正态分布近似估计 20 颗巧克力的样本中，棕色巧克力的比例的抽样分布

当 σ 未知时，计算标准误的无偏估计值

在很多情况下，研究者不知道样本所在总体的标准差。比如，乔先生对 20 名有数学焦虑的学生组成的样本，测量其数学成绩。但是他并不知道，如果有数学焦虑的全体学生参加这个测验，其测验成绩的平均分和标准差会是多少。类似的，简女士对心理学专业毕业生的一个样本进行了收入状况的调查，但她对全体心理学毕业生收入的标准差并不知道。

正如演示步骤 11－2 所呈现的那样，使用描述抽样分布的方法时，其前提条件是知道总体标准差 σ。如果我们不知道 σ 值，我们就不能描述该总体的抽样分布，这是乔先生与简女士都面临的困境。要摆脱这一困境，我们可以使用样本标准差作为总体标准差的估计值。演示步骤 11－4 呈现了用样本标准差计算平均数标准误的估计值的步骤。

演示步骤 11－4

用样本标准差 s 计算平均数标准误的无偏估计值

$$s_{\overline{X}} = \frac{s}{\sqrt{n}}$$

式中，s 表示样本标准差；

　　n 表示样本容量。

1. 用下面呈现的任意一个公式来计算数据样本的标准差：

定义公式：

$$s=\sqrt{\frac{\sum(X-\overline{X})^2}{n-1}}$$

计算公式：

$$s=\sqrt{\frac{\sum X^2-\frac{(\sum X)^2}{n}}{n-1}}$$

如果你要再复习一下如何使用这些公式，可以翻看第五章的相关内容：演示步骤 5－2 描述了定义公式，演示步骤 5－3 则描述了计算公式。

2. 求出样本容量 n 的平方根。

3. 用第 1 步的结果除以第 2 步的结果，从而得到平均数的标准误的无偏估计值。

在乔先生的研究中，样本由 20 名学生组成，他们数学测验的平均成绩为 66.0，样本标准差为 14.7，我们可以计算乔的数学测验中平均数的标准误，如下所示：

$$s_{\overline{X}}=\frac{s}{\sqrt{n}}=\frac{14.7}{\sqrt{20}}=\frac{14.7}{4.5}=3.3$$

因而，乔先生的数学测验中，样本平均数分布的标准误为 3.3。

注意，在演示步骤 11－4 中，计算标准差的两个公式的分母中都有 $n-1$。回忆一下，在第五章中曾经提到，如果我们在分母中用 n 来计算样本标准差，那么样本标准差的值就倾向于低估总体标准差的值。因而，在样本标准差的计算中，除以 n，得到的是一个对 σ 的**有偏估计值**。在计算样本标准差时，分母中用 $n-1$，则得到的是一个对 σ 的**无偏估计值**，也就是一个既不低估、也不高估总体标准差的估计值。

参数估计的准确性

我们在本章探讨的一个主要问题是：样本统计量作为总体参数的估计值，其准确性如何？简女士发现，她调查的 200 名心理学专业毕业生组成的样本，其平均收入是 \$52 600。那么，这一样本的平均收入，与毕业十年的全体心理学毕业生的平均收入相比，接近程度如何呢？

我们可以用两种方法来度量这种准确性。一种方法是求出样本统计量的置信限度，这点我们将在本章进行探讨。第二种方法是求出总体参数的临界值，这种方法我们将在下一章进行讨论。这两种方法的区别在于：我们是从样本统计量着手还是从总体参数着手。

样本平均数的置信区间

演示步骤 11－5 呈现了计算一个样本平均数的置信限度的方法。假设我们从州立大学心理学专业选择一个 25 人的样本，该样本的平均 IQ 是 126。心理系主任想估计所有心理学专业学生的平均 IQ。主任没有去测验每个心理学专业的学生，而是用

25 名学生组成的样本的 IQ 平均数，作为所有心理学专业学生的 IQ 平均数的估计值，这一估计值的准确性如何呢？用这个样本平均数作为全体心理学专业学生的 IQ 平均数的估计值，我们有多大信心呢？

演示步骤 11－5

计算置信限度

对样本平均数： $\overline{X}_{CL} = \overline{X} \pm z\sigma_{\overline{X}}$

或 $\overline{X}_{CL} = \overline{X} \pm zs_{\overline{X}}$

式中，$\overline{X}$表示样本平均数

$\sigma_{\overline{X}}$表示当σ已知时估计的标准误

$s_{\overline{X}}$表示当σ未知时估计的标准误

z 表示与置信水平对应的标准分

对样本比例： $p_{CL} = p \pm zs_p$

式中，p 表示样本比例

s_p 表示样本比例的标准误

z 表示与置信水平对应的标准分

1. 用恰当的方法计算出平均数的标准误(当 σ 已知时，使用演示步骤 11－2；当 σ 未知时，使用演示步骤 11－4；当计算样本比例时，使用演示步骤 11－3)。
2. 对置信限度的下限，用 $z = -1.96$(95%的置信水平)或 $z = -2.58$(99%的置信水平)乘以第 1 步的结果，将得到的结果加上样本平均数或样本比例，求出置信限度的下限。
3. 对置信限度的上限，用 $z = 1.96$(95%的置信水平)或 $z = 2.58$(99%的置信水平)乘以第 1 步的结果，将得到的结果加上样本平均数或样本比例，求出置信限度的上限。

从统计学角度而言，我们无法绝对地确定这是不是一个准确的估计值。我们只能尽力说明：平均 IQ 为 126 的样本来自一个平均 IQ 接近 126 的总体。当然，我们的样本有可能来自一个平均数接近 126 的总体。但是，它也可能来自一个平均数远非 126 的总体，比如可能来自一个平均数为 50 的总体。虽然这种可能性不大，但还是有可能的。正是因为有这种可能，所以我们不能肯定地说：样本来自一个平均数接近 126 的总体。虽然我们不能得到一个绝对准确的答案，但我们仍然可以问：样本所在总体的平均数为 126 的可能性有多大？或者用另一种方式表达：我们有多大信心认为总体平均数为 126？

要回答这一问题，我们首先需要界定置信或信心一词的含义。在统计学中，置信是用百分比来表示的。在心理学中，通常使用的两个置信水平是 95％和 99％。实际

上，我们可以选择任意百分比作为我们的置信水平（比如说 75%或 83%）。但在心理学中最常使用的是 95%与 99%。对心理学专业学生总体的平均 IQ 的例子而言，我们可以使用 95%的置信水平。因此，我们现在需要回答的问题是：我们是否有 95%的信心认为总体的平均数接近 126？

现在我们需要界定“接近 126”的含义。演示步骤 11－5 描述了求出两个值的方法：一个值小于我们的样本平均数 126，另一个值大于样本平均数，我们有 95%的信心认为真正的总体平均数介于这两个值之间。

在演示步骤 11－5 中，第一步是计算平均数的标准误。在这个例子中，我们知道 IQ 分数总体的标准差 σ 是 15。因此，我们可以使用演示步骤 11－2 呈现的方法。

$$\sigma_{\overline{X}}=\frac{\sigma}{\sqrt{n}}=\frac{15}{\sqrt{25}}=\frac{15}{5}=3.0$$

我们已决定使用 95%的置信水平，下一步就是要计算在抽样分布中，将平均数中间的 95%划分出来的 Z 值。如果我们采用的是 99%的置信水平，就可以求将平均数中间的 99%划分出来的 Z 值。图 11－6 表明，将平均数中间的 95%划分出来的 Z 值等于±1.96。我们现在可以将 1.96 的 Z 值转化为样本平均数。

$$\overline{X}_{CL}=\mu+Z\sigma_{\overline{X}}=126+(1.96)3.0=126+5.9=131.9$$
$$\overline{X}_{CL}=\mu+Z\sigma_{\overline{X}}=126+(-1.96)3.0=126-5.9=120.1$$

由此得知，如果抽取另一样本，我们有 95%的信心认为它的平均数将在 120.1 到 131.9之间。我们有 95%的信心认为心理学专业学生总体的真实平均 IQ 处于这两个值之间，因此这两个值称为 95%的**置信限度**[1]。

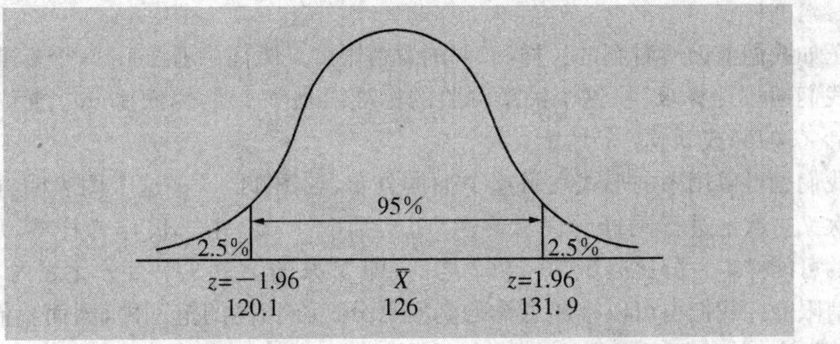

图 11－6　平均 IQ 为 126 的 25 人的样本中的置信限度

〔1〕 置信限度：根据抽样分布，预测总体参数将以某一特定概率落于其间的数据值，特定的概率称为置信限度。

总的来说，我们以一定的置信水平，预测总体真实的参数落在两个值之间，这两个值就是置信限度。**置信区间**[1]是指这两个置信限度之间的距离。在上述心理学专业学生的平均 IQ 的例子中，置信区间是平均 IQ 为 120.1 与 131.9 之间的距离。最后，**置信水平**[2]是总体参数（在这个例子中是平均数）将落在置信区间内的概率，也就是总体参数的值落在置信限度下限和置信限度上限之间的概率。在我们的例子中，心理学专业学生总体的实际平均 IQ 有 95%的可能落在 120.1 与 131.9 之间。

样本比例与样本百分比的置信限度

我们也可以计算样本比例或样本百分比的置信限度。在电视和报纸上，我们常常听到或看到这样的民意测验报道，候选人 X 预计将赢得 59%的选票，预测的误差在其上下 3 个百分点内，预测的准确性达 95%。换句话说，民意调查者是在告诉我们：在进行这一预测时，他们有多大把握或信心。

在进行民意测验时，调查者没有调查所有的选民，而只是调查全体选民的一个样本。因而，候选人 X59%的支持率是来自选民的一个样本，并被作为全体选民在选举中选择这一候选人的估计值。这一估计的准确性如何呢？民意调查者告诉我们说：“我们有 95%的信心认为，在实际选举中，选择候选人 X 的选民的百分比将在 59%的上下 3 个百分点之间（即在 56%与 62%之间）。”

民意调查者所构建的是一个样本比例的抽样分布。假设一个 1 000 人的样本接受调查，如果我们假定总体中投票支持候选人 X 的比例实际为 0.59，我们就能用演示步骤 11－3 中描述的方法，来计算这一抽样分布的比例的标准误。

$$\sigma_p=\sqrt{\frac{p(1-p)}{n}}=\sqrt{\frac{(0.59)(0.41)}{1\,000}}=0.015$$

正如我们前面所看到的一样，95%的置信限度是距离中心±1.96 个标准差的点。前面我们通过计算求得，这个民意测验的标准误是 0.015，因而 1.96 个标准误将是 (1.96×0.015) 或 0.03。

我们也可以用图的形式表示这个抽样分布，如图 11－7。这个图表明，如果调查者一次又一次地进行同样的民意测验，每次抽取 1 000 个选民作为样本，那么就有 95%的可能样本百分比处于 56 与 62 之间（即 59%的上下 3 个百分比之内），这些就是置信限度。我们也可以推断总体的真实百分比在相同的范围内，因而我们有 95%的信心认为：在实际的选举中，选择候选人 X 的选民的实际百分比，将处于民意测验中得到的 59%的上下 3 个百分点之内。

〔1〕 置信区间：置信限度上限与置信限度下限之间的距离。
〔2〕 置信水平：总体参数将落于置信区间的概率。

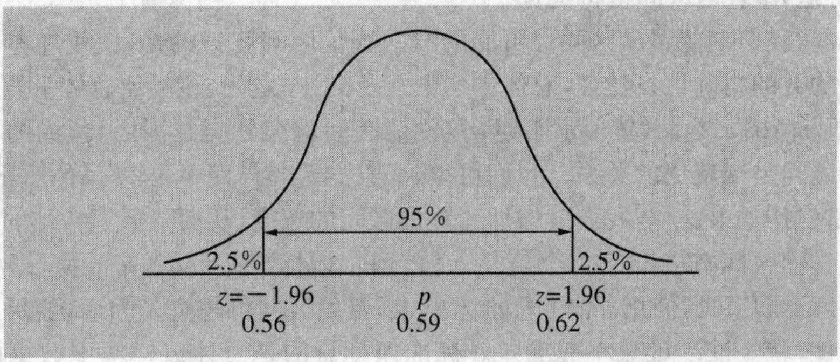

图 11－7　1 000 人的样本中，政治民意测验率为 59％的置信限度

置信水平

有关置信水平的一个经常被问的问题是：为什么就设定 95％的置信水平？为什么不设定 100％的置信水平？其原因在于样本百分数总是有可能（也许可能性极小，但依然有可能）偏离总体百分数，平均数也同样如此。假设我们为了估计所有美国人的真实平均 IQ，我们测验了一个 100 人组成的样本的 IQ。在样本的选择上，我们尽力做到公平，以便它能真正代表整个美国人的总体。然而，总有这样的可能性，即我们选取的样本中，那 100 个人都是天才。（尽管这种可能性很小，但确实有可能发生，这就是问题关键所在）

同样，即使民意调查的 1 000 人的样本中有 59％的选民支持候选人 *X*，样本的选择也有可能出现偏差。在实际选举中，可能只有 2％的选民支持候选人 *X*。（这种可能性不大，但依然有可能出现）我们惟一能 100％确信的说法是：有 0％到 100％的选民将支持候选人 *X*，但这实际上等于什么也没说。我们并不需要一个民意测验来告诉我们，支持候选人 *X* 的选票将在 0％到 100％之间。给出这样的信息又有什么意义呢？相比较而言，我们以 95％的置信水平，预测选举之日支持候选人 *X* 的选票将在 56％到 62％之间，这是一个相当好的预测了。

影响置信区间大小的因素

在上一部分，我们了解到置信区间是置信限度下限与置信限度上限之间的距离。样本平均数的置信限度下限是小于样本平均数 $Z\sigma_{\bar{X}}$ 的那个点，而置信限度上限则是大于样本平均数 $Z\sigma_{\bar{X}}$ 的那个点，如图 11－6 所示。因而，置信限度下限与置信限度上限之间的距离是 $2Z\sigma_{\bar{X}}$，这就是置信区间的宽度。所以，置信区间的大小由 3 个值决定：Z，σ 和 n。

首先，置信区间的宽度受标准分 Z 的影响。然而，Z 值由置信水平决定。当置信水平为 95％时，Z 为 ±1.96；当置信水平为 99％时，Z 为 ±2.58。因而，置信水平越

高，Z值将越大，置信区间也将更宽。

实际上，我们期望置信区间尽可能的窄。置信区间度量的是，使用样本平均数估计总体平均数的精确性。比如，总体平均数在9到10之间，显然比总体平均数在5到15之间更为精确。然而，置信水平越高，置信区间就会越宽。因而，预测的精确性与置信水平之间呈现反比的关系。我们可以通过选择99%而不是95%的水平，来提高置信水平；但是如果这样，我们就增加了置信区间的宽度，从而降低了估计的精确性。

影响置信区间宽度的第二个值是σ值，即总体标准差，或者是s值，即样本标准误。当σ值不知道时，使用s值。标准差越大，置信区间将越宽。因而，要提高我们估计的精确性，就应该尽量减小标准差。标准差度量的是总体或样本中数据的离散程度。因此，只要能够降低数据的离散程度，都可以减小标准差，从而减小置信区间的宽度，以提高使用样本平均数估计总体平均数的精确性。

影响置信区间宽度的最后一个值是n，即样本中被试的数量(即样本容量)。样本容量越大，样本标准误越小。所以，通过增大样本容量，我们可以减小置信区间的宽度——这也许是用以提高估计精确性的最简单的方法。仅仅通过增大样本容量，我们就能提高使用样本平均数估计总体平均数的精确性。

难点提示

1. 抽样分布的问题中所涉及的计算相当简单。学生通常遇到的困难是难以理解抽样分布的逻辑关系。区分原数据的分布与样本统计量的分布是非常重要的。你在回答有关样本平均数的问题时，必须使用样本平均数分布。同样，你在回答样本比例的问题时，必须使用样本比例分布。

2. 学生经常犯的一个错误是用标准差代替标准误。在计算从一个总体中得到一个具体的样本平均数的概率时，你必须用样本平均数的标准误($\sigma_{\bar{X}}$)，而不是标准差(σ_X)。记住，标准差测量的是原数据偏离平均数的距离，而平均数的标准误测量的是样本平均数偏离总体平均数的距离。

3. 在解决涉及样本比例的问题时，一定要弄清楚你是在处理事件比例还是事件频次，对这两者的混淆会导致错误。

4. 检查一下你的答案，看它是否合理。比如，当你在求置信限度时，确保样本平均值在较低置信限度与较高置信限度之间。如果你的标准误大于标准差，那么意味着出现了错误。

5. 绘制一个分布图。根据分布及所要求的概率，花点儿时间绘制一个草图，有助于避免错误。

小结

➤推论统计是从样本推断总体的统计方法，这是研究者客观的检验假设的方法。

- 抽样分布是一个样本统计量的一系列值，以及从同一总体中分别抽取许多既定大小的样本时，这些值出现的频次。理论抽样分布是一个样本统计量的一系列值及其出现的频次，这些值和频次是根据数学模型，如正态分布或二项式分布预测而得到的。
- 如果一个数据总体是正态分布，那么从该总体中抽取出的统计量的抽样分布也将是正态分布。即使从中抽取样本的数据总体不是正态分布，如果这些样本中每个样本都是由 20 或 20 个以上的数据组成，那么抽样分布也将会接近正态分布，进而可以使用正态分布概率表。
- 抽样分布的平均数等于样本所在总体的平均数，抽样分布的标准差等于样本所在总体的标准差除以样本容量的平方根。
- 平均数的抽样分布是一个有关样本平均数的所有可能值及其频次的分布，这些样本是从一个既定的总体中抽取出来的，且大小为 n。
- 在平均数的抽样分布中，如果不知道总体标准差 σ，那么样本标准差 s 可用作 σ 的一个无偏估计值。但在求 s 的公式中，除数是 $(n-1)$，并且 n 大于等于 20。
- 总体参数的有偏估计值是指要么高估，要么低估参数值的样本统计量。无偏估计值是指既不会高估也不会低估总体参数的样本统计量。用一个样本统计量作为总体参数的估计值，该估计值不应该是有偏的。
- 置信限度是我们预期总体参数以一定的置信水平落于其间的两个值。置信水平则是总体参数落在这两个值之间的概率。传统上，95%与 99%的置信水平是最常用的。置信区间是两个置信限度之间的距离。
- 置信区间的大小反映了由样本统计量估计总体参数的准确性。置信区间越小，用样本统计量估计总体参数的准确性越高。
- 置信水平越高，置信区间将越大。因而，用样本统计量估计总体参数的准确性就会越低。因此，在置信水平与准确性之间呈现反比的关系：在其他情况不变的条件下，置信水平越高，估计的准确性越低。
- 除了置信水平外，置信区间的大小也会受到样本容量及标准误的影响，标准误越小，样本容量越大，置信水平就会越低。因而，用样本统计量估计总体参数的准确性就会越高。

练习

概念题

1. 名词解释：

推论统计	比例的标准误
抽样分布	置信限度

经验抽样分布　　　　置信区间
理论抽样分布　　　　置信水平
平均数的标准误

2. 解释频次分布与抽样分布之间的区别。

3. 拿 9 张同样大小的小纸片，在这些纸片上写上从 1 到 9 的数字，每张纸片上写一个数字，这 9 个数字构成一个总体。

A. 抽取出 20 个样本，每个样本中有 4 张纸片，对每个样本计算样本平均数，并把它记录下。在抽取下一个样本之前，把这些纸片放回总体，并将它们充分混合。构建一个表，列出样本平均数的所有可能值(从 2.5 到 7.5，以 0.25 的单位增加)，及每个值出现的频次。

B. 重复步骤 A，这次抽取的每个样本中有 2 张纸片。

4. 对第 3 题中构建的每个经验抽样分布，求出以下值：

A. 平均数在 4 到 6 之间的样本比例。

B. 平均数大于或等于 6.5 的样本比例。

C. 平均数小于或等于 3.5 的样本比例。

D. 对哪一个抽样分布来说，其平均数的比例大于分布的中心？为什么会出现这种情况？

5. 计算第 3 题使用的数据总体的平均数与标准差。然后分别计算第 3 题中步骤 A 与步骤 B 构建的抽样分布的平均数与标准差。

A. 抽样分布的平均数与原数据分布的平均数的接近情况如何？这些抽样分布中，是否有一个抽样分布的平均数比其他抽样分布的平均数更接近数据总体的平均数呢？为什么会出现这种情况？

B. 哪个分布的标准差最大？哪个分布的标准差最小？为什么会出现这种情况？

计算题

6. 在州立大学中，学生有 50%的是男性，50%的是女性。在心理系，研究生班的人数最多为 20。假设每个研究生班有 20 名学生，为心理学系研究生班中的男女同学的比例构建一个抽样分布。

A. 研究生班有 50%的男生，50%的女生的百分比是多少？

B. 研究生班有 75%或 75%以上的男生的百分比是多少？

C. 研究生班不足 5 个男生的百分比是多少？

D. 研究生班有 60%以上的男生或有 60%以上的女生的百分比是多少？

E. 研究生班没有 50%的男生和 50%的女生的百分比是多少？

7. 假设你有一个装满纸牌筹码的容器，筹码上标有数字“1”，“2”，“3”，“4”和“5”。

假设你从容器中抽取一个含有两个筹码的样本。

A. 写出两个筹码的样本所有可能的数字组合。

B. 通过将样本中的两个数字加在一起然后再除以 2，求出每个可能样本的平均数。

C. 构建这个这种平均数的经验抽样分布的频次分布，绘制一个分布图。

8. 从第 7 题构建的频次表中，求以下结果：

A. 平均数为 2.0 的样本的百分比。

B. 平均数为 4.0 或 4.0 以上的样本的百分比。

C. 平均数在 2.0 与 4.0 之间的样本的百分比。

9. 第 7 题中纸牌筹码的原总体中存有相同数目的标有"1"，"2"，"3"，"4"和"5"的筹码。

A. 假设容器中每种类型的筹码有 5 个，因而筹码值的频次表如下所示，计算这个筹码分布的平均数与标准差。

筹码值	频次
5	5
4	5
3	5
2	5
1	5

B. 计算你在第 7 题中构建的样本平均数的频次分布的平均数与标准误，并将本题 A 部分与 B 部分得到的结果进行比较，相同之处是什么，不同之处是什么？为什么？

C. 用演示步骤 11－2 中的方法，求出第 7 题中构建的抽样分布的平均数与标准误，并与上面 B 部分计算的平均数与标准误相比较，为什么会出现这一结果？

10. IQ 分数的总体的平均数为 100，标准差是 15，假设我们有一个 25 名学生组成的样本的 IQ 分数。

A. 样本平均数为 103 或 103 以上的概率是多少？

B. 样本平均数小于 100 的概率是多少？

C. 样本平均数在 95 与 105 之间的概率是多少？

D. 样本平均数大于或等于 106 或小于或等于 94 的概率是多少？

11. SAT 数学测验的理论平均数为 500，标准差是 100。

A. 比较下列样本容量中，平均数的标准误：4，9，16，25，36，49，64，81 和 100。

B. 对 A 部分列出的每个样本容量，求样本平均数大于或等于 520，或小于或等于 480 的比例。

C. 描述样本容量与标准误之间的关系，及其对平均数的抽样分布的影响。

12. 有名大学老师，他总是让他班上的所有学生中有 30％的人不及格，用二项式分布的正态近似值回答以下问题：

A. 25 名学生的班级中，小于或等于 20％的学生不能通过考试的概率是多少？

B. 20 名学生的班级中，大于或等于 50％的学生不能通过考试的概率是多少？

C. 50 名学生的班级中，至少 40％的学生通过考试的概率是多少？

D. 100 名学生的班级中，20 或少于 20 个学生通过考试的概率是多少？

13. 一个民意调查者调查了选民对当地一个校务委员会的态度：

A. 如果 1 000 人的样本中，58％的人支持校务委员会，那么其 95％的置信限度是多少？

B. 与 A 相同的样本中，99％的置信限度是多少？

C. 如果另一个 700 人的样本中，47％的人反对该校务委员会，那么其 95％的置信限度是多少？

D. 与 C 相同的样本中，99％的置信限度是多少？

E. 用准确、规范的语言解释 D 部分得到的置信限度。

14. SAT 数学测验的理论平均数是 500，标准差是 100。

A. 假设 30 名有数学天赋的年轻人组成一个样本，他们 SAT 数学测验的平均成绩是 575，那么其 90％的置信限度是多少？

B. 对同样的样本，95％的置信限度是多少？

C. 对同样的样本，99％的置信限度是多少？

D. 用准确、规范的语言解释这些置信限度所代表的含义。

15. 杰克林测试了 2—4 岁儿童的词汇量。

A. 她发现 25 名 2 岁儿童组成的样本，其认识的单词平均为 25 个，标准差是 50 个。那么，95％的置信限度是多少？

B. 她发现 30 名 3 岁儿童组成的样本，认识的单词平均为 926 个，标准差是 67 个，那么，95％的置信限度是多少？

C. 她发现 35 名 4 岁儿童组成的样本，认识的单词平均为 1 850 个，标准差是 75 个，那么，95％的置信限度是多少？

D. 用准确、规范的语言解释 4 岁儿童组成的样本，其置信限度所代表的含义。

尾注

1. 注意可能每对儿童只在表 11－3 中陈列一次，因而，安(Ann)和鲍勃(Bob)的样本被认为等同于鲍勃(Bob)和安(Ann)的样本，因此只呈现了一次。

第十二章 假设检验

在第一章，我们了解了统计在科学研究中的两个目的：一是描述，我们可以使用统计描述一组数据的特征，这些数据可以是研究者实际收集来的，也可以是通过某种假设预测的，比如通过正态分布推断出来的一组数据。二是推论，研究者可以通过统计来推论总体的情况，而不需要从总体的每个成员那里去收集数据。从本章开始，我们将要讨论使用样本对总体情况进行推论的统计技术，这些技术统称推论统计。在本章中，我们主要讨论所有推论统计的基础——假设检验的逻辑。

推论统计分两类：参数统计和非参数统计。在**参数统计**[1]中，样本统计量用来推断样本所在总体的参数值，比如，一个心理学专业学生样本的IQ平均数，可以用来推断所有心理学专业学生组成的总体的IQ平均数；同样，在民意调查中，一个选民的样本支持候选人X的比例，可以用来推断大选中，所有选民支持候选人X的比例。

非参数统计[2]是一种不对总体具体参数作推断的推论统计。许多非参数检验使用样本统计量对总体分布的一般状况作推断，比如，通过非参数检验，我们可以根据教授给班级的一个样本的分数，推断教授给整个班级分数的分布状况。从本章开始到第十四章，我们将学习参数推论统计，在第十五章和第十八章，我们将讨论非参数统计。

研究假设

推断总体平均数的值

乔治·吉米斯对探索心理学专业学生的人格特征很有兴趣，他对心理学专业学生具有马基雅维里观念的程度特别感兴趣。马基雅维里是16世纪意大利的政治理论家，写过《王子》(The Prince)，他认为人们的行为、态度和观念可以通过谎

〔1〕 参数统计：在参数统计中，零假设和备择假设预测总体参数的值。

〔2〕 非参数统计：在非参数统计中，零假设和备择假设并不是预测特定总体参数的值。一般来说，非参数检验预测总体的分布形态。

言来操纵。

乔治有一个已经测试过数千名大学生的马基雅维里人格测验，所有参加该测验的大学生的平均分是50，标准差是12，并且该测验的分数是呈正态分布的，那些高于平均分的学生被认为马基雅维里观念高于一般学生。

乔治认为心理学专业学生的马基雅维里观念与其他大学生不同，因此他用马基雅维里测验测试了16名心理学专业的大学生，结果他们的平均分为58。乔治声称这就是心理学专业学生与其他大学生马基雅维里观念不同的证据。乔治的这种说法是否合理呢？

要确定乔治的看法是否合理，我们首先要认识到：这种判断是基于对心理学专业学生总体的平均数的推断。在提到心理学专业学生时，乔治说的不仅仅是16名参加测试的学生，而是所有心理学专业的学生。乔治测试的16名学生是心理学专业学生总体的一个样本，因为这个样本的平均分高于马基雅维里测试的平均分，乔治就认为心理学专业学生总体，比一般大学生也有更多的马基雅维里观念。乔治的推断是：心理学专业学生总体的平均分和这个样本的平均分一样，高于一般大学生在马基雅维里测验上的平均分。

当作推论时，我们从既定事实出发，得出一个合乎逻辑的结论。乔治实际上并不知道心理学专业学生总体的平均数是多少，而仅仅基于16名心理学专业学生组成的一个样本的马基雅维里测验的分数，就对心理学专业学生的总体平均数做出推论，乔治是在使用样本平均数对总体平均数做出推断。当我们问"乔治对心理学专业学生总体平均数的看法是否合理"时，实际上，我们是在问："乔治从样本平均数推断总体平均数是否合理？"

总体平均数的可能值

我们不能仅仅因为乔治所测样本的平均分为58，就假定心理学专业学生总体在马基雅维里测验上的平均分就恰好为58。在前面章节对抽样分布的讨论中，我们知道从总体中抽取样本，样本的平均数与总体的平均数并不一定总是相等的。如果我们从平均IQ为100的总体中抽取样本，则样本的平均数也不会总是恰好就为100。实际上，样本平均数与总体平均数通常并不完全相等。

如果给你一个装满巧克力的褐色纸袋，让你猜纸袋中不同颜色巧克力的比例。你可以从中抽取出一把巧克力，在抽取另一把之前，把你前面抽取的放回到纸袋中。你可以通过这样的抽取来检验你的猜测，但是不能往纸袋中看。假设你抽取到一把巧克力，其中有30%是绿色的，你就可以据此认为纸袋里的巧克力中有30%是绿色的吗？当然不行。你可能是从装有29%或31%绿色巧克力的纸袋中抽取出来的，你也可能从只有20%甚至10%的绿色巧克力纸袋中抽取出来的。你从40%或50%的绿色巧克力的纸袋里抽取一把，其中绿色的也可能占 30%。如果你抽取一把绿色占 30%的巧克力，纸袋中绿色巧克力所占的比例是多少呢？实际上，有无限多种可能。

上述乔治的例子也是如此。样本平均数为 58，样本所在总体的平均数并不必然就是 58。总体的平均数可能低于 58，比如可能是 57、55 甚至 50；总体平均数也可能高于 58，比如可能是 59、65 甚至 90。为了简便起见，我们将心理学专业学生组成的总体，其平均数的无限多种可能分为三类：第一类是心理学专业学生总体马基雅维里测验平均分数与其他专业学生相同，都是 50 分；第二类是心理学专业学生总体的平均分数高于 50，高于一般大学生总体的平均分数，这也是乔治的样本所暗示的；然而，还有第三种可能，即心理学专业学生总体的平均分数低于 50，他们有可能比其他大学生有更低的马基雅维里倾向。这三类可能的平均分如图 12－1。

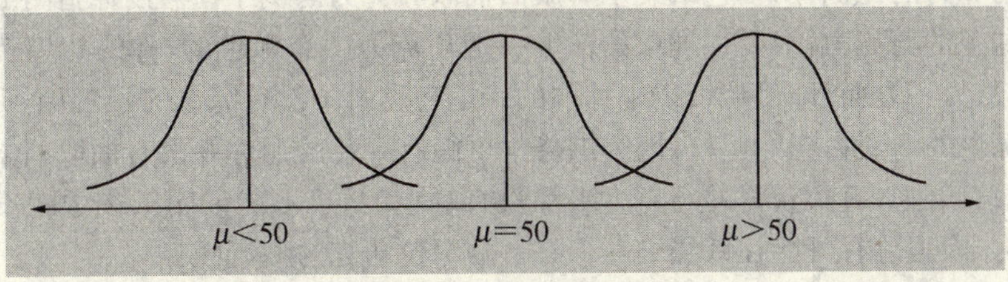

图 12－1 心理学专业学生总体马基雅维里测验分数的三种可能的平均分

另外需要说明的是：这三类平均分已经包含了所有的可能性。心理学专业学生的马基雅维里倾向可能与其他大学生相同，也可能比其他大学生更高或者更低。心理学专业学生总体的马基雅维里测验分数肯定是等于、小于或者大于 50，再没有其他可能。

我们最初的问题是：仅仅基于样本平均数 58，就推断心理学专业学生总体与一般大学生总体的马基雅维里倾向不同，这样是否合理？分析到这里，我们可以说这样是不合理的，我们不能仅根据乔治的平均数为 58 的样本，就推断心理学专业学生总体平均数与一般大学生总体平均数不同，因为样本所在总体的平均数可能是 50——与一般大学生总体平均数相同，也可能低于 50 或者高于 50。从这个意义上说，乔治对心理学专业学生总体马基雅维里测验平均分数所作的任何推断都是不合理的。

零假设和备择假设

乔治认为心理学专业学生的马基雅维里倾向与一般大学生不同，这个观点是一个假设。所谓的**假设**[1]就是对两变量关系的一种可检验的判断。在这个例子中有两个变量：大学的专业类型和马基雅维里测验的分数。乔治的判断是关于大学生专业类型和马基雅维里测验分数的关系，即心理学专业学生的马基雅维里测验分数与一般

〔1〕 假设：对两变量关系的一种可检验的判断。

大学生的马基雅维里测验分数不同。

因为我们知道乔治所抽取的心理学专业学生的样本平均数是58,我们不禁要问:乔治的假设为什么不是心理学专业学生总体平均分高于50?回忆一下,乔治在进行测试之前,他关于心理学专业学生的马基雅维里倾向的观点是什么?实际上,他测量学生的马基雅维里倾向的目的,是找到支持他观点的证据。研究者**首先**形成假设,再从被试样本中收集数据来检验这个假设。即使乔治的样本平均数低于一般大学生总体的平均数,他最初的假设依然是心理学专业大学生总体平均数与一般大学生总体平均数不同。

假设是可检验的,但它是以证伪的方式来检验的,这并不是说假设可被证实。在科学研究中——包括心理学研究,假设只能被证伪,不能被证实。再想想为了猜纸袋中绿色巧克力的比例,从褐色纸袋中有放回抽取巧克力的例子。假设你猜测纸袋中可能没有绿色的巧克力,只要你抽取的任何一把巧克力中有绿色的,你的猜想就被否定了(证伪);另一方面,即使从纸袋中抽取的一把巧克力中没有绿色的,是否证明纸袋中就没有绿色的巧克力呢?不行,因为纸袋中可能有绿色的而你并没有抽取到。即使你抽取了数百万把,每次获得的巧克力中都没有绿色的,也不能证明纸袋中就没有绿色的巧克力,因为总有可能在纸袋中至少有一颗绿色巧克力藏着呢!

乔治的假设是大学生专业类型(心理学和其他专业)和马基雅维里测验有联系,而与之相对的假设是两者间没有联系,后者也是一种假设,这个假设断定:心理学专业学生马基雅维里测验平均数与一般大学生总体马基雅维里测验平均数相同。因此,我们有了两个假设:一个认为心理学专业大学生马基雅维里测验与其他大学生不同,而另一个则认为相同。

这两个假设是互斥的。回忆一下互斥事件,如果一个事件发生,另一个事件就不会发生。心理学专业学生平均数要么等于50,要么不等于50。除了互斥,这两个假设又是穷举的。如果一组事件包含了所有的可能,这组事件就是穷举的。在这个例子中,两个假设是穷举,因为心理学专业学生的平均分要么等于50,要么不等于50,再没有其他可能。因为这两个假设是互斥并且穷举的,所以有且仅有一个假设是正确的。

认为心理学专业学生总体在马基雅维里测验上与一般大学生总体平均数相同的假设称为**零假设**[1]。"零"这个词语表示"什么都没有"。乔治所作研究的零假设是大学生专业类型与马基雅维里测验成绩没有联系。实际上,零假设断定乔治所作研究的结果仅仅是出于偶然,心理学专业学生总体真实平均分为50,与一般大学生总体的平均分相同,乔治的样本有58的平均分是由于抽样的偶然性。在实验中,零假设总是断定总体中两个被研究的变量间没有联系,研究的结果仅仅归结于抽样的偶然性。

---

〔1〕 零假设(用符号 H_0 表示):指的是总体中,两个被研究的变量间没有联系,样本的结果仅仅归于抽样的偶然性。

另一个假设，认为心理学专业学生总体马基雅维里测验平均分与一般大学生总体平均分不同，称为**备择假设**[1]。备择假设对零假设来说是备择的。备择假设是表达研究者观点的假设，它认为所研究的变量间有联系。在乔治所作的研究中，备择假设认为大学生专业类型与马基雅维里测验分数间的确有联系：从总体看，心理学专业学生的测验分数与其他大学生的分数不同。

零假设和备择假设的根本不同在于预测所研究的变量间是否有一定的联系。在乔治所作的研究中，两种假设的根本不同在于是否认为大学生专业类型与马基雅维里测验成绩有关。用符号 H_0 代表零假设，H_1 代表备择假设。

H_0：心理学专业学生总体马基雅维里测验平均数与一般大学生总体平均数相同。

H_1：心理学专业学生总体马基雅维里测验平均数与一般大学生总体平均数不同。

所有统计检验中，零假设与备择假设都有这样的根本差异：备择假设一直认为被研究的变量间有关系，而零假设总是认为被研究的变量之间没有关系，研究的结果仅仅归结于偶然性。

在乔治所做的研究中，零假设和备择假设包含了对一个特定总体参数的推论，即对心理学专业学生总体在马基雅维里测验上的平均分的推论。零假设预测这个总体平均数为 50，备择假设预测这个总体的平均数不是 50。因此，我们也可以这样表达零假设和备择假设：

$$H_0: \mu_{心理学专业} = 50$$
$$H_1: \mu_{心理学专业} \neq 50$$

记住，零假设和备择假设是互斥的、穷举的，其中肯定有一个并且只有一个是正确的。在乔治所作的研究中，心理学专业学生总体的马基雅维里测验平均分要么是 50 (H_0)，要么不是 50(H_1)，再没有其他可能。演示步骤 12-1 描述了参数检验中构建备择假设和零假设的一种方法。

演示步骤 12-1

确定参数检验中的零假设和备择假设

1. 在不同的两行，分别写下 H_0 代表零假设，H_1 代表备择假设。
2. 识别被检验的样本统计量，识别样本统计量估计的总体参数。在符号 H_0、H_1 后面写下代表总体参数的符号。
3. 识别样本所在的总体，选取一个对总体简洁而精确的描述，作为第 2 步总体参数的下标。

---

〔1〕 备择假设(用符号 H_1 表示)：断定总体中两个被研究的变量间有联系，样本结果就是来自于这种联系。

4. 识别你将使用样本统计量与之进行比较的总体，确定第 2 步中的参数在那个总体中的值，把这个值分别写在两行中代表总体参数的符号的后面，中间空出一段距离。
5. 决定你预测的样本所在总体的参数是小于(<)、大于(>)还是不等于(≠)第 4 步确定的值，在备择假设 H_1 那行，在第 2 步总体参数符号和第 4 步的值之间写上相应的符号。
6. 在零假设行 H_0 相应位置写下相反的符号：
   A. 如果预测总体参数小于那个值(<)，则在 H_0 行中使用符号"≥"。
   B. 如果预测总体参数大于那个值(>)，则在 H_0 行中使用符号"≤"。
   C. 如果预测总体参数不等于那个值(≠)，则在 H_0 行中使用符号"="。
7. 用文字表达这些假设，确定你已经理解它们了。

假设检验的逻辑

检验零假设的逻辑

零假设和备择假设表达了两种互斥并且穷举的可能，两种假设中肯定有一种而且只有一种是正确的。如果我们排除了一种可能，就可以肯定另一种可能。如果我们可以通过某种方法证明零假设是错的，从而排除零假设，那么我们就可以合理地得出备择假设是正确的这个结论。因此，与其直接证明备择假设是正确的，不如找到证据排除零假设，以间接证明备择假设的真实性。检验零假设的逻辑是：

➢因为零假设和备择假设是互斥且穷举的，故零假设和备择假设有且仅有一个是正确的。

➢ 我们不能直接证明备择假设是正确的。

➢如果能证明零假设是错误的，我们就可以排除零假设；如此，就证明了备择假设是正确的。

我们现在的目标就是找一种方法检验零假设，以便确定是否能认为零假设是错误的。这种方法涉及抽样分布的原理，我们将在下面具体讨论。

零假设预测的抽样分布

为了找到证据排除零假设，我们需要构建一个零假设所预测的抽样分布。在前面的章节我们已经了解到，如果知道样本所在总体的平均数和标准差，我们就可以构建一个样本平均数的分布。乔治研究的零假设预测：心理学专业学生总体与一般大学生总体一样，平均数都是 50。如果像零假设断定的那样——这两个总体没有差异，那么心理学专业学生总体的马基雅维里测验的标准差将和一般大学生的标准差相同，都是 12，我们就可以利用这个值，计算零假设所预测的抽样分布平均数的标准误，乔治研究的心理学专业学生样本容量是 16：

$$\sigma_{\bar{X}}=\frac{\sigma}{\sqrt{n}}=\frac{12}{\sqrt{16}}=3.0$$

图 12－2 呈现了乔治所做研究中，零假设所预测的抽样分布，使用的是 95％的置信限度。注意，在对乔治所做研究的结果进行统计检验时，实际上是不可以使用这些数据的，我们在这里使用它们仅仅是为了举例说明零假设所预测的抽样分布。图 12－2告诉我们，如果从马基雅维里测验平均数为 50 的一般大学生总体中，选取一个包含 16 名学生的样本，样本平均数有 95％的可能在 44.12 到 55.88 之间，有 2.5％的可能等于或低于 44.12，有 2.5％的可能等于或大于 55.88。

$$z_{\bar{X}}=\frac{\bar{X}-\mu_{\bar{X}}}{\sigma_{\bar{X}}}=\frac{58-50}{3.0}=\frac{8}{3.0}=2.67$$

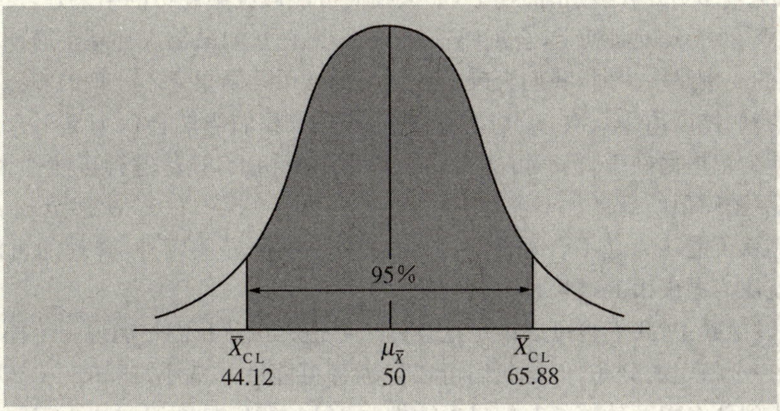

图 12－2　在乔治所做的研究中，零假设所预测的抽样分布 95％的置信限度

记住，我们的目标是证明研究中零假设是错误的。为了做到这点，我们需要证明乔治的平均数为 58 的心理学专业学生的样本，不属于如图 12－2 所示的总体平均数为 50 的抽样分布。然而，如图 12－2 所示，从这个抽样分布中抽取的样本，其平均数仍可能为 58。实际上，从这个分布中抽取的 2.5％的样本，其平均数是等于或大于 55.88 的。

为了最终排除零假设，我们还需要证明乔治研究的样本绝对不可能来自图 12－2 所示的抽样分布。要做到这一点是很困难的，困难来自正态分布的特征。在预测褐色纸袋中巧克力颜色的例子中，我们看到，只要抽取的样本中有一颗绿色的巧克力，就可以绝对排除纸袋中没有绿色巧克力的假设。从一个没有绿色巧克力的纸袋中抽取的样本，其中有绿色巧克力的可能性绝对为零。

然而，基于正态分布的抽样分布，我们永远不能认为抽取任何给定值的概率绝对为零。记住，正态分布的尾部永远不会真正地与 X 轴相交。图 12－2 所呈现的是一个正态分布，无论我们得到的样本平均数多么远离 50，它都有可能来自平均数为 50 的抽样分布。这种概率无论多么小，都是存在的。所以从图 12－2 所示的抽样分布中，抽取一个平均数为 58 的样本，如果没有置疑区，我们不能认为零假设为真的概率绝对为零。

如果我们不能绝对排除零假设，那么我们就需要另外一套标准。这就涉及显著性水平的概念，我们接下来继续讨论。

显著性水平 α

因为样本平均数总有可能是来自零假设所预测的抽样分布，因此，我们需要构建一套用来排除零假设的标准。为了理解这一重要观点，让我们来看一个例子：抛硬币 100 次，如果有 50％的次数正面朝上，那么我们可能假设抛硬币的结果是合理的；如果硬币有 60％的次数正面朝上，合理吗？70％、80％呢？如果每次都是正面朝上呢？当正面朝上的比例是多少时，我们会确定地认为抛硬币的结果是不合理的？

如果我们抛硬币 100 次，100 次都是正面朝上，我们当然会认为是不合理的。实际上，即使公正地抛硬币，仍旧可能 100 次都是正面朝上，只是这种可能性太小，以至于我们认为抛硬币的结果是不合理的。实际上，当 100 次中有 90 次甚至 80 次正面朝上时，我们就可能认为是不合理的了。因此，在一些边界值以外，合理的可能性非常小，我们就认为抛硬币的结果是不合理的。

在假设检验中，我们也可以设定这样的边界值。虽然我们不能说一个样本绝对不可能来自一个特定的分布，但是我们可以说这种可能性非常小，比如 1％、2％或 5％。问题是，小到什么程度就够了？如果可能性为 10％，我们是否愿意认为零假设是正确的？或者我们可以设置一个更严格的标准，如果零假设正确的可能性只有 5％，我们就排除零假设。我们甚至可以把临界值设置在 1％或者 0.1％。我们选择的这种可能性称为**显著性水平**[1]，用符号 α(alpha)表示，它是决定是否拒绝零假设的边界值。

显著性水平是我们选择的犯错误的概率。假设乔治在研究中设置的显著性水平为 5％，如果乔治选取的样本来自平均数为 50 的总体的可能性为 5％或者更低，我们就可以断定零假设是错误的。但是，即使我们断定零假设是错误的，那个样本的确来自平均数为 50 的总体的可能性仍有 5％(或更低)，因此，我们设置显著性水平为 5％，

〔1〕 显著性水平(用符号 α 表示)：被选作拒绝零假设的基础的临界概率。如果零假设为真的概率等于或者小于 α，则我们拒绝零假设；如果零假设为真的概率大于 α，则我们不拒绝零假设。

就是说我们断定零假设是错误的同时，仍有5%的可能要犯错误。如果我们设置显著性水平为1%，那么我们排除零假设时仍有1%的可能要犯错误。

既然我们可以选择显著性水平，那么我们如何决定选择哪种显著性水平呢？显著性水平的选择取决于错误排除零假设的后果。假设我们在做一项药品研究，错误排除零假设所犯错误的后果非常严重——对病人的生命有威胁，这个时候，我们就应该选择非常小的显著性水平，如0.1%（1 000次中有1次可能犯错误），甚至0.01%（10 000次中有1次可能犯错误）。

在其他领域，错误排除零假设的后果一般没有药品研究那么严重，因此我们不必选择那么苛刻的显著性水平。在社会学领域，研究者可以使用10%的显著性水平。在心理学研究领域，习惯于使用5%的显著性水平，这种惯例被广泛接受。因此，大部分心理学研究者使用5%作为可接受的显著性水平。

临界值

显著性水平α，是决定零假设为错误的标准。假定我们遵循心理学研究的惯例选择5%(0.05)的显著性水平，如果乔治所选取的样本，来自平均数为50的总体的可能性等于或小于5%，则我们就排除零假设。我们现在需要确定的就是：乔治的样本来自平均数为50的总体的可能性为5%或更小。

为了达到这个目的，我们需要使用零假设所预测的抽样分布。我们已经知道这个分布的平均数$\mu_{\bar{X}}$为50，标准误$\sigma_{\bar{X}}$为3.0，我们需要找到能把处于最极端的5%的样本区分开来的边界z值，这个z值就称为**临界z值**[1]。

乔治的研究中，零假设是心理学专业学生总体平均数是50，如果这个总体平均数远小于或大于50，则这个假设是错误的。因此，我们需要考虑这个分布的两侧。当然，在这个例子中，我们知道样本平均数为58，远大于零假设所预测的50。然而，零假设和备择假设实际上是在研究之初，在实际测量被试之前构造的。当乔治开始研究时，他假设心理学专业学生的平均数与一般大学生不相同，因此我们需要考虑抽样分布的高低两侧。图12-3呈现了在乔治的研究中，零假设所预测的抽样分布，双侧的尾部都标注出来了。

我们选择了5%的显著性水平，需要将5%分到两侧去。如果两侧各分配5%，则合起来拒绝零假设的概率为10%，而不是我们选择的5%了。我们选择5%的显著性水平，应该将两侧各分配2.5%，总共5%，这可以从图12-3中反映出来。

在乔治的研究中，z的临界值将两侧各划分出2.5%的样本。查附录1正态分布表得知z为±1.96时，将两侧各划分出去2.5%，因此，乔治研究中的临界z值是

[1] 临界z值：抽样分布中处在拒绝或者不拒绝零假设的边界上的标准分数，临界z值将抽样分布中α比例的样本划入抽样分布相应的尾部。

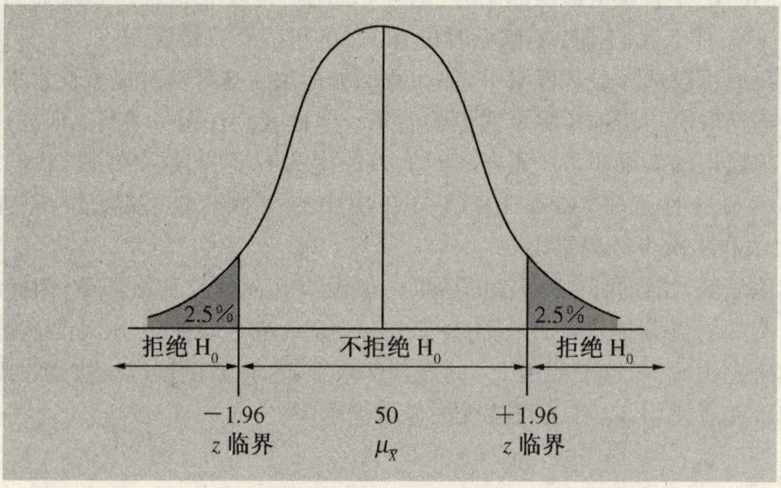

图 12-3 在乔治的研究中，零假设所预测的抽样分布的拒绝域，$\alpha=0.05$

±1.96，如图 12-3。

X 轴上两个临界值以外的区域称为**拒绝域**[1]。如果样本统计量落在临界值上或者拒绝域内，我们就可以拒绝零假设。如果样本统计量没有落入拒绝域内或者临界值上，则我们不能拒绝零假设。

我们注意到图 12-2 和图 12-3 非常相似，但完全不相同。它们都代表了乔治的研究中，零假设所预测的平均数 $\mu_{\bar{X}}$ 为 50 的抽样分布。图 12-2 呈现了那个分布的置信限度为 95%，而 12-3 呈现了 5%的显著性水平的临界值 z。这些临界点是相同的，95%的置信限度是将抽样分布中间 95%样本划分出来的点；而 z 的 0.05 的临界值是将抽样分布中两侧共 5%样本划分出去的点。两种 z 值都是±1.96。图 12-2 和图 12-3 的不同之处在于，置信限度强调抽样分布的中间部分，而在假设检验中，我们更强调抽样分布中两侧的比例。

决策法则

在前几章中，"决策"这个词已经出现了好几次。排除零假设是一种基于显著性水平 α 所设定标准的决策，决策的内容为是否排除零假设。在乔治的研究里，选择了 5%的显著性水平，因此这个研究中的决策法则是：

➢ 如果零假设为真的概率等于或小于 5%，那么拒绝零假设。

---

〔1〕 拒绝域：数轴上处于临界 z 值以外的部分。如果样本统计量落在拒绝域，则从抽样分布中抽取样本的概率小于 α，我们就可以拒绝零假设。

➢ 如果零假设为真的概率大于5%,那么不能拒绝零假设。

记住,这是一个决策。当我们拒绝一个零假设时,我们没有证明零假设是错误的,我们不能认为乔治的样本的确不是来自一般大学生的总体。其实,拒绝零假设只是我们所作的一个决策,我们不能武断地作出决策。除了零假设为真的概率很小,我们没有其他证据支持这种决策。因为零假设为真的概率是如此小(5%或更小),我们认为零假设是错误的。我们要明白:这只是一个决策,不是绝对的事实。

当然,有些情况下,一个研究也可能没有足够的证据拒绝零假设。如果零假设为真的概率大于α,就是说乔治抽取的样本来自平均数为50的总体的可能性大于α,这时我们就不能拒绝零假设。不能拒绝零假设并不意味着我们就可以接受零假设,我们就证明零假设为真了。记住,我们永远不能直接证明一个假设是正确的。不能拒绝零假设并不意味着接受它。如果我们不能拒绝零假设,仍有两种可能:心理学专业学生总体的平均数是50或者不是50,不能拒绝零假设并没有证明平均数就是50。如果我们不能拒绝零假设,我们所能作出的惟一结论是:没有找到足够的证据支持研究者的假设。

样本平均数的 z 检验

为了确定乔治所选取的样本平均数58是否落在图12-3两侧的拒绝域,我们需要使用零假设所预测的抽样分布的总体平均数50和标准误3.0,将样本平均数转化为z分数。演示步骤12-2呈现了将样本平均数转化为z分数的方法。我们可以利用演示步骤12-2中呈现的公式,将样本平均数58转化为z分数。

$$z_{\overline{X}}=\frac{\overline{X}-\mu_{\overline{X}}}{\sigma_{\overline{X}}}=\frac{58-50}{3.0}=\frac{8}{3.0}=2.67$$

演示步骤12-2

计算样本平均数的 z 分数

$$z_{\overline{X}}=\frac{\overline{X}-\mu_{\overline{X}}}{\sigma_{\overline{X}}}=\frac{\overline{X}-\mu}{\frac{\sigma}{\sqrt{n}}}$$

1. 计算样本平均数。
2. 用样本平均数减去零假设所预测的总体平均数。
3. 计算样本容量 n 的平方根。
4. 用零假设所预测的总体标准差除以第3步所算得的结果。
5. 将第2步得到的结果除以第4步得到的结果,得到 $z_{\overline{X}}$,z 代表样本平均数。

样本平均数58转化成z分数的值是2.67，它已经落在图12－3所示右端的拒绝域。因此，根据决策规则，我们可以拒绝零假设，并作出结论：乔治的样本提供了证据认为心理学专业学生总体在马基雅维里倾向上与一般大学生总体不同。

当零假设被拒绝时，可以使用在心理学文献中被广泛使用的术语——**显著差异**[1]。在撰写研究报告时，我们可以写"心理学专业大学生样本马基雅维里测验的平均数，与一般大学生总体马基雅维里测验平均数有显著差异"。术语"显著"代表零假设被拒绝了，因此，我们可以作出结论：研究结果不能仅仅归结于偶然因素，有证据表明研究的变量间有联系。

如果我们不能拒绝零假设，就可以使用术语**差异不显著**。比如，假如乔治做了另外一个研究：比较商务专业学生与一般大学生马基雅维里倾向，获得商务专业学生样本平均数为51。又知道样本容量为16，算出z分数是0.33，z分数并没有落在图12－3两侧的拒绝域，我们可以将此称为**差异不显著**。商务专业学生样本平均数51和一般大学生总体平均数50有差异，但是我们不能拒绝零假设，因为这种差异不显著。

p 值[2]

在心理学研究中，另一个用于报告统计检验结果的符号是p，它表示从零假设所预测的抽样分布中，获得特定样本平均数的概率。从附录A－1的正态分布表中可以查出，乔治的平均数为58的样本，来自平均数为50的总体的精确概率是0.007 6（获得这个值的z分数大于等于2.67或小于等于－2.67）。乔治的样本中，p值是0.007 6，明显小于显著性水平0.05。因为p值小于0.05，我们可以作出拒绝零假设的决策。在报告这个研究结果时，我们可以写"心理学专业学生样本与一般大学生总体平均数有显著差异，$z=2.67$，$p<0.05$"。

我们并不需要知道精确的p值。如果从样本平均数算得的z值与临界z值相等，则z值的概率p与显著性水平α相同。对右侧的拒绝域而言，如果从样本平均数算出来的z值大于临界z值，则得到那个z值的概率p小于显著性水平α。另外一种可能是样本平均数的z值小于临界z值，则得到那个z值的概率p大于α。

如果$z_{\overline{X}}=z_{临界}$，则$p=\alpha$

如果$z_{\overline{X}}>z_{临界}$，则$p<\alpha$

如果$z_{\overline{X}}<z_{临界}$，则$p>\alpha$

因此，只要知道临界值z，我们就可以知道由样本平均数算出来的z值是否大到足以

〔1〕显著差异：在统计检验中，样本统计量与零假设所预测的值有显著差异——如果这种差异大到足够拒绝零假设。如果这种差异没有大到拒绝零假设的程度，则差异不显著。

〔2〕p值：获得零假设所预测抽样分布的统计量的概率。

拒绝零假设。

如果从样本平均数计算出来的 z 值恰好等于临界 z 值，我们该怎么办？在这种情况下，我们可以拒绝零假设。因此，乔治所选取的样本，其 z 值如果恰好为 1.96，则我们可以拒绝零假设。然而，z 分数必须恰好等于临界值，而不是四舍五入等于临界值。如果乔治选取的样本的 z 值是 1.959，即使我们可以将 1.959 四舍五入到 1.96，我们也不能拒绝零假设。为了拒绝零假设，从样本平均数计算出来的 z 值必须大于或恰好等于临界 z 值。

我们可以使用临界 z 值重新表达决策法则。

如果 $z_{\overline{X}} \geqslant z_{临界}$，则拒绝零假设

如果 $z_{\overline{X}} < z_{临界}$，则不能拒绝零假设

这样的决策法则表达方式与我们在前面的表达是一回事。如果从样本平均数算出来的 z 分数大于或等于临界 z 分数，那么样本平均数来自零假设所预测的抽样分布的概率 p，等于或小于显著性水平 α，此时拒绝零假设是合理的。

单向假设检验和双向假设检验

我们已经详细讨论了单样本平均数 z 检验的一些基本概念。在下一节中，我们要讨论另一个使用推论检验的例子，在这之前，我们首先需要了解单向检验和双向检验的概念。

双向检验

在乔治的研究中，备择假设是心理学专业学生的马基雅维里测验平均数不是 50，与一般大学生总体马基雅维里测验的平均数不同。因此，零假设所预测的抽样分布中，拒绝域在分布的两端。在检验零假设时，如果样本平均数远大于 50，z 值落在右端的拒绝域，我们可以拒绝零假设；另外，当样本平均数远小于 50，z 值落在左端的拒绝域，我们也可以拒绝零假设。

像乔治所做的这样的检验，备择假设认为研究中总体平均数不等于某个特定的值，称为**双向检验**[1]。对乔治的研究而言，备择假设认为心理学专业学生总体平均数可能处于大于 50 的方向，也可能处于小于 50 的方向。双向检验通常也被称为"无方向检验"，因为备择假设并没有明确呈现总体平均数的方向。双向检验也叫**双侧检验**，因为拒绝域可以在零假设所预测的抽样分布的两侧。

---

〔1〕 双向检验：在参数检验中，备择假设预测某总体一个参数与另外一个总体的相应的参数不同，但并没有说明不同的方向。双向检验也称双侧检验，因为拒绝域落在零假设所预测的抽样分布的左右两侧。

单向检验

我们也可以作这样的推论检验：备择假设规定了总体平均数的方向。比如，假定乔治检验一个职业目标的理论：学生所选择的专业在一定程度上取决于他们的马基雅维里倾向，那些低马基雅维里倾向的学生倾向于选择利他的职业，比如牧师；而那些高马基雅维里倾向的学生则倾向于选择较不利他的职业，比如商人。因此，乔治可以假设，商务专业学生总体马基雅维里测验平均数比一般大学生总体更高；他也可以假设，宗教专业的学生总体马基雅维里测验平均数小于一般大学生总体，这两种假设都明确地规定了总体平均数的方向。

备择假设规定了具体方向的推论检验称为**单向检验**[1]。单向检验的拒绝域只落在零假设所预测的抽样分布的一侧，因此这种检验称为**单侧检验**。最后，单向检验也简称为"有方向检验"，因为备择假设所预测的总体平均数有一个明确的方向。

双向检验和单向检验的零假设与备择假设

样本平均数的 z 检验只可能有三种备择假设：总体平均数小于、大于或不等于某个值。因此，乔治可以预测宗教专业学生的平均数小于 50，商务专业学生的平均数大于 50，心理学专业学生的平均数不等于 50。表 12－1 列出了这三种形式的备择假设及相应的零假设。

表 12－1　预测三类总体马基雅维里测验的平均数的双向检验和单向检验

	零　假　设	备　择　假　设
单向检验	$\mu_{商务专业} \leqslant 50$	$\mu_{商务专业} > 50$
	$\mu_{宗教专业} \geqslant 50$	$\mu_{宗教专业} < 50$
双向检验	$\mu_{心理学专业} = 50$	$\mu_{心理学专业} \neq 50$

注意，零假设的判断与备择假设的判断是相反的。在表 12－1 中，备择假设认为研究总体的平均数大于 50，则零假设就断定平均数小于等于 50；当备择假设认为总体平均数小于 50 时，零假设断定平均数大于等于 50；当备择假设认为总体平均数不等于 50 时，零假设认为总体平均数等于 50。一般而言，备择假设需包含这三种符号中的一种：$<$、$>$、$\neq$，零假设则包含与之相对的符号：$\geqslant$、$\leqslant$、$=$。

图 12－4 表示的是表 12－1 中所列的三种假设的拒绝域。对单向检验而言，如图

[1] 单向检验：在参数检验中，备择假设预测某总体的一个参数大于或小于另一个总体的相应参数。单向检验也称为单侧检验，因为拒绝域仅落在零假设所预测的抽样分布的某一侧。

12－4，备择假设中的符号（$<$、$>$）已经指定了拒绝域的方向。当备择假设是总体平均数小于某个给定值时，拒绝域在抽样分布的左端尾部；当备择假设是总体平均数大于某个给定值时，拒绝域在抽样分布的右端尾部；当备择假设是总体平均数不等于某个给定值时，拒绝域在抽样分布的两端尾部。

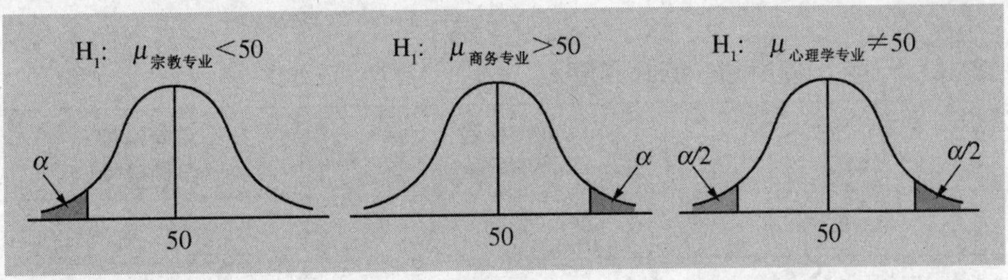

图 12－4　表 12－1 中呈现的单向检验和双向检验的备择假设与拒绝域

在乔治关于心理学专业学生的例子中，我们看到，如果我们希望拒绝零假设的概率等于 α，对双向检验而言，就需要把 α 平分到抽样分布的两端，因此，拒绝零假设两侧总的概率是 α。但是对单向检验而言，拒绝域只是在一侧，因此这一侧区域大小就是 α。所以对给定的 α 值而言，临界值 z 随测验的单向和双向的不同而不同。如，在乔治的研究中，假定 α 为 5%，这时临界值 z 为 ±1.96，因为抽样分布中有 5% 的事件落在 z 值为 ±1.96 以外的区域。然而，对拒绝域在右端的单向检验而言，z 的临界值是 $+1.65$，因为有 5% 的事件落在 $z=1.65$ 的右端。因此，确定一个临界值 z，我们需要知道所使用的检验是单向的还是双向的。表 12－2 列出了几个 α 值的临界 z 值，包括单向的和双向的检验。构建零假设所预测的抽样分布的单向检验和双向检验的一般程序，呈现在演示步骤 12－3 中。

演示步骤 12－3

构建零假设所预测的样本平均数的分布

1. 绘制一个正态分布图，在图的正中间画一条垂直的直线表示平均数，标出零假设所预测的平均数的值。
2. 绘制一条接近图形尾部的垂线，用来表示拒绝域。
   A. 如果备择假设预测：总体平均数小于零假设所预测的平均数，则这条垂线绘制在左端尾部。
   B. 如果备择假设预测：总体平均数大于零假设所预测的平均数，则这条垂线绘制在右端尾部。
   C. 如果备择假设预测：总体平均数不等于零假设所预测的平均数，则绘制的两条垂线分别位于左、右两端尾部。

3. 在表 12-2 中找到合适的 z 分数。如果拒绝域只是在分布的某一端，使用单侧检验查找 z 值；如果拒绝域在抽样分布的两端，使用双侧检验查找 z 值。找到 α 值与之相应的 z 值之后，在数轴线下写出 z 值，标出拒绝域。记住：z 值在图形的左侧部分是负数。

表 12-2 一些 α 值所对应的临界值 z

显著性水平 (α)	双向检验（双侧检验）	单向检验（单侧检验）
0.10	1.65	1.28
0.05	1.96	1.65
0.025	2.24	1.96
0.01	2.58	2.33
0.005	2.81	2.58
0.001	3.30	3.08

关于单向检验的争论

近年来，心理学研究者对使用单向推论检验是否合理存在广泛争议。一方面，一些统计学家认为，即使样本平均数与零假设所预测的平均数落在同一个方向上，根据正态分布的性质，样本平均数在另一个方向上还会有一个值——不管这种可能性有多小。正是由于这种可能性的存在，所以一些统计学家认为，所有的推论检验都是双向的，除非研究结果实质上不可能在另一侧出现。

另一方面，一些统计学家则认为，假设检验是通过实验来检验科学理论（包括心理学理论）的科学方法之一，如果一个心理学理论预测实验结果在一个特定的方向出现，那么在相反方向出现的结果，就不能对该理论提供支持的证据。实际上，如果得到这样的结果，就应该修正理论。

目前关于单向检验的争论很激烈，我们无意去解决这种争论，也无意指定哪种推论检验更好。在心理学论文中经常出现单向检验，你应该理解它们作出的推论是什么、是如何计算出来的，这是非常重要的。因此，在本章和接下来的几章中，我们既要讨论双向检验，又要讨论单向检验。在下一节里，我们仍以乔先生关于数学焦虑学生的研究为例，来分析怎样进行单向平均数 z 检验。

进行样本平均数的 z 检验

对数学焦虑研究进行样本平均数的 z 检验

假设乔先生对 20 名学生组成的样本使用标准测验（简化版）进行测试，在他测试之前，已经有研究者用此测验对数千名学生进行了测验。在乔先生的研究中，所有参加此测验的学生平均答对 14.3 道题，标准差是 4 道（本来这些数学测验应该使用正确的百分比来说明，但我们使用正确的题目数进行分析，以避免混淆）。所有参加这个测验的学生是一个总体，乔先生的样本——有数学焦虑的学生平均正确答题数为13.2 道。乔先生认为数学焦虑与数学成绩之间有一定联系，即有数学焦虑的学生的数学成绩要低于没有数学焦虑的学生。我们可以对乔先生的研究进行 z 检验，演示步骤 12－4 呈现了如何进行样本平均数的 z 检验。

演示步骤 12－4

进行样本平均数的 z 检验

1. 检验下面的前提假设是否得到满足：
   A. 样本中的被试是随机且独立地从总体中选取的。
   B. 研究的总体是呈正态分布的或者样本容量不小于 20。如果这两个条件满足任何一个，则样本平均数的分布是正态的，因此我们可以使用正态分布表查找临界值。
   C. σ 值是已知的，z 分数的计算需要 σ 值。
   D. 数据是使用比率或等距标尺测量得到的，只有使用比率或等距标尺测量得到的数据，计算分布的平均数才是合理的。
2. 写出零假设和备择假设。对样本平均数的 z 检验而言，假设可能是下列三种形式中的一种：

双向检验	单向检验	
$H_0: \mu = \mu_0$	$H_0: \mu \geqslant \mu_0$	$H_0: \mu \leqslant \mu_0$
$H_1: \mu \neq \mu_0$	$H_1: \mu < \mu_0$	$H_1: \mu > \mu_0$

此处 μ_0 是零假设所预测的总体平均数的值。

3. 确定显著性水平 α。
4. 在表 12－2 中查找 z 的临界值。

5. 绘制出零假设所预测的抽样分布图，标出拒绝域。
   A. 对双向检验而言，拒绝域在分布的两侧。
   B. 对单向检验而言，拒绝域在分布的一侧。如果备择假设预测平均数小于某个值，则拒绝域在分布的左端尾部；如果备择假设预测平均数大于某个值，则拒绝域在分布的右端尾部。
6. 使用演示步骤 12－2，将样本平均数转化为标准分数。
7. 确定是否拒绝零假设：
   A. 如果 $z_{\overline{X}}$ 落在 $z_{临界}$ 所划定的拒绝域，则 $p \leqslant \alpha$，因此拒绝零假设。
   B. 如果 $z_{\overline{X}}$ 没有落在 $z_{临界}$ 所划定的拒绝域，则 $p > \alpha$，因此不能拒绝零假设。

验证进行样本平均数 z 检验的前提假设是否得到满足

若要合理地使用检验，就必须满足统计检验的前提假设。演示步骤 12－4 中列出了进行样本平均数的 z 检验需要满足的条件。如果我们使用 z 检验，就必须满足这些条件。

第一个必须满足的前提假设是，被试是随机且独立地从研究的总体中选取的。我们认为乔先生在选择参加他的研究的学生被试时满足这些要求。第二个必须满足的前提假设是，研究的总体是正态分布的或样本量不小于 20。我们不知道乔先生使用的数学测验所得到的数据是否是正态分布的，但他的样本容量是 20，所以也满足了这个条件。第三个前提假设是，总体的标准差 σ 已知。我们知道乔先生使用的数学测验的总体标准差是 4.0，因此这个条件也满足了。最后，为了使用 z 检验，数据必须使用比率或等距标尺来获得。因为正确答对的题目数是用比率标尺测量的，因此我们已经满足了此条件。至此，我们已经满足了进行 z 检验所需要的全部条件。

识别零假设和备择假设

在演示步骤 12－1 中，我们已经讨论了进行零假设和备择假设的方法。回忆一下，备择假设总是认为我们考察的变量间有一定的联系，在本例中，变量是数学焦虑的程度和数学测验的成绩。乔先生假设有数学焦虑的学生，其数学测验成绩比没有数学焦虑的学生低，更正式地说，备择假设是：数学焦虑学生总体数学测验成绩的平均数小于一般学生总体的平均数 14.3。在本例中使用的是单侧检验（这是备择假设的基础），我们可以使用数学符号来表达这种备择假设：

$$H_1: \mu_{数学焦虑的学生} < 14.3$$

零假设断定所研究的变量间没有联系，在本例中，因为备择假设预测了数学焦虑和数学测验的方向，因此零假设预测数学焦虑学生总体数学测验平均数等于或大于一般学生总体的平均数：

$$H_0: \mu_{数学焦虑的学生} \geq 14.3$$

确定显著性水平 α

我们在前面已经讨论过了，心理学中最常用的是5%的显著性水平，因此我们选择5%作为乔先生所做测验的显著性水平，这样，我们可以将结果与乔先生以前做的研究相比较。

找到临界 z 值

我们可以使用表12－2确定样本平均数 z 检验的临界 z 值，也可以使用附录A－1呈现的正态分布表查找临界 z 值。对单向检验而言，5%的显著性水平的临界 z 值是1.65。在这里需要注意，因为备择假设认为数学焦虑的学生总体数学测验的平均数将小于14.3，所以拒绝域在抽样分布的左侧，因此 z 值必须是负的。在本例中，临界 z 值为－1.65。

构建零假设所预测的抽样分布

演示步骤12－3已经描述了绘制零假设所预测的抽样分布图的方法。在这个 z 检验中，抽样分布的平均数是14.3，拒绝域在 $z=-1.65$ 左端的部分。乔先生的零假设所预测的抽样分布图见图12－5。

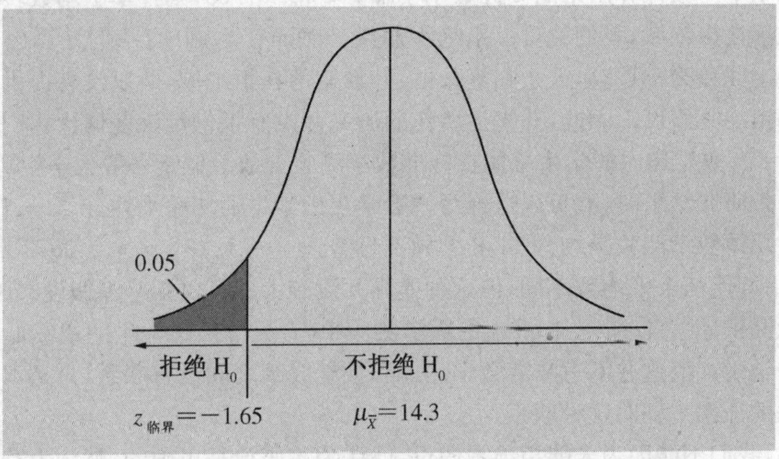

图12－5　乔先生的数学焦虑研究中，零假设预测的抽样分布的拒绝域（$\alpha=0.05$）

计算样本平均数的 z 分数

下一步是把乔先生得到的样本平均数转化为 z 分数，所使用的方法在演示步骤 12－2 中已经介绍过了。乔先生的样本平均数为 13.2，其零假设所预测的平均数为 14.3，总体标准差也是已知的，为 4.0。我们利用这些数据可以将样本平均数转化为 z 分数。

$$Z_{\overline{X}}=\frac{\overline{X}-\mu_{\overline{X}}}{\sigma_{\overline{X}}}=\frac{\overline{X}-\mu}{\frac{\sigma}{\sqrt{n}}}=\frac{13.2-14.3}{\frac{4}{\sqrt{20}}}=-1.23$$

在计算乔先生研究中的 z 分数时，我们首先计算总体平均数的标准误，再使用得到的标准误计算 z 分数。在这个例子中，直接使用标准差 σ 和样本容量计算 z 分数，用这两种方法计算出来的结果都是一样的。最后计算出来的 z 分数为－1.23。

确定是否拒绝零假设

进行样本平均数 z 检验的最后一步是决定是否拒绝零假设。对乔先生所做的研究而言，临界 z 值是负的，因此决策规则是：

如果 $Z_{\overline{X}} < z_{临界}$，则拒绝零假设

如果 $Z_{\overline{X}} \geqslant z_{临界}$，则不拒绝零假设

如果从样本平均数计算出来的 z 分数小于临界 z 值－1.65，则样本平均数转化后得到的 z 分数落在拒绝域，我们就可以拒绝零假设。然而在本例中，我们计算出来的样本平均数的 z 分数为－1.23，大于临界 z 值，并没有落在拒绝域，所以没有提供足够的证据让我们拒绝零假设。因此，乔先生所作的研究并没有提供足够证据让我们可以作这样的推断：有数学焦虑的学生总体在标准数学测验分数上低于一般大学生总体。

在报告研究结果时，乔可以这样写："数学焦虑学生的测验平均分 $\overline{X}=13.2$，与一般大学生总体数学测验平均分 14.3 差异不显著，$z=-1.23$，$p>0.05$。"术语"差异不显著"指即使两个平均数不同，但这种差异并没有大到可以拒绝零假设。因此，这个研究不能提供证据证明：在标准化的数学测验中，有数学焦虑学生的成绩低于没有数学焦虑的学生。但这并不意味着数学焦虑和数学成绩之间没有联系，只是本研究没有提供有效的证据来证明这种联系。

记住，我们不能因为未能拒绝零假设，就认为零假设是正确的，就认为有数学焦虑学生总体的数学成绩一定与一般学生成绩相同。实际上，我们不能据此作出任何合理结论。在进行 z 检验以前，零假设和备择假设表达了两种可能，有数学焦虑学生总体的分数要么小于或等于 14.3，要么大于 14.3。因为我们拒绝零假设失败，零假设和备

择假设都可能是正确的，我们依然有两种可能。在拒绝零假设失败以后，相对于进行 z 检验前，我们没多出任何关于有数学焦虑学生总体测验分数的信息。

统计检验中的决策

我们希望统计检验的结果总能与现实生活相符合。如果像零假设预测的那样，现实生活中两个变量实际上没有联系，我们希望统计检验能肯定这一点，不拒绝零假设。同样，如果现实生活中两个变量间的确有一定联系，我们也希望统计检验能证实这一点，拒绝零假设。然而，统计检验并非如此完美。

统计检验的本质是对零假设的决策。当我们拒绝零假设时，我们认为它是不正确的，这只是一种决策，不是绝对的事实。即使我们认为零假设是错误的，仍还有一定可能零假设确实是正确的。因此，我们对零假设所作的决策并不一定与现实生活中的实际情况完全吻合。表 12－3 列出了与对零假设的决策有关的四种可能的结果，其中两种是正确的决策，对零假设的决策与实际情况一致；另外两种则是错误的，对零假设的决策与实际情况相反，我们将依次讨论这两种错误的情况。

表 12－3　推论检验中决策的可能结果

决　策	现　实	
	H_0 确实为真	H_0 确实为假
不拒绝 H_0	正确决策：当 H_0 确实正确时不拒绝 H_0，概率为 $1-\alpha$	Ⅱ类错误：当 H_0 确实为假时不拒绝 H_0，概率为 β
拒绝 H_0	Ⅰ类错误：当 H_0 确实正确时拒绝 H_0，概率为 α	正确决策：当 H_0 确实为假时拒绝 H_0，概率为 $1-\beta$

当零假设为真时拒绝它：Ⅰ类错误

首先，我们来讨论给定总体中两个变量实际上没有联系的情形。例如，在乔先生的研究中，我们假设数学焦虑和数学成绩没有联系。在这种情况下，有数学焦虑的学生总体的数学测验平均分也应该为 14.3，与一般学生总体的平均分相同。如果我们进行一个统计检验，并没有拒绝零假设，则这种统计检验的结果是正确的。我们就可以说：没有足够的证据认为样本不是来自平均分数为 14.3 的总体——这是一个正确的决策。

然而，如果我们真的就拒绝零假设了呢？根据乔先生的研究假设，实际上即使是来自平均数为 14.3 的总体，我们仍可能认为样本来自平均数小于 14.3 的总体。此时,我们的决策就错了,这种情况称为Ⅰ**类错误**[1]——当零假设实际上为真时拒绝零假设。

在统计检验中,犯Ⅰ类错误的概率有多大呢? 图 12-6 右边部分呈现了从平均数为 14.3 的总体中,抽取样本的平均数的分布。检验乔先生的假设时,我们设定的显著性水平是 $\alpha = 0.05$,因此临界 z 值为 -1.65。我们可以将这个 z 分数转化为样本平均数:

$$\overline{X} = Z\sigma_{\overline{X}} + \mu_{\overline{X}} = (-1.65)(0.89) + 14.3 = 12.8$$

因此,如果乔获得的样本平均数为 12.8 或者更小,我们就可以拒绝零假设。

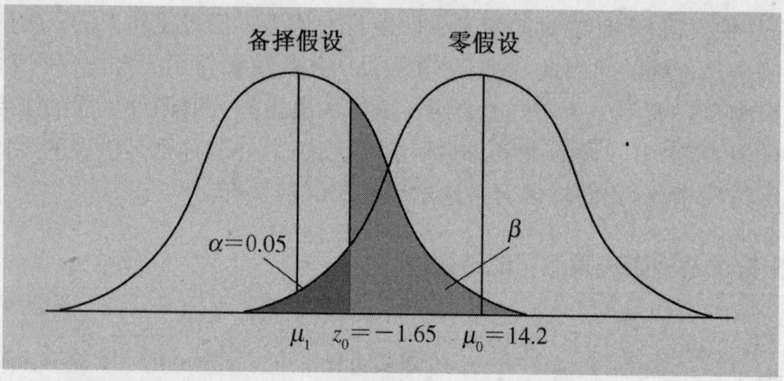

图 12-6 Ⅰ类错误和Ⅱ类错误的概率

然而,从平均数为 14.3 的总体中抽取的样本,其平均数也可能是 12.8 或者更小。实际上,所有正态分布,都有 5%的 z 分数小于-1.65,因此,也有 5%的样本其平均数为 12.8 或更小。在乔先生的研究中,如果零假设为真,有数学焦虑学生总体数学测验平均数确实为 14.3,样本平均数等于或小于 12.8 的可能性仍有 5%。如果此时我们拒绝 H_0,就会犯Ⅰ类错误。

犯Ⅰ类错误的概率是由我们选择的显著性水平 α 决定的。如果研究的变量间没有联系,α设为 0.05,则有 5% 的样本平均数在临界 z值之外,就是我们会有 5% 的可能拒绝零假设。因此,α 是犯 Ⅰ 类错误的概率:当零假设为真时,拒绝零假设。如果我们希望降低犯 Ⅰ 类错误的概率,则我们可以使用更小的 α 值。如果我们将 α 设定为 0.01,则只有 1% 的可能犯 Ⅰ 类错误;如果α设定为 0.001,则只有 0.1%的可能犯Ⅰ类错误。

那么为什么我们不使用尽可能小的α 值来降低犯Ⅰ类错误的概率呢? 困难在于,

[1] Ⅰ类错误:当总体中被研究的变量间实际上没有联系时,拒绝零假设所犯的错误称为Ⅰ类错误,犯Ⅰ类错误的概率为α,与显著性水平相同。

当零假设确实为真时，如果我们使用更小的 α 值来减少拒绝零假设的概率，与此同时，我们也提高了犯另一类错误的可能性或概率：当零假设为假时，不拒绝它。这就是统计检验的Ⅱ类错误：现实生活中变量间的确有联系时，但统计检验没有足够能力将其鉴别出来，因此我们只好不拒绝零假设。

当零假设为假时不拒绝它：Ⅱ类错误[1]

在讨论Ⅰ类错误时，我们假设现实生活中，研究的变量间没有一定联系。现在，我们假设现实中我们所研究的变量间有一定联系。当变量间的联系的确存在时，如果拒绝零假设，我们就决策认为，变量间的确有一定联系，这是正确的决策。然而，如果现实中变量的联系的确存在，而我们拒绝零假设失败，认为变量间没有联系，我们就犯了Ⅱ类错误。Ⅱ类错误的概率用 β(beta)表示。图 12－6 中标出了 β 所在位置。

犯Ⅱ类错误的概率与犯Ⅰ类错误的概率是有联系的。Ⅰ类错误和Ⅱ类错误之间有一种交替的关系：如果为了减小犯Ⅰ类错误的概率而选择较小的 α 值，则我们就增加了犯Ⅱ类错误的概率。因此，当我们一步一步确保当零假设为真时不拒绝它，而在同时，我们也增加了当零假设为假时，不拒绝它的可能性。

科学研究倾向于稳妥和保守：犯Ⅱ类错误的概率 β 一般大于犯Ⅰ类错误的概率 α。科学研究这样做，可以使研究对变量间本没有联系而研究认为有联系的情况更为敏感，这样做是有根据的。

如，在 20 世纪 50 年代，产科医生认为，一种叫 DES 的药物可以有效地预防流产，并且对那些出现流产先兆的妇女有治疗作用。但是，后来的研究发现，DES 对预防流产没有任何效果，由此产科医生停止使用 DES。在这里，药物研究者就犯了Ⅰ类错误：当事实上 DES 与对预防流产没有任何联系时，却认为二者有一定联系。这样的错误导致了严重的后果，直到错误被发现，服用了 DES 的妇女及其生下的孩子患上了一系列与使用 DES 有关的疾病或身体畸变。为了防止类似事件再次发生，研究者应更注意不要犯Ⅰ类错误。

当然，研究者希望找到变量间真正有联系的证据，因此，他们希望统计检验的"检验力"尽可能大。统计检验力，即 $1-\beta$，与犯Ⅱ类错误的概率有互逆的关系。**统计检验力**[2]是当变量间的确有联系时识别这种联系的概率，我们将在下一章更深入讨论这个概念。

决策与现实

Ⅰ类错误和Ⅱ类错误都是作决策时犯的错误。在进行统计检验时，我们对样本是

---

〔1〕 Ⅱ类错误：当总体中，被研究的变量间实际上没有联系时，不拒绝零假设所犯的错误，犯Ⅱ类错误的概率为 β。

〔2〕 统计检验力：当所研究的变量在总体中有一定联系时，拒绝零假设的概率，一个统计检验的检验为力 $1-\beta$。

否提供了足够的证据证明变量间的联系作决策，这种决策可能是错误的。变量间实际上没有联系而我们可能认为有（Ⅰ类错误），或者当变量间存在联系时，我们又没有足够的证据来证明这种联系（Ⅱ类错误）。

我们的决策可能是错误的，因此我们应该改正这些错误。实际上，在进行统计检验时，我们从来就不真正知道我们是否犯了Ⅰ类错误或Ⅱ类错误。乔治作决策认为，马基雅维里倾向与大学生专业类型有联系，但他作的这个决策也有可能是错误的，实际上并不存在这种关系。我们如何知道乔治的决策的对错呢？我们如何知道马基雅维里倾向与大学生专业类型是否真的有联系？仅仅通过像乔治做的这种单个研究或类似两个变量关系的实验，我们是不可能知道的。

如果能够说出乔治是否犯了Ⅰ类错误，我们就可以使用其他平均数，来对马基雅维里倾向与大学生专业类型是否有联系作决策。但是我们不可能测量世界上每一名大学生，因此我们只有依靠样本。但是，样本平均数是变化的，样本平均数一般不会与总体平均数完全相等。实际上，总有一点偏差，总有可能样本来自零假设所预测的总体。我们使用统计检验去作决策：这种可能是否足够小，足以使我们认为零假设是错误的，研究的变量间的确有一定联系。

统计检验并非如此完美，总有犯错误的可能性。如果我们能达到让零假设为真的可能性为零，统计检验就完美了，我们就可以确切地知道研究的变量间是否有联系。然而，统计检验并非如此有力，它可以告诉我们零假设为真的可能性小于5%或小于1%，但它永远不会告诉我们这种可能性为0。因此，总有犯错误的可能。

虽然我们不知道我们是否犯了Ⅰ类错误或Ⅱ类错误，但我们可以意识到这种犯错误的可能性的存在。当乔治拒绝零假设时，也有可能犯错误，尽管这种可能性很小。因此，乔治在说明其研究结果时要谨慎。他不能说自己证明了马基雅维里倾向与大学生的专业类型有联系，因为即使非常小（5%），也有可能这两者根本就没有联系。但是，乔治可以这样描述，他的研究提供了马基雅维里倾向与大学生类型有联系的证据，这样描述比用“证明”之类的语句更慎重、可取。

当然，无论Ⅰ类错误还是Ⅱ类错误，研究者都应尽量避免。当现实生活中变量间没有联系时，没有哪位研究者希望他的研究能证明有这种联系（Ⅰ类错误）；当现实生活中变量间有联系时，也没有哪位研究者愿意找不到这种联系的证据（Ⅱ类错误）。我们不能彻底消除犯Ⅰ类错误和Ⅱ类错误的可能性，但我们可以降低犯错误的可能性。做到这一点涉及统计检验力，我们将在下一章具体讨论。

难点提示

1. 本章主要讨论假设检验，基本上没有新的需要学习的统计计算方法。本章关注的主要是假设检验的逻辑，而不是计算方法。毫无疑问，学生在学习假设检验的逻辑初期，最容易犯的错误是逻辑方面的。刚开始学习时，许多学生难以理解假设检验的逻辑。针对不懂的概念，多读几遍教材中的相关部分，直到你能理解那些概念。相信最后你肯定可以理解它们。

2. 一些学生在识别统计检验所关注的总体时，感到有困难。在本章所介绍的检验中，我们都有一个被试的样本，这个样本来自一个总体，这就是统计检验所关注的总体。

3. 究竟使用单向检验还是双向检验，需要仔细阅读问题。如果问题中有单向的语句，比如“多于”、“长于”、“高于”，则这是个单向检验，并且拒绝域在右端尾部。如果问题中有单向的语句，比如“少于”、“短于”、“低于”，则这也是个单向检验，并且拒绝域在左端尾部。如果问题中没有单向语句，而有像“不同于”、“与……有差异”这样的语句，则这是个双向检验，拒绝域会在左右两端的尾部。

4. 在计算 z 分数的时候，一定要注意负号。如果拒绝域在右端尾部，而 z 分数是负的，则无论 z 分数的绝对值有多大，你都不能拒绝零假设。同样的，如果拒绝域在左端，z 分数为正，也不能拒绝零假设。

5. 一些学生理解 α 的概念有困难。在统计检验中，通常我们无法直接证明样本来自某个总体。我们所能做的是证明：样本来自于一个特定总体的可能性是非常小的，这个非常小的可能就是 α。在心理学中，α 通常被设置为 0.05。如果我们可以证明一个样本来自一个特定总体的可能性为 5%或者更低，则我们就认为此样本不可能来自那个总体。你在做统计检验的时候，需要设置一个 α。

6. 在对统计检验作结论的时候要谨慎。如果你计算出来的统计量落在拒绝域，你可以说本研究支持备择假设——即研究者的假设。但是，不要说研究**证明**了研究者的假设，因为如果 α 为 0.05，仍然有 5%的可能结论是错误的。另一方面，如果你计算出来的统计量没有落在拒绝域，你可说的就很少了。你千万**不能**说的是你有证据支持零假设或者你已经证明了零假设。如果统计量没有落在拒绝域，那么你还是有两个假设：零假设和备择假设。你所能说的只是拒绝零假设失败。

7. 一些学生觉得理解Ⅰ类错误和Ⅱ类错误的概念有困难。记住，我们是在试图对世界上发生的事情作决策，所作的这种决策可能是错误的。假设你正在试图对某个人 X 是否爱你作决策。如果 X 其实不爱你，而你作决策认为她爱你，则你犯了Ⅰ类错误；如果 X 实际上是爱你的，而你作决策认为她不爱你，则你犯了Ⅱ类错误。

小结

- 推论统计是对使用样本，对样本所在总体进行推论的合理性进行检验。
- 在参数检验中，用样本统计量对总体参数的值进行推断。非参数检验不对特定总体参数进行推断，而是使用样本对总体的一般形态进行推断。
- 假设是对两变量关系的一种可检验的判断。在统计检验中，有两种互斥且穷举的假设：零假设和备择假设，零假设断定研究的变量之间没有联系，而备择假设断定研究的变量间存在一定的联系。

- 推论检验是对零假设的检验。在统计中，没有办法直接检验备择假设(断定研究的变量间存在一定联系)。为了找到证据支持备择假设，只好通过间接的方式，寻找拒绝零假设(断定研究的变量间没有联系)的证据。
- 推论检验是基于一个或多个样本数据提供的证据，对变量间联系作符合逻辑的决策。如果有足够的证据，我们作出决策：拒绝零假设，即决定认为零假设是错误的，那么备择假设自然就是正确的。如果没有足够的证据，则我们不能拒绝零假设。
- 在统计中，因为我们没有绝对把握证明零假设是错误的，因此，我们就设定一个标准，称为显著性水平(α)。如果零假设正确的可能性等于或者小于 α，则我们就拒绝零假设；否则，我们不能拒绝零假设。
- 在双向检验中，备择假设预测所研究的总体平均数不等于某个特定值；在单向检验中，备择假设预测所研究的总体平均数大于或小于某个特定值。双向检验也被称为无方向检验或双侧检验；单向检验也被称为有方向检验或单侧检验。
- 样本平均数的 z 检验使用样本平均数作为证据，确定总体平均数是否等于某个特定的值。
- 临界 z 值是在零假设所预测的抽样分布中，将尾部 α 的样本平均数划分出去的临界值。对双向检验而言，α 值被平均分为两部分，分别位于抽样分布两端尾部。因此，有两个临界 z 值，一个为正，一个为负。对单向检验而言，α 值位于抽样分布的一端尾部，如果备择假设预测总体平均数大于某个特定值，则 α 位于分布的右端尾部；如果备择假设预测总体平均数小于某个特定值，则 α 位于分布的左端尾部。
- 拒绝域在抽样分布的两端尾部，其对应的 z 值与临界 z 值相等或比临界 z 值更远离平均数。如果从样本平均数计算出来的 z 分数落在拒绝域，则可以合理地拒绝零假设。
- 如果零假设被拒绝，则样本平均数与某个特定的值有显著差异。如果零假设不能被拒绝，则差异不显著。
- 如果研究的变量间事实上没有联系，而零假设又被拒绝了，我们就犯了Ⅰ类错误。犯Ⅰ类错误的概率等于显著性水平 α。
- 如果研究的变量间事实上存在联系，而零假设又没有被拒绝，我们就犯了Ⅱ类错误。犯Ⅱ类错误的概率为 β。
- 研究的变量间事实上存在联系，统计检验力就是拒绝零假设的概率，等于 $1-\beta$。

练习

概念题

1. 名词解释：

参数统计检验	差异不显著
非参数统计检验	单向检验
假设	单侧检验
零假设	无方向检验
备择假设	双侧检验
显著性水平	Ⅰ类错误
临界值	Ⅱ类错误
拒绝域	统计检验力
显著差异	

2. 假如你有一个盒子，里面装有 50%红色糖果、30%黄色糖果、15%橙色糖果和5%绿色糖果。说明从盒子中抽取下列这些样本是否可能。

A. 一个 6 颗糖果的样本，里面没有红色的。

B. 一个 3 颗糖果的样本，所有糖果都是绿色的。

C. 一个 12 颗糖果的样本，里面 50%是蓝色的。

D. 一个 10 颗糖果的样本，其中 6 颗是橙色的。

E. 一个 15 颗糖果的样本，其中 20%是黑色的。

3. 查阅附录 A-2 的二项式表，计算上一题中抽取每种样本的概率。

A. 基于这些概率，你可以说有多少样本绝对不可能来自那个盒子？

B. 基于这些概率，你不能说有多少样本绝对不可能来自那个盒子？

C. 对 B 部分答案中的样本，你能绝对说它们确实来自那个盒子吗？

4. 杰夫认为用含高糖或高精炼糖食物喂养的孩子智商会比较低。他抽取了几个使用这种食物喂养的孩子的样本。杰夫的零假设是吃这种食物未必智商就较低，他抽取的样本都是来自正态分布的总体。计算抽取等于或小于下列平均数的样本的概率，总体的平均数是 100，标准差是 15。

A. 16 个孩子的样本，平均 IQ 为 96.0。

B. 10 个孩子的样本，平均 IQ 为 94.0。

C. 25 个孩子的样本，平均 IQ 为 95.0。

D. 30 个孩子的样本，平均 IQ 为 91.0。

5. 关于上一题中杰夫的检验，思考下列问题：

A. 他抽取的 4 个样本中，哪一个或者哪几个绝对不可能来自平均数为 100 的正态分布，为什么？

B. 他抽取的 4 个样本中，哪一个或者哪几个绝对是来自平均数为 100 的正态分布，为什么？

C. 他抽取的 4 个样本中，哪一个或者哪几个绝对不是来自平均数低于 100 的正态分布，为什么？

D. 他抽取的 4 个样本中，哪一个或者哪几个绝对是来自平均数低于 100 的正态分布，为什么？

E. 基于上面的练习，解释是否可以绝对识别这些样本来自某个总体？

6. 用准确、规范的语言写出第 4 题中杰夫的零假设和备择假设，再用符号表示这两个假设。

7. 解释单向检验和双向检验的差异。

8. 如果研究者想证明备择假设是正确的，为什么需要考虑零假设？

9. 解释零假设和备择假设的差异。

10. 解释单侧检验和双侧检验的差异。

11. “零假设预测：研究结果仅仅归结于机遇”是什么意思？如果我们拒绝零假设，说“研究结果不仅仅归结于机遇”，这又是什么意思？

计算题

12. 首先用文字，然后再用数学符号写出下列研究的零假设和备择假设：

A. 5 年级孩子总体标准化阅读测验的平均分为 89，标准差为 10。一个研究机构做了研究计划：抽取一个 20 对夫妇组成的样本，鼓励他们给自己的孩子阅读，研究者认为这样可以提高孩子的阅读成绩。

B. 标准化抑郁测验的平均分为 37，标准差为 8.5，分数较高意味着抑郁水平较高。一个研究机构抽取了一个由 25 名抑郁程度较高的人组成的样本，给他们提供宠物，研究者认为这样可以降低他们的抑郁水平。

C. 大城市医院中新生儿的平均体重是 7.8 磅，标准差是 1.3 磅。一个研究者研究了 15 名酗酒妇女生下的孩子的体重，他认为酒精依赖导致新生儿体重较轻。

D. 一名厂商安装了一套生产 3.5 英寸磁盘的生产设备，其保证的标准差是 0.05 英寸。厂商认为新设备生产的磁盘在尺寸上有问题。为此，他请了一名专家，来检验一个由 50 张磁盘组成的样本。

E. 一种观点认为，大学生睡眠不足，没有达到所需的每晚 8 小时（标准差为 1.5 小时）的标准，一个研究者记录了 10 名大学生一个月内每天晚上睡眠的时间来验证这种看法。

13. 说出上一题中每项研究的备择假设是单向假设还是双向假设。

14. 确定第 12 题中，每项研究在 95％和 99％显著性水平上的临界值。

15. 使用 95％和 99％显著性水平的 z 分数，绘制出第 12 题中每项研究的拒绝域。

16. 结合表 12-2 所列出来的每个临界值，对下列每种情况作图。在每一个图中，标出临界 z 值和拒绝域。

A. 单侧检验，拒绝域在左端尾部。

B. 单侧检验，拒绝域在右端尾部。

C. 双侧检验。

17. 根据演示步骤 12－4，对第 12 题中的每项研究进行 Z 检验。下面列出了你需要的所有信息。计算出结果以后，用规范的统计语言写出每项研究结果。

A. 样本平均数为 95，α 取 0.05。

B. 样本平均数为 33.5，α 取 0.05。

C. 样本平均数为 8.4，α 取 0.05。

D. 样本平均数为 3.48，α 取 0.01。

E. 样本平均数为 7.1，α 取 0.05。

18. 对第 12 题中的每一项研究，用规范的统计语言描述其Ⅰ类错误和Ⅱ类错误。

19. 朱莉安发现几份心理学研究报告都认为：在休息时间，念小学的孩子平均每周会表现出 8 次攻击行为，标准差是 2.3。假设这些值就代表总体参数的情况。朱莉安假设长子(第一胎出生的男孩)的攻击行为与一般小孩不同。她检验了一个由 21 名长子组成的样本，发现他们平均每周表现出 6 次攻击行为。使用 0.05 的显著性水平，检验朱莉安的假设。

20. 乔莱恩从州立大学书店中获得信息，上学期学生花在教材上的平均费用是 243.00 美元，标准差为 44.00 美元。乔莱恩认为心理学专业的教材费要比平均水平高。于是她随机抽取了 25 名心理学专业的学生，发现他们上学期花在教材上的平均费用是 254.50 美元。使用 0.05 的显著性水平，检验乔莱恩的假设。

第十三章
单样本参数检验

在上一章中，我们讨论了检验总体平均数与一个特定值是否有显著差异的参数检验：即样本平均数的 z 检验。比如，我们使用样本平均数的 z 检验，判断乔治是否有足够的证据，确定心理学专业大学生总体的马基雅维里测验平均分与一般大学生总体不相同。样本平均数的 z 检验就是使用一个样本平均数，对其总体平均数作出推断。

在某些情况下，我们希望从一个样本的数据对相应总体的其他参数进行推论，此时使用样本平均数的 z 检验就不合适。比如，我们希望评估心理学专业优秀毕业生的比例是否与美国一般大学生优秀毕业生的比例相同，在这种情况下，我们是对总体的比例而不是总体平均数作推断，使用样本平均数的 z 检验就不是很合适了。

有时候，我们希望对总体平均数进行推断，但由于没有满足所有的前提条件，所以不能使用样本平均数的 z 检验。比如，为了使用样本平均数的 z 检验，我们必须知道总体的标准差 σ，因为必须使用包含 σ 的公式将样本平均数转化为 z 分数。在许多情况下，我们不知道总体标准差，因此不能使用样本平均数的 z 检验。

在本章中，我们将讨论两种用于上述情况的检验。第一种是样本平均数的 t 检验，用于当总体标准差未知或者 z 检验要求的其他条件不满足时，对总体平均数的假设检验。第二种是样本比例的 z 检验。这两种检验与样本平均数的 z 检验一样，都是用于对总体参数值进行推断的参数假设检验。所有这三种检验都是从单个样本的数据进行推断的。在接下来的章节中，我们将讨论使用两个或多个样本数据作推断的假设检验。

除了讨论样本平均数的 t 检验和样本比例的 z 检验，我们在本章中还将涉及统计检验力的概念，与之相应的概念——Ⅰ类错误、Ⅱ类错误我们已经在上一章讨论过了。另外，我们还要讨论统计检验力的另一个相关概念——效果量。统计检验力和效果量都关系到我们能否正确识别总体的真正差异。

样本平均数的 t 检验

为了使用样本平均数的 z 检验，我们必须满足几个前提假设，其中之一是：我们必须知道总体标准差 σ 的值。进行研究时，有些情况下我们是知道 σ 的值的。比如，如果我们测量 IQ、GRE、SAT 分数，我们肯定知道相应的 σ。但是，对研究中测量的大部分变量而言，我们无法获知总体标准差 σ 的值。比如，如果测量小白鼠跑迷宫的速度，我们就不大可能知道世界上所有老鼠跑迷宫速度的标准差。在总体标准差未知的情况下，我们就不能使用样本平均数的 z 检验。

在 19 世纪末，统计学家高赛特(William Gosset)创造了一种用于总体标准差未知情况下的统计方法。在高赛特的检验中，使用样本标准差 s 来估计总体标准差 σ 的值。高赛特使用笔名“学生”发表了他的这种检验方法，因此这种检验也被称为样本平均数的学生 t 检验。

t 检验与 z 检验的不同之处

t 检验与 z 检验的不同之处只表现在两个方面，这我们在前面曾经提到过。在第十二章中，我们学到了将样本平均数转化为 z 分数的公式：

$$Z_{\bar{X}}=\frac{\bar{X}-\mu}{\sigma_{\bar{X}}}=\frac{\bar{X}-\mu}{\frac{\sigma}{\sqrt{n}}}$$

在 t 检验中，将样本平均数转化为 t 值的公式与上面的公式非常相似：

$$t=\frac{\bar{X}-\mu}{s_{\bar{X}}}=\frac{\bar{X}-\mu}{\frac{s}{\sqrt{n}}}$$

这两个公式的惟一不同是标准差的来源不同，z 检验公式中使用的是总体的标准差 σ，而 t 检验公式中将样本标准差 s 作为总体标准差 σ 的估计值。因此，z 检验与 t 检验的一个不同之处表现为：在公式中使用总体的标准差 σ 还是样本的标准差 s。

z 检验和 t 检验的另一个不同之处在于：使用不同的统计表查找临界值。回忆一下，当我们进行样本平均数的 z 检验时，只要满足 z 检验的前提条件，我们就可以认为 z 分数的分布是正态分布，就可以使用正态分布表查找临界 z 值。但是，t 分数的分布不是正态分布，我们不能使用正态分布表找到临界 t 值。图 13-1 呈现了 z 分布和 t 分布的例子。从中我们可以看出，t 分布比 z 分布更扁平，并伸展得更远。在正态分布中，将右侧尾部 5% 的数据划出去的临界 z 值是 1.645(当 α 为 0.05，临界 z 值精确到 3 位小数是 1.645)。因为 t 分数的分布比 z 分数的分布伸展得更远，因此，将右端尾部 5% 的数据划分出去的临界 t 值要大于 1.645。当 α 为 0.05 时，临界 t 值不可能为 1.645。

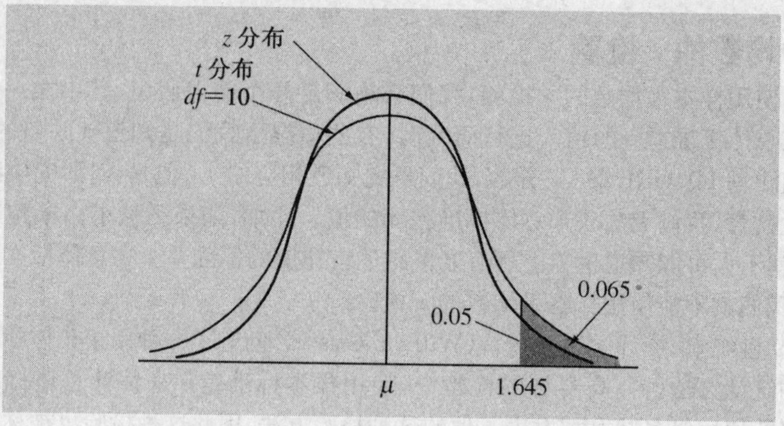

图 13-1 z 分布与 t 分布的比较

t 分布的伸展程度取决于样本容量的大小。样本容量越少，t 分布就越扁平，伸展得越远。因此，临界 t 值随着样本容量的变化而变化。回忆一下，临界值是将分布中的 α 的数据划分出去的点所对应的值。α 为 5% 的单侧检验，t 分布的临界 t 值是将右端 5% 的数据划分出去的那个点所在的值。t 分布越扁平，临界值就越大。因此，样本容量越小，每种 α 值相应的临界 t 值就越大。

表 13-1 单向检验的临界 t 值，α=0.05

样本中的数据个数	临界 t 值
2	6.314
3	2.920
4	2.353
5	2.132
6	2.015
11	1.812
16	1.753
21	1.725
26	1.706
31	1.697
41	1.684
61	1.671
121	1.658
∞	1.654

表 13－1(α 为 0.05 时,单向检验的临界值)反映了上述规律。从表 13－1 中我们可以看到,随着样本中数据个数的增加,临界 t 值在不断减小。当样本中只有两个数据时,临界 t 值为 6.314;当样本中有 6 个数据时,临界 t 值降低到 2.015;当样本中数据个数为 21 时,临界 t 值降低到 1.725;当样本中有 121 个数据时,临界 t 值降低到 1.658。注意,随着样本容量的增加,临界 t 值逐渐趋近 z 检验的临界值 1.645($\alpha=0.05$ 的单向检验)。随着样本容量的不断增加,t 分布逐渐接近 z 分布。实际上,当样本容量无限大时($n=\infty$),t 分布与 z 分布完全一样,临界 t 值就等于临界 z 值。

总结一下,t 检验与 z 检验不同之处表现在:其一,公式中使用的变异来源不同(s 或 σ);其二,查找临界值使用的表不一样。因此,t 检验与 z 检验在很多方面是基本相同的,当总体标准差未知时,可以用 t 检验替代 z 检验。

自由度的概念

你可能已经注意到,表 12－1 中列出的样本容量都有些特别(比如是 21, 41, 61,而不是 20, 40, 60)。表 12－1 列出的临界值都是来自附录 A－3 中的临界 t 值表,附录 A－3 中的临界值是按照自由度(df)排列的,而不是按照样本容量来排列。t 检验的自由度是由每个样本数据的个数计算得来的。

我们接下来要讨论的统计检验都将涉及自由度。统计检验的**自由度**[1]是在给定限制条件下,可以自由变化的值的个数。比如,假设你必须猜测一组数据的值,而你所知道的仅仅是:这组有五个数据,并且其总和为 20:

数据 1	?
数据 2	?
数据 3	?
数据 4	?
数据 5	?
总和	20

你应该如何去猜测这五个数据?实际上,对前面四个数据你可以猜测任何值,假设我们的猜测如下:

数据 1	3
数据 2	5
数据 3	6
数据 4	2
数据 5	?
总和	20

〔1〕 自由度:在给定条件下,可以自由变化的值的个数。对样本平均数的 t 检验而言,自由度为 $n-1$。

前面四个数据的总和是 16，由于五个数据加起来的总和是 20，因此第五个数据肯定为 4。在这个例子中，前面四个数据的值可以在所有可能的数值范围内自由变化，然而，一旦我们知道了前面四个数据的值，且五个数据的和为 20，那么第五个也是最后一个数据的值就有且仅有一个确定的值。

回忆一下，自由度是在给定条件下，可以自由变化的值的个数。在上面这个例子中，有两个给定条件或者说限制：这组数据的个数是 5 个；它们的总和是 20。因此本例中有 4 个数据可以自由变化，所以自由度是 4。如果这组中有 11 个数据，其中 10 个是可以自由变化的，则自由度是 10。如果这组中有 21 个数据，其中 20 个是可以自由变化的，则自由度是 20。所以对一组数据而言，自由度总是比样本容量小 1：$df = n-1$。

进行样本平均数的 t 检验

进行样本平均数的 t 检验与进行样本平均数的 z 检验的操作程序基本一样，只有两处不同：一是 t 检验中使用样本标准差，而不是总体标准差；二是 t 检验查找临界值使用的是附录 A－3 的临界 t 值表，而不是附录 A－1 的正态分布表。演示步骤 13－1 描述了进行样本平均数 t 检验的方法。

演示步骤 13－1

进行样本平均数的 t 检验

1. 检验下面的前提假设是否得到满足：
   A. 样本中的被试是随机且独立的从总体中选取的。
   B. 研究的分布接近正态分布，如果分布偏斜太大，则不合适使用 t 检验。
   C. 数据是使用比率或等距标尺测量得到的，只有使用比率或等距标尺测量得到的数据，计算分布的平均数才是合理的。
2. 写出零假设和备择假设。对样本平均数的 t 检验而言，假设可能是下列三种形式中的一种：

双向检验	单向检验	
$H_0: \mu = \mu_0$	$H_0: \mu \geqslant \mu_0$	$H_0: \mu \leqslant \mu_0$
$H_1: \mu \neq \mu_0$	$H_1: \mu < \mu_0$	$H_1: \mu > \mu_0$

此处 μ_0 是零假设所预测的总体平均数的值。

3. 确定显著性水平 α。
4. 在附录 A－3 中查找临界 t 值。自由度用被试数减去 1 得到。
5. 画出零假设所预测的抽样分布，标出拒绝域。
   A. 对双向检验而言，拒绝域在分布的两侧。

B. 对单向检验而言，拒绝域在分布的一侧。如果备择假设预测平均数小于某个值，则拒绝域在分布的左端尾部；如果备择假设预测平均数大于某个值，则拒绝域在分布的右端尾部。

6. 使用下面的公式，将样本平均数转化为标准分数。

$$t_{\bar{X}} = \frac{\bar{X} - \mu}{\frac{s}{\sqrt{n}}}$$

此处 $\mu = \mu_0$，即零假设所预测的总体平均数。

7. 确定是否拒绝零假设：

A. 如果 $t_{\bar{X}}$落在$t_{临界}$ 所划定的拒绝域，则 $p \leqslant \alpha$，则可以确定样本的确不是来自零假设所预测平均数的总体（拒绝零假设）。

B. 如果 $t_{\bar{X}}$没有落在$t_{临界}$ 所划定的拒绝域，则 $p > \alpha$，则不能确定样本的确不是来自零假设所预测平均数的总体（不能拒绝零假设）。

为了说明如何进行样本平均数的 t 检验，我们使用高赛特曾经做过的一个案例。1889 年，高赛特在爱尔兰首都都柏林的吉尼斯啤酒厂，负责生产线的质量管理。那个时候，数理统计才刚刚起步，统计方法通常用来解决商业和工业上遇到的实际问题。高赛特创造出 t 检验，其目的是通过小样本方式对吉尼斯啤酒的质量进行检验。

假设吉尔·琼斯决定实施一项质量控制计划，检验瓶装上等吉尼斯啤酒的酒精含量，标签上标注的酒精含量是 6%。吉尔从州立大学附近的 10 个酒吧中各买了一瓶上等吉尼斯啤酒（根据当地法律，她已经到了可以买酒的法定年龄），她检验了每瓶酒的酒精含量，得到的结果如表 13－2 所示。

表 13－2 样本中 10 瓶上等吉尼斯啤酒的酒精含量

5.87	5.93	5.98	6.03	6.09
6.12	6.15	6.21	6.24	6.28

第一步：检查是否满足进行 t 检验的假设。演示步骤 13－1 中详细说明了进行样本平均数 t 检验需要满足的前提假设。第一个假设是样本中的被试是随机且独立选取的。本例的被试是 10 家不同酒吧买来的瓶装上等吉尼斯啤酒。我们可以假设选择任何一瓶酒的几率都不会受到选择其他酒的影响，因此酒是独立的选择出来的。假定酒吧招待在卖酒给吉尔时也不存在偏差，则我们就可以假设酒是随机抽取的。第二个前提假设是总体是近似正态分布的。我们评价的是瓶装上等吉尼斯啤酒的酒精含量，

在样本中不存在明显的倾斜，因此我们可以预测瓶中酒精含量这个变量，会平衡地分布在真实酒精含量的上下两端。第三个假设是数据是使用比率或等距标尺测量得到的，酒精含量的百分比是用比率标尺来测量的。

第二步：写出零假设和备择假设。吉尔进行质量控制研究，目的是考察在当地买的瓶装上等吉尼斯啤酒的酒精含量，是否与吉尼斯酒厂设定的标准 6%相一致。因此，零假设是瓶装上等吉尼斯啤酒酒精含量平均数是 6%，备择假设是瓶装上等吉尼斯啤酒酒精含量平均数不是 6%，这是个双向检验。如果酒精含量显著低于 6%，则吉尼斯酒厂生产的酒就未达到该厂设置的标准；如果酒精含量显著高于 6%，则吉尼斯酒厂生产的酒也不符合该厂设置的标准，这是双向检验的本质特征。这个研究的假设是：

$$H_0: \mu_{\bar{X}} = 6\%$$
$$H_1: \mu_{\bar{X}} \neq 6\%$$

第三步：确定显著性水平 α。我们使用最常用的显著性水平，$\alpha=0.05$。

第四步：查找统计量的临界值。附录 A－3 中列出了与我们选择的 α 相应的临界 t 值。对单样本的 t 检验而言，自由度是样本中被试的数目减去 1：$df = n-1 = 10-1 = 9$。当 $\alpha = 0.05$，自由度为 9，可以从附录 A－3 中查得临界 t 值为 ±2.262。

第五步：在抽样分布图上标出拒绝域。零假设所预测的样本如图 13－2，因为假设是双向的，因此拒绝域分布在图形的两端尾部。样本 t 值落在任何一个拒绝域，我们都可以拒绝零假设。

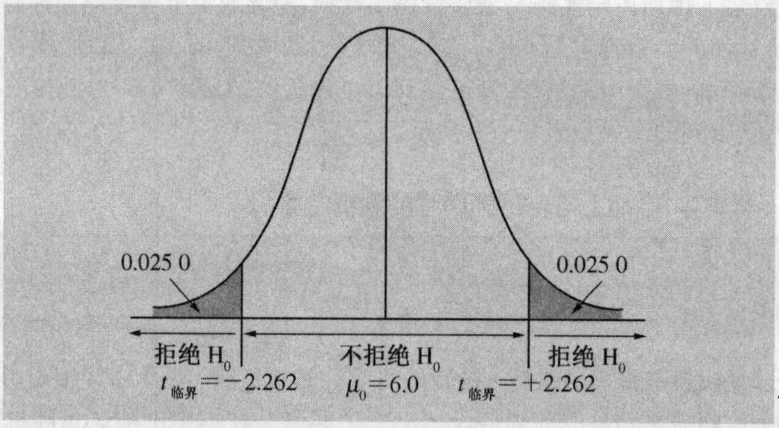

图 13－2 零假设所预测的吉尼斯啤酒酒精含量平均数的抽样分布，$\alpha=0.05$

第六步：从样本分数计算统计量。为了计算 t 值，我们首先需要计算表 13－2 所列数据的平均数和标准差。10 瓶酒酒精含量的平均数为 6.09%，标准差是 0.136%：

$$\overline{X}=\frac{\sum X}{n}=\frac{60.9}{10}=6.09$$

$$s=\sqrt{\frac{\sum(X-\overline{X})^2}{n-1}}=\sqrt{\frac{0.1672}{10-1}}=\sqrt{0.0186}=0.136$$

注意，计算样本标准差时，使用的是 $n-1$ 作分母，因此 s 可以作为总体标准差 σ 的无偏估计。有了样本的平均数和标准差，我们现在就可以计算 t 值：

$$t_{\overline{X}}=\frac{\overline{X}-\mu}{s_{\overline{X}}}=\frac{\overline{X}-\mu}{\frac{s}{\sqrt{n}}}=\frac{6.09-6.00}{\frac{0.136}{\sqrt{10}}}=2.091$$

第七步：确定是否拒绝零假设。使用样本（数据如表 13-2 所示）计算出来的 t 值是 2.091，这个 t 值并没有落在图 13-2 所示的任何一个拒绝域，因此我们没有足够的证据拒绝零假设。如果吉尔报告这个研究的结果，她可以写“州立大学附近酒吧卖的瓶装上等吉尼斯啤酒，其酒精含量与吉尼斯酒厂设定的 6%的标准没有显著差异（$t=2.091$，$p>0.05$）”。

在这里还需要强调的是：我们没有拒绝零假设，但不能认为吉尔的研究证明了零假设是正确的，即吉尔所在地方的瓶装上等吉尼斯啤酒的酒精含量就是 6%。10 瓶酒的样本中，酒精含量平均数是 6.09%，这并不意味着当地的所有瓶装上等吉尼斯啤酒的酒精含量都正好为 6%。实际上，吉尔的研究结果是不确定的：一方面，我们不能说吉尔所在地区瓶装上等吉尼斯啤酒的酒精含量为 6%；另一方面，她的研究没有提供足够的证据说明酒精含量与 6%有显著差异。因此，我们在这个研究中不能拒绝零假设，并且我们永远不能接受零假设。简而言之，我们从吉尔的研究中不能得出任何结论。

样本比例的 z 检验

样本平均数的 z 检验和 t 检验都是用来计算总体平均数与一个特定值是否有显著差异。有的时候我们关心的不是总体的平均数，而是在总体中某种事件的比例，样本比例的 z 检验适用于这种情况。

为了使用样本比例的 z 检验，总体中必须是互斥的二分事件。像我们在第十章讨论概率时看到的那样，事件的结果仅有两个，并且这两个结果互斥，只有这样，总体中的事件才是二分的。对抛硬币而言，结果只有正面和反面，因此事件是二分的。这两种可能结果还必须是互斥的。如果抛硬币是正面朝上，则不可能同时反面也朝上，只要硬币是正面朝上，就排除了反面朝上的可能性。

样本比例的 z 检验适用于自然的二分变量，也适用于任何变量转化为二分变量的情况。比如，我们可以简单地把将学生的分数分为及格和不及格，从而将普通心理学测验的成绩转化为二分变量。因为许多变量都可以简单地转化为互斥的二分变量，所以样本比例的 z 检验应用十分广泛。

在样本比例的 z 检验中使用的是比例而不是平均数，除此之外，样本比例的 z 检验与样本平均数的 z 检验完全相同。比如，以心理学专业教员男女比例的问题为例，对全国的心理学毕业研究生而言，大约有 50%为男性，50%为女性。然而，在许多心理学系，男女教员的比例并不是如此均衡地分布。假设州立大学心理学系有 30 名教员，其中 8 位是女性，22 位是男性。我们来看看州立大学的女教员的比例，是否低于全国心理学毕业研究生中女性的比例。进行样本比例检验的一般步骤呈现在演示步骤13－2。

演示步骤 13－2

进行样本比例的 z 检验

1．检验下面的前提假设是否得到满足：

A．样本中的被试是随机且独立的从总体中选取的。

B．样本容量不小于 20 并且 np 与 $n(1-p)$均不小于 5。如果这两个条件满足任何一个，则样本比例的分布是正态的，我们就可以使用正态分布表查找临界值。

C．数据是使用比率或等距标尺测量得到的，只有使用比率或等距标尺测量得到的数据，计算分布的平均数才是合理的。

2．写下零假设和备择假设。对样本平均数的 z 检验而言，假设可能是下列三种形式中的一种：

双向检验	单向检验	
$H_0: p = p_0$	$H_0: p \geqslant p_0$	$H_0: p \leqslant p_0$
$H_1: p \neq p_0$	$H_1: p < p_0$	$H_1: p > p_0$

此处 p_0 是零假设所预测的总体比例的值。

3．确定显著性水平 α。

4．在表 12－2 中找到 z 的临界值。

5．画出零假设所预测的抽样分布图，标出拒绝域。

A．对双向检验而言，拒绝域在分布的两侧。

B．对单向检验而言，拒绝域在分布的一侧。如果备择假设预测平均数小于某个值，则拒绝域在分布的左端尾部；如果备择假设预测平均数大于某个值，则拒绝域在分布的右端尾部。

6. 使用下面的公式，将样本比例转化为标准分数：

$$z_p = \frac{p - p_0}{\sqrt{\frac{p_0(1-p_0)}{n}}}$$

式中，p_0 表示零假设所预测的总体比例

p 表示样本比例

n 表示样本容量

7. 确定是否拒绝零假设：

A. 如果 z_p 落在 $z_{临界}$ 所划定的拒绝域，则 $p \leqslant \alpha$，因此确定样本不是来自零假设所预测比例的总体（拒绝零假设）。

B. 如果 z_p 没有落在 $z_{临界}$ 所划定的拒绝域，则 $p > \alpha$，因此不能拒绝零假设。

进行样本比例的 z 检验

第一步：检查是否满足进行检验的前提假设。进行样本比例 z 检验需要满足的前提假设在演示步骤 13－2 中有详细的说明。假定我们是从全国所有的大学中随机选取州立大学作为研究的对象，样本容量是 30。在零假设所预测的总体中，女性的比例 p_0 的值是我们关注的事件，为 0.50。（记住，我们关注的事件并不是说女教员比男教员更值得研究，而只是因为女教员的比例是我们的研究对象。）因此，np_0 和 $n(1-p_0)$ 都是 15，这就满足了第二个假设条件。测量的标尺只有两个值，男性和女性，并且是二分的和互斥的，因此也满足了第三个假设条件。所以，我们满足了进行检验的所有条件。

第二步：写出零假设和备择假设。我们判断：全国心理学教员中女性的比例小于全国心理学毕业研究生中女性的比例。这种判断就是备择假设。

$$H_1: P_{心理学女教员} < 0.50$$

零假设是与此完全相对的判断，认为全国心理学教员中女性的比例不小于全国心理学毕业研究生中女性的比例，0.50：

$$H_0: P_{心理学女教员} \geqslant 0.50$$

第三步：确定显著性水平 α。到目前为止，我们在例子中总是使用显著性水平 $\alpha = 0.05$。为了说明我们还可以使用其他 α 值，此处我们使用 $\alpha = 0.01$。因此，为了拒绝零假设，我们需要说明样本来自女教员比例为 50%的总体的可能性等于或低于 1%。

第四步：识别统计量的临界值。我们要将样本比例转化为标准分数，以便于我们使用近似的正态分布而不是二项式分布。我们可以使用表 12－2 呈现的临界值。由于

假设是单向的，因此我们使用单侧检验。对 $\alpha = 0.01$ 的单侧检验，临界 z 值是 -2.33。

第五步：在抽样分布图上标出拒绝域。零假设所预测的样本如图 13-3，因为备择假设预测心理学教员中女性的比例小于 0.50，因此拒绝域在左端尾部。

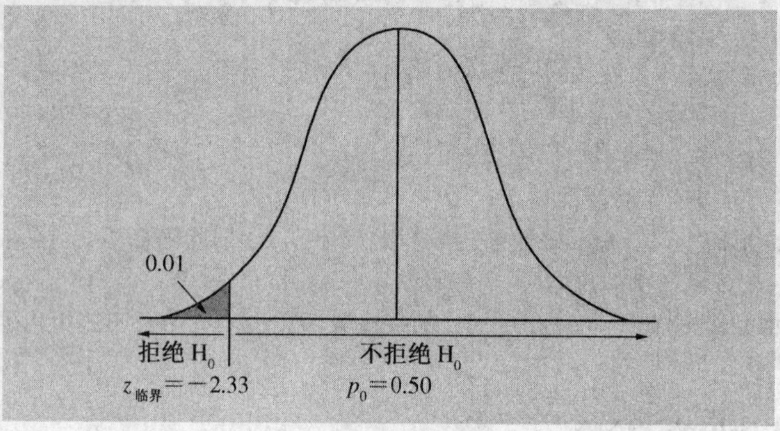

图 13-3　分析女性教员比例的零假设所预测的抽样分布，$\alpha = 0.01$

第六步：从样本数据计算统计量。为了计算 z_p 值，我们首先需要计算样本中女性的比例 p。州立大学中有 30 位教员，其中 8 位为女性，因此州立大学心理学教员女性的比例是 8/30 或者说 0.27。下一步，我们需要将这个比例转化为标准分数。零假设所预测的比例用 p_0 表示。零假设预测全国心理学教员中女性的比例是 50%，因此 p_0 为 0.50。样本中总共有 30 名教员，因此 n 为 30。我们现在有了将样本比例转化为标准分数所需要的所有值，于是：

$$Z_p = \frac{P - p_0}{\sqrt{\frac{p_0(1-p_0)}{n}}} = \frac{0.27 - 0.50}{\sqrt{\frac{0.50(0.50)}{30}}} = \frac{-0.23}{\sqrt{\frac{0.25}{30}}} = \frac{-0.23}{0.09} = -2.56$$

第七步：确定是否拒绝零假设。现在基于 z 值，我们就可以对零假设作决策了。因为 $z = -2.56$ 在拒绝域里（如图 13-3），因此，女性比例为 27% 的样本来自女性比例为 50% 的总体的可能性小于 1%，所以我们可以拒绝零假设，并且作出结论：心理学教员中女性的比例小于 50%。在研究报告中，我们可以这样写："州立大学心理学教员中女性的比例为 0.27，显著小于心理学毕业研究生中女性的比例，$z = -2.56$，$p < 0.01$。"

对单样本参数检验的回顾

到目前为止，我们讨论了三种检验——样本平均数的 z 检验和 t 检验以及样本比

例的 z 检验——所有这三种方法检验的是：总体参数与一个特定值是否有显著差异。对样本平均数的 z 检验和 t 检验而言，涉及的总体参数是总体的平均数：心理学专业学生总体马基雅维里测验的平均数和州立大学附近上等吉尼斯啤酒"总体"酒精含量的平均数。对样本比例的 z 检验而言，涉及的总体参数是比例：心理学教员总体中女性的比例。在所有这三个例子中，我们都是检验总体参数是否与一个特定值有显著差异，马基雅维里测验中的 50 分，上等吉尼斯啤酒酒精含量中的 6%，心理学教员女性比例中的 0.50 等都是各种不同的特定值。

在所有这三种检验中，我们都试图证明总体参数**不等于**某个特定值，这是差异统计检验的实质所在。推论检验不能确认总体参数**是**某个特定值；它只能告诉我们，一个参数**不等于**某个特定值的可能性。如果推论统计能够直接告诉我们总体参数的值，那无论是做研究还是学习统计学都将变得非常容易，但这是不可能的，因为推论统计无法做到这一点。虽然如此，推论检验还是可以通过一个排除的过程，给我们提供总体参数值的范围。比如，样本比例的 z 检验通过排除过程告诉我们：心理学教员中女性的比例不是 0.50，也不大于 0.50，这就使得我们可以推断——真实的比例是显著小于 0.50 的。

统计检验力

在上一章中，我们讨论了Ⅰ类错误和Ⅱ类错误的概念，它们都是在确定是否拒绝统计检验的零假设时可能出现的错误。零假设总是断定所研究的变量间没有联系。如果变量间实际上没有联系，而我们拒绝了零假设，则我们就犯了Ⅰ类错误。另一方面，当变量间的确存在联系，而我们没有足够的证据拒绝零假设，则我们就犯了Ⅱ类错误。

α 与 β 的关系

犯Ⅰ类错误的概率是由显著性水平 α 决定的。如果我们选择 0.05 的显著性水平，我们就有 5%的可能犯Ⅰ类错误。也就是说，当样本的确是来自零假设所预测的抽样分布，有 5%的可能我们认为不是。如果我们选择了 0.01 的显著性水平，则错误拒绝零假设的可能性只有 1%。我们可以简单地通过设定苛刻的显著性水平来降低犯Ⅰ类错误的概率。

随之而来的一个问题是：当降低了犯Ⅰ类错误的概率时，我们就自然增加了犯Ⅱ类错误的概率(假定其他条件保持不变)。Ⅰ类错误和Ⅱ类错误这种互补的关系可以用图 13－4 表示，图中表示的是显著性水平为 0.05 和 0.025 的抽样分布的例子。

图 13－4 呈现的是拒绝域在右端的单侧统计检验的例子，在这两个例子中，左边的都是代表零假设所预测的抽样分布，右边的都是代表备择假设所预测的抽样分布。

本例使用单侧检验并且拒绝域在右端，这不是特意安排的，我们也可以选择双测检验或者拒绝域在左端的单侧检验。备择假设所预测的分布也是任意的，图 13－4 中呈现的只是许多可能位置中的一种。我们选择的例子是任意的，重要的是两个例子中除了显著性水平 α 不同外，其他均相同，这样我们可以看到 α 的变化对犯Ⅱ类错误的概率 β 的影响。

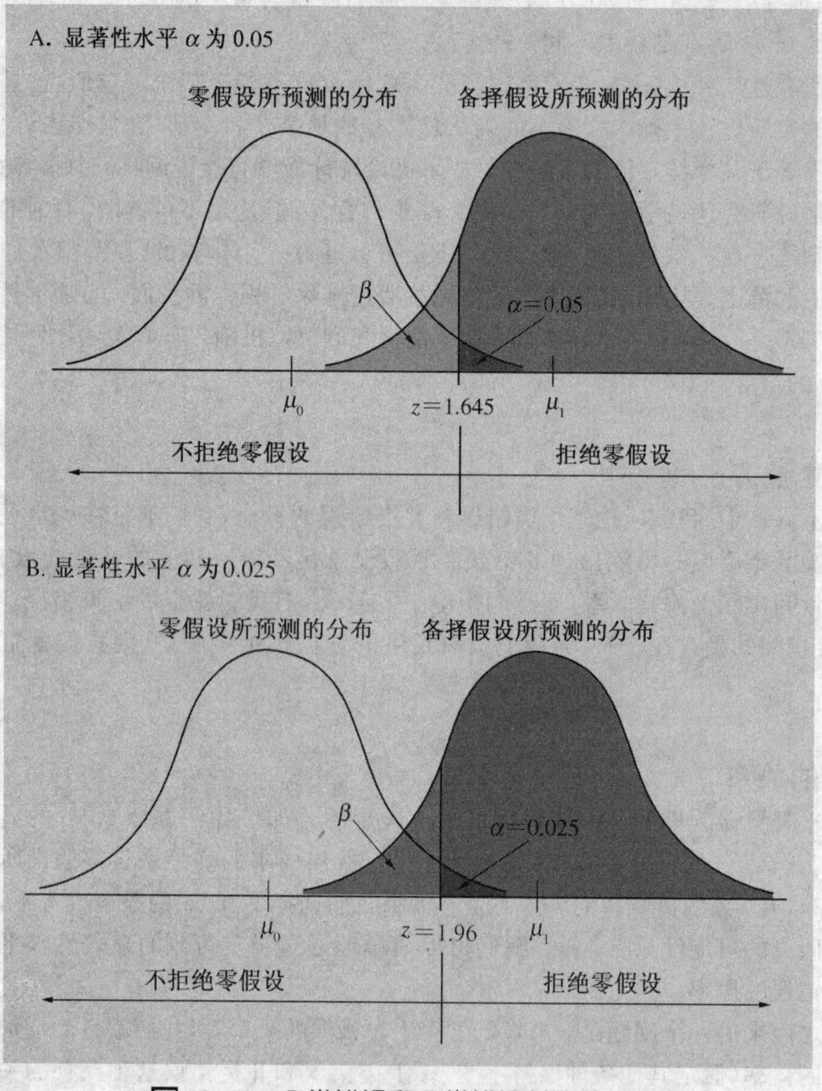

图 13－4 Ⅰ类错误和Ⅱ类错误关系的例子

图 13－4 中例子 A 选用的是 0.05 的显著性水平，因此有 5%的可能性犯Ⅰ类错误。例子 B 选用的显著性水平降低了一半，只有 0.025，因此犯Ⅰ类错误的可能性只有 2.5%。

所以，简单地通过选择更苛刻的显著性水平，我们可以降低犯I类错误的概率。

然而，在减小 α 的同时，β 却自动增大了。在这两个例子中，右边代表的是备择假设所预测的抽样分布，备择假设断定所研究的变量间是有联系的。即使备择假设是正确的，从样本计算出来的 z 分数，仍有可能小于临界 z 分数。因此我们没有足够的证据拒绝零假设，这就是Ⅱ类错误：当被研究的变量间的确有联系时，我们无法拒绝零假设。

图 13－4 中，备择假设所预测的抽样分布左端尾部的区域代表 β——犯Ⅱ类错误的概率。我们比较一下两个例子中代表 β 的区域大小，从图中可以发现，例子 A 中 α 的区域比例子B中的大，而例子 B 中 β 区域则比例子 A 中的大。如果我们选择更为苛刻的显著性水平，比如 α 选 0.01，则犯Ⅰ类错误的概率 α 会降低，而犯Ⅱ类错误的概率 β 会升高。

在理想状况下，研究者希望犯Ⅰ类错误和犯Ⅱ类错误的概率均为零，但实际上，统计检验尚无法达到如此完美。在任何统计检验中，总有犯Ⅰ类错误和犯Ⅱ类错误的可能。另外，减小犯一种错误的概率会自动增加犯另一种错误的概率。幸运的是，还有其他因素影响到犯Ⅱ类错误的概率，我们后面将简要介绍。但是我们首先需要讨论Ⅰ类错误、Ⅱ类错误和统计检验力的关系。

α、β 和统计检验力的关系

我们在上一章介绍了，统计检验力是当零假设确实为假时，判断零假设为假的概率；同样，也可以说统计检验力是备择假设确实为真时，判断备择假设为真的概率。如果现实中被研究的变量间的关系的确存在，统计检验力就是一种概率，这种概率允许我们判断变量间确实存在联系。

当所研究的变量间的确有联系时，统计检验力和Ⅱ类错误都与统计检验的决策有关。当变量间关系的确存在时断定有这种关系，统计检验力是作正确决策的概率。如果变量间的确有联系，作错误决策（犯Ⅱ类错误）的概率为 β，那么正确决策的概率（统计检验力）就是 $1-\beta$。

犯Ⅱ类错误的概率与统计检验力的关系可用图 13－5 表示。即使研究的变量间真的有联系，但样本与零假设所预测的值的差异总有可能不够大，使得我们不能拒绝零假设，这样就犯了Ⅱ类错误。如果犯Ⅱ类错误的概率是 10%，则样本足以拒绝零假设的概率为 90%。同样的，如果变量间实际上有联系，而不能断定这种联系（犯Ⅱ类错误）的概率为 20%，则能够正确判断这种联系的概率是 80%。因此，犯Ⅱ类错误的概率越大，统计检验力就越小；同样，犯Ⅱ类错误的概率越小，统计检验力就越大。

我们在前面一节已经讨论过，犯Ⅰ类错误的概率 α 与犯Ⅱ类错误的概率 β 是互补的。如果我们通过选择苛刻的显著性水平来降低 α，那么 β 就会自动增大。犯Ⅱ类错误的概率 β 与统计检验力也是互补的关系，如果 β 增加，统计检验力就减小了，这在前面也已经提到过了。因此，选择更苛刻的显著性水平 α，会提高犯Ⅱ类错误的概率 β，

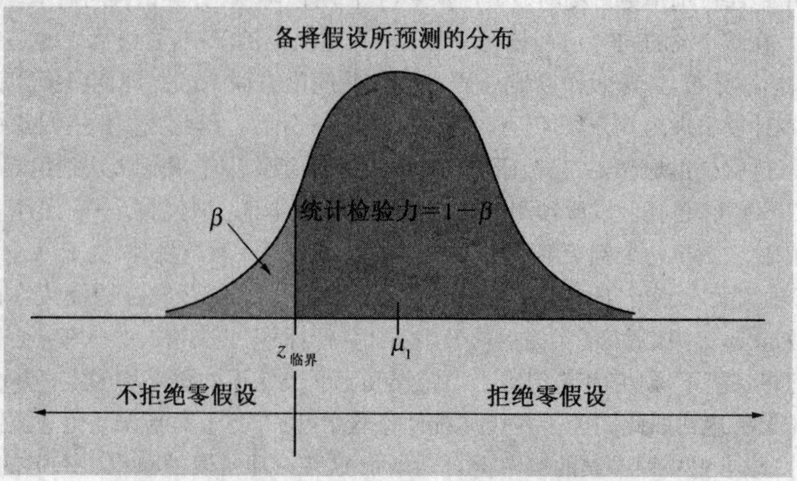

图 13－5 Ⅱ类错误与统计检验力关系的例子

也会降低统计检验力 $1-\beta$。

幸运的是,除了显著性水平 α 外,还有其他因素影响到犯Ⅱ类错误的概率 β 和统计检验力 $1-\beta$,这些因素包括样本标准差的大小、样本容量和效果量,我们接下来将依次讨论这些因素。

标准差与统计检验力的关系

数据分布的标准差测量的是这些数据的分散程度。当学生接受测验时,学生不可能总是得到相同的分数;在实验中,小白鼠跑迷宫所用的时间也不一定恰好相同。这些分布中的分数值也有一些差异,每个数据与其他数据有些不同,和平均数也有些不同。标准差测量的是在分布中数据的分散程度。这些数据的分散程度越大,标准差的值就越大。

到目前为止,我们介绍的统计检验中,表示零假设和备择假设所预测的抽样分布的分散程度,都是用的标准误。抽样分布的标准误是由分数分布的标准差计算得来的。如果其他保持不变,标准差越大,标准误也就越大。比如,假设我们从两个数据分布中各选择一个包含 25 个数据的样本。A 分布的标准差是 20,B 分布的标准差是 10,为 A 分布标准差大小的一半。当计算这两个样本的标准误时,我们可以看到 A 分布的标准误是 B 分布的标准误的 2 倍:

$$s_{\bar{X}_A}=\frac{s_A}{\sqrt{n}}=\frac{20}{\sqrt{25}}=4.0$$

$$s_{\bar{X}_B}=\frac{s_B}{\sqrt{n}}=\frac{10}{\sqrt{25}}=2.0$$

因此，当分布中数据的分散程度越大，从这个数据分布中获得的抽样分布的分散程度也就越大。进一步讲，抽样分布的分散程度越大，统计检验中零假设所预测的分布与备择假设所预测的分布之间的重叠就越大，这从图 13-6 中所举的例子中可以看出来。样本 A 的标准误约是样本 B 的标准误的 2 倍。结果是，样本 A 中两个分布之间的重叠比样本 B 要大。

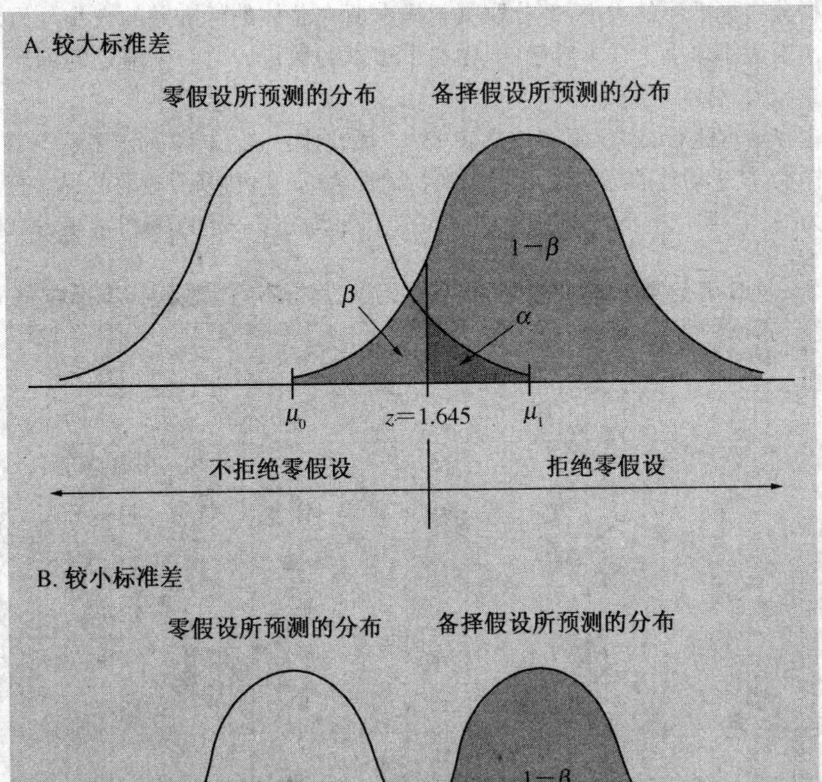

图 13-6　标准差大小与统计检验力的关系的举例

注意，除了样本分散程度，样本 A 与样本 B 在其他方面都完全相同。因为样本 A 中的两个分布的重叠比样本 B 要大，所以样本 A 犯Ⅱ类错误的概率比样本 B 大。相应地，样本 A 的统计检验力 1－β 就比样本 B 的小。因此，如果其他条件保持不变，标准差越小，犯Ⅱ类错误的概率就越小，统计检验力就越大。所以，我们可以通过降低数据的分散程度，也就是降低标准差，来减小犯Ⅱ类错误的概率，同时增大统计检验力。

样本容量与统计检验力的关系

抽样分布标准误的大小，部分取决于样本所在总体的标准差的大小。另外，抽样分布标准误大小取决于样本容量，即样本中被试的数量。对一个给定的标准差而言，样本容量越大，标准误越小。

样本容量与标准误的关系可以从表 13－3 看出来。表 13－3 列出了从 SAT 分数中抽取的样本，其平均数的标准误。为了计算简便，表 13－3 中所有选取的样本容量，其平方根都为整数。回忆一下，SAT 分数从理论上讲平均分 $\mu=500$，标准差 $\sigma=100$。

表 13－3 从 SAT 分数总体中抽取的样本平均数，其样本容量影响样本标准误，$\sigma=100$

样本容量	$\sigma_{\bar{X}}$	减少的变异的百分比
1	100.0	0.0
4	50.0	50.0
9	33.0	67.0
16	25.0	75.0
25	20.0	80.0
36	16.7	83.3
49	14.3	85.7
64	12.5	87.5
91	11.1	88.8
100	10.0	90.0

表 13－3 表明：随着样本容量增大，标准误逐渐减小。与最初的标准差 100 相比，当样本容量为 16 时，样本标准误所测量的变异减少了 75%；而当样本容量为 100 时，样本标准误所测量的变异减少了 90%。当样本容量较小时增加样本容量，减少的变异较多；当样本容量较大时再增加样本容量，减少的变异较小。当样本容量为 25 时，与最初的标准差相比，减少了 80% 的变异；然而，将样本容量增至 100 时，我们也仅仅多减少了 10% 的变异。

当然，任何由标准误所度量的变异的减小，都可以降低统计检验中零假设和备择假设所预测分布之间的重叠。因此，犯Ⅱ类错误的概率减少了，统计检验力也增加了。

我们看到，可以通过降低原始分数分布的变异来降低标准误，也可以通过增加样本容量来降低标准误。

效果量和统计检验力的关系

零假设所预测的参数，与所研究的总体参数实际值之间的差异，是影响统计检验力的最后一个因素。在上一章中，我们讨论了乔治对心理学专业学生马基雅维里倾向的研究，回忆一下，一般大学生总体马基雅维里测验的平均分为50。乔治研究的零假设断定：心理学专业学生总体平均数与一般大学生总体没有差异。我们并不知道心理学专业大学生总体的实际平均数是多少，但假定备择假设是正确的，实际平均数越远离50，统计检验力越大。

对所研究的参数而言（如总体平均数和总体比例），零假设所预测的值与参数的真实值之间的差异称为**效果量**[1]。在乔治的研究中，如果心理学专业学生总体马基雅维里测验实际分数为60，比实际值为55时，这种差异更大。马基雅维里测验分数越远离零假设所预测的值50，效果量就越大。从本质上讲，效果量测量的是大学生专业类型对马基雅维里分数的影响程度。

从图13-7中所假设的例子中，可以看出效果量与统计检验力的关系。就总体平均数的实际值与零假设所预测的值之间的差异而言，样本B的比样本A的大。样本A中总体平均数的实际值与零假设所预测的值离得很近，而在样本B中，这两者的差异很大。导致的结果是：样本A中两个分布有很多重叠的地方，犯Ⅱ类错误的概率β大于50%，于是统计检验力1−β就小于50%了。

在样本B中，总体平均数的实际值与零假设所预测的值之间的差异相对大一些，因此，样本B的效果量比样本A大。因为样本B的效果量大一些，两个分布相重叠的地方比样本A小，所以样本B犯Ⅱ类错误的概率小于样本A，而其统计检验力大于样本A。总结一下，如果其他条件保持不变，效果量越大，犯Ⅱ类错误的概率就越小，统计检验力就越大。

雅各布·科恩最早使用“效果量”这一术语来描述这种差异问题，他设计了一种度量效果量的统计量。对总体平均数的单样本双向检验而言，这个统计量是：

$$d=\frac{|\mu_1-\mu_0|}{\sigma}$$

式中，μ_1 表示研究的总体的真实平均数的值，μ_0 表示零假设所预测的值，σ 表示样本所在总体的标准差，单样本单向检验的公式也与此相似：

〔1〕 效果量：测量一个变量影响另外一个变量的统计量。在统计检验中，假定备择假设为真，在两个变量间有这样的联系：一个变量对另外一个变量的影响越大，统计检验力越大。

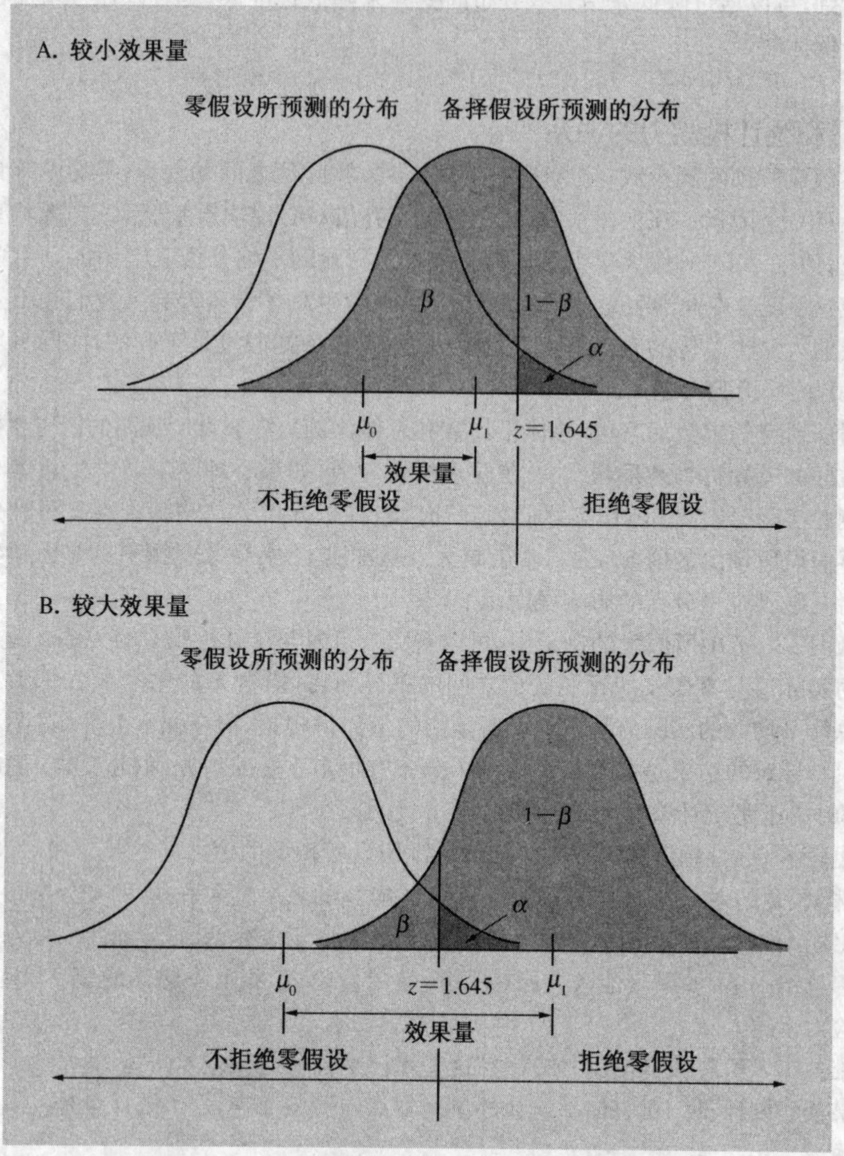

图 13-7 效果量和统计检验力的关系的例子

$$\text{est. } d = \frac{\mu_1 - \mu_0}{\sigma}$$

当然，在假设检验中，我们不知道所研究总体的平均数的实际值，因此，我们不能确定效果量的真实值。然而，我们可以使用样本平均数作为总体平均数的估计值，来计算效果量。如果总体标准差 σ 未知，我们也可使用样本标准差 s 作为其估计值。对一个单样本的双向检验而言，计算估计效果量的公式是：

$$\text{est. } d = \frac{|\overline{X} - \mu_0|}{s}$$

对单样本的单向检验而言，公式是：

$$\text{est. } d = \frac{\overline{X} - \mu_0}{s}$$

这种计算效果量的方法与计算标准分数 z 的公式相似。回忆一下，标准分数是将一个数据与该分布平均数的距离与该分布的标准差作比较。因此，标准分数测量的是一个数据与平均数的距离，并把这种距离与该分布中所有数据与平均数的平均距离作比较。而效果量 d，是将样本平均数与零假设所预测的总体平均数的距离，与总体标准差相比较。

我们可以使用乔治研究的样本平均数，计算心理学专业学生总体马基雅维里测验分数的效果量的值。回忆一下，乔治研究的心理学专业学生样本的马基雅维里测验平均数为 58，零假设所预测心理学专业学生总体平均分为 50——这与一般大学生总体一致，一般大学生总体马基雅维里测验分布的标准差是 12。通过这些已知值，我们就可以计算效果量：

$$\text{est. } d = \frac{\overline{X} - \mu_0}{s} = \frac{58 - 50}{12} = 0.67$$

我们可以计算出乔治的研究中效果量为 0.67。假定备择假设为真，大学生专业类型与马基雅维里倾向的确有联系的效果量为 0.67，这意味着乔治研究的样本，其平均数与零假设所预测的平均数的差异，是马基雅维里测验分数与该分布平均数的平均距离的三分之二。

效果量为 0.67 意味着什么？根据科恩的看法，较高的效果量在 0.8 左右。这种大小的效果量所表示的差异容易被区分。比如大学新生 IQ 分数与大学教员的 IQ 分数。科恩认为，中等程度的效果量为 0.5 左右。一个中等程度效果量的例子是 14 岁和 18 岁孩子的身高平均数的差异。最后，较低的效果量为 0.2 左右，对此一般人不容易判别出来。对绝大多数标准化的数学测验而言，男生与女生平均成绩之间的差异的效果量为 0.1 左右，因此，对 SAT 的数学测验而言，理论标准差为 100，男生与女生成绩间的平均差异是 10 分左右，这种差异也是非常小的。

在离开这个主题之前，还有一个地方需要强调。在假定备择假设是正确的前提下，为了知道Ⅱ类错误 β 和统计检验力 $1-\beta$ 的确切值，我们需要知道总体真实的平均数。然而，除非我们能够测量总体中的每个成员，否则我们不可能知道总体平均数的真实值，因为我们几乎不可能测量总体中的所有成员。所以，我们几乎不可能知道统计检验力的确切值。

即使我们不知道统计检验力的确切值，但是我们知道如果减小标准差，增大样本容量，增加效果量，就可以提高统计检验力。记住，统计检验力是当研究的变量间联系的确存在时，决定这种关系存在的统计检验的概率。即使效果量非常小，统计检验力仍有可能鉴别这种显著关系。这就让我们思考——显著差异是否总是有意义？

显著差异与有意义的差异

我们已经知道术语**差异显著**表示：样本统计量与零假设所预测的值之间的差异足够大，以至于这种差异发生的概率小于我们所选择的显著性水平 α。因此，**显著**简单的理解就是零假设被拒绝了。当研究的变量间的确有联系时，一个有效的统计检验应该能够以高概率找到显著的结果(如拒绝零假设)。换句话说，当变量间的联系的确存在时，一个有效的统计检验，应该让我们有较高的概率来决定变量间有这种联系。

然而，差异显著与差异有意义是不同的。当变量间的联系非常微弱甚至微不足道时，我们也可以从统计检验得出显著的结果。我们知道，通过降低数据间的变异程度或者增加样本容量，可以提高统计检验力。如果我们的样本容量足够大，即使变量间的联系微不足道，我们也可以得出显著的结果(通过提高统计检验力)。因此，显著的结果只是表示：有证据表明变量间的确存在联系。但是，这种有显著结果的事实并不能说明这种联系是强还是弱。

我们知道，标准化的数学测验中男生和女生平均分的差异大约为标准差的十分之一。我们对学生进行标准化的数学测验，只要样本容量足够大，进行统计检验就会得出差异显著的结论。即使标准差的十分之一的差异也会得出显著的结果(比如，结果是拒绝零假设)。这种差异有意义吗？差异微不足道就没有什么价值吗？

差异显著有意义还是没有意义，这不是统计能够回答的问题，而是解释上的问题，或者说是一个价值判断的问题。当然，一些研究者也会认为男女之间在标准化的数学测验上的差异非常有意义，而有的研究者则认为这种差异是微不足道或者不重要的。科恩提出的效果量 d，给了我们一种评价所研究变量间联系强度的手段：区分效果量大或者小，是一种判断研究变量间的联系有无意义的方法。在这里需要记住的最重要的事情是：统计检验上显著的结果只能告诉我们变量间存在联系，但是显著本身并没有说明这种联系的强度或者意义。

统计检验关于总体的假设

在本章和上一章中，我们已经讨论过使用单样本进行假设检验的方法。所有单样本参数检验，都是通过决定样本统计量与一个特定值是否有显著差异来测量两个变量间是否有联系。比如,乔治试图通过抽取心理学专业学生的样本,检验其马基雅维里测验平均分与一般大学生总体马基雅维里测验平均分 50 是否有显著差异,以此来考察大学生专业类型与马基雅维里倾向是否有联系。实际上,乔治是在使用心理学专业学生样本马基雅维里测验的平均分,作为心理学专业学生总体马基雅维里测验平均分的估计值,并用此作为评估心理学专业总体平均分与一般大学生总体平均分是否有显著差异的证据。

第一个问题是:为什么我们需要使用样本平均数作为总体平均数的估计值?如果乔治想知道心理学专业学生总体马基雅维里测验的平均分,为什么不直接去找到这个值呢?困难在于测量总体中每一个成员,其可行性很小或者根本就不可能。因为我们通常不能直接检验整个总体,所以必须依靠样本统计量作为我们感兴趣的总体参数的估计值。

另一个问题是:既然样本平均数可以作为总体平均数的估计值,为什么我们还要进行统计检验?为什么我们不能假定总体平均数就等于样本平均数?为什么我们不能假定心理学专业学生总体马基雅维里测验的平均分就是 58,与乔治抽取的样本的平均分相同?为什么我们不能假定州立大学附近酒吧卖的上等吉尼斯啤酒其酒精含量就为 6.09%,与吉尔抽取的样本一样?原因是,当我们从总体中抽取样本时,每个样本并不一定有相同的平均数。因为总体中的数据是不同的,因此从这些数据中抽取的样本其平均数也是不同的。一般来说,样本平均数与样本所来自的总体的平均数并不完全相同。

当然,心理学专业学生总体马基雅维里测验的平均分也可能为 58,从平均数为 58 的总体中完全可能抽取一个样本,其平均数也为 58。然而,乔治的样本也可能来自平均数为 57 或者 56 甚至 50 的总体。这就相当困难了。一般大学生总体其马基雅维里测验平均分为 50,乔治想找出心理学专业大学生总体与这个值不同的证据。由于从平均数为 50 的总体中也可能抽取出一个平均数为 58 的样本,乔治不能简单地就断言:他的样本表明心理学专业总体平均分不是 50,与一般大学生总体不同。他必须进行统计检验,说明他的样本来自平均数为 50 的总体的概率非常小,以至于作出心理学专业大学生总体的平均数不等于 50 的结论是合理的,他的样本提供了大学生专业类型与马基雅维里倾向的确有联系的证据。

在所有这些单样本参数检验中,我们已经将样本统计量(样本平均数或者样本比例)与一个已知的值作了比较。乔治知道一般大学生总体,其马基雅维里测验平均分为 50,吉尔知道吉尼斯酒厂生产的上等吉尼斯啤酒的标准酒精含量是 6%。但是,在很多情况下,我们进行研究时,并不知道与样本统计量作比较的那个值是多少。比如,乔治可能希望比较心理学专业学生与商务专业学生的马基雅维里倾向,但是,他不知道任何一个总体的平均数。我们可以用另外的参数检验来比较从不同总体抽取的两个样本,这就是下一章我们将要具体讨论的内容——两样本的参数检验。

难点提示

1. 一些学生理解何时使用 z 检验，何时使用 t 检验有困难。若要使用 z 检验，你必须知道总体标准差 σ 的值。如果你不知道这个值，你就必须使用 t 检验。另外，若要使用 z 检验，下面两个条件中必须满足至少一个：样本所来自的总体是正态分布的，样本容量不小于 20。如果这两个条件一个也不满足，你就必须使用 t 检验。

2. 进行 t 检验，在计算标准差时，记住公式分母中使用的是 $n-1$，而不是 n。然而，在将标准差转化为标准误时，你需要用标准差除以 n 的平方根。

3. 学生在解决 z 检验和 t 检验的问题时，最困难的一件事情是构建零假设和备择假设。看一下问题，研究者在问题中给出了他们的假设。如果研究者的假设中有“多于”、“大于”、“高于”等词语，则备择假设是总体参数（μ 或 p）会多于某个特定的值，备择假设会包含符号“$>$”。另外，如果研究者的假设中有“小于”、“低于”、“短于”等词语，则备择假设是总体参数（μ 或 p）会少于某个特定的值，备择假设会包含符号“$<$”。最后，如果研究者的假设中没有任何表示单方向的术语，则备择假设就仅仅是总体参数（μ 或 p）不等于某个特定的值，备择假设会包含符号“$\neq$”。

4. 使用附录 A 时要谨慎，不要查错表。进行 z 检验，查附录 A-1；进行 t 检验，查附录 A-3。

5. 学生们有时难以理解为了拒绝零假设，为什么 p 值必须等于或小于 α。在统计检验中，p 是样本统计量来自零假设所预测总体的概率。为了拒绝零假设，假设检验的逻辑要求这个概率为 α 或者更小，此处 α 是研究者选择的显著性水平。如果 p 大于 α，这零假设为真的概率大于 α，就不能拒绝零假设。

小结

- 单样本的统计检验是用于判断总体参数（平均数或比例）与某个特定值是否有差异的假设检验。
- 单样本参数检验使用样本的情况来推断总体参数的情况。这种推断既可以是单向的（检验总体参数是否大于或者小于某个特定的值），也可以是双向的（检验总体参数是否仅仅不等于某个特定的值）。
- 样本平均数的 t 检验用于检验总体平均数与某个特定的值是否有显著差异。样本平均数的 z 检验与样本平均数的 t 检验是等价的，当总体标准差 σ 已知时，使用 z 检验；当总体标准差 σ 未知时，使用 t 检验。在样本平均数的 t 检验中，样本标准差 s 作为总体标准差 σ 的估计值。
- t 分布比正态分布更为扁平。因此，t 分布在给定 t 值的尾部以外，比同样情况下的正态分布有更多的事件。所以，在给定显著性水平下，临界 t 值比临界 z 值大。

➤随着样本容量的增加，t 分布快速地趋向于正态分布的形状。在给定的显著性水平上，临界 t 值随着样本容量的增加，越来越接近相应的临界 z 值。

➤在临界 t 值的列表中，临界值是按照自由度来排列的。自由度是一个样本中给定条件下可以自由变化的数据的个数。对样本平均数的 t 检验而言，自由度是样本容量 n 减去 1。

➤样本比例的 z 检验用于检验总体比例是否与一个特定值存在显著不同。

➤进行样本平均数的 t 检验和进行样本比例的 z 检验的步骤，都与进行样本平均数的 z 检验的步骤相同：（ⅰ）检查进行检验的前提假设是否得到满足；（ⅱ）写下零假设和备择假设；（ⅲ）确定显著性水平 α；（ⅳ）找到统计量的临界值；（ⅴ）在零假设所预测的抽样分布图上找到拒绝域；（ⅵ）从样本数据计算样本统计量的值；（ⅶ）基于样本统计量的值，决定是否拒绝零假设。

➤统计检验力是当研究的变量间真正存在联系时，统计检验的结果肯定这种联系的概率。统计检验力用 $1-\beta$ 表示，与犯Ⅱ类错误的概率 β 是互补的。

➤通过选择比较苛刻的显著性水平、降低样本所在总体的变异程度、增大样本容量，可以提高一个统计检验的统计检验力。一个统计检验的统计检验力也与效果量直接联系。

➤效果量研究的是总体参数的真实值与零假设所预测的值之间的差异，它与样本所在总体的标准差有关。效果量是测量所研究的变量之间联系强度的一个指标。

练习

概念题

1. 名词解释：

自由度　　　　　　　　效果量

2. 进行样本平均数 t 检验需要满足哪些前提条件？这种检验适用于何种数据类型？如果前提条件没有得到满足，会出现什么样的结果？

3. 进行样本比例 z 检验需要满足哪些前提条件？这种检验适用于何种数据类型？如果前提条件没有得到满足，会出现什么样的结果？

4. 比较样本平均数的 z 检验和样本平均数的 t 检验，它们哪些地方是相同的，哪些地方是不同的？

5. 解释何为统计检验力？统计检验力为什么与犯Ⅱ类错误的概率是互补的？

6. 如果其他条件保持不变，解释为什么选择苛刻的显著性水平会降低统计检验力？

7. 如果其他条件保持不变，解释为什么降低样本所属总体的变异(标准差)，可以提高统计检验力？

8. 如果其他条件保持不变，解释为什么提高样本容量可以提高统计检验力？

9. 解释统计检验力为什么与被研究变量之间的效果量有联系？

计算题

10. 找到下列检验的临界 t 值：

A. 某研究 H_1：$t \neq 0$，$\alpha = 0.05$，$n = 15$；

B. 某研究 H_1：$t < 0$，$\alpha = 0.01$，$n = 10$；

C. 某研究 H_1：$t > 0$，$\alpha = 0.05$，$n = 23$；

D. 某研究 H_1：$t \neq 0$，$\alpha = 0.01$，$n = 40$。

11. 找到下列检验的临界值 z_P：

A. 某研究 H_1：$z_P \neq 0.50$，$\alpha = 0.05$；

B. 某研究 H_1：$z_P < 0.50$，$\alpha = 0.01$；

C. 某研究 H_1：$z_P > 0.50$，$\alpha = 0.0$；

D. 某研究 H_1：$z_P \neq 0.50$，$\alpha = 0.01$。

12. 州立大学心理学系在期末的时候，给上普通心理学的学生做了一个标准化的测试。所有参加测试的学生的平均分是 71 分。朱莉斯是给一部分心理学学生上这门课的老师，他认为他教的学生获得分数比其他学生要高。他教了 30 个学生，平均分是 79 分，标准差是 12 分。

A. 使用样本平均数的 t 检验，检验朱莉斯的看法是否正确，α 取 0.05。

B. 统计检验的结果说明了什么？

13. 在一般人群中，有 80%的人右眼占有支配地位。杰贝达测验了 30 个 IQ 在 130 以上的人，发现他们中有 40%左眼占有支配地位。

A. 使用样本比例的 z 检验，检验杰贝达的假设，他认为智商高出常人的天才更可能是左眼占有支配地位，α 取 0.05。

B. 统计检验的结果说明了什么？

14. 杰瑞试图研究幼儿在选择玩伴时的性别偏好。她把一个幼儿放在已经有一个小男孩和一个小女孩的房间里，让这个幼儿选择自己的玩伴。杰瑞只记录了这个幼儿和另外一个幼儿玩的时间。记录他们是同性别的幼儿玩，还是跟异性别的幼儿玩。如果幼儿在选择玩伴的时候没有性别偏好，那么有 50%的时间会和同性别的幼儿玩，有 50%的时间会跟异性别的幼儿玩。杰瑞观察了 20 个幼儿，发现他们有 60%的时间跟同性别的幼儿玩。检验杰瑞的假设：幼儿在选择玩伴时存在性别偏好。

A. 这个研究适合选用何种统计检验方法？为什么？

B. 对这个研究的结果进行统计检验分析，α 取 0.05。

C. 统计检验的结果说明幼儿在选择玩伴时存在性别偏好吗?

15. 州立大学教务处开设了一种新生学习技能培养课程。在第一学期期末,没有参加这种课程的欣赏 GPA 平均分为 2.83。下面列出了 20 个参加了这种课程的新生的 GPA 成绩,检验这种课程能否提高新生第一学期末的 GPA 成绩。

2.41	2.70	2.74	2.77	2.79	2.80	2.83	2.87	2.89	2.90
2.92	2.95	2.99	3.01	3.06	3.10	3.14	3.22	3.29	3.56

A. 这个研究适合选用何种统计检验方法?为什么?

B. 对这个研究的结果进行统计检验分析,α 取 0.01。

C. 统计检验结果说明这种课程对提高新生的 GPA 有作用吗?

16. 州立大学所有学生 GPA 的平均分为 2.94。贾尼斯检验了 15 名在自己家庭是长子的学生,发现他们 GPA 的平均分为 3.12,标准差为 0.25。检验在家庭中是长子的学生,其 GPA 成绩是否要高于州立大学的一般学生。

A. 这个研究适合选用何种统计检验方法?为什么?

B. 对这个研究的结果进行统计检验分析,α 取 0.05。

C. 统计检验的结果说明出生顺序和学习成绩有联系吗?

17. 在州立大学的毕业生中,有 20%是优秀毕业生。贾斯曼发现由 25 名在家庭里是最小的孩子的学生组成的样本中,其优秀毕业生只占 15%。检验这个假设:最后一胎的孩子获得优秀毕业生的可能性小于一般大学生。

A. 这个研究适合选用何种统计检验方法?为什么?

B. 对这个研究的结果进行统计检验分析,α 取 0.05。

C. 统计检验的结果说明出生顺序和获得优秀毕业生有联系吗?

尾注

1. Jacob Cohen 是第一个使用效果量来说明这种差异的人。Cohen 在效果量和统计检验力关系方面的工作尤为突出。可参考他的著作:*Statistical power analysis for behavioral sciences* (2d ed.; Hillsdale, NJ: Lawrence Erlbaum Associates, 1998).

第十四章
两个样本的参数检验

在第十三章，我们学习了用于从单个总体抽取的样本的统计检验方法。在所有这些检验方法中，我们都是通过对样本统计量的计算来估计样本所在总体的特征的。然而，在实际研究中还有许多问题，比如，若要考察培训课程或辅导用书对提高学生 GRE 成绩的作用，用这些检验方法是解决不了的。GRE 是一种标准化测验，用于许多文理科类研究生入学考试。市场上有许多特殊的培训课程和辅导书籍，都声称能提高学生 GRE 成绩。我们可以进行一个研究，来检验一下这些课程和书籍是否真的有效。

假设从一所州立大学参加 GRE 数学培训课程的学生中，抽取 25 人的一个样本。经过培训之后，测得他们的数学平均成绩为 575 分。理论上说，GRE 数学成绩的总体平均分是 500，标准差 100。用 z 检验来处理，我们得到：该样本平均数显著高于总体平均数，$p<0.05$。这个结果能表明这一培训课程确实提高了学生的成绩吗？显然不能。因为可能有其他多种原因：也许所抽取的这 25 名学生即使不参加培训，也会获得比平均分高的成绩；也许这所州立大学的学生都能获得高于平均分的成绩。通过样本平均数的 z 检验，我们无法判断这一结果究竟是因为被试参加过培训，还是因为他们来自一个 GRE 成绩很高的总体。

鉴于上面的分析，在进行这种研究时，我们不宜将一个样本平均数与总体平均数做比较，而应该从这所学校抽取两个样本来做比较：一个样本取自参加过培训的学生，而另一个样本取自未参加培训的学生。为了保证抽样没有偏差，我们可以将学生随机地分配到这两个样本中去。如果这两个样本有显著性差异，我们就不能认为这一差异来源于总体，因为他们来自同一个总体。为了检验这一差异的来源，我们需要一种新的检验方法。此时 z 检验是无效的，因为 z 检验是将一个样本平均数同已知的总体平均数进行比较，然而这里有两个样本平均数。因此，我们就需要一种能对两个样本进行比较的检验方法，这就是本章和下一章要讨论的内容。

在本章，我们将介绍三种用于两个样本数据的参数检验。这三种检验都是参数检验，因为它们都是根据样本信息对总体参数进行推断。我们会先讨论两种比较两个样本平均数的参数检验方法：一是两个样本平均数差异 t 检验，另一个是两个样本差数平均数的 t 检验。为了弄清这两种检验方法之间的区别，我们首先需要理解被试间检验和被试内检验这两个概念。

被试间检验和被试内检验

本章中，我们首先讨论两种参数检验方法：根据两个样本之间的差异，来评价样本所在的两个总体参数之间是否有显著差异。这些统计检验方法主要分为两类，一类是**被试间检验**[1]，即这类检验的被试取自两个相互独立的样本。比如，一个样本中有10名被试，另一个样本中也有10名被试，并且前后两个样本中的被试没有联系，对这两个样本进行检验就要运用被试间检验了。在被试间检验中，每个被试贡献一个数据，在一些统计书中，也称这种样本为独立样本。

另一类是**被试内检验**[2]。这类样本的特点是：只有一组被试，每个被试都将进行两次测验，贡献两个数据。两次测验的得分各作为一个样本。我们熟悉的“前测后测”就是一个典型的被试内检验。再比如，同一个体在两种完全不同的实验条件下接受测验，这也是被试内检验的一种，如有时间限制和无时间限制。被试内检验有一种特殊类型：两个样本中被试是不同的，但在某种意义上是相关的，可将两个样本中的被试一一匹配成对，然后再给予两组被试不同的实验处理。譬如，选取一组男性被试，另一组分别是他们的妻子，我们就可以将他们配对成两组被试。又比如，双胞胎或是大学同宿舍的舍友都可以看做是这类样本。被试内样本也可称为重测样本、成对样本、相关样本或是互赖样本。一般而言，只要你能根据某个有意义的指标把被试一一匹配成对，就可将其视为被试内样本。否则将这类样本归为被试间样本。

被试内实验设计比被试间实验设计有更多优点，其中最重要的一点就是可减小数据间的变异。我们知道，标准差的降低可增加检验的统计检验力。当研究中的两个变量的确有联系时，我们才更有可能找到它们之间的显著性差异。相对于在两个样本中使用不同被试而言，在两个样本中使用同一个（或相关）被试，我们降低了个体间的差异。这样，当样本间确实存在差异时，我们就更有可能找到这一差异。

当然，被试内实验设计也有不足之处。比如说，被试内实验的设计是有一定难度的。举个例子，假定我们对同一个样本的被试测试两次，第一次限定时间而第二次不限时间。如果被试在不限时的条件下得分较高，我们就认为，成绩的提高是由于没有

---

〔1〕 被试间检验：在被试间检验中，两个完全不同且相互独立的样本作为被试，每个被试贡献一个数据，这样，两组不同被试就有两组数据。

〔2〕 被试内检验：在被试内检验中，只有一组被试接受测验，每个被试贡献两个数据。一个典型的被试内检验就是配对组被试，它们在某种意义上可配成对，每个被试贡献一个得分，且这些数据也是以成对的形式进行分析的。这样，配对组的每个被试仍有两组数据。

时间限制的缘故。然而,这个成绩的提高可能仅仅是因为被试已经做过这个测验,从第一次测验中获得了经验而已。尽管有许多方法可以控制这种复杂的练习效应——这些方法我们会在实验设计中学到,但这些技术无形之中又增加了实验的复杂程度。

下面我们先讨论被试间的 t 检验,也就是两个样本平均数差异的显著性检验,随后,我们再讨论被试内的参数检验——差数平均数的 t 检验。

平均数差异的 t 检验:被试间检验

σ 已知的情况下,两个样本平均数之差的分布

在第十一章,我们学习了样本平均数分布的概念。如果我们从总体中抽取大量的容量相同的样本,所有这些样本的平均数就构成一个样本平均数的分布。现在我们来考察一下两个样本平均数之差的分布。为了理解这个概念,我们假定,有一个只有三个值 1, 2, 3 的数据总体,并且每种取值的机会均等。然后从中抽取包含两个数据的样本,表 14-1 列出了所有可能的样本平均数的分布。这个抽样分布与我们在第十一章中建立的分布很相似。

表 14-1 从包含取值 1, 2, 3 的数据总体中,抽取的样本平均数的分布,样本容量 $n=2$

$\overline{X}$	频　次	$\overline{X}$	频　次
3.0	0.11	1.5	0.22
2.5	0.22	1.0	0.11
2.0	0.34		

现在假设我们每次抽取两个样本,得到的第一个样本平均数记作 X_1,第二个样本平均数记作 X_2,对抽取的每一对样本,我们将它们的平均数之差记作(X_1-X_2)。假设重复这样的程序 1 000 次。有时,我们抽到两个平均数相同的样本,那么,$(X_1-X_2)=0$;有些抽取到的样本,其平均数之差为 0.5,有些为 −0.5;有些为 ±1、±1.5;最大可达到 ±2,也就是当一个样本的平均数为最大值 3,另一个样本为最小值 1 时,得到的两个平均数的差值。

如果我们重复地抽取两个样本 1 000 次,并求出它们平均数之差,就会得到代表两个样本平均数之差的 1 000 个数据,这些值就构成了两个样本平均数之差的分布,如图 14-1 和表 14-2 所示。从图中我们发现,分布的平均数为零,并且整个分布是平衡的,从形态上看,接近正态分布。如果我们抽取的样本容量大于 2,这个分布会更接近正态分布。

表 14-2 从单个总体中抽取的两个样本平均数之差的分布

$\overline{X}_1-\overline{X}_2$	相对频次	$\overline{X}_1-\overline{X}_2$	相对频次
2.0	0.01	−0.5	0.20
1.5	0.05	−1.0	0.12
1.0	0.12	−1.5	0.05
0.5	0.20	−2.0	0.01
0.0	0.24		

利用表 14-2 中的信息，我们可以计算两个样本平均数之差为某个特定值的概率。比如，抽取的两个样本，其平均数之差为±2.0 的概率是 2%，而抽取的两个样本，其平均数之差为±1.5 的概率为 10%。

图 14-1 所示的抽样分布是一个经验分布，或者说，这个分布是由实际的抽样构建得到的。然而，对于大多数总体来说，通过实际抽样来构建这样一个经验分布需要大量时间。因为在实际问题中，大多数的总体不止包含 3 个值，且我们所抽取的大多数样本也不止包含两个数据。

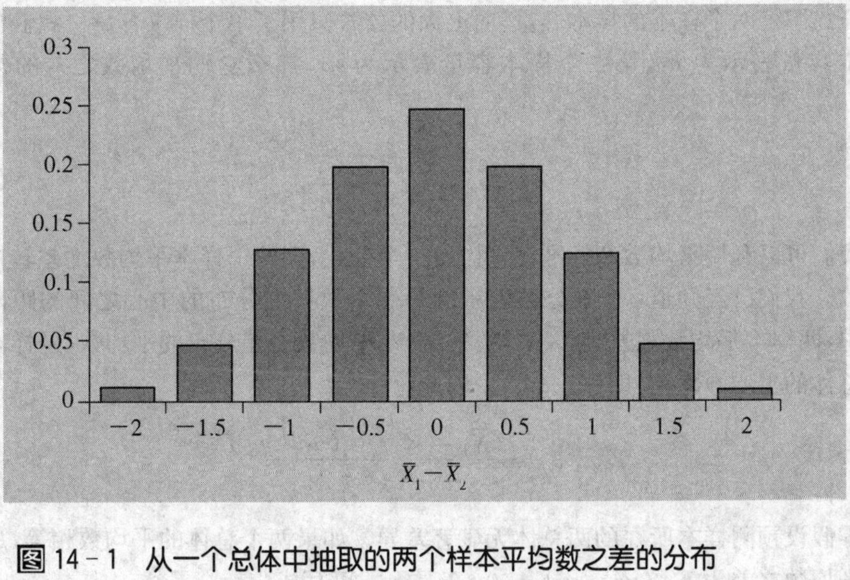

图 14-1 从一个总体中抽取的两个样本平均数之差的分布

我们可以用理论的抽样分布来代替经验的抽样分布，为此，我们必须知道三方面的信息：首先应该知道分布的形态。因为只有知道了分布的形态，才能选择合适的概率分布表。如果进行检验的前提条件满足，样本平均数之差的分布就是正态分布。若总体标准差已知，我们就能使用附表 A-1 正态分布表；若总体标准差未知，我们就可以使用附表 A-3，t 分布表。其次，我们还必须知道另外两个值：平均数之差分布的平均数和标准差。

假如我们从同一个总体抽取两个样本，这些样本平均数之差的分布的平均数通常为零。考虑一下，从同一总体中抽取的两个样本之间平均数的差异会有多大呢？有时抽取的两个样本平均数的值相等，这样一来它们之差为零；有时我们抽取到的第一个样本平均数比第二个样本平均数大，那么差值为正；而同样的，我们也会抽到第二个样本的平均数比第一个大，这时差值为负。从图 14-1 中我们可以看出，所有正的差值与所有负的差值相互抵消，这样，分布的平均数就为零。

$$\mu_{\overline{X}_1-\overline{X}_2}=0$$

回忆一下，样本平均数分布的标准误是根据样本所在总体的标准差计算得到的。当总体标准差 σ 已知时，我们用如下公式计算平均数的标准误：

$$\sigma_{\overline{X}}=\frac{\sigma}{\sqrt{n}}=\sigma\sqrt{\frac{1}{n}}$$

计算两样本平均数之差的分布的标准误，其公式和上面这个公式很相似，只不过这个公式用了两个样本的样本容量，而上面的公式只用了单个样本容量。我们将第一个样本容量表示为 n_1，第二个样本容量表示为 n_2，那么它们平均数之差的标准误就是：

$$\sigma_{\overline{X}_1-\overline{X}_2}=\sigma\sqrt{\frac{1}{n_1}+\frac{1}{n_2}}$$

我们可以利用平均数和标准误来构造一个公式，把两个样本平均数之差转换为标准分数。我们已经知道：标准分数表示的是一个数据与分布的中心之间的距离。在本例中，两样本平均数之差为$(\overline{X}_1-\overline{X}_2)$。样本平均数之差分布的平均数，是样本所在的两总体的平均数之差，即$(\mu_1-\mu_2)$。因此：

$$Z_{\overline{X}_1-\overline{X}_2}=\frac{(\overline{X}_1-\overline{X}_2)-(\mu_1-\mu_2)}{\sigma_{\overline{X}_1-\overline{X}_2}}$$

零假设预测样本所在的两总体无显著差异。如果两个总体的平均数相等，那么这两个平均数之差为零：$(\mu_1-\mu_2)=0$。于是上式可写成：

$$Z_{\overline{X}_1-\overline{X}_2}=\frac{(\overline{X}_1-\overline{X}_2)-0}{\sigma_{\overline{X}_1-\overline{X}_2}}=\frac{\overline{X}_1-\overline{X}_2}{\sigma_{\overline{X}_1-\overline{X}_2}}$$

最后，我们将平均数之差的标准误的表达式代入上面这个公式，可以得到：

$$Z_{\overline{X}_1-\overline{X}_2}=\frac{\overline{X}_1-\overline{X}_2}{\sigma_{\overline{X}_1-\overline{X}_2}}=\frac{\overline{X}_1-\overline{X}_2}{\sigma\sqrt{\frac{1}{n_1}+\frac{1}{n_2}}}$$

这个公式是在总体标准差 σ 已知的条件下得到的。如果 σ 的值已知，我们就可利用这个公式来进行样本平均数之差的 z 检验。然而，进行心理学研究时，我们通常不知道 σ 的值。在这种情况下，我们就需要对 σ 进行估计，这就是下面一节我们要讨论的内容。

σ 未知情况下，对总体标准差的估计

当总体标准差未知时，我们用 t 检验来进行平均数之差的检验。为了进行 t 检验，我们可将 z 检验统计量公式中总体标准差换成样本标准差。平均数差异的 z 检验的统计量公式是：

$$Z_{\overline{X}_1-\overline{X}_2}=\frac{\overline{X}_1-\overline{X}_2}{\sigma\sqrt{\frac{1}{n_1}+\frac{1}{n_2}}}$$

z 检验和 t 检验的零假设都假设两个样本是从同一个总体中抽取的。只有一个总体标准差 σ，所以 z 检验统计量的公式中只含有一个 σ 的值。然而，在 t 检验中，我们使用样本标准差 s 作为 σ 的估计值。因为有两个样本，所以就有两个样本标准差 s_1 和 s_2。

s_1 和 s_2 都是总体标准差的估计值，如果仅使用这两个标准差中的一个作为 σ 的估计值，是不够准确的。所以我们使用两个样本标准差来计算，这样会更准确一些，我们把计算的结果叫做**汇合标准差**[1]。

我们不能将两个样本标准差 s_1 和 s_2 简单相加，来作为对总体标准差的估计值，因为这样很不准确。用一个简单的例子就能说明这个道理：假定有一个包含 5 个值的数据总体，它们分别是 1，2，3，4，5。我们就很容易得到总体方差为 1.4。假设从这个总体中抽取两个样本，每个样本包含 3 个数据。第一个样本为 1，2，4，标准差为 1.53，第二个样本为 3，4，5，标准差为 1.00：

$$s_1=\sqrt{\frac{\sum(X_1-\overline{X}_1)^2}{n_1-1}}=\sqrt{\frac{4.7}{3-1}}=\sqrt{\frac{4.7}{2}}=\sqrt{2.35}=1.53$$

$$s_2=\sqrt{\frac{\sum(X_2-\overline{X}_2)^2}{n_2-1}}=\sqrt{\frac{2.0}{3-1}}=\sqrt{\frac{2.0}{2}}=\sqrt{1.00}=1.00$$

这两个样本的标准差分别为 1.53 和 1.00，都是总体标准差 1.4 的估计值。如果把这

〔1〕 汇合标准差：为了提供对总体标准差更稳定的估计，使用两个或两个以上样本——假定这些样本都来自同一个总体——计算出来的联合标准差。

两个值相加，得到 2.53。显然，这并不是对实际总体标准差的准确估计。

我们可以通过三种方法对两个样本标准差进行汇合。你会发现，这三种方法计算的结果都是一样的。

方法一：用离均差平方来计算。从样本标准差的定义公式就能看出，离均差平方的自由度为$(n-1)$，如果要将两个样本标准差汇合起来，首先要把每个样本的方差加起来，再除以两个样本的自由度之和。

$$s_{\overline{X}_1-\overline{X}_2}=\sqrt{\frac{\sum(X_1-\overline{X}_1)^2+\sum(X_2-\overline{X}_2)^2}{(n_1-1)+(n_2-1)}}$$

$$=\sqrt{\frac{4.7+2.0}{2+2}}$$

$$=\sqrt{\frac{6.7}{4}}$$

$$=\sqrt{1.675}=1.29$$

这样，样本一和样本二的汇合标准差为 1.29。

方法二：用样本标准差计算。如果两个样本标准差已知，我们就能利用这些值直接计算汇合标准差。如下式所示，对于一个样本来说，离均差平方和为$(n-1)s^2$：

$$s=\sqrt{\frac{\sum(X-\overline{X})^2}{n-1}}$$

$$s^2=\frac{\sum(X-\overline{X})^2}{n-1}$$

$$(n-1)s^2=\sum(X-\overline{X})^2$$

我们将这个表达式代入汇合标准差的公式中，得：

$$s_{\overline{X}_1-\overline{X}_2}=\sqrt{\frac{(n_1-1)s_1^2+(n_2-1)s_2^2}{(n_1-1)+(n_2-1)}}$$

用这个公式计算出来的汇合标准差的值与第一种方法计算的值完全相等。

$$s_{\overline{X}_1-\overline{X}_2}=\sqrt{\frac{(n_1-1)s_1^2+(n_2-1)s_2^2}{(n_1-1)+(n_2-1)}}$$

$$=\sqrt{\frac{(3-1)1.53^2+(3-1)1.0^2}{(3-1)+(3-1)}}$$

$$=\sqrt{\frac{4.7+2.0}{4}}=\sqrt{\frac{6.7}{4}}=\sqrt{1.675}$$

$$=1.29$$

方法三：两个样本容量相等时的计算公式。如果两个样本容量相等，即 $n_1 = n_2$，那么上面的公式就简化为：

$$s_{\overline{X}_1-\overline{X}_2} = \sqrt{\frac{s_1^2 + s_2^2}{2}} = \sqrt{\frac{2.35 + 1.00}{2}}$$

$$= \sqrt{\frac{3.35}{2}} = \sqrt{1.675} = 1.29$$

注意：**只有**当两个样本容量相等时才能使用这个公式，如果两个样本容量不等，则只能用第一种或第二种方法来计算。三种求两个样本汇合标准差的步骤在演示步骤14－1中有详细的说明。

演示步骤 14－1

计算两个样本的汇合标准差

方法一：用离均差平方和计算

$$s_{\overline{X}_1-\overline{X}_2} = \sqrt{\frac{\sum(X_1 - \overline{X}_1)^2 + \sum(X_2 - \overline{X}_2)^2}{(n_1 - 1) + (n_2 - 1)}}$$

式中，X_1 表示样本 1 的数据

$\overline{X}_1$ 表示样本 1 的平均数

n_1 表示样本 1 的样本容量

X_2 表示样本 2 的数据

$\overline{X}_2$ 表示样本 2 的平均数

n_2 表示样本 2 的样本容量

1. 对每个样本做下面的计算：
   A. 求样本平均数；
   B. 对样本中的每个数据，求它们与平均数之差的平方；
   C. 对步骤 B 中的所有结果求和。
2. 把两个样本在第 1 步 C 处的结果相加。
3. 将样本 1 的样本容量减去 1，得到样本 1 的自由度；将样本 2 的样本容量减去 1，得到样本 2 的自由度。将两个样本的自由度相加。
4. 用第 2 步的结果，除以第 3 步的结果。
5. 求第 4 步的结果开平方，即可得到汇合标准差。

方法二：用两个样本标准差计算

$$s_{\overline{X}_1-\overline{X}_2} = \sqrt{\frac{(n_1 - 1)s_1^2 + (n_2 - 1)s_2^2}{(n_1 - 1) + (n_2 - 1)}}$$

式中，s_1 表示样本 1 的标准差

n_1 表示样本 1 的样本容量

s_2 表示样本 2 的标准差

n_2 表示样本 2 的样本容量

1. 对每个样本分别做以下计算：
   A. 将标准差平方；
   B. 将样本容量减去 1，求得自由度；
   C. 用步骤 A 的结果乘以步骤 B 的结果。
2. 将两个样本在步骤 1 中所得的结果相加。
3. 用 n_1 减去 1，得到样本 1 的自由度；用 n_2 减去 1，得到样本 2 的自由度。将两个样本的自由度相加。
4. 将第 2 步的结果除以第 3 步的结果。
5. 求第 4 步结果的平方根，得到汇合标准差。

方法三：当两个样本容量相等时

注意：这种方法只适用于两个样本容量相等的情况：

$$s_{\bar{X}_1-\bar{X}_2}=\sqrt{\frac{s_1^2+s_2^2}{2}}$$

式中，s_1 表示样本 1 的标准差

s_2 表示样本 2 的标准差

1. 求两个样本标准差平方，并将平方相加。
2. 将第 1 步的结果除以 2，并将得到的结果开平方，便可得到汇合标准差。

必须记住一点：汇合标准差只不过是一个估计值，并不一定与 σ 的值完全相同。另外要注意：求出的汇合标准差是在两个样本标准差的值之间的。比如在上述例子中，汇合标准差 1.29 就在两个样本标准差 1.00 和 1.53 之间。这是一个规律。

为了把检验平均数差异的 z 检验的公式转换成 t 检验的公式，我们只需将 z 检验公式中的总体标准差，用样本的汇合标准差代替即可：

$$Z_{\bar{X}_1-\bar{X}_2}=\frac{\bar{X}_1-\bar{X}_2}{\sigma\sqrt{\frac{1}{n_1}+\frac{1}{n_2}}}\qquad t_{\bar{X}_1-\bar{X}_2}=\frac{\bar{X}_1-\bar{X}_2}{s_{\bar{X}_1-\bar{X}_2}\sqrt{\frac{1}{n_1}+\frac{1}{n_2}}}$$

演示步骤 14－2 中详细地说明了如何用这个公式来计算平均数差异的统计量 t 的值。

演示步骤 14－2

进行平均数差异显著性的 t 检验

1. 验证以下条件是否得到满足：
   A. 样本中的被试都是随机、独立抽取的，每个被试只属于一个样本。
   B. 总体分布应是近似的正态分布，如果偏差太大就不能用 t 检验。
   C. 两样本方差近似相等。
   D. 研究数据是等距的或是比率的。
2. 写出零假设和备择假设。从下列三种形式的假设中选取一个合适的：

   双向检验：$H_0: \mu_{\bar{X}_1} = \mu_{\bar{X}_2}$ 或者 $\mu_{\bar{X}_1-\bar{X}_2} = 0$

   $H_1: \mu_{\bar{X}_1} \neq \mu_{\bar{X}_2}$ 或者 $\mu_{\bar{X}_1-\bar{X}_2} \neq 0$

   单向检验：$H_0: \mu_{\bar{X}_1} \leqslant \mu_{\bar{X}_2}$ 或者 $\mu_{\bar{X}_1-\bar{X}_2} \leqslant 0$

   $H_1: \mu_{\bar{X}_1} > \mu_{\bar{X}_2}$ 或者 $\mu_{\bar{X}_1-\bar{X}_2} > 0$

   $H_0: \mu_{\bar{X}_1} \geqslant \mu_{\bar{X}_2}$ 或者 $\mu_{\bar{X}_1-\bar{X}_2} \geqslant 0$

   $H_1: \mu_{\bar{X}_1} < \mu_{\bar{X}_2}$ 或者 $\mu_{\bar{X}_1-\bar{X}_2} < 0$
3. 选择一个显著性水平 α。
4. 查附表 A－3，确定 t 的临界值，自由度 $df = (n_1 - 1) + (n_2 - 1)$。
5. 根据零假设作一个抽样分布的草图，标出拒绝域。
   A. 对于双向检验，拒绝域在分布的两端尾部。
   B. 对于单向检验，拒绝域只在分布的一端。若备择假设预测平均数差异小于零，拒绝域在分布的左端尾部；若备择假设预测平均数差异大于零，拒绝域在分布的右端尾部。通常规定：平均数较大的那个样本为样本 1，这样可保证 t 值为正。
6. 将样本平均数之差代入下面的公式计算 t 值。演示步骤 14－1 已经告诉我们三种求汇合标准差的方法。

$$t_{\bar{X}_1-\bar{X}_2} = \frac{\bar{X}_1 - \bar{X}_2}{s_{\bar{X}_1-\bar{X}_2}\sqrt{\frac{1}{n_1} + \frac{1}{n_2}}}$$

式中，s_1 表示样本 1 的标准差

n_1 表示样本 1 的样本容量

s_2 表示样本 2 的标准差

n_2 表示样本 2 的样本容量

$s_{\bar{X}_1-\bar{X}_2}$ 表示两样本的汇合标准差

7. 确定是否拒绝零假设。

A. 若 $t_{\bar{X}_1-\bar{X}_2}$ 落在由临界值 t 决定的拒绝域中，那么 $p \leqslant \alpha$，可认为样本所在总体的平均数有显著差异（拒绝零假设）。

B. 若 $t_{\bar{X}_1-\bar{X}_2}$ 未落在由临界值 t 决定的拒绝域中，那么 $p > \alpha$，我们不能认为样本所在的总体的平均数间有显著差异（不拒绝零假设）。

进行平均数差异的 t 检验

乔先生有一个假设：焦虑会降低学生的数学测验的成绩。我们可以用平均数差异的 t 检验来检验这个假设。乔选取了 20 名有数学焦虑的学生作为一个样本，对他们进行了一个数学测验，在表 14－3 中给出了测得的数据。假定乔先生同时还选取了 16 名无数学焦虑的学生作为一个样本，也进行了这一测验。乔先生在两组中控制了智力水平和以往的数学成绩，以排除这些无关变量对实验结果的影响。两个样本的平均数和标准差已在表 14－3 中给出。

表 14－3 有数学焦虑和无数学焦虑学生样本的测验数据

无数学焦虑(%)				有数学焦虑(%)			
100	95	95	90	95	90	90	80
85	80	80	75	75	75	70	70
75	70	70	70	70	60	60	60
65	65	60	50	60	60	55	55
				55	50	50	40

$\bar{X}_{\text{无数学焦虑}} = 76.6\%$　　$\bar{X}_{\text{有数学焦虑}} = 66.0\%$

$s_{\text{无数学焦虑}} = 13.9\%$　　$s_{\text{有数学焦虑}} = 14.7\%$

$$s_{\bar{X}_1-\bar{X}_2} = \sqrt{\frac{(n_1-1)s_1^2+(n_2-1)s_2^2}{(n_1-1)+(n_2-1)}}$$

$$= \sqrt{\frac{(16-1)13.9^2+(20-1)14.7^2}{(16-1)+(20-1)}}$$

$$= \sqrt{\frac{(16-1)13.9^2+(20-1)14.7^2}{(16-1)+(20-1)}}$$

$$= \sqrt{\frac{(15)193.21+(19)216.09}{34}} = \sqrt{\frac{2\,898.15+4\,105.71}{34}}$$

$$= \sqrt{\frac{7\,003.86}{34}} = \sqrt{206.00} = 14.35$$

续 表

$$t_{\bar{X}_1-\bar{X}_2} = \frac{\bar{X}_1 - \bar{X}_2}{s_{\bar{X}_1-\bar{X}_2}\sqrt{\frac{1}{n_1}+\frac{1}{n_2}}} = \frac{76.6\% - 66.0\%}{14.35\sqrt{\frac{1}{20}+\frac{1}{16}}}$$

$$= \frac{10.6\%}{14.35\sqrt{0.05+0.0625}}$$

$$= \frac{10.6\%}{14.35\sqrt{0.1125}}$$

$$= \frac{10.6\%}{14.35(0.335)}$$

$$= \frac{10.6\%}{4.8\%}$$

$$= 2.21$$

在乔先生的实验中，16 名无数学焦虑的被试答题正确率为 76.6%，而 20 名有数学焦虑的被试的答题正确率只有 66.0%。也就是说，在这个实验中，无数学焦虑的学生比有数学焦虑的学生的正确率高出 10.6%。这一差异就能证明有数学焦虑的学生总体的平均分，比无焦虑学生的低吗？答案是否定的。因为这两个样本有可能是从同一个总体中抽取的，虽然这种可能性微乎其微。我们可以用平均数差异的 t 检验，来检验一下这种可能性。

进行平均数差异的 t 检验的方法在演示步骤 14－2 中已详细列出，我们可以用这种方法来检验这个假设：有数学焦虑的学生总体的测验平均分，低于无数学焦虑的学生总体的平均分。

第一步：验证以下条件是否满足。第一个条件是被试要随机且独立抽取。没有哪名被试同时属于两个样本，并且一个样本中的被试与另一个样本中的被试相互独立。这样才能保证进行的是被试间的 t 检验。第二个条件是总体分布是近似的正态分布。第三个条件是两个样本的方差近似相等。在乔先生的研究中，两个样本的标准差分别是 14.7%和 13.9%，近似相等。第四个条件是所测得的数据是等距或比率的。在乔先生的研究中，实验得到的数据是比率的。

第二步：作出零假设和备择假设。我们可以用两种方式作出零假设。第一种方式是将两个样本的平均数作比较。对于乔先生的研究，我们假设无数学焦虑学生总体的得分，高于有数学焦虑总体的得分，这是备择假设，零假设正好与此相反。

$$H_0: \mu_{无数学焦虑} \leqslant \mu_{数学焦虑}$$
$$H_1: \mu_{无数学焦虑} > \mu_{数学焦虑}$$

第二种方式是将两总体平均数之差与零作比较。由于我们假设无焦虑总体得分高于有焦虑总体，那么这两个总体平均数之差就应该大于零。

$$H_0: \mu_{无数学焦虑} - \mu_{数学焦虑} \leqslant 0$$
$$H_1: \mu_{无数学焦虑} - \mu_{数学焦虑} > 0$$

注意：这两种作出零假设的方式是等价的。我们规定：把样本平均数较大的那个作为样本1，这样我们计算出来的 t 值总是正的。

第三步：确定显著性水平。我们将使用心理学研究中常用的显著性水平，$\alpha = 0.05$。

第四步：确定统计临界值。由于我们假设两总体平均数之差大于零，那么这是一个单向检验。自由度是 $(n_1 - 1) + (n_2 - 1)$。在这个例子中，自由度是 $(20-1)+(16-1)=34$，查附表 A－3 时我们会遇到一个问题：t 值表中没有列出自由度为 34 的临界值。

由于我们所用 t 值表的容量有限，没有把所有自由度对应的临界值列出来。我们看到，t 值表只列出了自由度为 30 和 40 的临界值，而未列出自由度在 30—40 之间时的临界值。在这种情况下，必须使用与我们求得的自由度最接近的那个自由度所对应的临界值。在这个例子中，$df = 34$，我们只能使用 $df = 30$ 所对应的临界值。如果我们选取了与实际自由度相差太大的自由度，其对应的临界值就会超出我们所选的显著性水平。

对于 $\alpha = 0.05$，$df = 30$，查到 t 的临界值为 1.697，如果我们求得的 t 值大于或等于 1.697 的话，就能拒绝零假设了。附表 A－3 中只列出了 t 的正值，如果拒绝域在左端尾部的话，就需要在求得的 t 值前加一个负号。

第五步：作出抽样分布图，并标出拒绝域。图 14－2 呈现了两个样本平均数之差的 t 分布。由于备择假设预测两总体平均数之差大于零，那么拒绝域在右端尾部。若计算得到的 t 值落入拒绝域，我们就拒绝零假设。

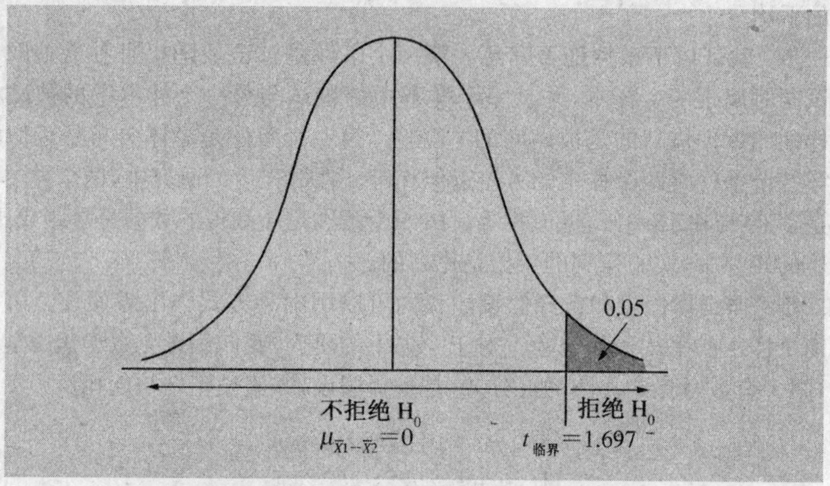

图 14－2 进行 t 检验的两个样本平均数之差的抽样分布，$\alpha = 0.05$，$df = 34$

第六步：从样本原始数据计算统计量的值。表 14－3 给出计算 t 值的具体步骤。首先，我们得先分别求出两个样本的平均数及标准差，再将它们的值带入计算 t 值的公式中，这个在演示步骤 14－2 中有详细的说明。在演示步骤 14－1 中给出了三种计算汇合标准差的方法。最后算得乔先生的研究中，t 值为 2.21，如表 14－3。

第七步：确定是否拒绝零假设。 若 t 值落入拒绝域，就拒绝零假设。即认为：有焦虑与无焦虑总体的数学成绩之间有显著差异。我们可以得出这样一个结论：有数学焦虑的学生的数学测验的成绩要低于无数学焦虑学生的成绩。乔先生可以这样报告他的研究结果："在标准化的数学测验中，有数学焦虑的学生的平均分比无数学焦虑的学生的平均分低 10.6%，二者有显著性差异。$t_{34}=2.21$，$p<0.05$。"这里 t 值的下标表示在统计检验中使用的自由度为 34。

差数平均数的 t 检验：被试内检验

差数平均数的分布

我们刚刚讨论了平均数之差的 t 检验，这种检验方法适用于两组被试。乔先生对两组独立样本的被试进行测验，一组是有数学焦虑的学生，另一组是无数学焦虑的学生。为了检验乔的假设，我们将这两个样本的平均数作比较，用被试间 t 检验来进行两个样本平均数差异的显著性检验。

乔先生也可以用另一种方法来检验他的假设：从有数学焦虑的学生总体中，抽取一个样本，并对他们进行放松和缓解焦虑的训练。假定在样本中被试接受这项训练前后，乔先生分别对他们进行一次测验，其目的是考查降低数学焦虑是否能提高他们的数学成绩。这就是一个被试内实验设计，在这种实验中，只有一个样本，样本中的每个被试贡献两个数据。由于每个被试贡献两个数据（训练前和训练后），这两个数据就可以配成对。我们可以用被试后测的成绩减去前测的成绩，以寻找它们之间的差异。如果我们再对这些差异求一个平均值，就得到被试训练前后成绩的差数平均数。

对于平均数差异的 t 检验（被试间 t 检验），我们可以先分别求出每个样本的平均数，再来计算平均数之差。对于差数平均数的 t 检验（被试内 t 检验），我们得首先计算每个被试的两个数据之差，然后再求平均数。这两种检验程序上的区别在表 14－4 中做了总结。

表 14－4　被试间和被试内实验程序的区别

检　　验	基 本 程 序
被试间：平均数差异的显著性 t 检验	1. 分别计算每个样本平均数 2. 求样本平均数之差
被试内：差数平均数的显著性检验	1. 求每对数据之差 2. 计算这些差值的平均数

这两种 t 检验的抽样分布是不同的。我们已经讨论过两个样本平均数之差的抽样分布，现在，让我们来看看差数平均数的抽样分布是怎样构造的。

假设有一个数据总体，包含 5 个取值：1，2，3，4，5，这五个值出现的概率相等。现在假定从这个总体中抽取样本，每个样本包含一对数据。对每一对数据，用第一个数据减去第二个数据来计算它们的差。因此样本由每对数据之差构成。求出这些差数的平均值，或者更准确地说是**差数平均数**。由于每一对数据都是由同一个总体抽取的，所以对于一对数据而言，有时两个数据之差为零；有时第一个数据比第二个数据大，它们之差为正；有时第二个数据比第一个数据大，那么它们之差为负。但对所有这些成对数据的差来说，正值与负值倾向于抵消，于是差数总体的平均数为零。

如果我们多次地重复这个程序：从总体中抽取成对数据，求每对数据之差，再对这些差值求平均数，就能得到这些样本的差数平均数的分布。这一分布就是均值为零的正态分布。当然，不是所有抽取的样本的差数平均数都是零。有一些样本中，正的差值多于负的差值，差数平均数就为正值；而另一些样本的情况正好相反，那么差数平均数就为负值。然而，如果我们抽取了足够多的样本，对于所有这些样本而言，差数平均数有正有负，还是会互相抵消，均值仍为零。

这就是差数平均数的分布。回忆一下样本平均数抽样分布中计算 t 的公式：

$$t=\frac{\overline{X}-\mu}{s_{\overline{X}}}=\frac{\overline{X}-\mu}{\frac{s}{\sqrt{n}}}$$

对于差数平均数的分布，分布中的值是成对数据之差的平均数而不是样本平均数。为了在公式中加以区分，我们可以将公式写成：

$$t=\frac{\overline{X}_D-\mu_D}{s_{\overline{X}_D}}=\frac{\overline{X}_D-\mu_D}{\frac{s_D}{\sqrt{n}}}$$

式中 $\overline{X}_D$ 表示样本的差数平均数，μ_D 表示总体差数的平均数。

这个公式还可以更简化一些。如果零假设成立的话，总体差数的平均数为零。因此，我们可将 $\mu_D=0$ 代入上式，得：

$$t=\frac{\overline{X}_D}{s_{\overline{X}_D}}=\frac{\overline{X}_D}{\frac{s_D}{\sqrt{n}}}$$

差数平均数的 t 检验

为了演示如何进行差数平均数的 t 检验，我们以乔先生的研究为例。在乔先生的研究中，他对一些有数学焦虑的学生进行了放松和缓解焦虑的训练。在训练前后分别进行了一次数学测验。表 14－5 列出了测验结果。演示步骤 14－3 呈现了进行差数平均数 t 检验的具体操作步骤。

表 14－5　放松训练前后有数学焦虑学生样本的数学测验得分

学　生	前　测	后　测	差 数 值
1	95	90	－5
2	90	100	10
3	90	95	5
4	80	85	5
5	75	70	－5
6	75	85	10
7	70	90	20
8	70	80	10
9	70	70	0
10	60	75	15
11	60	70	10
12	60	65	5
13	60	60	0
14	60	55	－5
15	55	65	10
16	55	60	5
17	55	55	0
18	50	65	15
19	50	40	－10
20	40	45	5
	$\overline{X}_{前测}=66.0$	$\overline{X}_{后测}=71.0$	$\overline{X}_{差值}=5.0$

演示步骤 14－3

进行差数平均数的 t 检验

1. 验证下列条件是否得到满足：
   A. 样本中的个体都是随机且独立地从总体中抽取。两样本的数据是根据某种逻辑配对的。
   B. 变量的分布是近似正态的。若分布与正态偏差太大，就不能使用 t 检验。
   C. 数据是比率数据或等距数据。只有数据是比率或等距的，计算分布的平均数才是有效的。
2. 写出零假设和备择假设：对于差数平均数的 t 检验，可选择以下三种形式的假设：

双向检验	单向检验	
$H_0: \mu_D = 0$	$H_0: \mu_D \geqslant 0$	$H_0: \mu_D \leqslant 0$
$H_1: \mu_D \neq 0$	$H_1: \mu_D < 0$	$H_1: \mu_D > 0$

3. 确定显著性水平 α。
4. 在附表 A－3 中查出临界值，自由度为数据的配对个数减 1。
5. 根据零假设作一个抽样分布的草图，并标出拒绝域。
   A. 对于双向检验，拒绝域位于分布的两端尾部。
   B. 对于单向检验，拒绝域位于分布的一端。若备择假设预测差数平均数小于零，则拒绝域在分布的左端尾部；若备择假设预测差数平均数大于零，则拒绝域在分布的右端尾部。
6. 用下面的公式计算统计量 t 的值：

$$t = \frac{\overline{X}_D}{s_{\overline{X}_D}} = \frac{\overline{X}_D}{\frac{s_D}{\sqrt{n}}}$$

式中，$\overline{X}_D$ 表示每个被试两个数据之差的平均值；

$s_{\overline{X}_D}$ 表示差数平均数的标准误；

n 表示数据的配对个数。

7. 确定是否拒绝零假设：
   A. 若第六步所计算出的 t 值落入由临界值确定的拒绝域，即 $p \leqslant \alpha$，那么拒绝零假设。即认为样本不是来自于由零假设预测的总体。
   B. 若第六步所计算出的 t 值未落入由临界值决定的拒绝域，即 $p > \alpha$，那么不拒绝零假设。

差数平均数 t 检验的假设预测：前测后测差数的总体为零。如果前测后测所得数据无差异，那么差数的总体平均数应为零；如果前测后测所得到的数据有差异，那么差数的总体平均数就不为零。这些假设与平均数差异 t 检验的假设十分相似。

第一步：验证进行检验需要满足的条件。运用 t 检验的前提是个体是随机且独立抽取的。为了运用 t 检验来检验差数平均数，所得数据必须依照某种逻辑配成对。在这个例子中，每个被试在训练前后各进行一次测验，这就是将结果配对的逻辑依据。此外，t 检验还需要满足总体分布为正态。并且所得数据是比率数据或等距数据。

第二步：写出零假设和备择假设。我们假设有数学焦虑的学生，其数学成绩在接受放松训练后会比训练前有所提高。当计算两个成绩的差数时，由于我们希望所得的 t 值为正值，于是规定用高分减低分，这样差数总为正。在这个例子中，我们希望后测数据高于前测数据，因此就用后测数据减去前测数据（后测－前测）。于是预测差数平均数为正，即大于零。

$$H_0: \mu_{后测-前测} \leqslant 0$$
$$H_1: \mu_{后测-前测} > 0$$

第三步：确定显著性水平。这里我们选取在研究中常用的，$\alpha = 0.05$。

第四步：确定统计临界值。样本中有 20 名学生，如表 14－5。每名学生都有一对数据。自由度是数据配对的个数减 1，即 19。查附表 A－3，$\alpha = 0.05$，$df = 19$ 时，临界值 $t = 1.729$。

第五步：作出抽样分布图，并标出拒绝域。图 14－3 标出了 $\alpha = 0.05$，$df = 19$ 时，差数平均数检验的拒绝域。

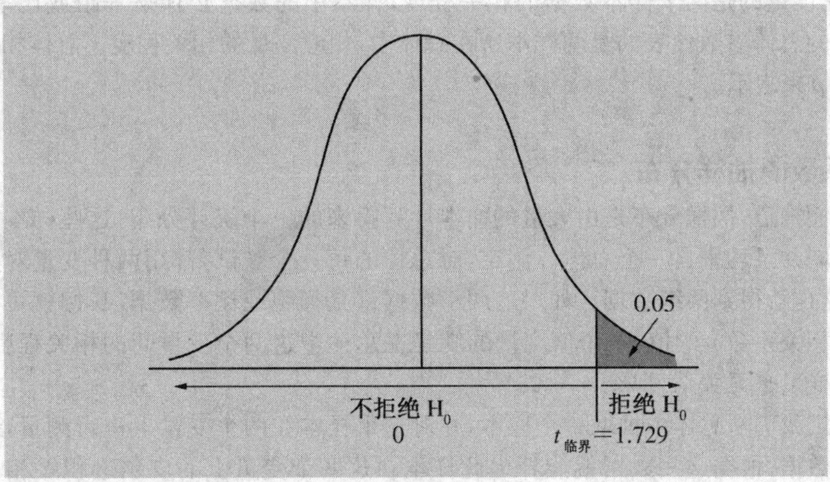

图 14－3　$t_{后测-前测}$ 中的抽样分布，$\alpha = 0.05$，$df = 19$

第六步：从样本原始数据计算统计量的值。从表 14－5 中，我们可以看到：前测和后测数据差数的平均数为 5.0%，标准差为 7.8%，用这些值便可计算统计量 t 的值：

$$t=\frac{\overline{X}_D}{s_{\overline{X}_D}}=\frac{\overline{X}_D}{\frac{s_D}{\sqrt{n}}}=\frac{5.0\%}{\frac{7.8\%}{\sqrt{20}}}=2.87$$

第七步：确定是否拒绝零假设。在第六步我们算得统计量 t 的值为 2.87，落在图 14－3 所示的拒绝域，于是拒绝零假设，并作出结论：有数学焦虑的学生在接受训练后成绩有所提高。这表明放松训练对缓解焦虑，提高有焦虑学生的成绩是有效的。我们可以这样报告研究结果："对于有焦虑的学生进行放松训练后，其成绩比训练前成绩平均高出 5%，$t_{19}=2.87$，$p<0.05$。"事实上，$p<0.05$ 就表示这一结果是显著的。

相关系数的显著性检验：皮尔逊积差相关

我们在前面所讨论的统计检验只涉及推论检验中的一种，即通过对一个变量在两种因素水平上与另一个变量的数据是否有显著差异，来推断这两个变量之间是否存在相关关系。另一种推论统计是检验两变量间相关关系的显著性的，这些检验都是基于对相关的测量。在第八章中，我们已经学习了如何计算相关系数，在这一节，我们将要讨论如何进行皮尔逊积差相关系数 r 的显著性检验。

皮尔逊积差相关系数的显著性检验是一种参数检验。我们知道，在参数检验中，样本统计量是用来对总体参数进行推论的。皮尔逊积差相关系数 r 就是一个样本统计量，它度量的是两个样本数据的相关程度，样本中的数据必须是等距或比率数据。被估计的总体参数代表的是两样本所在总体中，相应变量的相关程度。总体相关系数用符号 ρ 来表示。

相关系数的抽样分布

我们知道，抽样分布是由大量的样本计算得来的一个统计分布，这些样本的样本容量相同并且均来自一个总体。假定，对总体的每一个被试，都用两种变量对其进行测量，这样就得到两组数据。如果这两组数据都是等距或比率数据，我们就可以计算出总体相关系数 ρ 的值，这个值度量的就是在总体中这两个变量间的相关程度。如果这两个变量毫无关系，那么 $\rho=0$。

假定我们从总体中抽取一个样本，并对这个样本在两个变量上进行测量，记下测量所得数据，根据这些数据就能算出此样本在这两个变量上的皮尔逊积差相关系数 r。如果重复这个过程若干次：每次抽取一个样本，并计算该样本的 r 值，所有这些 r 值就构成一个样本相关系数分布，即相关系数 r 的抽样分布。

如果样本来自同一总体，而这个总体中两变量的相关系数 $\rho=0$，则样本相关系数 r 的取值会是怎样的情况呢？正如不能认为样本平均数与总体平均数相等一样，我们也不能认为抽取的所有样本中，其两变量间的相关系数 r 也恰好为零。当然，有时我们会抽到相关系数为零的样本，但是，由于抽样的随机性，大部分情况下，样本的相关系数是大于零或小于零的。所以，我们认为从同一总体抽取的几个样本，其 r 值大多是不同的。

虽然我们不能认为所有样本的 r 值全为零，但对于 $\rho=0$ 的总体，如果从中抽取大量的样本，就可以认为样本 r 值的平均数为零。我们知道，从同一总体中抽取大量样本，这些样本平均数的均值与总体平均数相等：$\mu_{\overline{X}}=\mu$。同样的道理，从同一总体抽取大量样本，这些样本的相关系数的平均数也应该与总体相关系数 ρ 相等。若总体相关系数为零，样本相关系数的平均数也为零：$\mu_r=\rho=0$。因为有些样本所计算出来的 r 值有些为正，有些为负，我们没有理由认为正值多于负值或负值多于正值。事实上，对于所有这些样本来说，正的 r 值与负的 r 值会抵消，于是它们的平均数为零。

基于上面的讨论，如果我们从一个总体中抽取样本，构造 r 的抽样分布，而这个总体中我们关注的两个变量间毫无关系，即 $\rho=0$，那么 r 的平均值 μ_r 也为零。我们将看到，这就是皮尔逊积差相关系数 r 显著性检验的零假设预测的抽样分布。下面我们来看一下如何进行这一检验。

皮尔逊积差相关系数的显著性检验

在第八章，我们对 10 名有数学焦虑学生的数学测验成绩与血压之间的相关进行了讨论。使用皮尔逊积差相关系数的计算公式，计算得到这两个变量之间的相关系数 $r=-0.93$。我们可以用这个值对有数学焦虑学生总体的情况进行检验。

样本相关系数是 -0.91，我们并不是对样本中这两个变量是否相关作检验，而是以样本相关系数为依据，对样本所在的总体的情况进行检验，检验在总体中这两个变量是否也具有同样的相关。这种相关系数的显著性检验的逻辑，与 t 检验和 z 检验的逻辑基础相同。我们已知在一个样本中，数学成绩与血压之间的相关系数为 -0.91，现在的问题是：这个样本所在的总体中，数学成绩与血压之间是否存在显著相关。这里有两种可能：

➢与样本所反映的情况一样，在有焦虑学生的总体中，数学成绩与血压也存在显著相关。

➢由于抽样误差，虽然在样本中，这两个变量是相关的，但在总体中，这两个变量间并无相关性。

乔先生认为第一种假设是正确的：即在有数学焦虑的学生总体中，数学成绩与血压之间确实存在相关。为了证明他的观点，必须排除第二种可能。也就是说，必须证明：从一个数学成绩与血压毫无关系的总体中，抽取一个样本，这两个变量上的相关系数为－0.91的可能性极小。我们通过样本相关系数的统计检验来证明这一点。演示步骤14－4对这个检验的程序进行了详细的介绍。

演示步骤 14－4

皮尔逊相关系数的显著性检验步骤

1. 验证下列条件是否得到满足：
   A. 被试是随机且独立抽取的。
   B. 变量 X 与变量 Y 具有线性相关。
   C. 变量 X 与变量 Y 的总体均呈正态分布。
   D. 对于变量 X 的每一个值，Y 变量的值呈正态分布；对于变量 Y 的每一个值，X 变量的值呈正态分布。若这一条件满足，该分布就表现为双变量正态分布。
   E. 变量 X 的变化值与它所对应的 Y 变量的变化值相同；变量 Y 的变化值与它所对应的 X 变量的变化值相同。
   F. 两列变量 X 与 Y 都是等距或比率数据。
2. 写出零假设和备择假设。

双向检验	单向检验	
$H_0: \rho_{XY} = 0$	$H_0: \rho_{XY} \geqslant 0$	$H_0: \rho_{XY} \leqslant 0$
$H_1: \rho_{XY} \neq 0$	$H_1: \rho_{XY} < 0$	$H_1: \rho_{XY} > 0$

3. 确定显著性水平 α。
4. 计算自由度。对于 r 检验，自由度为 $(n-2)$，n 是数据的配对个数。在附表A－5中查出临界值。
5. 绘制抽样分布的草图，标出拒绝域。对于双向检验，拒绝域位于分布图的两端尾部。对于单向检验，若备择假设预测 $\rho < 0$，拒绝域位于左端尾部；若备择假设预测 $\rho > 0$，拒绝域位于右端尾部。
6. 利用样本数据计算样本统计量。演示步骤8－1对于如何使用这个公式有详细的说明。

$$r_{XY} = \frac{\sum XY - \frac{\sum X \sum Y}{n}}{\sqrt{\left[\sum X^2 - \frac{(\sum X)^2}{n}\right]\left[\sum Y^2 - \frac{(\sum Y)^2}{n}\right]}}$$

7. 确定是否拒绝零假设。

A. 若第 6 步所得统计量的值落入拒绝域，即 $\rho \leqslant 0$，那么认为所研究的两变量显著相关（拒绝零假设）。

B. 若第 6 步所得统计量的值未落入拒绝域，即 $\rho \geqslant 0$，那么不认为所研究的两变量显著相关（不拒绝零假设）。

第一步：验证进行检验所需要的假设是否得到满足。 演示步骤 14－4 列出了基于皮尔逊相关系数显著性检验的一系列假设。其中两个最重要的假设是：第一，被试是随机且独立地抽取的；第二：两变量为等距或比率变量。如果样本容量足够大（$n > 25$），其他的那些假设不会对统计检验的效果产生很大的影响。

第二步：写出零假设和备择假设。 在这一统计检验中，我们想确定有数学焦虑学生的总体的数学成绩和血压的相关系数。若总体中这两个变量无相关，那么 $\rho = 0$。我们知道，相关系数为零意味着被测变量之间无相关。乔先生预测被试的血压越高，所获得的数学成绩越低，这是一种负相关。备择假设预测总体中这两个变量存在着负相关，即 $\rho < 0$。零假设预测的正好与此相反，即 $\rho \geqslant 0$。这是一个单向检验：

$$\mathrm{H_0}: \rho_{\text{数学成绩}\times\text{血压}} \geqslant 0$$

$$\mathrm{H_1}: \rho_{\text{数学成绩}\times\text{血压}} < 0$$

第三步：选择一个显著性水平 α。 为了扩大我们的知识，在这个检验中我们选取 $\alpha = 0.01$，而不是前面常用的 $\alpha = 0.05$。

第四步：确定临界值。 接下来的这一步就是确定临界值。对于一个单向检验，只有一个临界值。双向检验会有两个临界值。附表 A－5 列出了给定 α 水平下的 r 的临界值。在这张表中，r 的临界值是按照自由度排列的。

对于皮尔逊积差相关系数的推论检验，自由度为 $(n-2)$，即数据的配对个数减去 2。注意，这里的 n 代表数据配对的个数，而不是所有个体的总数。对于乔先生的研究，有 10 对数据，那么自由度为 $(n-2) = 8$。

附表 A－5 中所示的值是用来拒绝零假设的临界值。在附表中查到 $\alpha = 0.01$，$df = 8$ 的单侧检验，$r = -0.7155$（注意：由于备择假设预测 $\alpha < 0$，我们必须在所查到的临界值前添上负号）。为了拒绝零假设，样本统计量的值必须小于等于 -0.7155。

第五步：根据零假设绘制抽样分布草图。 如图 14－4，从这张图中可以看出，若要拒绝零假设，样本统计量的值必须小于或等于 -0.7155。

第六步：计算统计量。 在第八章，我们已经学了如何计算积差相关系数，根据乔先生的 10 名学生的样本，计算得到 r 的值为 -0.91。如果我们还没有计算出这个值，在这一步就得完成。演示步骤 8－1 中有详细计算步骤的说明。

第七步：确定是否拒绝零假设。 在乔的研究中，$r = -0.91$。显然，这个值落入了

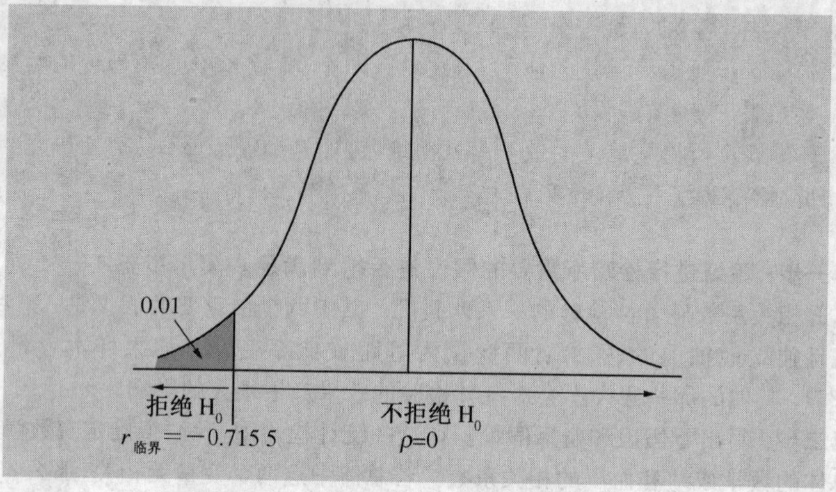

图 14-4 皮尔逊积差相关系数 r 的抽样分布，$\alpha=0.01$，$df=18$

拒绝域。于是我们拒绝零假设。零假设预测样本来自数学成绩与血压毫无关系的总体。我们验证了乔先生的假设：对于有数学焦虑的学生总体，他们的数学成绩与血压有负相关，也就是说，血压高的学生，其数学成绩较低。在撰写研究报告时，这个统计检验的结果应表述为："$r=-0.91$，$p<0.01$，数学成绩与血压有显著的负相关。"

显著相关与意义相关

从附表 A-4 中所列出 r 的临界值可以看出：根据一个相当小的 r 值作统计检验都可得到显著相关的结果，特别是对于大样本来说。如，当 $df=100$ 时，r 的一个双向检验，$r=0.1946$，取 0.05 的显著水平，结果 r 是显著的。对于 $r=0.1946$ 来说，决定系数 r^2 已低至 0.038，而这一结果表明一个变量的变化只有不到 4%的可能是由另一变量引起的。即使相关系数为 0.1946 可能是显著的，但我们很难根据两变量间的 4%的变异，来解释这两个变量关系的意义。

并非所有显著的结果都是有意义的。注意：术语"**显著**"仅仅意味着拒绝零假设，即研究提供了足够的证据证明：样本所在的总体中，被研究变量之间确实有相关关系。然而，显著相关并没有告诉我们这种相关程度为多少，我们必须使用别的测量工具，如决定系数，来解释统计检验结果的意义。

参数检验回顾

前面三章里，我们学习了一些参数推论检验的方法。所有这些检验都是通过样本，对总体的参数值进行推断。样本平均数的 z 检验和 t 检验都是通过一个样本，对总体平均数的值进行推断。平均数差异的 t 检验和差数平均数的 t 检验都是通过两个样本，对这两个总体的平均数差异的情况进行推断。最后，皮尔逊相关系数的推论检验是通过两个样本数据的相关系数，来推断两个总体中两个变量的相关系数是否显著。

有些同学起初觉得理解这些参数检验方法的逻辑推演很困难。记住：这些检验方法只是工具，当我们很少或没有机会对总体中的所有个体进行测量时，就要利用这个工具，这一点很重要。如果没有这些检验方法，乔先生就得对世界上每个有数学焦虑的学生进行测试，才能得出研究结果；简女士就得对世界上每个心理学专业的毕业生进行调查，才能对他们的收入下结论。这些参数检验方法，使我们能仅对总体的一小部分个体进行测量，而对这个总体的情况下结论。

还有一点也很重要：即使在推论检验的帮助下，仅凭一个样本我们也是不能知道总体参数的精确值的。推论检验只告诉我们总体参数不是什么值。样本平均数的 z 检验和 t 检验能告诉我们，总体平均数极有可能是某一个具体的值。对两个样本平均数差异进行比较的 z 检验和 t 检验可以告诉我们，两个总体的平均数很可能有差异，但却不能告诉我们那些总体平均数确切的值，也不能告诉我们这两个总体平均数的差异究竟有多大。皮尔逊积差相关系数的显著性检验能告诉我们，总体两变量间很有可能有相关关系，但不能告诉我们这种相关关系的程度如何。

我们所讨论的这些检验方法都是参数检验，它们都是用来估计研究中的总体参数值的。虽然这些检验方法没有告诉我们参数的确切值，但它们为我们从事心理学研究提供了足够的信息。在这里，深究统计检验的结果不是最重要的。统计检验可以告诉我们：为什么可以认为两个变量间有相关关系。但它不能告诉我们这种相关的程度如何，也不能告诉我们是什么引起这一相关关系。

难点提示

1. 学到这里，许多同学遇到的一个困难是：不知道如何选择合适的检验方法。要弄清这个问题，需要关注以下四点：(a) 测量的标尺；(b) 研究中的问题是要证明总体中两变量的相关关系，还是想找出两个总体间的差异；(c) 样本数据的数量；(d) 如果有两个样本，数据是从两组被试中独立获得的，还是从一组被试中获得。

2. 平均数差异显著性检验中，计算统计量 t 的值是十分复杂的。那么一次只做一个步骤。先按照 14-1 来计算汇合标准差，然后再来计算 t 的值。

3. 注意：只有当两样本容量相等时，我们才能对两个样本的方差求平均值，将其作为汇合标准差。

4. 进行平均数差异显著性检验遇到的一个困难是如何确定一个单向检验是否显著。为了避免出现问题，将一个样本看做样本 1，另一个样本看做样本 2。仔细分析研究者的假设并决定样本 1 的平均数大于样本 2 的平均数，还是样本 2 的平均数大于样本 1 的平均数(拒绝域在左端尾部)。接下来,务必用样本 1 的平均数减去样本 2 的平均数,仔细按照这些步骤来操作,你就不至于混淆。

5. 进行差数平均数检验时,确认对每一个被试,你都是用第一组数据减去第二组数据,直到求出每组数据之差为止。

6. 有一些同学不知道什么时候用平均数差异的 t 检验,什么时候用差数平均数的 t 检验。当两组被试相互独立时,使用平均数差异的 t 检验;当只有一组被试或者当两组被试有一种联系以便将它们配对时,使用差数平均数 t 检验。

7. 出现错误最多的就是皮尔逊积差相关系数显著性检验中自由度的计算。回忆一下,r 的自由度是$(n-2)$,n 是样本中被试的数量而不是所有数据的数量。注意:在使用附表 A-5 时,要根据你进行检验的类型(单向检验或双向检验)来选择表中合适的列。最后,若备择假设预测相关系数为负值,那么在你从表中查到的数据前添一个负号。

8. 有些同学在进行皮尔逊相关系数的显著性检验时,不知道如何提出零假设和备择假设。假设在预测总体中两变量间是否存在相关时,通常选零作为比较。当检验正相关时,备择假设预测总体相关系数大于零;当检验负相关时,备择假设预测总体相关系数小于零。最后,如果只是检验是否存在相关(不论正负),备择假设预测总体相关系数不等于零。

小结

- 参数检验中的推论检验是通过样本对总体参数值进行推断的。参数检验使用的条件是:数据必须是等距或比率的。因为只有这样,计算参数才是有意义的。另外,大多数参数检验都是以总体正态分布或近似正态分布为前提的。
- 对于被试间检验,被试来自两个相互独立的样本,每个被试贡献一个数据;对于被试内检验,要么是一组被试接受测验,每个被试提供两个数据,要么是两个相关样本配对后进行测验。
- 两样本平均数差异的参数检验,是通过展示一个变量在另一个变量的两种水平上是否有显著的不同,来检验两变量之间是否有关。
- 平均数差异的 t 检验是衡量两总体平均数之间是否有显著差异,是一个被试间检验。当总体标准差未知时,我们使用 t 检验,或者当 z 检验所需的条件不能满足时,我们也使用 t 检验。
- 差数平均数的 t 检验是衡量在某种情况下相关的两总体的平均数是否有显著差异。它是一种被试内检验。两总体可能包含同一组被试,在不同条件下对同一组被试进行测试;总体也可能是在某种情况下相关的两组被试,对其进行测试的结果。
- 相关系数显著性的统计检验,是通过对样本相关系数的检验,来推断样本所在总体的相关关系。这种推论可以是单向的(总体相关系数为正或为负),也可以是双向的

（总体存在相关关系）。

➢皮尔逊积差相关系数的显著性检验，是检验总体中两个变量间是否存在显著相关。这两个变量要么都是等距的，要么都是比率的，或者一个是比率的，另一个是等距的。

练习

概念题

1. 描述被试间检验和被试内检验的区别。

2. 构造如下两组数据：一组记为 A 组，包含 24 张小纸条，每 3 张为一组，分别写上 5，6，7；另一组记为 B 组，同样包含 24 张小纸条，3 张为一组，分别写上 6，7，8。分别计算两组数据的平均数和标准差。注意：两组数据的标准差相同，而 A 组数据的平均数要小于 B 组的平均数。

A. 从 A 组中每次抽取 2 张纸条，抽 50 次，每次都记下所抽到的两个数的平均值，并以它来代表这两张纸条，构造样本平均数的频次分布，并计算出平均数和标准误。

B. 在 B 组中重复上面的步骤，比较两个样本平均数分布的平均数和标准误。

C. 在 A 组中一次抽取两张纸条，记为样本 1，计算出平均值，并用其代表该样本；同样，在 A 组中再抽取两张纸条，记为样本 2，计算出平均值，并用其代表该样本；然后用样本 1 的平均数减去样本 2 的平均数，并记下两个平均数间的差值，重复以上步骤 50 次。构造一个表格，记录平均数之差的分布，并计算出该分布的平均数和标准误。

D. 重复 C 步骤，这次从 A 组抽取样本 1，从 B 组抽取样本 2。

E. 在 C 步骤中作出的分布是由同一总体中抽取的样本平均数之差组成，而在 D 步骤中作出的分布是由不同总体中抽取的样本平均数之差组成。比较这两个分布，指出它们的相同点和不同点。

F. 假设你抽取了两个样本，并发现两个样本的平均数之差为 −2.0，你有其他方法证明这两个样本是来自同一组还是来自不同组吗？

3. 回忆一下，IQ 分数满足正态分布，它的标准差为 15，平均数为 100。假设你从该总体中抽取了两个样本并计算了两个样本平均数之差。从同一总体抽取两个样本，使样本平均数之差至少达到以下给定的值。求抽取这样的样本的概率是多大？

A. $\overline{X}_1 = 103.6$，$n_1 = 10$；$\overline{X}_2 = 107.2$，$n_2 = 10$

B. $\overline{X}_1 = 97.3$，$n_1 = 20$；$\overline{X}_2 = 104.6$，$n_2 = 15$

C. $\overline{X}_1 = 110.4$，$n_1 = 18$；$\overline{X}_2 = 101.2$，$n_2 = 20$

D. $\overline{X}_1 = 106.7$，$n_1 = 25$；$\overline{X}_2 = 95.1$，$n_2 = 40$

4. 描述平均数差异的 z 检验的假设,并指出该检验适用于哪种类型的数据。

5. 描述平均数差异的 t 检验的假设,并指出该检验适用于哪种类型的数据。

6. 描述差数平均数的 t 检验的假设,并指出该检验适用于哪种类型的数据。

7. 验证皮尔逊积差相关系数检验的显著性假设,并指出该检验适用于哪种类型的数据。如果假设中的任何一条不能满足,会有什么结果?

8. 试解释这一章中的所有检验为什么都属于参数检验。

计算题

9. 试指出下列假设的 z 的临界值。

A. $H_1: z_1 \neq z_2,\ \alpha = 0.05$

B. $H_1: z_1 < z_2,\ \alpha = 0.01$

C. $H_1: z_1 > z_2,\ \alpha = 0.05$

D. $H_1: z_1 \neq z_2,\ \alpha = 0.01$

10. 珍妮特为了比较两种课程在提高 SAT 成绩方面的效果,选取两组被试,分别进行两种课程的培训,之后进行 SAT 考试。下表列出了考试成绩。提示:理论上,SAT 成绩的标准差为 100。

课程一	课程二
413	429
453	444
479	473
513	487
528	492
537	507
582	515
590	524
628	545
655	570

A. 用平均数差异的 z 检验来检验珍妮特的假设,选取 $\alpha = 0.05$。

B. 这个统计检验的结果说明了什么?

11. 试计算下列样本平均数的差异的 t 值。

A. $\bar{X}_1 = 406,\ s_1 = 53,\ n_1 = 10;\ \bar{X}_2 = 365,\ s_2 = 51,\ n_2 = 10$

B. $\bar{X}_1 = 48.3,\ s_1 = 7.1,\ n_1 = 13;\ \bar{X}_2 = 46.1,\ s_2 = 6.9,\ n_2 = 15$

C. $\bar{X}_1 = 1.29,\ s_1 = 0.34,\ n_1 = 20;\ \bar{X}_2 = 1.01,\ s_2 = 0.37,\ n_2 = 18$

D. $\bar{X}_1 = 76.8,\ s_1 = 12.7,\ n_1 = 30;\ \bar{X}_2 = 91.9,\ s_2 = 13.4,\ n_2 = 25$

12. 试找到下列每个假设的 t 的临界值。

A. $H_1: t_1 \neq t_2$, $n_1 = 10$, $n_2 = 8$, $\alpha = 0.05$

B. $H_1: t_1 < t_2$, $n_1 = 15$, $n_2 = 18$, $\alpha = 0.01$

C. $H_1: t_1 > t_2$, $n_1 = 10$, $n_2 = 7$, $\alpha = 0.05$

D. $H_1: z_1 \neq z_2$, $n_1 = 13$, $n_2 = 12$, $\alpha = 0.01$

13. 助教杰迈玛指导两个学习小组进行普通心理学内容的学习。在对一组学生的教学中，她只用讲授法教学。对另一组学生教学时，她采用了讲授和小组讨论法结合的教学方法。她认为接受后一种教学方法的学生会比另一组学生在期末考试中取得更好的成绩。下表给出了这两组学生期末考试成绩的一些统计数据，假设学生成绩近似正态分布。

学习小组	平均数	标准差	n
讲授	72.3	12.4	25
讲授与小组讨论结合	77.2	11.5	27

A. 检验杰迈玛的假设，使用平均数差异的 t 检验，选取 $\alpha = 0.05$。

B. 这个统计检验的结果说明了什么？

14. 下表给出了两组数据：

X_1	X_2
6	3
8	3
7	4
6	5
9	6
7	7
11	8
10	8

A. 首先假设这两组数据来自两组不同的被试。计算平均数差异的统计量 t 的值。取显著性水平 $\alpha = 0.05$，查出 t 的临界值，作出单向检验的假设。

B. 接下来，假设这两组数据来自一组被试。计算差数平均数检验的统计量 t 的值。取显著性水平 $\alpha = 0.05$，查出 t 的临界值，作出单向检验的假设。

C. 比较这两个 t 值，为什么这两个值不同呢？

D. 这两个检验哪个更有效？为什么？

15. 杰西卡比较常规食物强化和巧克力强化对小白鼠学习走迷宫的效果。她认为用巧克力强化的小白鼠会学习得更快。她采用被试内实验设计中，选取了一组小白鼠。第一阶段，对这一组的一半小白鼠给予常规食物强化，对另一半的小白鼠给予巧克力强化。然后进行了第二阶段的训练，但这次每只小白鼠接受不同于第一阶段的强化物，即第一阶段接受常规食物强化的小白鼠，现在接受巧克力强化；而第一阶段接受巧克力强化的小白鼠，现在则接受常规食物强化。为了消除前面学习经验对第二阶段实验结果的影响，她在第二阶段的实验中使用了与前面训练不同的迷津。下表列出了在不同强化条件下，每只小白鼠学会走迷宫所需的练习次数。

	强化类型	
小白鼠	常规食物	巧克力
1	15	12
2	19	14
3	21	17
4	23	23
5	26	19
6	30	21
7	32	25
8	35	24
9	40	40

A. 试用差数平均数的 t 检验来检验杰西卡的假设，α 选 0.05。

B. 这个统计检验的结果说明了什么？

16. 试找出下列检验中 r 的临界值。

A. $H_1: r \neq 0, \alpha = 0.05, n = 10$　　B. $H_1: r < 0, \alpha = 0.01, n = 20$

C. $H_1: r > 0, \alpha = 0.05, n = 15$　　D. $H_1: r \neq 0, \alpha = 0.01, n = 25$

17. 朱丽叶对学生的大学成绩和其 SAT 成绩的相关进行研究。她先记录了一所高中高年级学生的 SAT 成绩，一年之后，对他们大学第一年所有科目的成绩求平均数，她预测，SAT 和 GPA 之间存在正相关。结果如下表所示：

学生	SAT 成绩	GPA
1	1 160	2.52
2	1 250	3.14
3	1 470	3.52
4	1 020	2.31
5	1 220	3.15
6	1 390	3.76
7	1 140	2.93
8	1 280	2.76
9	1 070	2.68
10	1 190	3.39

A. 运用皮尔逊积差相关系数的显著性检验来检验这个假设，选取 $\alpha = 0.05$。

B. 这个统计检验的结果说明了什么？

18. 杰妮塔比较了两种训练阅读困难儿童的方法的有效性。她选取了两组被试，分别采用不同的方法训练，然后对他们进行阅读测验。对于正常儿童，阅读测验平均得分为 59.2(σ=13.6)。假定这个测验所得分数服从正态分布。经过 A 方法训练的 10 名被试的平均分为 37.8，经过 B 方法训练的 12 名被试的平均分为 45.8。

A. 对于这个研究应选取哪种统计检验方法？为什么？

B. 运用你所选取的方法对这个研究进行检验，选取 α=0.05。

C. 这个统计检验的结果是什么？

19. 贾德比较两种不同强化方法对提高小白鼠学习走迷宫的效果。这个研究与第 15 题所描述的过程极其相似，所不同的是贾德用了两组不同的被试，对每一组分别给予一种强化方法。结果如下：

强化方法	平均数	标准差	n
常规食物	14.2	2.7	14
巧克力	11.7	2.4	15

A. 对于这个研究应选取哪种统计检验方法？为什么？

B. 运用你所选取的方法对这个研究进行检验，选取 α=0.05。

C. 这个统计检验的结果是什么？

20. 乔纳对有攻击倾向的儿童进行一项研究。他首先观察并记录了一周内 12 名儿童攻击行为的次数，然后允许这 12 名被试在一个月内随意吃东西，随后对他们的行为进行观察记录。乔纳认为这种饮食方式对儿童攻击水平有降低的作用。结果如下表所示：

儿童	前测	后测
1	30	24
2	32	23
3	35	27
4	35	29
5	38	27
6	39	38
7	40	40
8	42	32
9	42	37
10	45	45
11	46	38
12	48	40

A. 对于这个研究应选取哪种统计检验方法？为什么？

B. 运用你所选取的方法对这个研究进行检验，选取 α=0.05。

C. 这个统计检验的结果是什么？

21. 杰瑟敏研究了学生用于统计课程的学习时间和考试成绩的关系，学习时间通过学生在家庭作业中提交的问题数量来衡量。她记录了学生在家庭作业中提交的问题数量以及考试成绩，如下表：

学生	提交问题数量	考试成绩
1	17	85
2	23	93
3	15	81
4	24	90
5	10	75
6	18	89
7	13	78
8	21	94
9	12	70
10	19	87
11	15	80
12	20	96

A. 对于这个研究应选取哪种统计检验方法？为什么？

B. 运用你所选取的方法对这个研究进行检验，选取 $\alpha = 0.05$。

C. 统计检验的结果是否证明了学生提交的问题数量与其考试成绩之间具有关系？

第十五章 两样本的非参数检验

到目前为止，我们已经学习了一系列参数检验，这些检验都是对总体参数的推论，如对总体平均数、总体比例、总体中两变量的相关的推论等。当数据是用等距或比率数据时，参数检验就显得非常有用。尽管如此，参数检验不适用于顺序数据和称名数据。

对等距和比率标尺来说，在数据有意义的范围内，区间大小是相同的。测量物体高度的测量标尺是有相同区间大小的。比如，1 英寸和 2 英寸之间，1 000 英寸和 1 001 英寸之间，都是 1 英寸的差距。与此类似，温度的度量使用的工具也有相同的区间大小。华氏温度计也是一种测量温度的刻度计，1 华氏温度和 2 华氏温度之间的差距，与 101 华氏温度和 102 华氏温度之间的差距是没有区别的。参数变量检验只适用于有相同区间的数据。

尽管如此，当数据是用没有统一区间的顺序标尺或称名标尺来度量时，还可以使用另外的推论检验。在以后的章节里，我们将要学习卡方检验，这种检验方法适用于称名数据。在本章中，我们将介绍三种推论检验，它们都适用于顺序数据。

在用一个顺序标尺对数据进行度量时，数据是按照大小进行排序的。因此，数据越大，所度量的东西越多，被计算进去的样本就越多。但是，用称名标尺度量数据时却不是这样。假定我们度量一个称名变量“性别”，用 1 代表男性，用 2 代表女性。事实上，代表女性的数字“2”虽然比较大，但这并不表示女性就比男性有更大的“性别”，也不是说女性在所有方面都比男性优秀。实际上，当使用称名标尺时，不同的数据仅仅是把度量的对象进行分类。分类的顺序在任何情况下都是没有意义的，因此，代表分类的数据也是没有什么意义的。与此不同，对于顺序标尺来说，数据的大小（或数量）却是有意义的。如，在发展研究中，数字常用来代表孩子成长的进程或水平。一个孩子在第三阶段的成长水平要高于他在第二阶段的成长水平。在这里，数字的顺序具有意义。

当数据可以分为有意义的等级时，就可以对它们从大到小来进行排序。这些排好的顺序，是我们在这一章里要介绍的三种**非参数检验**[1]的基础。我们要介绍的第一种检验是曼-惠特尼 U 检验，这种方法运用等级，对来自不同的、相互独立总体的两个样本的数据进行比较。然后，我们将介绍维尔克松秩和检验，它同样是运用等级对两组数据进行比较。但是维尔克松检验法中，这两组数据是取自同一组被试，或者是取自两组有相关的被试。最后，我们将介绍斯皮尔曼等级相关系数 r_s 的推论检验。我们在第八章介绍的 r_s 的计算方法，也是基于等级来计算的。

只要等级是有意义的数据，就可以使用这三种非参数检验进行分析。顺序数据、等距数据、比率数据的等级都是有意义的，所以，除了称名数据外，都可以使用这三种非参数检验进行分析。尽管如此，由于等距数据和比率数据可以使用参数检验进行分析，并且参数检验比非参数检验的统计效能更高，所以，我们在本章所介绍的三种非参数检验，主要用于等级数据。为了理解 U, W 和 r_s 等非参数统计量度量的是什么，我们首先来看一个基于等级的抽样分布。

等级的抽样分布

等级和的分布

在前面的几章里，我们已经介绍了好几种抽样分布，比如样本平均数的抽样分布，样本比例的抽样分布，样本平均数差异的抽样分布，差数平均数的抽样分布等。所有这些分布都是基于这样一种思路：如果我们从一个总体中抽取了成千上万个样本，这些样本是如何分布的。

比如，样本平均数差异的 t 检验是基于这样的思路：从一个总体中抽取出上百对样本，找到每对样本两个平均数之间的差异。我们发现，上百对样本平均数间的差异是近似正态分布的。当样本 1 的平均数比样本 2 的平均数大时，它们之间的差异是负值；当样本 2 的平均数比样本 1 的平均数大时，它们之间的差异是正值。通过比较成千上万组从同一总体中抽取的样本平均数，我们发现它们之间的差异的中心趋近于 0。因此，即使没有实际抽取过成千上万个样本，我们也可以描绘出抽样分布的情况。

假设我们不去计算每对样本的平均值，而是对两个样本的数据进行排序。假如有一个由顺序数据组成的总体，则可以对样本的数据按某种意义进行排序。现在假定我们从这个总体中抽取两个样本，一个样本有两个数据，另一个样本有三个数据。首先，我们应该清晰地把这些数据列出来，明确每一个数据是属于哪一个样本。接着，把这五个数据放在一起，按从低到高进行排序，然后再次把五个数据分成两组。

举个例子，假定有两个总体，他们都是由 100 名学生的名次组成，这些名次的等级

[1] 非参数检验：非参数检验是使用样本对样本所在总体的一般分布情况进行推断。这种检验之所以叫做“非参数检验”，是因为这种检验不对总体特定的参数进行推论。非参数检验适合用于顺序数据。

是在 1(GPA 最高的学生)到 100(GPA 最低的学生)的范围内变化的。我们从一个总体中选取两个学生作为样本,他们的名次分别是 19 和 42。从另一个总体选取三个学生作为样本,他们的名次分别是 3, 53 和 82。我们把这两个样本数据放在一起,从低到高进行排列,如下:

名次	样本组别	顺序
3	2	1
19	1	2
42	1	3
56	2	4
82	2	5

从这个排好的顺序中可以看出:第一组样本的名次排在 2、3 位,而第二组样本的名次排在 1、4 和 5 位。对于样本容量分别为 2 和 3 的两样本来说,这只是一种可能的等级顺序结果。

表 15-1 呈现了所有的十种可能的组合。一种可能是样本 1 的两个数据都小于样本 2 的三个数据。另一种可能是样本 1 的两个数据都大于样本 2 的三个数据。表 15-1 还列出了其他可能出现的组合,都是有两个样本,一个样本有 2 个数据,另一个样本有 3 个数据。(检查一下表 15-1,看看你能否想出上面没有列出的组合。)

表 15-1 样本容量分别为 2 和 3 时两样本可能的等级组合及等级和

组 合	样本 1	等级和	样本 2	等级和	排列总和
1	1, 2	3	3, 4, 5	12	15
2	1, 3	4	2, 4, 5	11	15
3	1, 4	5	2, 3, 5	10	15
4	1, 5	6	2, 3, 4	9	15
5	2, 3	5	1, 4, 5	10	15
6	2, 4	6	1, 3, 5	9	15
7	2, 5	7	1, 3, 4	8	15
8	3, 4	7	1, 2, 5	8	15
9	3, 5	8	1, 2, 4	7	15
10	4, 5	9	1, 2, 3	6	15

现在假定我们计算出表 15-1 中列出的每一组样本的等级和,或者**排列总和**[1]。

〔1〕 排列总和:一个样本的排列总和是当样本中的数据按等级排列时,分配给样本中数据的等级的总和。

如表 15-1,样本 1 里有 2 个数据,等级和在 3 到 9 的范围内变化;样本 2 有 3 个数据,等级和在 6 到 12 的范围内变化。其中,只有在一种排列组合中,等级和出现了 3 或者 12;但在许多种组合中,等级和为 6、7 或者 8。

根据表 15-1 所提供的信息,我们可以构建一个等级和的分布。这个分布呈现了样本容量为 2 和 3 的两个样本,其等级和可能出现的值,以及这些值出现的次数,如表 15-2 所示。注意:在表 15-1 中,两个样本的等级和是单独列出来的,而在表 15-2 中,它们是放在一起的。所以我们可以看到 20 个可能出现的结果(10 个是样本 1 的,10 个是样本 2 的),最小的等级和是 3,最大的等级和为 12,它们都只出现了一次。

表 15-2　容量为 2 和 3 的两样本等级和的抽样分布

等级和	出现次数	等级和	出现次数
12	1	7	3
11	1	6	3
10	2	5	2
9	3	4	1
8	3	3	1

表 15-2 中呈现的是两样本的等级和的抽样分布,两样本容量分别是 2 和 3。将这个抽样分布与样本平均数差异的抽样分布相比较,等级和的抽样分布列出的是从同一总体抽取的两个样本,两样本容量分别为 2 和 3,其所有可能出现的等级和以及这些等级和出现的频次,见表 15-2。等级和的抽样分布不是参数分布,因为等级和不是一个总体参数。因此,任何以等级和抽样分布为基础的统计检验都不是参数检验。

等级总和,等级和最小值,等级和最大值

呈现在表 15-1 和 15-2 中的等级和的抽样分布有一些值得注意的特征。第一,在本例中,两样本的等级总和总是 15。如果我们有两个样本,一个样本中有两个数据,而另一个样本中有三个数据,将这些数据都用 1、2、3、4 和 5 排序,最后等级总和总是 15。如果两个样本共有 6 个数据(比如,每个样本各 3 个数据,或者是一个样本有 2 个数据,另一个样本有 4 个数据),用 1、2、3、4、5 和 6 对这些数据进行排序,那么最后等级总和就是 21。因此,只要两个样本中共有 6 个数据,则它们的等级总和都是 21。

等级总和[1]取决于两个样本含有的数据个数的总和,假定一个样本容量是 n_1,另一个样本容量是 n_2:

---

〔1〕 等级总和:有两个样本,其中一个样本的样本容量为 n_1,另一个样本的样本容量为 n_2,则等级总和为 $\frac{(n_1+n_2)(n_1+n_2+1)}{2}$。

$$等级总和 = \frac{(n_1 + n_2)(n_1 + n_2 + 1)}{2}$$

为了验证这个公式，我们可以运用这个公式计算含有 2 个数据样本与含有 3 个数据的样本的等级总和：

$$\frac{(n_1 + n_2)(n_1 + n_2 + 1)}{2} = \frac{(2+3)(2+3+1)}{2} = \frac{5 \times 6}{2} = \frac{30}{2} = 15$$

接着，我们分别来看看每一个样本的等级和。在这个例子里，当样本 1 含有的两个数据是最小的 2 个数(排序是 1 和 2)时，它的样本等级和就出现了最小值，这个最小值就是 3。当样本 1 含有的两个数据是最大的 2 个数(排序是 4 和 5)时，它的样本等级和就出现了最大值，这个最大值就是 9。同样，当样本 2 里含有的 3 个数据是最小的 3 个数(排序是 1、2 和 3，和为 6)时，就出现了样本 2 等级和的最小值。当样本 2 里含有的 3 个数据是最大的 3 个数(排序是 3、4 和 5，和为 12)时，就出现了样本 2 等级和的最大值。

从这两个样本可以看出，当两个样本中样本容量较小的那个样本，含有排列顺序最小的几个数时，就会出现**等级和的最小值**[1]。在这个例子里，样本 1 的容量比较小，有两个数据，它们的等级和是最小值 3。因此，对于这两个样本来说，它们的等级和的最小值是 3。一般来说，只有小容量的样本才会出现等级和的最小值。假定样本 1 的容量为较小的，那么等级和的最小值是：

$$等级和最小值 = \frac{n_1(n_1+1)}{2}$$

比如，样本 1 是容量较小的样本，含有两个数据。通过这个公式可以计算出，等级和的最小值是 3，列出所有的情况，最后找到的等级和最小值也是 3：

$$\frac{n_1(n_1+1)}{2} = \frac{2(2+1)}{2} = \frac{6}{2} = 3$$

等级和的最小值只能出现在样本容量较小的样本中，与此相似，**等级和的最大值**[2]只能出现在样本容量较大的样本中。只有当等级和的最小值出现在容量较小的样本中时，等级和的最大值才能出现在容量较大的样本中，表 15 - 1 呈现了这一规律。因此，如果等级和的最小值出现在一个样本中，那么，等级和的最大值就会出现在另一个样本中。两个样本的等级总和总是相同的，我们可以利用这个规律，构建出一个公式来计算等级和的最大值，假设 n_1 比 n_2 小：

---

〔1〕 等级和的最小值：样本容量分别为 n_1 和 n_2 的两个样本，其中 n_1 小于 n_2，则等级和的最小值为 $\frac{n_1(n_1+1)}{2}$。

〔2〕 等级和的最大值：样本容量分别为 n_1 和 n_2 的两个样本，其中 n_1 小于 n_2，则等级和的最大值为 $\frac{n_2(n_2+1)}{2} + n_1 n_2$。

$$等级和最大值 = \frac{(n_1+n_2)(n_1+n_2+1)}{2} - \frac{n_1(n_1+1)}{2}$$

这个多项式可以简化整理为：

$$等级和最大值 = n_1 n_2 + \frac{n_2(n_2+1)}{2}$$

用上述例子来检验这个公式，我们可以得到：

$$n_1 n_2 + \frac{n_2(n_2+1)}{2} = 2(3) + \frac{3(3+1)}{2} = 6 + \frac{12}{2} = 6 + 6 = 12$$

因此，样本容量分别为 2 和 3 的样本，其等级和的最大值是 12，这与从表 15－1 中得出的结论相同。

U 的抽样分布

我们已经介绍了样本容量为 2 和 3 的样本，其等级和的抽样分布。我们也可以构建其他任何样本容量组合的等级和抽样分布。不过，随着样本容量的增加，组合的数量也随之快速增长，计算它们的等级和将变得越来越复杂。当本容量为 2 和 3 时，我们得出 10 种不同的等级组合。当样本容量为 3 和 4 时，两个样本有 35 种不同的组合。当样本容量为 8 和 9 时，共有 24 310 种不同的组合。为了计算出样本容量为 8 和 9 的等级和抽样分布，就要花很长的时间来列出所有的等级组合。

在等级和的抽样分布中，不同的等级组合的数量，取决于两个样本的容量。另外，等级总和、等级和最小值以及等级和最大值都随着两个样本容量的改变而改变。比如，我们有两个样本，容量较小的一个有 2 个数据，最小的等级和是 3。当容量较小的样本含有 5 个数据时，等级和的最小值为 15；当容量较小的样本含有的数据为 10 时，等级和最小值为 55。因此，样本容量越大，等级和的最小值也就越大。事实上，随着等级和最小值越来越大，对等级和的抽样分布的解释变得越来越困难。比如，我们计算出两个样本中，有一个样本的等级和为 30，这个等级和是较高还是较低呢？如果不了解两个样本的容量，不了解等级和的最小值和最大值，我们就不能解释清楚这个结果。直接根据等级和来进行统计检验就会遇到这样一个问题。

使用等级和进行检验所存在的另一个问题是：除非两个样本的容量是相同的，否则它们等级和的最小值和最大值是不同的。我们知道，对于样本容量为 2 和 3 的样本来说，样本容量较小的那个，其等级在 3—9 之间；而样本容量较大的那个，其等级和在 6—12 之间。若直接使用等级和进行统计检验，其结果同样也难以解释。

通过将两样本的等级和转换为 U 值，上述问题可以得到部分解决。对任意两样本，都有两个 U 值，每个样本对应一个，分别记为 U_1 和 U_2。不管样本容量是多少，U_1 和 U_2 的最小值为零。另外，U_1 和 U_2 的最大值是相同的。因此，对于任何两样本来说，U 的取值范围都是一样的。

将样本 1（样本容量为 n_1）的等级和转换为 U 值的公式：

$$U_1 = n_1 n_2 + \frac{n_1(n_1+1)}{2} - \sum \text{ranks}_1$$

（式中 $\sum \text{ranks}_1$ 表示样本 1 的等级和）

将样本 2（样本容量为 n_2）的等级和转换为 U 值的公式：

$$U_2 = n_1 n_2 + \frac{n_2(n_2+1)}{2} - \sum \text{ranks}_2$$

（式中 $\sum \text{ranks}_2$ 表示样本 2 的等级和）

表 15－1 中呈现的容量为 2 和 3 的两个样本，我们将其等级和转换成 U 值，如表 15－3。注意：样本 1 和样本 2 的等级和最小值和最大值是不同的，但两个样本 U 值的范围是相同的，都是从最小值 0 到最大值 6。还要注意：对于每一个样本来说，等级和为最小值时，U 值最大；等级和为最大值时，U 值则最小。因此，U 值越高，表示样本中的等级和越小；反之亦然。

表 15－3　两样本可能的等级和及 U 值，样本容量分别为 2 和 3

样本 1		样本 2		
等级和	U_1	等级和	U_2	U_1+U_2
3	6	12	0	6
4	5	11	1	6
5	4	10	2	6
6	3	9	3	6
7	2	8	4	6
8	1	7	5	6
9	0	6	6	6

当样本容量为 2 和 3 时，U_1 的值和 U_2 的值加起来等于 6，即等于 $n_1 n_2$，如图15－3：

$$U_1 + U_2 = n_1 n_2$$

这就意味着如果我们知道了 U_1 值，我们可以用 $n_1 n_2$ 减去 U_1，算出 U_2 的值：

$$U_2 = n_1 n_2 - U_1$$

两样本的 U 值来自曼－惠特尼 U 检验，它是一种被试间的非参数检验，接下来我们就来学习这种检验。

曼-惠特尼 U 检验：被试间非参数检验

曼-惠特尼 U 检验：当样本容量小于或等于 20 时

当两样本容量小于 20 时，可以进行曼-惠特尼 U 检验，其具体步骤见演示步骤 15-1。运用曼-惠特尼 U 检验只需满足两个假设条件：第一，被试是随机且独立地抽取的；第二，这些数据至少是顺序数据。进行曼-惠特尼 U 检验对分布的情况没有要求，所以对偏态的分布也可以使用曼-惠特尼 U 检验。

演示步骤 15-1

进行曼-惠特尼 U 检验

1. 检验下列条件是否得到满足：
   A. 随机且独立的选取被试。每个被试都只在一个样本中被检验。
   B. 这些数据至少为顺序数据。
2. 写出零假设和备择假设。曼-惠特尼 U 检验法的假设有下面几种形式：
   双向检验：H_0：总体 1 的分布与总体 2 的分布相同。
   H_1：总体 1 的分布与总体 2 的分布不同。
   单向检验：H_0：总体 1 的分布不小于总体 2 的分布。
   H_1：总体 1 的分布小于总体 2 的分布。
   H_0：总体 1 的分布不大于总体 2 的分布。
   H_1：总体 1 的分布大于总体 2 的分布。
3. 确定显著性水平 α。
4. 如果两个样本的样本容量均小于或等于 20，在附录 A-9 中查找临界 U 值。如果样本容量都大于 20，在附录 A-1 中查找临界 z 值。
5. 绘制一条数轴，标出 U_1 的拒绝域。
   A. 如果是双向检验，则拒绝域在数轴的两端尾部。
   B. 如果备择假设预测样本 1 将大于样本 2，则样本 1 的 U 值应该较小，此时拒绝域应该在数轴左端尾部。
   C. 如果备择假设预测样本 1 将小于样本 2，则样本 1 的 U 值应该较大，此时拒绝域应该在数轴右端尾部。
6. 计算样本 1 的 U 值步骤见演示步骤 15-2。如果样本的容量大于 20，则将样本 1 的 U 值转化为标准分数，具体方法见演示步骤 15-3。

7. 确定是否拒绝零假设：
A. 如果第 6 步中计算出来的 U 值或 Z_U 值落在拒绝域中，则 $p \leqslant \alpha$，拒绝零假设。
B. 如果第 6 步中计算出来的 U 值或 Z_U 值未落在拒绝域中，则 $p > \alpha$，不拒绝零假设。

假定州立大学心理统计课的实验部分都是由研究生来讲授的，研究生朱诺和琼每人都教了几个班的实验课。大多数心理学专业学生都认为，琼给学生的成绩要高于朱诺给的。学生们想用一个科学检验来验证他们的猜测，他们向教务处索取名次记录资料，但是遭到了拒绝。假定我们从学生中抽取两个样本，一个从朱诺所教班级的学生中抽取，另一个从琼所教班级的学生中抽取，并且核实他们最后的成绩。州立大学里，学生成绩的记录是用字母加上一个正号或负号构成。表 15－4 列出了两个样本中的学生成绩。

表 15－4 两个样本中学生的成绩

琼的班级		朱诺的班级	
成绩	等级	成绩	等级
A	13	B+	11
A−	12	B−	7
B	9.5	C	3.5
B	9.5	C	3.5
B−	7	C−	2
B−	7	D	1
C+	5		
$T_1 = 63$		$T_2 = 28$	

第一步：验证进行检验的前提条件是否得到满足。第一个假设，被试是随机且独立地选取的，两样本中不包含相同的被试。两样本是从两个不同的班级选取的，所以这个假设条件是满足的。另一个假设是，这些数据至少是顺序数据，以确保合理地将这些数据进行排序。我们可以对这些分数进行排序，所以这个假设条件也满足。

第二步：写出零假设和备择假设。曼-惠特尼 U 检验的零假设和备择假设，对将要比较的两个总体数据的相对频次分布进行了预测。零假设预测两个总体之间没有差异——它们的频次分布是相同的。如，在图 15－1 中，图 A 呈现了两个有相同的频次分布的总体。如果我们从这两个总体中各抽取一个样本，我们就可以预测这两个样本的等级和没有显著差异。

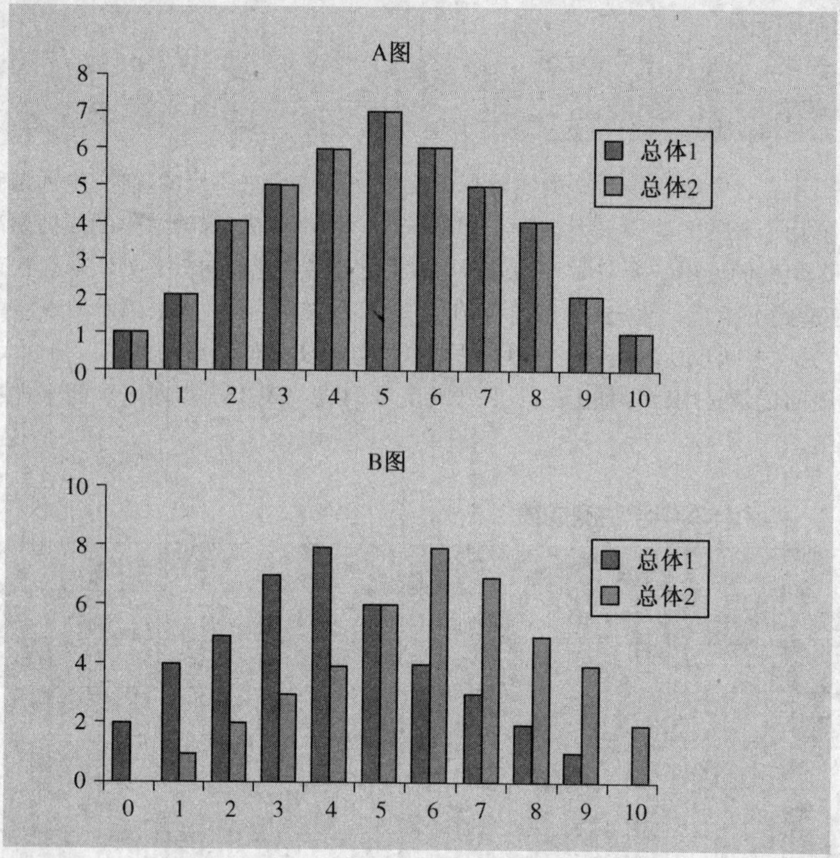

图 15－1　无差异和有差异的频次分布表

在图 15－1 中，图 B 呈现的是频次分布不相同的两个总体。总体 1 中的数据比总体 2 中的要低。如果我们从这两个总体中各抽取一个样本，可以预测：从总体 1 中抽取的样本数据，要低于从总体 2 中抽取的样本数据。同样，从总体 1 中抽取的样本，其等级和也可能要低于总体 2。因此，从本质上说，通过比较两个样本的 U 值，就可以比较这两个样本在总体的频次分布是否有差异。

在上述例子中，我们试图证明朱诺给学生的成绩高于琼给的，因此，这是一个单向检验：

H_0：朱诺给学生的成绩的相对频次分布不高于琼给的。

H_1：朱诺给学生的成绩的相对频次分布高于琼给的。

第三步：确定显著性水平 α。我们依照心理学研究中的惯例，使用 $\alpha = 0.05$。

第四步：确定临界值。在这个检验中，第一个样本的数据个数 n_1 为 7，第二个样本中的数据个数 n_2 为 6。附录 A－9 列出了单向和双向检验中，在四种 α 水平上，U 的 4 个临界值。首先，选择一个合适的表。由于我们进行的是一个 $\alpha=0.05$ 的单侧检验，所以我们使用表中的第一页。在表顶部的边缘处找到 n_1，n_2 则在表左侧的边缘处。根据 n_1、n_2 的值，在表中找到对应的 U 值。附录 A－9 列出 U 检验的临界值为 8 和 34。

第五步：在抽样分布图表中标出拒绝域。当样本容量小于或等于 20 时，绘制表示 U 检验拒绝域的图表，与我们以前学过的统计检验是不同的。我们计算了两个 U 值，每个样本各有一个。如果一个样本的 U 值落在拒绝域里，那么另一个 U 值也应该落在拒绝域里。因此，我们其实只需要用一个 U 值来进行检验就可以了。这里我们对从朱诺班上选取的样本 1 的 U 值进行检验。

在进行单向检验前，让我们先了解一下双向检验的拒绝域。对于双向检验，显著性水平 $\alpha=0.05$，附录 A－9 给了我们两个 U 的临界值，8 和 34。我们可以将这两个 U 值与双向 z 检验中的两个临界 z 值相比较。回忆一下，在双向 z 检验中，如果我们计算出的 z 值，落在了两个临界 z 值之间，则我们就不拒绝零假设。同样的，如果我们计算出的 U 值，落在了两个临界 U 值之间，我们也就不拒绝零假设。在双向 z 检验中，如果我们计算出来的 z 值小于或等于较小那个临界 z 值，或者大于或等于较大那个临界 z 值，我们就拒绝零假设。同样，对于双向 U 检验来说，当我们计算出的 U 值，小于或者等于附录 A－9 查出的临界 U 值中较小的那个，或者大于或等于临界 U 值中较大的那个，我们就可以拒绝零假设。图 15－2 中呈现的就是一个双向检验的拒绝域。

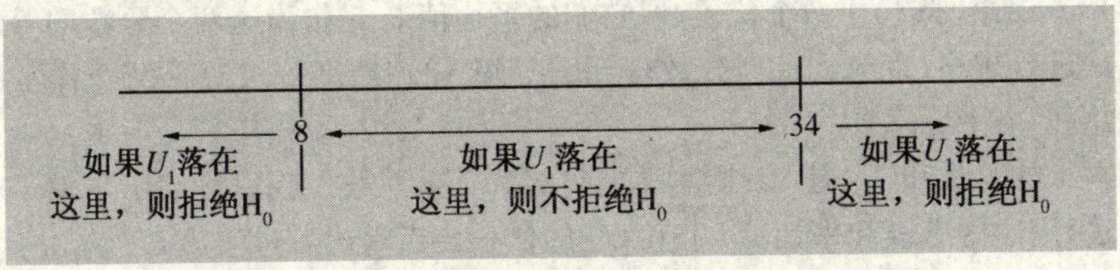

图 15－2　曼-惠特尼双向 U 检验的拒绝域

在单向 z 检验中，只有当我们计算出来的 z 值落入了抽样分布的特定一端的尾部时，我们才能拒绝零假设。如果我们预测计算出来的 z 值是落在右端尾部，而它实际上落在左端尾部，则我们不能拒绝零假设。单向 U 值的情况稍微复杂一些，因为一般会有两个 U 值。无论何时，只要其中一个 U 值落在左端的拒绝域，则另一个 U 值自然就会落在右端的拒绝域。因此，是否拒绝零假设，取决于一个 U 值（U_1 或者 U_2）是否落在其相应的拒绝域里。

如果备择假设预测：总体 1 的分布频次高于总体 2 的频次分布。那么 U_1 只有落在左端的拒绝域，U_2 只有落在右端的拒绝域，我们才能拒绝零假设。如果备择假设预测：总体 1 的分布频次低于总体 2 的频次分布。那么 U_1 只有落在右端的拒绝域，U_2 只有落在左端的拒绝域，我们才能拒绝零假设。备择假设预测分布较高总体，其样本 U 值只有落在左端的拒绝域，我们才能拒绝零假设。

常识总是引导我们这样想：如果我们预测总体 1 是较高的频次分布，那么 U_1 就应该落在右端的拒绝域，我们才能拒绝零假设。然而，回忆一下，有着较高的频次分布的样本，也同样有着较高的等级和；而等级和较高的样本，U 值反而比较小。在本例中，我们预测：朱诺班上成绩分布要高于琼的班上的；我们也就是在预测——在朱诺班上抽取的样本，其等级和较高；也就是预测——朱诺班上的样本，其 U 值较小。图 15－3 呈现了我们比较两个班级的成绩时，检验 U_1 的拒绝域。

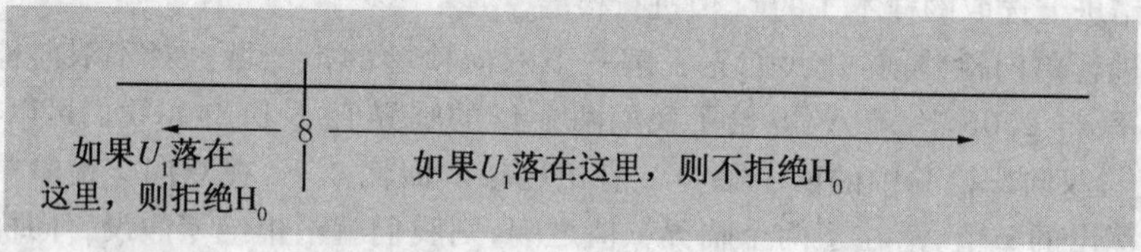

图 15－3 曼-惠特尼 U 检验的拒绝域，$n_1=6$，$n_2=7$

第六步：用样本数据计算 U 值。表 15－4 列出了分数等级排序的结果。在第八章学习计算斯皮尔曼等级相关时，我们已经学习了如何对等级进行排序。如果你忘了如何对等级进行排序，可以复习一下演示步骤 8－2。在进行曼-惠特尼 U 检验时，我们要对等级排序：我们把两个样本的数据放在一起，作为一个样本进行等级排序。两个样本的最低分数是 D，排列为 1，接着的最低分数为 C－，排列为 2。有两个被试的分数为 C，分别占了 3、4 两个位置，取它们的平均值 3.5 作为这两个分数的等级。用这种方法进行排序，直至到最高分数得到的等级 13。最高等级等于两个样本中数据个数的总和，n_1+n_2。

样本 1 的等级和 T_1 是 63；样本 2 的等级和 T_2 是 28。我们按演示步骤 15－2 呈现的方法，用这些等级和来计算 U_1 和 U_2 的值。最后得出 U_1 为 7，U_2 为 35：

$$U_1 = n_1 n_2 + \frac{n_1(n_1+1)}{2} - T_1$$

$$= (7)(6) + \frac{7(7+1)}{2} - 63$$

$$= 42 + \frac{56}{2} - 63 = 42 + 28 - 63 = 7$$

$$U_2 = n_1 n_2 - U_1 = 42 - 7 = 35$$

演示步骤 15－2

计算曼-惠特尼检验的 U 值

$$U_1 = n_1 n_2 + \frac{n_1(n_1+1)}{2} - T_1$$

$$U_2 = n_1 n_2 + \frac{n_2(n_2+1)}{2} - T_2 = n_1 n_2 - U_1$$

式中，n_1 表示样本 1 的样本容量

n_2 表示样本 2 的样本容量

T_1 表示排序后，样本 1 的等级和

T_2 表示排序后，样本 2 的等级和

1. 将两样本合并后进行排序，最小值分配为等级 1，最大值分配为等级(n_1+n_2)。
2. 计算样本 1 的等级和。
3. 用样本 1 的样本容量乘以样本 2 的样本容量。
4. 样本 1 的样本容量加上 1，将得到的和再乘以样本 1 的样本容量，所得到的结果再除以 2。
5. 将第 3、4 步的结果相加，再减去第 2 步中得到的结果。所得结果即是 U_1 的值。
6. 将第 3 步的结果减去第 5 步的结果，即得到 U_2。

第七步：确定是否要拒绝零假设。朱诺的班级样本的 U_1 为 7，落在图 15－3 呈现的拒绝域中。因此，我们可以拒绝零假设，并作出结论：朱诺班上学生的成绩显著高于琼班上学生的成绩。

另一种计算 U 值的方法

用演示步骤 15－2 呈现的公式，我们可以计算出 U 的值。另外还有一种计算 U 值的算法，这种方法不需运用公式，也不涉及对数据进行排序。确定一个样本的 U 值，可将这个样本的分数从高到低列在左边。对此样本中的一个特定分数而言，另一个样本中有一个数据大于它，则在右边所列的数字那里加上 1；有一个数据与它相等，则加上 0.5。最后，将得到的这些数字加起来，即得到相应样本的 U 值。比如，朱诺学生的样本中有 7 个数据，如表 15－4。计算朱诺学生的样本的 U 值：

朱诺的学生的成绩	琼的学生的样本中，大于或等于相应分数的人数
A	0
A−	0
B	1
B	1
B−	1.5
B−	1.5
C+	2
	$U=7$

用这种方法计算另一个样本的 U 值：

琼的学生成绩的等级	朱诺的学生的样本中，大于或等于相应分数的人数
B+	2
B−	5
C	7
C	7
C−	7
D	7
	$U=35$

检验一下，U_1+U_2 是否等于两个样本容量的乘积 n_1n_2。

曼-惠特尼 U 检验：当样本容量大于 20 时

附录 A-9 仅列出样本容量小于等于 20 的临界 U 值。如果样本容量大于 20，则不能使用附录 A-9。然而，当样本容量大于 20 时，U 值的抽样分布趋于正态。因此，我们可以使用附录 A-1 呈现的正态分布表，对 U 值进行假设检验。我们所要做的就是按照演示步骤 15-3 呈现的方法，将 U 值转换为 Z 值。

用正态分布进行 U 检验的方法，与进行 Z 检验的方法是相同的。记住：对单向检验而言，如果备择假设预测总体 1 大于总体 2，则 U_1 的拒绝域将落在抽样分布的左端尾部；如果备择预测总体 1 小于总体 2，则 U_1 的拒绝域将落在抽样分布的右端尾部。

演示步骤 15-3
将 U 值转换为标准分数

$$\mu_U = \frac{n_1 n_2}{2}$$

$$\sigma_U = \sqrt{\frac{n_1 n_2 (n_1 + n_2 + 1)}{12}}$$

$$z_U = \frac{U - \mu_U}{\sigma_U}$$

式中，n_1 表示样本 1 的样本容量
n_2 表示样本 2 的样本容量

1. 用样本 1 的样本容量乘以样本 2 的样本容量。
2. 第 1 步的结果除以 2，得到 U 的抽样分布的平均数。
3. 用样本 1 的样本容量加上样本 2 的样本容量，再加上 1，得到的结果再乘以第 1 步的结果，所得到的结果再除以 12。
4. 第 3 步得到的结果开平方，得出 U 的抽样分布的标准误。
5. 按照演示步骤 15-2 呈现的方法，计算出样本 1 的 U 值。
6. 将第 5 步的结果减去第 2 步的结果，再除以第 4 步的结果，得到由 U 值转换成的标准分数 z_U。

假定简·杰弗斯想要比较不同专业的心理学毕业生的收入情况。简最初调查了 20 名主修临床心理学和 25 名主修实验心理学的心理学工作者。他们的收入情况见表 15-5。简女士认为学习临床心理学的学生收入最终将会比学习实验心理学的学生高。由于收入的抽样分布时常是偏斜的，比较适合用非参数检验来进行分析，如使用曼-惠特尼 U 值进行检验。由于两个样本的样本容量大于 20，所以不能用附录 A-9，而必须把 U 值转换成 z 值，才能进行检验。我们将继续使用演示步骤 15-1 呈现的方法来进行曼-惠特尼 U 检验。

表 15-5 主修临床心理学和实验心理学的毕业生收入情况

主修临床心理学的毕业生		主修实验心理学的毕业生	
收 入	等 级	收 入	等 级
$114 000	45	$96 000	40
$111 000	44	$86 000	37
$107 000	43	$80 000	34
$104 000	42	$78 000	32

续 表

主修临床心理学的毕业生		主修实验心理学的毕业生	
收 入	等 级	收 入	等 级
$97 000	41	$73 000	30
$91 000	39	$69 000	29
$89 000	38	$68 000	28
$85 000	36	$65 000	26
$82 000	35	$63 000	25
$79 000	33	$62 000	24
$75 000	31	$57 000	21
$66 000	27	$52 000	19
$61 000	23	$47 000	17
$59 000	22	$45 000	16
$55 000	20	$42 000	14
$49 000	18	$40 000	13
$44 000	15	$35 000	10
$39 000	12	$32 000	9
$37 000	11	$30 000	8
$24 000	5	$29 000	7
		$27 000	6
		$21 000	4
		$18 000	3
		$15 000	2
		$9 000	1
$\sum_{ranks_1} = 580$		$\sum_{ranks_2} = 455$	

第一步：验证进行检验的前提条件是否得到满足。曼-惠特尼 U 检验法的第一个前提条件是被试样本是随机且独立地抽取的，我们可以假定该条件满足。另一个前提条件是这些数据至少是顺序数据。因为收入水平可以排序，所以这个条件也得到了满足。

第二步：写出零假设和备择假设。如前所述，曼-惠特尼 U 检验假设是样本所在总体的频次分布是否相同，是否来源于同一总体。简女士试图证明临床心理学毕业生的收入高于实验心理学的毕业生，因此这是一个单向检验。

H_0：临床心理学毕业生收入的相对频次分布不高于实验心理学毕业生收入的相对频次分布。

H_1：临床心理学毕业生收入的相对频次分布高于实验心理学毕业生收入的相对频次分布。

第三步：确定显著性水平 α。我们依照心理学研究中的惯例，使用 $\alpha = 0.05$。

第四步：找出临界 z 值。对 $\alpha = 0.05$ 的单向检验，z 的临界值为 ± 1.65。在本例中，我们要算出临床心理学毕业生的 U 值。因为我们预测临床心理学毕业生的收入会高于实验心理学毕业生，所以我们预测：临床心理学毕业生的 U 值将低于实验心理学毕业生。因此选取 z 的临界值中较小的那个，即 -1.65。

第五步：确定拒绝域。如果计算的 z 值小于等于 -1.65，则我们拒绝零假设。

第六步：计算出 U 值，并将之转换为 z 值。我们按照演示步骤 15－2 呈现的方法，来计算临床心理学毕业生的 U 值。我们规定：临床心理学毕业生为“总体 1”，实验心理学毕业生为“总体 2”。表 15－5 显示：临床心理学毕业生的等级和为 580。另外在本例中，$n_1 = 20$，$n_2 = 25$，则 U 值的计算如下：

$$U_1 = n_1 n_2 + \frac{n_1(n_1+1)}{2} - T_1$$

$$= (20 \times 25) + \frac{20(21)}{2} - 580$$

$$= 500 + 210 - 580 = 130$$

接下来，我们需要将 U 的值即 130，转换成 z 值。我们可以根据演示步骤 15－3，算出 μ_U 和 σ_U 的值：

$$\mu_U = \frac{n_1 n_2}{2} = \frac{20 \times 25}{2} = \frac{500}{2} = 250$$

$$\sigma_U = \sqrt{\frac{n_1 n_2 (n_1 + n_2 + 1)}{12}}$$

$$= \sqrt{\frac{(20)(25)(20+25+1)}{12}}$$

$$= \sqrt{\frac{(20)(25)(46)}{12}}$$

$$= \sqrt{\frac{23\,000}{12}}$$

$$= \sqrt{1\,916.67} = 43.8$$

现在将 U 值转换成 z 值：

$$Z_U = \frac{U - \mu_U}{\sigma_U} = \frac{130 - 250}{43.8} = \frac{-120}{43.8} = -2.74$$

第七步：确定是否拒绝零假设。在步骤五中，我们确定：如果计算出来的 z 值小于等于 -1.65，则我们拒绝零假设。实际上，$z_U - 2.74$ 落在拒绝域中了，所以我们可以拒绝零假设。这个研究为这种观点提供了证据：临床心理学毕业生的收入高于实验心理学毕业生。

维尔克松符号等级检验法：被试内非参数检验

W 值的抽样分布

曼-惠特尼 U 检验是一个被试间的检验，而维尔克松符号等级检验是一个被试内检验，适用于从同一组被试样本中获得的两组数据，或从两个有一定联系的样本中获得的数据。在本节中，我们将以几对夫妇组成的样本为例，来学习维尔克松符号等级检验。

维尔克松符号等级检验将曼-惠特尼 U 检验的技术和差数平均数的 t 检验的方法结合了起来。与曼-惠特尼 U 检验一样，维尔克松符号等级检验可以用于任何等级数据。与差数平均数的 t 检验相同，维尔克松符号等级检验是根据两组成对的被试分数的差异进行检验的。

假定我们想要比较丈夫和妻子的婚姻满意度。我们选取 12 对夫妻，并对他们的婚姻满意度进行调查。调查获得的数据在 0—50 分之间，高分表示较高的婚姻满意度。表 15 - 6 呈现了样本中每一对夫妻的婚姻满意度的分数。在表 15 - 6 中的第四列是用丈夫的分数减去妻子的分数，即得到每一对夫妻的得分差异。找到这种差异的方法与差数平均数的 t 检验是一样的。

表 15 - 6　12 对夫妻的婚姻满意度得分

编　号	丈　夫	妻　子	丈夫—妻子	等　级	正的等级	负的等级
1	49	26	23	10	10	
2	32	12	20	9	9	
3	41	23	18	8	8	
4	37	22	15	7	7	
5	44	31	13	6	6	

续表

编　号	丈　夫	妻　子	丈夫−妻子	等　级	正的等级	负的等级
6	28	39	−11	5		5
7	27	18	9	4	4	
8	43	36	7	3	3	
9	29	34	−5	2		2
10	33	35	−2	1		1
11	44	44	0			
12	33	33	0			

* $\sum$(正的等级) = 47，$\sum$(负的等级) = 8

在维尔克松符号等级检验中，对差值排序有两个步骤。首先，给成对夫妇的满意度得分的差异进行排序，不考虑差异的符号（正号或负号）。成对分数相同，即得分相等且差异为零的分数不参加排序，但是在分析过程中不能去除。只对分数差异不为零的成对分数进行排序。差异值最小（不管是正数还是负数），排为等级 1。在表 15－6 中，第 10 对夫妇的差异最小，为－2，等级就为 1。差异其次的夫妇的等级为 2，依此类推，直到差异值最大的夫妇的等级排为最高等级，该等级大小等于差异不为零的总夫妇对数。在表 15－6 中，有 10 对夫妇的分数差异不为零，所以，最高的等级为 10。

用这种方式排列的等级，是对两组数据之间的相似程度的度量。当一对夫妻对婚姻的满意度很相似时，比如第 10 对，他们的满意度分别为 33 和 35，那么他们之间的差异较小，等级也比较低。而如表 15－6 中所示的第一对夫妻，他们的婚姻满意度是有差异的，并且这个差异较大，等级也比较高。这样一来，夫妻分数差异越大，等级就越高。所以，这些等级显示出丈夫与妻子婚姻满意度的相似程度。婚姻满意度得分不为零的那 10 对夫妇的等级如表 15－6 的第五列所示。

前面我们曾提到，在排列等级时，我们忽视了差异的符号（正或负）。差异的符号显示出一对夫妻中谁的得分更高。如表 15－6 所示，如果丈夫的满意度分数高于妻子，则差异为正。相反，如果妻子的满意度高于丈夫，则差异为负。因为在排列等级时忽略了符号，所以这些等级显示出的差异程度具有相同的性质，并不能说明究竟是丈夫样本还是妻子样本的婚姻满意度高。

应用维尔克松符号等级检验给成对数据差异排序的第二步是区分正负差异值。我们列出某一列表示全部的正差异值的等级，表 15－6 的第六列代表在得分有差异的夫妇中，丈夫表现出更高的婚姻满意度的情况。在第四列中，第 1、第 2、第 3、第 4、第 5、第 7 和第 8 对夫妇的差异值为正，表示丈夫的得分高于妻子的得分。这些正值的等级和为 47。然后我们再列出另一列，呈现了差异值全部为负的等级。表 15－6 的第七列表明在得分有差异的夫妇中，妻子表现出更高的婚姻满意度的情况。在第四列中，第 6，9，10 对夫妇的差异值是负值，表示妻子的得分高于丈夫，其等级和为 8。

维尔克松符号等级检验主要用于检测这些符号等级值具有特殊价值的可能性。假定丈夫与妻子的婚姻满意度在总体上没有显著区别。即使如此，丈夫和妻子的婚姻满意度也不会总是精确地匹配。我们可以预测：大约有一半次数是丈夫的得分要高一些，而另一半次数是妻子的得分要高一些。我们也可以预测：妻子比丈夫得分高很多的频次与丈夫比妻子得分高很多的频次是相同的，妻子比丈夫得分高一点的频次与丈夫比妻子得分高一点的频次也是一样多的。从而我们可以预测：正的等级和与负的等级和近似相等。如果正的等级和与负的等级和的差别很大，则意味着丈夫与妻子之间的婚姻满意度存在差异。维尔克松符号等级检验度量的是在样本中正负等级和的差异。两个等级和中较小的一个记为 W。进行维尔克松符号等级检验的方法呈现在演示步骤 15－4 中。演示步骤 15－5 呈现了计算 W 值的方法。

演示步骤 15－4

维尔克松符号等级检验的推导

1. 检验下列条件是否得到满足：
   A. 随机且独立地选取被试。一个被试提供两个数据，或者从两个有逻辑联系的样本那里收集数据。
   B. 这些数据至少为顺序数据。
2. 写下零假设和备择假设。维尔克松符号等级检验的假设有下面几种形式：

   双向检验：H_0：总体 1 的分布与总体 2 的分布相同。
   　　　　　H_1：总体 1 的分布与总体 2 的分布不同。

   单向检验：H_0：总体 1 的分布不小于总体 2 的分布。
   　　　　　H_1：总体 1 的分布小于总体 2 的分布。
   　　　　　H_0：总体 1 的分布不大于总体 2 的分布。
   　　　　　H_1：总体 1 的分布大于总体 2 的分布。
3. 确定显著性水平 α。
4. 如果样本容量小于等于 50，则在附录 A－8 中查找 W 的临界值。如果样本容量大于 50，则在附录 A－1 中查找 z 的临界值。
5. 绘制一条数轴，标出 W 值的拒绝域。

6. 根据演示步骤 15－5 呈现的方法计算 W 值。如果样本容量大于 50，则按照演示步骤 15－6，将样本 1 的 W 值转化为标准分数。
7. 确定是否拒绝零假设：
A. 双向检验中，如果 W 值小于等于 W 的临界值，则拒绝零假设。
B. 单向检验中，如果 H_1 预测总体 1 将大于总体 2，则 W 必须是负的等级之和，且当 W 小于或等于 W 的临界值时，拒绝零假设。
C. 单向检验中，如果 H_1 预测总体 1 将小于总体 2，则 W 必须是正的等级之和，且当 W 大于或等于 W 的临界值时，拒绝零假设。

演示步骤 15－5
计算维尔克松符号等级检验的 W 值
1. 列出成对的数据。第一列是代表总体 1 的数据，第二列是代表总体 2 的数据。
2. 找出每对数据的差异值：得分 1—得分 2。剔除差异值为 0 的成对数据。
3. 忽略正负符号，对差异值从低到高进行排序。如果排序中出现几个等级的数据相同的情况，则将这几个等级求平均数，作为这些数据的等级。最高的等级将等于成对的数据的对数减去差异值为零的数据的对数。
4. 将差异值为正的等级相加。同样地，将差异值为负的等级相加。两个等级和中较小的那个值即为 W 的值。

维尔克松符号等级检验：当 n 小于或等于 50 时

第一步：验证进行检验的前提条件是否得到满足。维尔克松符号等级检验前提条件是：被试是独立的且随机选取的，并且数据是有逻辑联系的。得到有逻辑联系的数据的第一种方法是由每个被试提供两个数据；第二种方法我们在婚姻满意度调查的例子中已经提到过了，丈夫和妻子的得分就是有逻辑联系的数据。第二个前提条件是测量得到的数据至少是顺序数据，以便保证排序是有意义的。

第二步：写出零假设和备择假设。在这个研究中，我们并不关心丈夫和妻子谁的得分更高，只是想通过检验来考查丈夫与妻子的婚姻满意度是否有差异，所以这是一个双向检验。零假设认为丈夫和妻子的婚姻满意度是相同的，备择假设认为丈夫和妻子的婚姻满意度是不同的。

第三步：确定显著性水平 α。我们将再次运用 0.05 的显著性水平。

第四步：确定统计量 W 值的临界值。样本中最初有 12 对夫妇，但有 2 对夫妇的得分差异为零，在统计分析中没有加入计算。因此，对 W 值有贡献的夫妇是 10 对。当 n 为 10，$\alpha=0.05$，又是双向检验，查附录 A－8，找到 W 的临界值为 8。

第五步：在抽样分布图中标出拒绝域。图 15－4 中那条数轴代表这个维尔克松符号等级检验的拒绝区域。由于这是一个双向检验，因此无论是正的等级之和还是负的等级之和，都可以作为 W 值。如果是单向检验，把哪一个值作为 W 值就很重要了。我们假定妻子的婚姻满意度更高，那么用丈夫的得分减去妻子的得分（H－W）就应该为负值，由此我们可以预测：负的等级和较大，而正的等级之和较小。W 值为较小的等级和。为了验证这个假设，即妻子有更高的婚姻满意度，则 W 值必须是正的等级和。在做单侧检验的时候，选择等级和要细心。

图 15－4　维尔克松符号等级检验的拒绝域，$\alpha=0.05$，$n=10$

第六步：用样本数据计算 W 值。我们已经计算出正的等级和与负的等级和。正的等级和为 47，负的等级和为 8。因为 8 较小，所以 W 值为 8。

第七步：确定是否拒绝零假设。由于这是一个双向检验，无论是正的等级之和还是负的等级之和，都可以为 W 值。W 的值为 8，等于图 15－4 呈现的临界值，所以我们可以拒绝零假设。表 15－6 中的数据可以作为证据，支持这样的结论：丈夫和妻子的婚姻满意度有显著差异。

维尔克松符号等级检验：当 n 大于 50 时

当 n 小于或等于 50 时，附录 A－8 中列出了 W 的临界值。虽然 n 大于 50 时不能用附录 A－8，但我们可以将 W 值转化为标准分数 z 之后，用正态分布对 W 的显著性进行检验。事实上，即使附录 A－8 中列出了当 n 等于或小于 50 时 W 的临界值，当 n 等于或大于 10 时，W 已经是近似正态分布了，即当 n 大于等于 10 时，我们也可以使用正态分布进行检验。将 W 值转化为标准分数的方法呈现在演示步骤 15－6 中。记住，对于单向检验，注意究竟使用哪一个等级和作为 W 值。

演示步骤 15－6

将 W 值转化为标准分数

$$\mu_W = \frac{n(n+1)}{4}$$

$$\sigma_W = \sqrt{\frac{n(n+1)(2n+1)}{24}}$$

$$z_W = \frac{W - \mu_W}{\sigma_W}$$

式中，n 表示差异值不为零的数据对数

1. 1 加 n 的和再乘以 n。
2. 用第 1 步的结果除以 4，得到 W 值的抽样分布的平均数。
3. 用 n 乘以 2，再加上 1，将得到的结果再乘以第 1 步的结果。
4. 第 3 步的结果除以 24，再将得到的结果开平方，得到 W 值的抽样分布的标准误。
5. 用演示步骤 15－4 中得出的 W 值减去第 2 步的结果，所得结果再除以第 4 步的结果，得到的结果，就是将 W 值转化后的标准分数。

既然当 n 等于或大于 10 的时候，我们就可以使用正态分布，那么在本例中，我们可以将计算出来的成对夫妇的 W 值，转化为 z 分数。首先需要算出，当 $n=10$ 时，W 值的抽样分布的 μ_W 和 σ_W：

$$\mu_W = \frac{n(n+1)}{4} = \frac{10(10+1)}{4} = \frac{10(11)}{4} = \frac{110}{4} = 27.5$$

$$\sigma_W = \sqrt{\frac{n(n+1)(2n+1)}{24}}$$

$$= \sqrt{\frac{10(10+1)(20+1)}{24}}$$

$$= \sqrt{\frac{10(11)(21)}{24}} = \sqrt{\frac{2\,310}{24}} = \sqrt{96.25} = 9.8$$

我们已经计算出 W 值为 8，将这个值代入下面的公式，将 W 值转化为 z 分数：

$$z_W = \frac{W - \mu_W}{\sigma_W} = \frac{8 - 27.5}{9.8} = \frac{-19.5}{9.8} = -1.99$$

记住，我们进行的是一个双向检验。备择假设认为夫妻对婚姻的满意程度是有区别的，但没有预测夫妻之间谁的婚姻满意度更高。这是一个双向检验，我们按惯例取 $\alpha = 0.05$，则 z 分数的临界值为 ± 1.96。如果我们计算出来的 z_W 大于等于 $+1.96$ 或小于等于 -1.96，则我们可以拒绝零假设。本例中，z_W 的值为 -1.99，落在左端的拒绝域里，所以，我们可以拒绝零假设。这些数据提供证据表明：丈夫和妻子的婚姻满意度确实存在差异。

相关强度的非参数检验：斯皮尔曼等级相关

在本章和前面几章的假设检验中，我们已经看到，所有的推论统计均是使用一个

或多个样本，来提供在样本所在总体中两个变量间是否有联系的证据。在第十四章中，我们学习了两种方法来考察这种联系：一种方法是确定一个变量在另外一个变量的两个水平上，是否有显著差异；另一种方法是评定相关的强度。在本章中，曼-惠特尼检验和维尔克松符号等级检验是使用前一种方法的非参数检验。比如，我们用曼-惠特尼检验法来评估两位研究生助教（第二个变量）在学生分数分布（第一个变量）上是否存在差异。在推论统计中，确定变量间的联系的斯皮尔曼等级相关方法属于后一种方法，即评定相关的程度。

我们可以用皮尔逊相关来进行推论检验，同样，我们也可以用斯皮尔曼等级相关进行推论检验。在第八章中，我们利用斯皮尔曼等级相关对乔先生的例子进行计算，即计算数学焦虑的学生，其数学成绩和焦虑程度之间的相关程度。回忆一下，斯皮尔曼等级相关既可以用于顺序数据，也可用于等距数据和比率数据。斯皮尔曼等级相关的统计检验为我们提供了这样一种方法：对一个或两个由顺序标尺度量的变量进行假设检验。对斯皮尔曼等级相关系数 r_S 进行检验的步骤，与对皮尔逊相关 r 进行检验的步骤非常相似，惟一的区别在于进行检验的前提条件和查 r_S 临界值所用的表。

在第八章中我们看到，乔先生以 10 名学生作为样本，给他们做了一个数学测验和一个焦虑自评问卷。乔先生认为有数学焦虑的学生，其数学成绩与自评的焦虑存在联系。他认为：自评焦虑越高的学生，其数学成绩越低。我们可以用斯皮尔曼等级相关来检验乔先生的假设。演示步骤 15－7 呈现了对斯皮尔曼等级相关进行检验的方法。

演示步骤 15－7

斯皮尔曼等级相关检验的方法

1. 检验下列条件是否得到满足：
   A. 被试是独立且随机地选取的。
   B. 变量 X 与变量 Y 均至少为顺序变量。
2. 写出零假设和备择假设：

双向检验	单向检验	
$H_0: \rho_S = 0$	$H_0: \rho_S \geqslant 0$	$H_0: \rho_S \leqslant 0$
$H_1: \rho_S \neq 0$	$H_1: \rho_S < 0$	$H_1: \rho_S > 0$

3. 确定显著性水平 α。
4. 从附录 A－6 中找出 r_S 的临界值。
5. 绘制一个抽样分布图，标出拒绝域。对于双向检验，其拒绝域在分布的两端尾部。对于单向检验，当备择假设预测 ρ_S 小于零时，拒绝域在抽样分布的左端；等备择假设预测 ρ_S 大于零时，拒绝域在抽样分布的右端。

6. 根据下面的公式，运用样本中的数据，计算出 r_S。演示步骤 8-2 中呈现了使用该公式的方法。记住，在使用该公式前，必须先对数据进行排序：

$$r_S = 1 - \frac{6\sum D^2}{n(n^2-1)}$$

7. 确定是否拒绝零假设：

A. 如果在第 6 步中计算出的 r_S 落在拒绝域，则 $p \leqslant \alpha$，拒绝零假设。

B. 如果在第 6 步中计算出的 r_S 未落在拒绝域，则 $p > \alpha$，不能拒绝零假设。

第一步：验证进行检验的前提条件是否得到满足。进行斯皮尔曼 r_S 检验的前提条件呈现在演示步骤 15-7 中。具体有两个：首先，被试是随机且独立选取的，这是很多统计检验都需要具备的；其次，两列数据至少是顺序数据。注意：对斯皮尔曼等级相关进行检验和对皮尔逊积差相关进行检验一样，对数据分布的形态没有要求。

第二步：写出零假设和备择假设。乔先生预测在有数学焦虑的学生总体中，焦虑水平越高的学生，其数学成绩越低。这是一个负相关。因此，乔先生的备择假设预测：总体中，数学成绩和自评焦虑程度之间的相关为负。零假设为这种相关不为负。总体中，相关的符号记为 ρ_S。零假设和备择假设为：

$$H_0: \rho_S \geqslant 0$$
$$H_1: \rho_S < 0$$

由于备择假设预测相关为负，所以这是一个单向检验。

第三步：确定显著性水平 α。我们还是选用 $\alpha=0.05$ 的显著性水平。

第四步：确定统计量的临界值。附录 A-6 中已列出与选定 α 和 n 相对应的 r_S 的临界值。乔先生的备择假设预测这是一个负相关，因此这是一个单向检验。当 $\alpha=0.05$，$n=10$ 时，我们在附录 A-6 中找出 r_S 的临界值为 -0.546。注意：在附录 A-6 中列出的 r_S 临界值均为正。如果备择假设预测这是一个负相关，我们需要在附录 A-6 中查出的 r_S 临界值之前加上一个负号。为了拒绝零假设，从样本所算出的 r_S 必须小于或等于 -0.564。

第五步：在抽样分布图中标出拒绝域。图 15-5 中呈现的是当 $\alpha=0.05$，$n=10$ 时，斯皮尔曼相关系数 r_S 的单向检验的抽样分布。因为乔先生的备择假设预测数学成绩和自评焦虑之间呈负相关，所以拒绝域在抽样分布图的左端尾部。

第六步：用样本数据计算 r_S 的值。在第八章中，我们已经计算出了在乔先生的 20 名学生的样本中，数学成绩与自评焦虑之间的斯皮尔曼等级相关系数 r_S 为 -0.74。如果你已经忘记了斯皮尔曼等级相关系数 r_S 的计算方法，可以再复习一下第八章中的演示步骤 8-2。

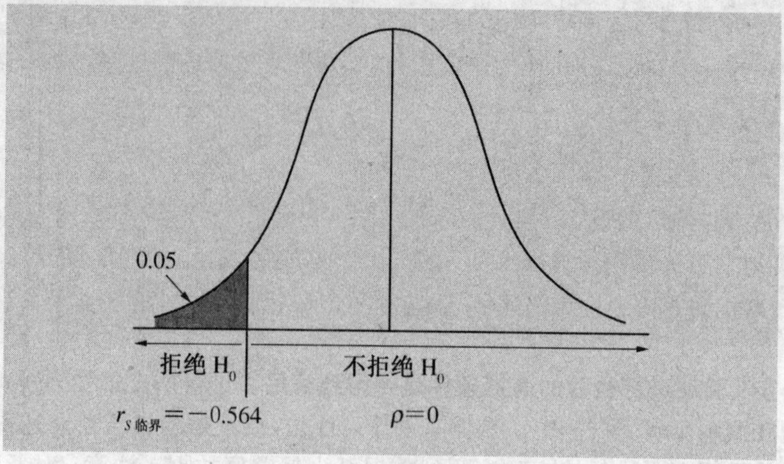

图 15-5 斯皮尔曼 r_S 的抽样分布，$\alpha=0.05$，$n=10$

第七步：确定是否拒绝零假设。在图 15-5 中，我们可以看出，很明显，$r_S=-0.74$ 落在拒绝域里，所以我们可以拒绝零假设。使用乔先生的研究结果，我们可以支持这种观点：在有数学焦虑的学生的总体中，数学成绩与自评焦虑水平之间呈负相关，即焦虑水平越高的学生，其数学成绩越低。在撰写报告时，我们可以用专业术语："$r_S=-0.74$，$p<0.05$"。这个术语告诉我们：从一个相关系数为 0 的总体中，抽取一个相关系数为 -0.74 样本的概率小于 $\alpha=0.05$，因此，我们拒绝零假设。

假设检验回顾

在最近学习的五章里，我们主要介绍了假设检验。假设检验的目的是使用样本，对样本所在总体的情况进行推断。我们介绍的所有统计检验都是基于样本统计量的分布。z、t、r、r_S、U 和 W 都是样本统计量。每种统计检验度量的都是：如果零假设为真，样本统计量出现的可能性。零假设总是断定我们所研究的变量间是没有联系的。如果实际上两个变量间没有联系，那么样本统计量出现显著的可能性非常小。因此如果样本统计量显著，则我们可以拒绝零假设，并作出结论：总体中，我们所研究的变量间有联系。

我们已经介绍的统计检验有几个方面是不同的，主要表现在以下几个方面：首先，检验的目的是不同的。有些统计检验，如皮尔逊积差相关和斯皮尔曼等级相关，度量的是我们所研究的变量之间的相关强度。其他统计检验，如 z 检验和 t 检验，度量的是总体之间是否有差异。我们选择何种检验，取决于我们的研究目的。

统计检验之间的第二个不同之处在于：进行检验所需的样本个数。我们在第十二章中和第十三章介绍的检验都只有一个样本。对样本平均数的 z 检验和 t 检验，以

及对样本比例的 z 检验，都是使用一个样本，对样本所在总体中，我们研究的参数与一个特定值是否有显著差异进行度量。我们在第十四章和第十五章介绍的假设检验，都是使用的两个样本。平均数差异的 z 检验和 t 检验、差数平均数的 z 检验、曼-惠特尼 U 检验和维尔克松符号等级检验度量的都是：两样本所在的两个总体之间是否有显著差异。皮尔逊积差相关检验和斯皮尔曼等级相关检验度量的都是变量间的相关的显著性。在接下来的两章中，我们会介绍检验三个或更多样本之间是否有差异的统计检验。

第三个不同在于：被试内和被试间取样的不同。在进行被试间检验时，两个样本的数据是从两组毫无联系的被试中获得，此时每个被试贡献一个数据；而在进行被试内检验时，两个样本的数据来自同一组被试，此时每个被试贡献两个数据，对每个样本贡献一个。还有一种特殊的被试内检验：使用两组被试，但这两组被试在逻辑上有一定联系，因此得到的两组数据也是成对的。

最后一个不同在于：是参数检验还是非参数检验。参数检验度量的是总体参数的值，例如总体平均数或总体相关系系数的值。参数检验假设总体是正态分布的或者二项式分布的。为了使用参数检验，我们必须使用等距或比率数据。另一方面，非参数检验一般度量的是：整个分布的形态或在数轴上的位置，是否与另一个分布相同。进行非参数检验并不一定要是正态分布或二项式分布。所有顺序数据都可以使用非参数检验，而对称名数据，可以使用 χ^2 检验，这方面内容我们将在第十八章具体介绍。

难点提示

1. 学习统计检验时，学生遇到的难点之一是判断应当使用哪种统计检验方法。可以根据以下几个方面来考虑：(a) 测量的标尺；(b) 试图呈现总体中变量间的联系，还是试图比较两总体的差异；(c) 拥有样本的数量；(d) 是否有两组样本，以及它们是否从同一组被试中得到。确定这些后，你就可以决定采用哪种统计检验方法了。

2. 用曼-惠特尼检验来进行 U 检验的时候，必须确定你已经把两组样本的数据进行了排序。不要把两组样本分开排序。

3. 最常见的问题之一是：用曼-惠特尼检验来确定一个单向检验是否有意义。记住，如果预测样本 1 的容量大于样本 2，那么样本 1 的 U 检验值必须小于样本 2 时才会有意义。如果预测样本 1 的容量小于样本 2，那么样本 1 的 U 检验值必须大于样本 2 才会有意义。

4. 在使用维尔克松检验的时候，记住，当排序不同时，自由度取决于两组数据的个数。实际上，如果一组数据有相同的排序，它们就会从样本中除去，并且不能计算自由度。

5. 进行维尔克松 W 单向检验时，记住：如果你预测总体 1 大于总体 2，那么只有当负的等级之和大于正的等级之和时，W 检验才会有意义。如果你预测总体 1 小于总体 2 时，正的等级之和必须大于负的等级之和，W 检验才会有意义。

6. 如果根据统计值转变 z 检验来使用 U 检验和 W 检验，首先要采用适合的步骤来计算 z 检验的值，然后只要按照样本平均数的 z 检验的步骤，完成检验即可。

7. 许多学生在斯皮尔曼 r_S 检验中，使用零假设和备择假设来推论相关程度时经常出问题。我们常常将相关系数与 0 进行比较，来证明总体中是否存在着相关。检验是否有正相关时，备择假设预测总体相关大于 0。检验是否有负相关时，备择假设预测总体相关小于 0。最后，检验是否存在相关（无论是正相关还是负相关）时，备择假设预测总体相关不会等于零。

小结

- 当数据为顺序数据或称名数据，或当总体分布不能假设为近似正态分布时，可以用非参数检验。
- 曼-惠特尼 U 检验是一种非参数检验，用于测量两组总体数据的频次分布是否存在显著差异。曼-惠特尼检验是以等级和为基础的，检验中变量至少应为顺序变量。它是一种组间检验，当两样本无关且来源于不同的被试时，可以使用该检验。
- 维尔克松符号等级检验是一种非参数检验，用于测量来源于两总体数据的抽样分布频次是否有差异。维尔克松符号等级检验既可以用于测量从同一组被试样本中得到的两组数据，也可以用于测量两相关样本中得到的两组数据。维尔克松符号等级检验是考察成对数据的差异，并以对差异进行排序为基础的。
- 在运用斯皮尔曼等级相关系数的推论统计时，可以进行单向的（总体间存在正相关或负相关）或双向的（总体存在相关）统计检验。斯皮尔曼等级相关系数的检验是度量总体的两个变量（至少是顺序变量）之间是否存在显著相关。

练习

概念题

1. 假设有两组数据，一组有 3 个数据，另一组有 4 个数据，总共有 7 个数据。假定其中无重复值，数据可排序。请列出所有能将 7 个顺序数据分为两组的方法。

　A. 以 $n(n+1)/2$ 算出样本 1 所有能组合的各数据的等级和 T_1，和样本 2 各数据的等级和 T_2。

　B. 在第一组数据中，哪一种方法可能得出最低的等级和？第二组数据中哪一种方法可能得出最低的等级和？如何得出？

　C. 第一组数据中，哪一种方法可能得出最高的等级和？第二组数据中哪一种方法可能得出最高的等级和？如何得出？

D. 算出每一个与 T_1 相对应的 T_2。可能出现不同的 T_2 对应一个 T_1 的情况吗？请举例说明。

E. 将每一个 T_1 转化为 U_1，T_2 转化为 U_2，确定每一个 U_1 与其对应的 U_2 总和为 n_1n_2。

F. 容量分别为 3 和 4 的两组数据，哪一个的 U 值为最小值？哪一个为最大值？如果 U_1 为最大值，则 U_2 等于多少？

G. 绘制一个相对频次分布表。首先列出当样本容量分别为 3 和 4 时所有可能的 U_1 值。其次列出相应的 U_2 值。在第三列中列出所有可能的情况下的 U 值，最后将每一个频次除以等级组合总数，转换为相对频次。

2. 在第 1 题的分布表中，分别描述样本容量各为 3 和 4 的两列数据：

A. $U = 0$　　B. $U = 12$

C. $U \leqslant 2$　　D. $U \geqslant 10$

3. 假如你有五个被试的前测和后测的数据，两组数据的差异是可以进行排序的。假设无相同等级，在计算差异时，用后测所得数据减去前测所得的数据，如果得到负值，则说明前测分数较大，如果得到的为正值，则说明后测分数较大。

A. 从所有数据均为正到所有数据均为负，列出这五个数据所有可能的正、负等级和。

B. 当 $n = 5$ 时，绘制一个相对频次分布表，列出所有的负的等级和，相应的正的等级和，以及这些等级和所得的频次和相对频次。

4. 根据第 3 题中绘制的相对频次分布表，找出以下可能：

A. 负的等级和为 0 时　　B. 正的等级和为 0 时

C. 负的等级和为 15 时　　D. 负的等级和小于等于 3 时

5. 描述曼-惠特尼 U 检验的理论假设，以及它可以用于哪些数据类型。

6. 描述维尔克松符号等级检验的理论假设，以及它可以用于哪些数据类型。

7. 描述斯皮尔曼等级相关的理论假设，以及可以用于哪些数据类型。

计算题

8. 计算出以下 U 检验的临界值：

A. $n_1 = 7$, $n_2 = 10$, H_1：分布一不同于分布二，$\alpha = 0.05$

B. $n_1 = 15$, $n_2 = 15$, H_1：分布一低于分布二，$\alpha = 0.05$

C. $n_1 = 10$, $n_2 = 12$, H_1：分布一大于分布二，$\alpha = 0.05$

D. $n_1 = 15$, $n_2 = 20$, H_1：分布一不同于分布二，$\alpha = 0.05$

9. 贾墨认为，在现实中左利手的人更优秀。为了证明这个观点，他随机选取了两组高中二年级学生，一组是左利手，另一组是右利手。其班级排名如下：

左利手	右利手
3	2
8	10
13	15
19	18
26	23
33	35
40	44
48	50
55	53

A. 用曼-惠特尼 U 检验验证贾墨的假设，$\alpha=0.05$。

B. 这个统计检验的结果证明贾墨的假设了吗？

10. 有研究假设，莫扎特的音乐有助于提高智力测验中的分数。乔森纳决定用莫扎特的音乐与沙滩男孩组合的现代音乐作比较。他安排两组学生在听了15分钟的音乐之后，均接受一个推理测验。让学生根据自己的判断，对每道推理题目的难度进行排序，这些题的难度等级和由其排序分数得出（分数越高则越难）。学生的分数如下：

莫　扎　特：39，43，45，47，50，50，56，59，59，60，61，63，64，66，69，70，72，72，74，75，78，80

沙滩男孩组合：27，32，35，39，42，43，43，45，48，49，51，53，55，58，62，62，63，65，67，67，68，68

A. 用曼-惠特尼 U 检验检验乔森纳的假设，$\alpha=0.05$。

B. 检验结果是否证明乔森纳的假设？

11. 查出以下 W 检验的临界值：

A. $n=10$，H_1：分布一不同于分布二，$\alpha=0.05$

B. $n=24$，H_1：分布一小于分布二，$\alpha=0.01$

C. $n=26$，H_1：分布一大于分布二，$\alpha=0.05$

D. $n=45$，H_1：分布一不同于分布二，$\alpha=0.01$

12. 大巴特球场是专为女性新建的高尔夫训练场，贾米拉希望研究高尔夫俱乐部使用该球场的效果。她在高尔夫培训课程开始之前，记录了10名女士的高尔夫成绩。然后让这10名女士在大巴特训练场训练一个月，之后再记录她们的成绩。结果如下：

女士	前测	后测
1	8	6
2	11	8
3	15	18
4	21	14
5	27	21
6	32	38
7	35	25
8	37	28
9	40	32
10	45	27

A. 用维尔克松符号等级检验验证贾米拉的假设，$\alpha=0.05$。

B. 统计检验的结果是否证明贾米拉的假设？

13. 确定以下检验的斯皮尔曼 r_S 的临界值：

A. $H_1: r_S \neq 0$，$\alpha = 0.05$，$n = 15$

B. $H_1: r_S < 0$，$\alpha = 0.05$，$n = 19$

C. $H_1: r_S > 0$，$\alpha = 0.05$，$n = 23$

D. $H_1: r_S \neq 0$，$\alpha = 0.05$，$n = 10$

14. 雅各布考察了作业总量与感知的作业的难度之间的关系。他记录下 10 名学生在一星期内作业完成的数量，然后让他们对作业的难度用从 1(最容易)到 10(最难)进行排序，其结果如下：

被试	作业时间	感知难度
1	2.0	4
2	3.5	3
3	1.0	8
4	5.0	3
5	2.0	6
6	3.0	5
7	4.5	4
8	7.0	2
9	4.0	6
10	5.0	4

A. 用斯皮尔曼等级顺序检验进行检验，$\alpha=0.05$。

B. 该统计检验的结果证明作业总量与感知的难度是否相关？

15. 朱乐研究减少攻击性儿童的攻击行为的两种方法。她对一组被试采用代币制，时间为四个星期。另一组被试则在同样的时间中接受低糖食物。让三名经过培训的观察员对儿童的攻击性水平进行等级评定，观察者并不知道被观察的儿童属于哪一个组。观察者所得出的等级如下：

代币制	低糖食物
24	15
27	18
29	19
31	23
35	27
38	28

A. 以上研究用哪种方法进行统计检验比较合适？为什么？

B. 用你选定的统计方法，对以上结果进行分析，显著性水平 $\alpha=0.01$。

C. 针对朱乐的研究，以上的检验结论说明了什么？

16. 朱莉安研究了丈夫和妻子所感知的对方在教养孩子方面的投入程度。要求每个人都对自己的配偶在教养孩子方面的投入程度以百分数赋值，分数由 0 分(完全没有投入)到 100 分(完全投入)。每一个人所给出的配偶的分数如下：

夫妻组别	丈夫(%)	妻子(%)
1	75	50
2	90	90
3	84	45
4	33	50
5	99	75
6	60	70
7	80	40
8	95	70
9	90	50
10	60	25

A. 该研究适合用什么方法进行统计检验？为什么？

B. 用上面的方法进行统计检验，$\alpha=0.05$。

C. 该检验是否验证了朱莉安的假设？

17. 有人认为，如果儿童入幼儿园时的年龄大些，则其在幼儿园中的表现要更好些。乔为了研究这种观点，记录了 16 名儿童在幼儿园最后一年的年龄以及他们在班上得到的等级，得到最高等级的学生排在第一位，得到最低等级的学生排在第 16 位，其结果如下：

儿童	年龄	等级
1	6.8	2
2	6.6	10
3	6.0	14
4	6.9	3
5	5.8	13
6	6.4	9
7	5.9	6
8	6.6	5
9	6.1	15
10	6.5	8
11	6.8	7
12	6.2	16
13	6.6	1
14	6.4	11
15	6.0	12
16	6.7	4

A. 该研究适合用什么方法进行统计检验？为什么？

B. 用上面的方法进行统计检验，$\alpha=0.05$。

C. 该研究是否验证了儿童上幼儿园的年龄和他在班中的成绩的关系？

第十六章 多重数据的统计检验：单因素方差分析

在前两章中我们学习了比较两组样本数据的检验方法。如，使用 t 检验比较两组样本平均数的差异，以判断两个样本代表的总体是否存在显著差异。但在实际研究中，我们经常会遇到同时比较两个以上的总体的情况。比如，研究一种治疗抑郁的新型药物，研究者运用不同的剂量以找出效果最佳的剂量。假设这位研究者想要检验 5 种不同的剂量，如果他每次只对比两种剂量，那他要作 10 次单独的 t 检验，这将会花费大量的时间。

更重要的是，当我们对多组数据进行反复的 t 检验时，至少会增加一次犯Ⅰ类错误的概率。回忆一下，Ⅰ类错误是指当零假设实际上为真时，拒绝零假设所犯的错误。犯Ⅰ类错误的概率是由显著性水平 α 决定的。如果我们选择了 0.05 的显著水平，那么当零假设为真时，我们有 5%的可能会拒绝零假设，从而犯Ⅰ类错误；当然，我们有 95%的可能不拒绝零假设。

假定在多组数据中我们运用了两次 t 检验。如果零假设为真，则在这两次检验中，均不拒绝零假设的概率是 0.95^2 或 0.90。因此，如果零假设为真，拒绝零假设——即在这两次检验中，至少犯一次Ⅰ类错误的概率为 1—0.90 或 0.10。如果按上面药物研究者的设想，进行 10 次 t 检验，那么，如果零假设为真，10 次检验中均不拒绝零假设的概率为 0.95^{10} 或 0.60；相应地，在 10 次检验中至少犯一次Ⅰ类错误的概率为 1—0.60 或 0.40。

在一次统计检验中，能同时对 5 种不同的药物剂量进行比较的技术将是非常有用的。这样，犯Ⅰ类错误的总的概率就不会超过我们选定的显著性水平。方差分析正是这样的技术，它可以同时检验多于两组数据的显著性。在本章及下一章中，我们将来学习这种非常有用的统计检验方法——方差分析。

分析数据方差

在第五章中，我们学习了离中趋势的度量。标准差就是度量离中趋势的一个指标，它度量的是在一个分布中，每个数据离中点的距离。从本质上说，两样本平均数的 t 检验是用两组数据的差异，除以每组数据内部的离差。t 检验公式的分子是两个样本平均数的差，它度量的是两个样本数值之间的差距。t 检验公式的分母包含了两个样本的标准差，它们度量的是每个样本内数据的离差。

$$t = \frac{\text{样本间离差}}{\text{样本内离差}}$$

为了说明这种思路，我们来看三组样本数据，如表 16－1 所示。在第一组中，两个样本的数据是相同的。两样本数据的分散程度是一样的，平均数之间没有差异。因此，数据在**组内**有差异，而在**组间**没有差异。t 值反映着的两样本间的差异。因其分子为 0，表示两组数据间没有差异；分母不为 0，表示每组数据的内部存在着差异。

表 16－1　对比组内和组间离差

第一组：组内离差								
						$\overline{X}$	s	
样本 1：	2	3	4	5	6	4.0	1.6	$t_{\overline{X}_2-\overline{X}_1} = \frac{0}{1.6\sqrt{2/5}} = 0$
样本 2：	2	3	4	5	6	4.0	1.6	
第二组：组间离差								
						$\overline{X}$	s	
样本 1：	3	3	3	3	3	3.0	0.0	$t_{\overline{X}_2-\overline{X}_1} = \frac{5-3}{0\sqrt{2/5}} = \infty$
样本 2：	5	5	5	5	5	5.0	0.0	
第三组：组间和组内离差								
						$\overline{X}$	s	
样本 1：	1	2	3	4	5	3.0	1.6	$t_{\overline{X}_2-\overline{X}_1} = \frac{5-3}{1.6\sqrt{2/5}} = 2.00$
样本 2：	3	4	5	6	7	5.0	1.6	

在第二组中，样本 1 的 5 个数据都是 3，样本 2 的 5 个数据都是 5。因此，在每组数据**内部**没有差异，而这两组数据**间**却存在着差异。反映在 t 值上，分母为 0，表示每个样本内部没有差异；分子不为 0，表示两个样本平均数间存在差异。

当然，在现实中，很少能找到在样本内部或样本之间绝对不存在差异的一对样本。第三组就比较常见，差异既存在于每一个样本内部，也存在于两个样本之间。要注意的是，第三组数据样本内的差异与第一组相同，样本间的差异与第二组相同。

分解平方和

在第五章中，我们学习了方差的概念，它是标准差的平方：

$$s^2 = \frac{\sum (X - \overline{X})^2}{n-1}$$

这个公式中的分子 $\sum (X - \overline{X})^2$，是指每个数据偏离样本平均数的离均差的平方和。在方差分析中，离均差的平方之和被称为**平方和**〔1〕(记为 SS)。方差的分子 $\sum (X - \overline{X})^2$，是所有数据总的平方和，记为 SS_T。它度量的是数据偏离平均数的程度。

对表 16－1 中呈现的三组样本数据，我们可以把每组中两个样本的数据合并起来，计算其平方和，计算的结果见表 16－2。需要注意的是，在这三组数据中，每组数据总的平均数均是 4.0。我们需要用不同的符号分别表示在每组中，两样本合并后的平均数和合并前的平均数。我们把每一样本的平均数表示为$\overline{X}_i$，这里 i 代表样本编号。因此，样本 1 的平均数记为$\overline{X}_1$，样本 2 的平均数记为$\overline{X}_2$。两样本合并后，所有数据的平均数记为$\overline{X}_T$，它代表总的平均数，因此它又被称为**总平均数**〔2〕。[1]

在表 16－2 中，第一组数据的平方和为 20。因为这两个样本之间是绝对没有差异的，所以总的平方和 20 反映的是每个样本内部的差异，它是每个样本内部的离差平方和。第二组数据的总的平方和为 10。在第二组中，每个样本内部没有差异，所以 10 反映了样本 1 和样本 2 之间的差距，它是两个样本间的离差平方和。

表 16－2 计算表 16－1 中的离差平方和

	第一组：组内离差		第二组：组间离差		第三组：组内和组间离差	
	X	$(X-\overline{X}_T)^2$	X	$(X-\overline{X}_T)^2$	X	$(X-\overline{X}_T)^2$
样本 1	2	$(2-4)^2=4$	3	$(3-4)^2=1$	1	$(1-4)^2=9$
	3	$(3-4)^2=1$	3	$(3-4)^2=1$	2	$(2-4)^2=4$
	4	$(4-4)^2=0$	3	$(3-4)^2=1$	3	$(3-4)^2=1$
	5	$(5-4)^2=1$	3	$(3-4)^2=1$	4	$(4-4)^2=0$
	6	$(6-4)^2=4$	3	$(3-4)^2=1$	5	$(5-4)^2=1$
样本 2	2	$(2-4)^2=4$	5	$(5-4)^2=1$	3	$(3-4)^2=1$
	3	$(3-4)^2=1$	5	$(5-4)^2=1$	4	$(4-4)^2=0$

〔1〕 平方和：数据离数据中心位置的距离的平方的和。平方和是方差和标准差公式中的分子，度量的是一组数据的分散程度。

〔2〕 总平均数：在方差分析中，所有数据的平均数称为总平均数。

续　表

	第一组：组内离差 X	$(X-\bar{X}_T)^2$	第二组：组间离差 X	$(X-\bar{X}_T)^2$	第三组：组内和组间离差 X	$(X-\bar{X}_T)^2$
样本 2	4	$(4-4)^2=0$	5	$(5-4)^2=1$	5	$(5-4)^2=1$
	5	$(5-4)^2=1$	5	$(5-4)^2=1$	6	$(6-4)^2=4$
	6	$(6-4)^2=4$	5	$(5-4)^2=1$	7	$(7-4)^2=9$
$SS_{总}$	$\sum(X-\bar{X}_T)^2=20$		$\sum(X-\bar{X}_T)^2=10$		$\sum(X-\bar{X}_T)^2=30$	

第三组数据的平方和为 30。在第三组中，差异既存在于每个样本之中，又存在于两个样本之间。第三组数据中，样本内的差异等于第一组数据中样本内的差异。正如我们所见，第一组数据中，其样本间并没有差异，所以，20 是样本内的差异。第三组数据总的平方和为 30，其中的 20 反映了样本内的离差平方和。在第二组数据中，样本内没有差异，10 反映的是样本间的差异。第三组数据样本间的离差与第二组数据相同，所以第三组数据总的平方和 30 中的 10 反映的是样本间的离差平方和。因此，我们可以把第三组数据的总平方和分为两个部分，样本间的离差平方和与样本内的离差平方和：

$$SS_{总}=SS_{组内}+SS_{组间}$$

我们用第三组数据来直观地展示这种关系。我们可以把每个数据偏离总平均数的离差分解为两部分：数据与所在样本平均数之离差($X-\bar{X}$)、样本平均数与总平均数之差离差($\bar{X}-\bar{X}_T$)。如，在第三组数据的样本 2 中，数据 7 偏离样本平均数 5 的值为 2。样本平均数 5 偏离总平均数 4 的值为 1。所以 7 偏离总平均数的值是：

$$(X-\bar{X}_T)=(X-\bar{X}_i)+(\bar{X}_i-\bar{X}_T)$$
$$(7-4)=(7-5)+(5-4)$$
$$3=2+1$$

从本质上说，每个数据与总平均数的离差都可以分为两部分：数据与样本平均数之离差以及样本平均数与总平均数之离差，如图 16-1 所示。

把一个数据的离差分为几个部分叫做分解离差。数据与样本平均数的离差叫组内离差，它是我们计算样本标准差时的分子。样本平均数与总平均数的离差叫组间离差，它度量的是样本平均数偏离总平均数的距离。这样，我们就把离差分解为组内离差和组间离差。

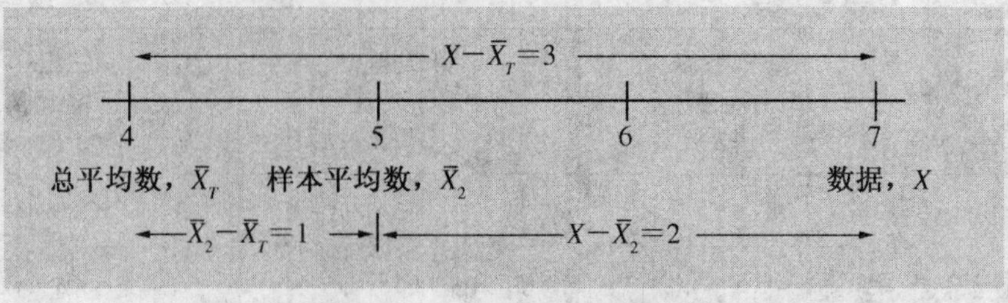

图 16-1 分解数据离差

表 16-3 呈现了对第 3 组数据偏离总平均数的离差进行分解的情况。每一部分的离差平方和如下所示：

$$SS_{组间} = \sum(\bar{X}_i - \bar{X}_T)^2 = 10$$

$$SS_{组内} = \sum(X - \bar{X}_i)^2 = 20$$

$$SS_{总} = \sum(X - \bar{X}_T)^2 = 30$$

让我们比较计算出的平方和，见表 16-2。第三组数据的组内平方和等于第一组数据的总的平方和。记住，在第一组数据中没有组间离差，它们两个样本的数据是相同的。因此，**组内平方和**[1] $\sum(X-\bar{X}_i)^2$ ，度量的是每个样本中，数据间的离散程度。

表 16-3 第三组数据分解平方和[2]

样本 1	X	组内离差 $(X-\bar{X}_1)^2$	组间离差 $(\bar{X}_1-\bar{X}_T)^2$	总离差 $(X-\bar{X}_T)^2$
	1	$(1-3)^2=4$	$(3-4)^2=1$	$(1-4)^2=9$
	2	$(2-3)^2=1$	$(3-4)^2=1$	$(2-4)^2=4$
	3	$(3-3)^2=0$	$(3-4)^2=1$	$(3-4)^2=1$
	4	$(4-3)^2=1$	$(3-4)^2=1$	$(4-4)^2=0$
	5	$(5-3)^2=4$	$(3-4)^2=1$	$(5-4)^2=1$
样本 1 小计		$\sum(X-\bar{X}_1)^2=10$	$\sum(\bar{X}_1-\bar{X}_T)^2=5$	$\sum(X-\bar{X}_T)^2=15$

〔1〕 组内平方和：是样本中每个数据与样本平均数的距离的平方的和。它度量的是数据所在样本内的变异程度，并假定这些变异是由随机因素影响的。

〔2〕 分解平方和：将平方和分为不同部分，每部分变异的来源都是不同的。

续　表

样本 2	X	组内离差 $(X-\bar{X}_2)^2$	组间离差 $(\bar{X}_2-\bar{X}_T)^2$	总离差 $(X-\bar{X}_T)^2$
	3	$(3-5)^2=4$	$(5-4)^2=1$	$(3-4)^2=1$
	4	$(4-5)^2=1$	$(5-4)^2=1$	$(4-4)^2=0$
	5	$(5-5)^2=0$	$(5-4)^2=1$	$(5-4)^2=1$
	6	$(6-5)^2=1$	$(5-4)^2=1$	$(6-4)^2=4$
	7	$(7-5)^2=4$	$(5-4)^2=1$	$(7-4)^2=9$
样本 2 小计		$\sum(X-\bar{X}_2)^2=10$	$\sum(\bar{X}_2-\bar{X}_T)^2=5$	$\sum(X-\bar{X}_T)^2=15$
两样本总和		$\sum(X-\bar{X}_i)^2=20$	$\sum(\bar{X}_i-\bar{X}_T)^2=10$	$\sum(X-\bar{X}_T)^2=30$
		$SS_{组内}$	$SS_{组间}$	$SS_{总}$

表 16－3 中，第三组数据的组间平方和为 10，等于第二组数据的总平方和。记住，在第二组数据中，样本 1 所有数据的值都是 3，样本 2 所有数据的值都是 5，所以，第二组数据没有组内离差，只存在组间离差。第二组数据的总平方和全部是由于组间的离差所产生的。因此，**组间平方和**[1] $\sum(\bar{X}_i-\bar{X}_T)^2$，度量的是组与组之间的离差，也就是两个样本数据之间的距离。

总之，方差公式中的分子是指每个数据偏离总平均数的离差的平方和。我们可以把它分解为两个部分：样本内的离差平方和以及样本间的离差平方和，如图 16－2 所示。

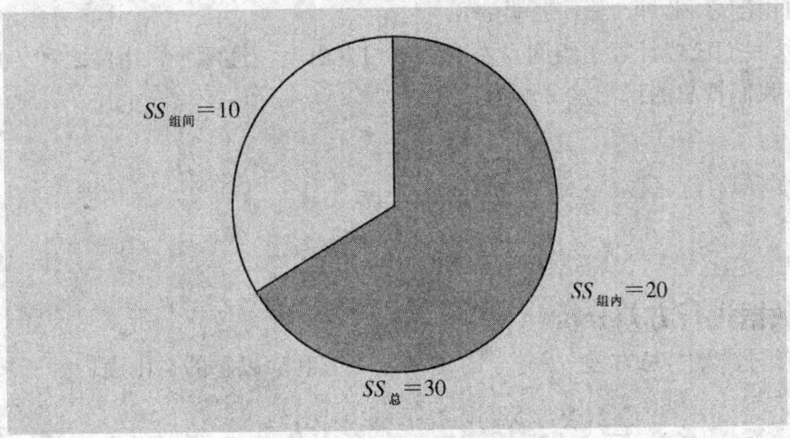

图 16－2　分解离差平方和

〔1〕 组间平方和：每个样本平均数与总平均数的距离的平方的和。它度量的是样本平均数之间的变异，并假定这些变异是由被研究的因素影响的。

分解自由度

在前面学习统计检验时，我们接触过自由度的概念。回忆一下第十三章中所提到的，统计检验中的自由度是指在给定条件下，可以自由变化的数据的个数。比如，对两样本平均数进行 t 检验时，自由度为 $(n_1-1)+(n_2-1)$，即每个样本容量减 1，再求和。

在方差公式中，分母就是自由度：

$$s_T^2=\frac{\sum(X-\overline{X}_T)^2}{n_T-1}$$

在方差分析中，总的自由度为数据总的个数减去 1：n_T-1。表 16－3 中，总的数据个数为 10，所以自由度为(10－1)，即 9。正如我们把总平方和分解为两部分：组内平方和和组间平方和；我们也可以把总的自由度分解为两部分：组内自由度和组间自由度。

计算组间自由度很简单，用样本个数减去 1。表 16－3 中，因为只有两个样本，所以组间自由度为 2－1，即 1。

如果我们分别计算表 16－3 中样本 1 和样本 2 的方差，我们将要运用以下的公式：

$$s_1^2=\frac{\sum(X-\overline{X}_1)^2}{n_1-1}，s_2^2=\frac{\sum(X-\overline{X}_2)^2}{n_2-1}$$

样本 1 的自由度为 (n_1-1)。样本 1 中有 5 个数据，所以自由度为(5－1)，即 4。样本 2 的自由度为 (n_2-1)，样本 2 中有 5 个数据，所以自由度还是 4。组内自由度即为每个样本的自由度之和，即 4＋4，也就是 8。

至此，我们已经计算了组间自由度和组内自由度。这两个自由度之和为总的自由度，所以，我们把总的自由度分解为：

$$df_{组间}=1$$
$$df_{组内}=8$$
$$df_{总}=9$$

对多组数据进行方差分析

在多组数据中，**总方差**[1]等于总的离差平方和除以总的自由度：

$$s_T^2=\frac{\sum(X-\overline{X}_T)^2}{n_T-1}=\frac{总离差平方和}{总自由度}=\frac{30}{9}=3.3$$

〔1〕 总方差：一个分布的总方差度量的是所有数据距离总平均数的变异程度。

回想一下，标准差即是方差的平方根。对于第三组数据而言，标准差为 1.8。

运用相似的公式计算样本内的方差。组内方差又称为**组内均方**〔1〕，记为 $MS_{组内}$：

$$MS_{组内} = \frac{\sum(X-\overline{X}_1)^2 + \sum(X-\overline{X}_2)^2}{(n_1-1)+(n_2-1)}$$

$$= \frac{组内平方和}{组内自由度}$$

$$= \frac{20}{8} = 2.5$$

$MS_{组内}$的平方根为 1.58。如表 16-1 所示，第三组中样本 1 的标准差为 1.58，样本 2 的标准差也是 1.58。组内均方等于样本内的平均方差。运用同样的公式，我们可以计算组间方差，即**组间均方**〔2〕，$MS_{组间}$：

$$MS_{组间} = \frac{\sum(\overline{X}_1-\overline{X}_T)^2 + \sum(\overline{X}_2-\overline{X}_T)^2}{2-1}$$

$$= \frac{组间平方和}{组间自由度}$$

$$= \frac{10}{1} = 10.0$$

在本节的开始时，我们使用 t 检验比较了组间离差和组内离差：

$$t = \frac{两组间的离差}{每组内的离差}$$

我们可以用组间均方来度量两组之间的离差，用组内均方度量组内的离差。这就是 F 检验，用符号 F 来表示：

$$F = \frac{MS_{组间}}{MS_{组内}} = \frac{10}{2.5} = 4.0$$

统计量 F 比较的是组间方差和组内方差的差异。我们在前面已经了解到，统计量 t 比较的是组内离差和组间离差的差异。回忆一下，方差是标准差的平方，F 和 t 之间也和这种关系类似。F 值是以测量数据间的方差为基础的，而 t 值是以标准差为基础的。当比较两个样本时，统计量 F 总是统计量 t 的平方：

$$F = t^2$$

在表 16-1 中，第三组数据两样本的 t 值是 2，而同样的两样本的 F 值是 4，即 t 值

〔1〕 组内均方：组内均方度量的是每个数据距离其所在样本的样本平均数的变异程度的总和，并假定这些变异是由随机因素影响的。

〔2〕 组间均方：组间均方度量的是样本平均数距离总平均数的变异程度，并假定这些变异是由被研究的因素影响的。

的平方。因此，t 检验和 F 检验度量的是相同的东西，只是计算方式不同。t 检验公式中，分子度量的是两样本平均数的差距，$\overline{X}_1-\overline{X}_2$。$F$ 检验公式中，分子度量的是每一样本平均数与总平均数的离差平方和：$(\overline{X}_1-\overline{X}_T)^2+(\overline{X}_2-\overline{X}_T)^2$。对我们分析的两个样本而言，其平均数之差为 2。总平均数是 4，样本 1 的平均数为 3，比总平均数小 1；样本 2 的平均数为 5，比总平均数大 1。所以 t 检验和 F 检验度量的都是样本平均数之间的差距，只是采用不同的方式而已。

因为 t 检验是用一个样本平均数减去另一个样本平均数，所以 t 检验每次只能比较两个样本的差异，不能直接比较三组或更多组的差异。而 F 检验考察的是每个样本平均数与总平均数之间的差距。通过每组平均数与总平均数的差距，我们就可以对比两组以上样本平均数之间的差异，所以，F 检验的优势之一就是可以同时比较两个以上样本间的差异。

在几组数据中，F 检验通过比较样本间的方差和每个样本内的方差来分析总方差。这种技术叫方差分析，缩写为 ANOVA。

被试间因素的方差分析

我们已经很熟悉乔先生做的数学焦虑对数学成绩的影响的研究了。假设乔先生现在想比较两种减轻数学焦虑的方法，一种方法是对有数学焦虑的学生进行放松训练；另一种方法是对他们进行自信心训练，即树立能成功地学好数学的信心。乔先生想要对比一下，受过训练的学生与没有受过任何训练的学生，其数学成绩之间的差异。为了进行这个研究，乔先生挑选了 3 个样本，每个样本中均有 10 名有数学焦虑的学生，他们以前在同一个统计课班上学习，并且都没有通过期末考试。在第二学期开学之初，这 30 名学生被分到不同的统计课班级。第一组学生被安排到树立自信心小组，第二组被安排到学习放松技能小组，而第三组学生没有接受任何特殊的减轻数学焦虑的训练。在期末的时候，乔先生对这三个样本进行一个 20 题的数学测验。每个学生的分数列在表 16－4 中。

表 16－4　自信心训练、放松训练和无干预(被试间设计)学生的数学测验成绩

A_1：自信心训练	A_2：放松训练	A_3：无干预
16	19	16
15	17	10
14	17	11
14	16	12

续　表

A_1：自信心训练	A_2：放松训练	A_3：无干预
13	14	9
19	15	11
19	14	12
18	13	8
17	13	12
15	12	9

单因素方差分析的一般程序

演示步骤 16－1 描述了运用 ANOVA 进行统计检验的方法。这些步骤与我们前面学习过的统计检验的基本步骤是相同的。但是，ANOVA 的零假设以及备择假设与我们前面所学的检验有所不同。在前两章，零假设和备择假设比较的都是两个总体的情况，而 ANOVA 可以用来比较两个以上总体的情况。ANOVA 的零假设认为所有总体的平均数是相同的，备择假设则认为零假设是错误的，所有总体的平均数并不相同。

演示步骤 16－1

进行单因素 ANOVA

1. 检验以下的假设是否满足：
   A. 被试的挑选是随机且独立的。
   B. 总体近似为正态分布。
   C. 各处理的总体方差一致。
   D. 数据是等距数据或比率数据。
2. 写出零假设和备择假设。对单因素 ANOVA 而言，被试被分成 n_A 组，其假设如下：

$$H_0: \mu_1 = \mu_2 = \mu_3 = \cdots = \mu_A$$

H_1：H_0 为假

3. 确定显著性水平 α。
4. 按照演示步骤 16－2 或 16－4，计算组间自由度和组内自由度，在附录 A－4 中查找与这些自由度相应的 F 临界值。

5. 根据零假设，画出抽样分布图，标出拒绝域。对 F 检验而言，拒绝域在右端尾部。
6. 按照演示步骤 16－2，计算 F 值。
7. 确定是否拒绝零假设：
   A. 如果 F 值落在 $F_{临界}$ 确定的拒绝域内，即 $p \leqslant \alpha$，则我们有足够的证据作出结论：不同总体的平均数是不相同的（拒绝零假设）。
   B. 如果 F 值没有落在 $F_{临界}$ 确定的拒绝域，即 $p > \alpha$，则我们没有足够的证据认为不同总体的平均数是不相同的（不拒绝零假设）。

注意：演示步骤 16－1 是进行单因素 ANOVA 的步骤。在第十七章中，我们将学习怎样运用 ANOVA 研究两个因素的情况。一个**因素**[1]就是研究者在实验中感兴趣的一个变量，根据这个变量，被试被分成几个小组。在乔先生的研究中，依据减轻焦虑训练的类型，将被试分成了几个小组。因此，训练类型就是我们要研究的因素。

如果我们要研究的因素是度量被试特征的变量，那么这个变量的每一个值就称为一个**水平**[2]。如我们研究的是被试的性别，其特定的值，男和女，就是水平。当要研究的因素是被试的年龄，那么不同的年龄组就是水平。如果我们所研究的因素是被试在实验中接受不同的实验方式，那么因素的每一个取值就叫做一个**处理**[3]。在乔先生的研究中，因素是接受训练的类型，其中有三种处理：自信心训练、放松训练以及没有训练。因素的处理或水平会被赋予一个数值。我们把接受自信心训练的样本称为样本 1，把放松训练的样本称为样本 2，而没有训练的样本称为样本 3。

一个因素的水平数或处理数用 n_A 表示。在乔先生的研究中，n_A 为 3，表明有三种训练类型。在 ANOVA 中，水平数或处理数的最小值是 2，至少要有两组以供比较。水平数或处理数没有最大值的限制，只要逻辑上有意义，你可以比较尽可能多的水平或处理。

因素可以是被试内的，也可以是被试间的。对于一个**被试间因素**[4]来说，不同的、不相关的被试在实验中，只接受一种处理，每一个被试只能得出一个实验数据。在乔先生的研究中，每个被试被安排接受一种减轻焦虑的训练，所以我们可以使用被试间因素的 ANOVA 来检验这个实验的结果。对**被试内因素**[5]而言，同一个或相关的被试接受所有处理。当同一个被试在参与所有实验处理之后，每个被试就会贡献 n_A 个数据。在本章的后面部分，我们将学习怎样计算被试内因素的 ANOVA。

---

〔1〕 因素：是研究者所感兴趣的一个变量，根据这个变量，被试被分成几个小组。
〔2〕 水平：因素是度量被试特征的变量，这个变量将被试分为不同小组的每一个值就称为水平。
〔3〕 处理：如果被试根据他们在实验中接受的实验方式不同分为不同的小组，那么因素的每一个取值就叫做一个处理。
〔4〕 被试间因素：指在实验中，同一个被试只接受一种实验处理的那个因素。
〔5〕 被试内因素：指在实验中，同一个被试接受所有的实验处理的那个因素。

演示步骤 16-2 描述了计算被试间因素 ANOVA 的方法。方差分析的结果是一个 F 值。正如我们以前学习过的，在计算 F 值的过程中，总方差被分解为两部分：组间方差和组内方差。组间方差是指被试接受不同的实验处理的方差。在乔先生的研究中，组间方差是三种不同的减轻焦虑的训练方法——自信心训练、放松训练、没有训练——之间的方差。因此，组间方差是不同训练的类型产生的。组内方差是每个水平或处理内数据的差异，它是由随机因素造成的。

演示步骤 16-2

计算单因素被试间 ANOVA 的 F 值

1. 计算平方和

以下是我们将会遇到的符号：

n_S 表示样本容量

n_A 表示样本个数

$\overline{X}_T$ 表示总平均数，即所有数据的平均数

$\overline{X}_i$ 表示样本 i 的平均数，i 的取值为 1 到 n_A

X 表示单个数据，X_i 表示样本 i 中的数据

A. 组间平方和

$$SS_{组间} = n_S \sum (\overline{X}_i - \overline{X}_T)^2$$

(1) 计算所有数据的总平均数 $\overline{X}_T$。

(2) 计算每个样本的平均数 $\overline{X}_i$。

(3) 用样本平均数减去总平均数，并将得到的差求平方。共有 n_A 个样本，因此应该有 n_A 个离差平方。

(4) 把步骤 3 中计算得到的所有离差平方加起来，再乘以样本容量 n_S，就得到了 $SS_{组间}$。

B. 组内平方和

$$SS_{组内} = \sum (X_i - \overline{X}_i)^2$$

(1) 用样本中的每个数据减去所在样本的平均数，并将得到的差求平方。共有 $n_A n_S$ 个数据，因此应该有 $n_A n_S$ 个离差平方。

(2) 将步骤 1 中计算得到的所有离差平方加起来，就得到了 $SS_{组内}$。

C. 总平方和

$$SS_{总} = \sum (X - \overline{X}_T)^2$$

(1) 用每个数据减去总平均数$\bar{X}_T$，并将得到的差求平方。共有 $n_A n_S$ 个数据，因此应该有 $n_A n_S$ 个离差平方。

(2) 把步骤 1 中计算得到的所有离差平方加起来，即求得 $SS_{总}$。

(3) 检验一下：$SS_{总} = SS_{组间} + SS_{组内}$。

2. 计算自由度

A. $df_{组间} = n_A - 1$，n_A 表示样本个数

B. $df_{组内} = n_A(n_S - 1) - 1$，$n_S$ 表示每个样本的样本容量

C. $df_{总} = n_A n_S - 1$

D. 检验一下，$df_{总} = df_{组间} + df_{组内}$

3. 构建方差分析表，计算 F 值

A. 方差分析表应包括 5 列。分别是"方差来源"、"SS"、"df"、"MS"、和"F"。第一行写下研究的因素，第二行写下"被试"，第三行写下"被试×处理"，第四行写下"总和"。

B. 在方差分析表中的相应位置填写平方和、自由度。

C. 在表的第 3 列填写均方，即用平方和除以自由度，表示为 MS：

$$MS_{组间} = \frac{SS_{组间}}{df_{组间}},\ MS_{组内} = \frac{SS_{组内}}{df_{组内}}$$

D. 用 $MS_{组间}$除以 $MS_{组内}$，得出 F 值：

$$F = \frac{MS_{组间}}{MS_{组内}}$$

计算总平方和

我们可以使用演示步骤 16 - 2，来分析乔先生研究中数据的方差。第一步是计算每一种方差来源的平方和。

组间平方和。首先，我们要计算组间平方和，计算过程如图 16 - 3 所示。注意，在第 2 步中，离差平方的数量等于所有因素的水平数或处理数 n_A。在乔先生的研究中，有三种处理条件，所以有三个离差平方，每个离差平方对应一种处理条件。最后计算出来的组间平方和是 140，如图 16 - 3 所示。

组内平方和。第二步我们来计算组内平方和，计算过程如图 16 - 4 所示。注意，第 1 步是求每种实验处理条件下的平均数，再用数据减去其所在处理的平均数，将得到的离差求平方。在每种处理条件下有 n_S 个数据，那么每种处理下就应该有 n_S 个离差平方。在乔先生的研究中，每种处理条件下有 10 个数据，故每种处理下有 10 个离差平方。共有 3 个处理条件，那么就应该有 30 个离差平方。最后一步是把这些离差

平方加起来。最后计算出来的组内平方和等于 132，如图 16－4 所示。

1. 计算总平均数：$\bar{X}_T = \dfrac{\sum X}{n_T} = \dfrac{420}{30} = 14.0$

2. 计算样本平均数，每个样本平均数减去总平均数，平方其差值：

$$\bar{X}_1 = \frac{\sum X_1}{n} = \frac{160}{10} = 16.0,\ (\bar{X}_1 - \bar{X}_T)^2 = (16-14)^2 = 2^2 = 4$$

$$\bar{X}_2 = \frac{\sum X_2}{n} = \frac{150}{10} = 15.0,\ (\bar{X}_2 - \bar{X}_T)^2 = (15-14)^2 = 1^2 = 1$$

$$\bar{X}_3 = \frac{\sum X_3}{n} = \frac{110}{10} = 11.0,\ (\bar{X}_3 - \bar{X}_T)^2 = (11-14)^2 = (-3)^2 = 9$$

3. 计算离差平方之和，乘以 n_S，即每个样本容量：

$$SS_{组间} = n\sum(\bar{X}_i - \bar{X}_T)^2 = 10(4+1+9) = 10(14) = 140$$

图 16－3 乔先生的数学测验成绩的组间平方和

1. 对每个样本分开计算，计算每个数据偏离样本平均数的离差，并平方离差。最后，计算每个样本的离差平方之和。

样本 1：自信心训练 $(X-\bar{X}_1)^2$	样本 2：放松训练 $(X-\bar{X}_2)^2$	样本 3：无干预 $(X-\bar{X}_3)^2$
$(16-16)^2=0$	$(19-15)^2=16$	$(16-11)^2=25$
$(15-16)^2=1$	$(17-15)^2=4$	$(10-11)^2=1$
$(14-16)^2=4$	$(17-15)^2=4$	$(11-11)^2=0$
$(14-16)^2=4$	$(16-15)^2=1$	$(12-11)^2=1$
$(13-16)^2=9$	$(14-15)^2=1$	$(9-11)^2=4$
$(19-16)^2=9$	$(15-15)^2=0$	$(11-11)^2=0$
$(19-16)^2=9$	$(14-15)^2=1$	$(12-11)^2=1$
$(18-16)^2=4$	$(13-15)^2=4$	$(8-11)^2=9$
$(17-16)^2=1$	$(13-15)^2=4$	$(12-11)^2=1$
$(15-16)^2=1$	$(12-15)^2=9$	$(9-11)^2=4$
$\sum(X-\bar{X}_1)^2 = 42$	$\sum(X-\bar{X}_2)^2 = 44$	$\sum(X-\bar{X}_3)^2 = 46$

2. 计算离差平方之和：

$$SS_{组内} = \sum(X-\bar{X}_i)^2 = 42+44+46 = 132$$

图 16－4 乔先生的数学测验成绩的组内平方和

总平方和。最后，我们来计算总平方和。这个过程和计算组内平方和的过程很相似，惟一的不同是用总平均数代替各小组平均数。每个处理条件下有 n_S 离差平方，在所有的处理条件下就应该有 $n_A n_S$ 个离差平方。在乔先生的研究中，有 3 个处理条件，每个处理条件下有 10 个数据，那就有(3×10)即 30 个数据，有 30 个离差平方。计算总平方和的过程如图 16-5，计算结果是 272。你可以检验一下，总平方和等于组间平方和加上组内平方和：

$$SS_{总} = SS_{组间} + SS_{组内} = 140 + 132 = 272$$

1. 计算每个数据与总平均数之差，并平方其值。

样本 1：自信心训练 $(X_1 - \bar{X}_T)^2$	样本 2：放松训练 $(X_2 - \bar{X}_T)^2$	样本 3：无干预 $(X_3 - \bar{X}_T)^2$
$(16-14)^2=4$	$(19-14)^2=25$	$(16-14)^2=4$
$(15-14)^2=1$	$(17-14)^2=9$	$(10-14)^2=16$
$(14-14)^2=0$	$(17-14)^2=9$	$(11-14)^2=9$
$(14-14)^2=0$	$(16-14)^2=4$	$(12-14)^2=4$
$(13-14)^2=1$	$(14-14)^2=0$	$(9-14)^2=25$
$(19-14)^2=25$	$(15-14)^2=1$	$(11-14)^2=9$
$(19-14)^2=25$	$(14-14)^2=0$	$(12-14)^2=4$
$(18-14)^2=16$	$(13-14)^2=1$	$(8-14)^2=36$
$(17-14)^2=9$	$(13-14)^2=1$	$(12-14)^2=4$
$(15-14)^2=1$	$(12-14)^2=4$	$(9-14)^2=25$
$\sum(X_1-\bar{X}_T)^2=82$	$\sum(X_2-\bar{X}_T)^2=54$	$\sum(X_3-\bar{X}_T)^2=136$

2. 计算离差平方之和：

$$SS_{总} = \sum(X-\bar{X}_T)^2 = 82+54+136 = 272$$

检验公式：$SS_{总} = SS_{组间} + SS_{组内} = 140 + 132 = 272$

图 16-5 乔先生的数学测验成绩的总平方和

计算平方和的其他方式。在演示步骤 16-2 中，计算平方和的公式在结构上类似于标准差的定义公式，它是根据每个数据与平均数的离差来计算的。演示步骤 16-2 中的平方和都来源于一种形式，计算数据与样本平均数的离差，样本平均数与总平均数的离差，数据与总平均数的离差。运用这样的公式可以很清楚地看出每个平方和度量的是什么。

然而，正如第五章中介绍的那样，计算标准差可以采用其他的方式。在方差分析中，计算平方和也可以采用其他的方式。这些方式会更为简单，但是不容易分清平方和度量的是什么。如果你对其他计算平方和的方式感兴趣，可以参看高级统计的有关书籍，它们对方差分析会有更深入的介绍[2]。

计算自由度

接下来，我们来计算这三种方差来源的自由度。计算自由度时所需的数据有两个：n_A，实验中的处理数或水平数；n_S，每个水平或处理条件下数据的个数。如表 16-4 所示，在本例中 n_A 为 3，n_S 为 10。

$$df_{组间} = n_A - 1 = 3 - 1 = 2$$
$$df_{组内} = n_A(n_S - 1) = 3(10 - 1) = 3(9) = 27$$
$$df_{总} = n_A n_S - 1 = 3(10) - 1 = 30 - 1 = 29$$

你可以进行检验，总的自由度等于其他自由度之和：

$$df_{总} = df_{组间} + df_{组内} = 2 + 27 = 29$$

构建总表及计算 *F* 值

下一步是要构建总表。表 16-5 列出了乔先生的研究中数据的方差分析表。均方是由平方和除以对应的自由度得到的：

$$MS_{组间} = \frac{SS_{组间}}{df_{组间}} = \frac{140}{2} = 70.00$$

$$MS_{组内} = \frac{SS_{组内}}{df_{组内}} = \frac{132}{27} = 4.89$$

注意：我们并没有计算总的均方。计算 F 值，只需用组间均方除以组内均方即可：

$$F = \frac{MS_{组间}}{MS_{组内}} = \frac{70}{4.89} = 14.31$$

表 16-5　乔先生的数学测验成绩被试间 ANOVA 的总和表

方差来源	*SS*	*df*	*MS*	*F*
训练类型	140.00	2	70.00	14.31
组　内	132.00	27	4.89	
总　和	272.00	29		

查找 *F* 临界值

在乔先生的研究中，训练类型的 F 值为 14.31。为了确定这个 F 值是否达到显著性水平，确定能否拒绝零假设，我们需要在附录 A-4 中查找 F 值的临界值。临界 F 值是根据 α 的值和两个均方的自由度来排列的。图 16-6 是附录 A-4 中的一部分。

我们可以看出，这部分表使用的显著性水平 α 的值为 0.05。附录 A－4 中还列出了 α 值为 0.01 时的临界 F 值。

组间自由度列在表的顶端。图 16－6 中只列出了自由度从 1 到 6 时的情况，在附录 A－4 则更为完整。乔先生的研究要对比 3 种训练方式，所以组间自由度为 2，反映在图 16－6 中就是突出显示的那一列。

表 A－4

***F* 的临界值，$\alpha = 0.05$**

	$df_{组间}$						
$df_{组内}$	1	2	3	4	5	6	
1	161	200	216	225	230	234	…
2	18.51	19.00	19.16	19.25	19.30	19.33	…
3	10.13	9.55	9.28	9.12	9.01	8.94	…
4	7.71	6.94	6.59	6.39	6.26	6.16	…
5	6.61	5.79	5.41	5.19	5.05	4.95	…
⋮	⋮	⋮	⋮	⋮	⋮	⋮	
26	4.22	3.37	2.98	2.74	2.59	2.47	…
27	4.21	3.35	2.96	2.73	2.57	2.46	…
28	4.20	3.34	2.95	2.71	2.56	2.44	…
29	4.18	3.33	2.93	2.70	2.54	2.43	…
30	4.17	3.32	2.92	2.69	2.53	2.42	…

图 16－6　查找 F 临界值

组内自由度列在表的左边。为了简便起见，这里只呈现部分数值。在完整的附录 A－4 中，组内自由度的取值范围可以是从 1 到 100 以上。乔先生的研究中，组内自由度是 27，在图 16－6 中也突出地显示出来了。

乔先生的研究中，$df_{组间} = 2$，$df_{组内} = 27$，在 0.05 的显著性水平上，它们交汇处的 F 值为 3.35。如果我们在表 16－4 中计算出来的 F 值等于或大于 3.35，那么我们就可以拒绝零假设。我们计算出来的 F 值是 14.31，大于临界值 3.35，所以我们可以拒绝零假设。

确定是否要拒绝零假设

这个研究的零假设认为接受 3 种不同训练的总体，其数学测验的平均数是相同的。零假设断定：有数学焦虑的学生接受放松训练或自信心训练，他们在训练后的数学成绩，与他们训练前的没有差别。当我们拒绝了零假设，即零假设为假，我们可以说这些平均数不是完全相等的。然而，我们并不能得出所有的平均数都不相等的结论。在 F 检验中，只要有一对平均数之间的差异达到显著性水平，我们就能得到一个等于或大于临界值的 F 值。因为 F 是度量样本平均数偏离总体平均数的情况，所以即使是样本平均数之间并没有显著性差异，也有可能获得一个显著的 F 值。为了找出哪些平均数之间存在差异，我们必须进行更深入的分析。

多重比较

如果一个因素只有两个处理，而且 F 值是显著的，那么我们可以得出结论：这两个处理的平均数之间有显著性差异。如果只有两个处理条件，F 值又达到显著性水平，即显示了那两个样本平均数之间有显著性差异，至此就没有更深入分析的必要了。然而，如果一个因素的处理数超过两个，而且 F 值显著，我们就不能断定到底是哪些平均数之间有显著的差异。因为 F 值是显著的，我们知道至少有一对平均数之间有显著差异，但我们并不知道是哪一对或哪几对平均数之间有差异。为此，我们需要进行更深入的检验。这些检验叫做**多重比较**。

有一种方法是用 t 检验来分析样本平均数之间的差异[3]。这种检验是一种事先的多重比较，指在分析开始前就计划好的。还有一种事后的多重比较，并不需要事先的计划，而是在得出 F 值显著之后才进行的。在运用 t 检验进行多重比较，就是逐一地检验各对平均数之间的差异。比较样本平均数之间的差异的过程中，我们可以把组内均方 $MS_{组内}$，作为 t 检验中的分母，用它来估计方差。演示步骤 16－3 呈现了这种计算 t 值的方法。

演示步骤 16－3

两实验处理中，计算平均数的 t 值

被试间 ANOVA

$$t=\frac{\overline{X}_j-\overline{X}_k}{\sqrt{\dfrac{2MS_{组内}}{n_S}}}$$

被试内 ANOVA

$$t=\frac{\overline{X}_j-\overline{X}_k}{\sqrt{\dfrac{2MS_{处理\times被试}}{n_S}}}$$

式中，$\overline{X}_j$ 表示一个样本的平均数

$\overline{X}_k$ 表示另一个样本的平均数

$MS_{组内}$ 表示被试间 ANOVA 的组内均方

$MS_{处理\times被试}$ 表示被试内 ANOVA 的处理×被试均方

n_S 表示每个样本的样本容量

1．进行方差分析时，要计算每个样本的平均数。用处理 J 的样本平均数减去处理 K 的样本平均数。
2．计算均方 $MS_{组内}$ 和 $MS_{处理\times被试}$，将得到的均方乘以 2，再除以样本容量 n_S。再把得到的结果开方。
3．将第 1 步得到的结果除以第 2 步得到的结果，算出 t 值。
4．检验 t 值的方法和演示步骤 14－2 中介绍的一样，该 t 检验的自由度为 $2(n_S-1)$。

我们用演示步骤 16－3 中的方法来检验乔先生研究中的 3 个平均数。在数学测验中，自信心训练小组的平均分是 16，放松训练小组的平均分是 15，没有训练的小组的平均分是 11。组内均方 $MS_{组内}$ 的值是 4.89，见表 16－5。以下是运用步骤 16－3 中的公式计算出的 t 值：

$$t_{自信心训练与没有训练}=\frac{\overline{X}_1-\overline{X}_3}{\sqrt{\frac{2MS_{组内}}{n_S}}}=\frac{16-11}{\sqrt{\frac{2(4.89)}{10}}}=\frac{5}{\sqrt{0.978}}=\frac{5}{0.99}=5.051$$

$$t_{放松训练与没有训练}=\frac{\overline{X}_2-\overline{X}_3}{\sqrt{\frac{2MS_{组内}}{n_S}}}=\frac{15-11}{\sqrt{\frac{2(4.89)}{10}}}=\frac{4}{\sqrt{0.978}}=\frac{4}{0.99}=4.040$$

$$t_{自信心训练与放松训练}=\frac{\overline{X}_1-\overline{X}_2}{\sqrt{\frac{2MS_{组内}}{n_S}}}=\frac{16-15}{\sqrt{\frac{2(4.89)}{10}}}=\frac{1}{\sqrt{0.978}}=\frac{1}{0.99}=1.010$$

乔先生预测，在经过实验训练之后，自信心训练组和放松训练组的测试成绩，将会高于没有训练的小组。这是一种单向假设，或是单侧检验。回忆一下，两样本平均数的 t 检验，其自由度为 $(n_1-1)+(n_2-1)$。在这个多重比较中，因为两样本的样本容量是相同的，所以自由度为 $2(n_S-1)$，即 $2(10-1)$，即为 18。在单向检验中，df 为 18，$\alpha=0.05$ 时，t 的临界值为 1.734。在对自信心训练组与没有训练组的比较中，t 值为5.051，大于临界值。因此，可以得出结论：接受自信心训练后，学生的数学成绩显著高于没有接受训练的学生。在对放松训练组与没有训练组的比较中，t 值为 4.040，高于临界 t 值。因此，接受放松训练后，学生的数学成绩显著高于没有接受训练的学生。

乔先生没有特别预测不同的实验训练——自信心训练或放松训练——哪种训练的效果会更好。因此，比较两种训练方式要进行双向检验。在双向检验中，df 为 18，$\alpha=0.05$ 时，t 的临界值为 2.101。而对比两种训练方式的 t 值为 1.101，小于临界值。所以我们可以得出结论，这两种训练方式之间并没有显著差异。

被试内因素的方差分析

在被试内设计中，每一个被试要接受所有的实验处理。也有特例，正如我们在前面所讨论的被试内设计的例子，不是每个被试都接受了所有的实验处理，可以由不同的、但逻辑上相关的被试分别接受每一种处理。在后面部分，我们将分析乔先生的实验数据的方差，假设不同的被试都接受所有的实验处理：即同一个参与者接受 3 种处理，则这就是一个被试内设计。

当然，在现实生活中，我们不能把同一组数据既用作被试间设计，又用作被试内设计。在进行实际的研究时，我们要根据研究目的和测量方式，来选择惟一恰当的分析方法。在这里我们要清楚，把乔先生的研究当做被试内设计是不合适的，是存在严重缺陷的。然而，我们在这里之所以用乔先生研究数据，其主要目的是希望使用同一批数据，分别进行被试间设计和被试内设计的方差分析，以便直观地比较这两者的差异。我们将会看到，运用这些数据所得到的总方差是一样的，但对总方差的分解在这两种设计中是不同的。

当把乔先生的实验当做被试内设计来进行分析时，我们假设，乔先生挑选了 10 名参与者组成一个小组。在开始训练之前，先测验他们的数学成绩。然后，对一半参与者进行放松训练，对一半参与者进行自信心训练，然后进行第二次测试。接下来，前面进行了放松训练的被试接受自信心训练，而前面进行了自信心训练的被试则接受放松训练，之后再进行第三次测试。这三次数学测验是等值的。我们将要分析的数据见表 16－4。

单因素被试内方差分析的前提假设和单因素被试间方差分析的前提假设是相同的，见演示步骤 16－1。使用单因素被试内方差分析计算 F 值的过程呈现在演示步骤 16－4 中，这个过程与演示步骤 16－2 呈现的单因素被试间方差分析中计算 F 值的过程是非常相似的。

演示步骤 16－4

单因素被试内 ANOVA 的 F 值的计算

1. 计算平方和

以下是我们将会遇到的符号：

n_S 表示样本容量

n_A 表示样本个数

$\bar{X}_T$ 表示总平均数，即所有数据的平均数

$\bar{X}_i$ 表示样本 i 的平均数，i 可以取值为 1 到 n_A

$\bar{X}_k$ 表示被试 k 的平均数，k 可以取值为 1 到 n_S

X 表示一个数据

X_i 表示样本 i 中的数据

X_k 表示被试 k 的数据

A. 组间平方和

$$SS_{组间} = n_S \sum (\bar{X}_i - \bar{X}_T)^2$$

被试内 ANOVA 中，计算组间平方和的过程和被试间 ANOVA 完全一样，请参见演示步骤 16－2 中第一步，A。

B. 被试平方和

$$SS_{被试} = n_A \sum (\bar{X}_k - \bar{X}_T)^2$$

(1) 分别计算每个被试所有数据的平均数。在被试内方差分析中，每个被试有 n_A 个数据，即一种处理一个数据。

(2) 用被试平均数减去总平均数，把得到的结果求平方。有 n_S 个被试，所以就有 n_S 个离差平方。

(3) 把第 2 步中的离差平方相加，乘以样本容量 n_A，就得到了 $SS_{被试}$。

C. 处理×被试的平方和

$$SS_{处理\times被试} = \sum (X - \bar{X}_i)(X - \bar{X}_k)$$

(1) 分别计算以下数值：

(a) 用每个数据减去这个数据所在处理的平均数。

(b) 用每个数据减去这个数据所属被试的平均数。

(c) 把(a)步的值与(b)步的值相乘。

(2) 把所有这些乘积相加。共有 $n_A n_S$ 个数据，因此就有 $n_A n_S$ 个离差乘积，将它们的和表示为 $SS_{处理\times被试}$。

D. 总平方和

$$SS_{总} = \sum (X - \bar{X}_T)^2$$

在被试内 ANOVA 中，计算总平方和的方法和被试间 ANOVA 一样，请参见演示步骤 16-2 中第 1 步，C。可以检验：

$$SS_{总} = SS_{组间} + SS_{被试} + SS_{处理\times被试}$$

2. 计算自由度

A. $df_{组间} = n_A - 1$，n_A 表示样本个数

B. $df_{被试} = n_S - 1$，n_S 表示每个样本的样本容量

C. $df_{处理\times被试} = (n_A - 1)(n_S - 1)$

D. $df_{总} = n_A n_S - 1$

E. 检验一下：$df_{总} = df_{组间} + df_{被试} + df_{处理\times被试}$

3. 构建方差分析表，计算 F 值

A. 方差分析表包括 5 列，每列分别标上是“方差来源”、“SS”、“df”、“MS”和“F”。第一行标上研究的因素，第二行标上“被试”，第三行标上“被试×处理”，第四行标上“总和”。

B. 在表中相应位置填写平方和、自由度。

C. 在表的前三行，用平方和除以自由度，求出相应均方 MS，并写在相应位置上：

$$MS_{组间}=\frac{SS_{组间}}{df_{组间}},\ MS_{被试}=\frac{SS_{被试}}{df_{被试}}$$

$$MS_{处理\times被试}=\frac{SS_{处理\times被试}}{df_{处理\times被试}}$$

D. 用 $MS_{组间}$ 除以 $MS_{处理\times被试}$，得出 F 值：

$$F=\frac{MS_{组间}}{MS_{处理\times被试}}$$

被试间方差分析与被试内方差分析最大的不同之处在于：被试内方差分析多了一个方差来源，这种方差来源于被试的差异。在乔先生的研究中，除了被试所接受的训练方式外，被试的个体差异也会影响数学成绩。一个可能的差异就是他们的数学能力，一些有数学焦虑学生的数学能力可能比另一些学生更强一些。在被试间设计中，我们没有办法识别由被试差异所引起的方差变异。而在被试内设计中，因为被试要接受所有的处理条件，所以就有办法来识别这些差异并把它们分离出来，这样就不会影响分析的结果。我们希望方差分析能度量出不同处理条件的影响，而不是参与者的个体差异——如数学能力的影响。因此，如果我们可以分离出由个体差异引起的方差，则我们的分析将会更精确地计算出不同的处理条件对被试成绩的影响。

计算平方和

我们将假设乔先生的实验是被试内设计，并按照演示步骤 16－4 呈现的方法，对实验得到的数据进行方差分析。演示步骤 16－4 的第一步是计算每种方差来源的平方和。

组间平方和。我们考虑方差的第一个来源就是组间方差。被试内 ANOVA 计算组间平方和的方法和被试间 ANOVA 是一样的。组间平方和是指总平方和中，由被试接受不同的实验处理所造成的那部分方差。乔的实验中，组间平方和就是总平方和中，由三种不同的训练而产生的那部分方差。因为我们用的是与被试间方差分析相同的数据，三种处理条件的影响是相同的，所以，组间平方和与前面计算得到的结果一样，为 140。

被试平方和。它是被试内 ANOVA 中的第二个方差来源，这是我们以前没有遇到过的。组间平方和度量的是由不同实验处理引起的差异，而被试平方和度量的是由被试本身的不同所引起的差异。正如我们前面讨论的，数据间的差异有一部分是由于被试自身的差异造成的，例如数学能力的差异。在被试内设计中，每个被试要接受全部实验处理，所以我们就可以度量出由被试差异所贡献的那部分方差。

图 16-7 呈现了计算被试平方和的步骤。计算被试平方和的步骤与计算组间平方和的步骤是相似的。回忆一下，在计算组间平方和的时候，我们先用样本平均数减去总平均数，然后再把得到的差求平方。计算被试平方和，我们首先要计算每个被试的平均数：把每个被试的所有数据相加，再除以处理的个数，即得到那个被试的平均数。比如，乔先生的研究中，1 号被试有 3 个数据：16，19 和 16，即每一处理条件下的分数，这些数据的平均数就恰好为 17。

1. 分别计算每个被试数据，计算每个被试 3 个数据的平均数。
2. 用被试平均数减去总平均数，并平方离差。

被试	样本 1：自信心训练	样本 2：放松训练	样本 3：无干预	被试平均数	$(\bar{X}_k-\bar{X}_T)^2$
1	16	19	16	17.0	$(17-14)^2=9$
2	15	17	10	14.0	$(14-14)^2=0$
3	14	17	11	14.0	$(14-14)^2=0$
4	14	16	12	14.0	$(14-14)^2=0$
5	13	14	9	12.0	$(12-14)^2=4$
6	19	15	11	15.0	$(15-14)^2=1$
7	19	14	12	15.0	$(15-14)^2=1$
8	18	13	8	13.0	$(13-14)^2=1$
9	17	13	12	14.0	$(14-14)^2=0$
10	15	12	9	12.0	$(12-14)^2=4$
					$\sum(\bar{X}_k-\bar{X}_T)^2=20$

3. 将离差平方相加，乘以样本数量 n_A，即是被试平方和：

$$SS_{被试}=n_A\sum(\bar{X}_k-\bar{X}_T)^2=3(20)=60$$

图 16-7 计算被试平方和

接下来，用被试平均数减去总平均数，再把得到的差求平方。表 16-7 中，1 号被试的被试平均数减去总平均数，得到的差为 3，求其平方得到 9。把所有的离差平方的值加起来，再乘以每个被试贡献的数据个数，即实验处理数，得到被试平方和。在乔先生的研究中，被试平方和为 60，如表 16-7。

处理×被试的交互平方和。方差的第三个来源，是处理×被试的交互平方和，也是我们前面所没有的，它等同于被试间因素分析中的组内方差。回忆一下，在被试间 ANOVA 中，每个数据对一种处理条件的平均数有贡献，因此组内平方和的计算方法是：先用每个数据减去所在处理条件下的平均数，再对得到的差求平方，最后将所有数据的这种离差平方和加起来。在被试内 ANOVA 中，每个数据既对一种处理条件下的平均数有贡献，也对被试的平均数有贡献。比如，如表 16-4所示，第一个数据 16，既对自信心训练的平均数有贡献，也对 1 号被试的平均数有贡献。

计算处理×被试的交互平方和时，我们首先用一个数据减去其所在处理的平均数，再用这个数据减去该被试的平均数，并将得到的两个差相乘，再将所有数据的这种乘积加起来，即得到处理×被试的交互平方和。图 16-8 呈现了计算处理×被试的交互平方和的步骤。在乔先生的研究中，处理×被试的交互平方和为 72。

1. 对于 3 个样本，每个数据减去样本平均数。样本平均数在先前的被试间平方和中计算过。
2. 对于每个被试，每个被试数据减去被试平均数。被试平均数也已经计算过了。
3. 分别计算每个数据，把前两步计算的离差相乘。

被试	样本 1：自信心训练 $(X-\bar{X}_{i=1})(X-\bar{X}_k)$	样本 2 放松训练 $(X-\bar{X}_{i=2})(X-\bar{X}_k)$	样本 3 无干预 $(X-\bar{X}_{i=3})(X-\bar{X}_k)$
1	(16-16)(16-17)=0	(19-15)(19-17)=8	(16-11)(16-17)=-5
2	(15-16)(15-14)=-1	(17-15)(17-14)=6	(10-11)(10-14)=4
3	(14-16)(14-14)=0	(17-15)(17-14)=6	(11-11)(11-14)=0
4	(14-16)(14-14)=0	(16-15)(16-14)=2	(12-11)(12-14)=-2
5	(13-16)(13-12)=-3	(14-15)(14-12)=-2	(9-11)(9-12)=6
6	(19-16)(19-15)=12	(15-15)(15-15)=0	(11-11)(11-15)=0
7	(19-16)(19-15)=12	(14-15)(14-15)=1	(12-11)(12-15)=-3
8	(18-16)(18-13)=10	(13-15)(13-13)=0	(8-11)(8-13)=15
9	(17-16)(17-14)=3	(13-15)(13-14)=2	(12-11)(12-14)=-2
10	(15-16)(15-12)=-3	(12-15)(12-12)=0	(9-11)(9-12)=6
小计：	30	23	19

4. 把所有的离差乘积相加。在这个例子中，每个样本的所有离差乘积已经计算出来了（以上所示的总和），把它们加起来：

$$SS_{处理\times被试} = \sum(X-\bar{X}_i)(X-\bar{X}_k) = 30+23+19 = 72$$

图 16-8 计算被试×处理平方和

当我们用同一批数据进行计算时，被试内 ANOVA 中的被试平方和与处理×被试的交互平方和之和，等于被试间 ANOVA 中的组内平方和。把乔先生的研究当做被试内设计来分析时，它的被试平方和为 60，处理×被试的交互平方和为 72。这两个平方和加起来等于 132，刚好等于被试间 ANOVA 的组内平方和。

在被试间 ANOVA 中，组内方差并不是由于不同的实验处理所造成的，而是由数据间的随机误差产生的。在被试内 ANOVA 中，这种方差有两个变异来源：一个是被试本身的个体差异，如数学能力；另一个来源是处理×被试，它是由数据不能解释的随机误差造成的，即这种变异既不是不同的实验处理，也不是被试差异造成的。

回忆一下，F 值是由不同的实验处理贡献的变异除以数据间的随机变异得到的。在被试内 ANOVA 中，把被试的个体差异贡献的变异，从随机变异中分离出来。一般来说，在 F 值的计算公式中，这将导致分母变小，F 值就变大，于是就增加了达到显著差异的可能性。所以，在被试内 ANOVA 中，把个体差异贡献的变异分离出来，可以提高统计检验的精确性。

总平方和。最后我们要来计算总平方和。被试内 ANOVA 中计算总平方和的方法和被试间 ANOVA 是一样的。我们在前面已经计算过了，在乔先生的研究中，总平方和为 272。你可以检验一下，总平方和等于组间平方和加上被试平方和，再加上处理×被试平方和。

$$SS_{总} = SS_{组间} + SS_{被试} + SS_{处理\times被试} = 140 + 60 + 72 = 272$$

计算自由度

被试内方差分析的第二步是要计算每一种方差来源的自由度。我们需要用到的数据有两个：一个是 n_A，即水平数或实验处理个数；另一个是 n_S，即每个水平或实验处理中数据的个数。在乔先生的研究中，处理数是 3，每个处理中数据的个数为 10：

$$df_{组间} = n_A - 1 = 3 - 1 = 2$$
$$df_{被试} = n_S - 1 = 10 - 1 = 9$$
$$df_{处理\times被试} = (n_A - 1)(n_S - 1) = (3 - 1)(10 - 1) = (2)(9) = 18$$
$$df_{总} = n_A n_S - 1 = 3(10) - 1 = 30 - 1 = 29$$

检验一下：

$$df_{总} = df_{组间} + df_{处理\times被试} + df_{被试} = 2 + 9 + 18 = 29$$

构建方差分析表，计算 F 值

下面我们来构建方差分析表。表 16 - 6 列出了乔先生的研究中，进行被试内方差分析的结果。均方的计算是用平方和除以对应的自由度：

$$MS_{组间} = \frac{SS_{组间}}{df_{组间}} = \frac{140}{2} = 70.00$$

$$MS_{被试} = \frac{SS_{被试}}{df_{被试}} = \frac{60}{9} = 6.67$$

$$MS_{处理\times被试} = \frac{SS_{处理\times被试}}{df_{处理\times被试}} = \frac{72}{18} = 4.00$$

表 16-6　乔的数学焦虑研究中，被试内 ANOVA 表

方差来源	SS	df	MS	F
训练类型	140.00	2	70.00	17.50
被　试	60.00	9	6.67	
训练×被试	72.00	18	4.00	
总　和	272.00	29		

计算 F 值，是用组间均方除以处理×被试的均方：

$$F = \frac{MS_{组间}}{MS_{处理\times被试}} = \frac{70.00}{4.00} = 17.50$$

在乔先生的研究中，使用被试内 ANOVA 算出来的 F 值是 17.50。自由度为 2 和 18。查附录 A-4，$\alpha=0.05$ 时，F 的临界值为 3.55。我们计算出来的 F 值大于临界 F 值，所以我们可以拒绝零假设。我们再强调一次，拒绝零假设意味着：各个实验处理的平均数不完全相等。若要想知道哪些平均数之间有显著差异，我们需要进行多重比较。

进行多重比较

被试内方差分析的多重比较与被试间方差分析的计算过程基本相同，惟一不同之处是处理×被试的均方作为计算 t 值的分母的一部分。计算过程呈现在演示步骤 16-3 中。乔的研究中，进行多重比较的计算结果如下：

$$t_{自信心训练与没有训练} = \frac{\overline{X}_1 - \overline{X}_3}{\sqrt{\frac{2MS_{处理\times被试}}{n_S}}} = \frac{16-11}{\sqrt{\frac{2(4.00)}{10}}} = \frac{5}{\sqrt{0.80}} = \frac{5}{0.89} = 5.618$$

$$t_{放松训练与没有训练} = \frac{\overline{X}_2 - \overline{X}_3}{\sqrt{\frac{2MS_{处理\times被试}}{n_S}}} = \frac{15-11}{\sqrt{\frac{2(4.00)}{10}}} = \frac{4}{\sqrt{0.80}} = \frac{4}{0.89} = 4.494$$

$$t_{自信心训练与放松训练} = \frac{\overline{X}_1 - \overline{X}_2}{\sqrt{\frac{2MS_{处理\times被试}}{n_S}}} = \frac{16-15}{\sqrt{\frac{2(4.00)}{10}}} = \frac{1}{\sqrt{0.80}} = \frac{5}{0.89} = 1.124$$

回忆一下，乔先生预测数学焦虑学生接受自信心训练和放松训练后，其数学成绩要高于没有接受任何训练时的成绩。这又是一个单向的假设，或单向检验。这些多重

比较的自由度为 $2(n_S-1)$，在这里是 $2(10-1)$，即 18。当 df 为 18，$\alpha=0.05$ 时，t 的临界值为 1.734。比较自信心训练组和没有训练组的 t 检验结果，t 值为 5.618，大于临界值。比较放松训练组和没有训练组的 t 检验结果为 4.494，也是大于临界值。所以，接受了训练之后，数学成绩要显著高于没有接受训练时的成绩。

乔先生并没有特别指出自信心训练组和放松训练组的成绩哪组更好。所以，比较这两组的成绩是双向检验。df 为 18，$\alpha=0.05$ 时，双向检验的临界 t 值为 2.101。而自信心训练组和放松训练组平均数的 t 检验结果，t 为 1.124，小于临界值。所以，这两组的平均数没有显著差异。

比较被试间检验和被试内检验

在这一章中，我们用同一批数据分析了两次，一次是运用被试间 ANOVA，一次是运用被试内 ANOVA。在实际的研究中，不可以对同一批数据，既使用被试间 ANOVA，又使用被试内 ANOVA。只有一种检验方式是正确的，我们只能选择那种合适的检验方式。然而在本书中，我们把乔先生的实验数据分析两次，主要是为了比较被试间设计和被试内设计的方差分析有何不同。在被试内 ANOVA 中，由于我们可以把被试的个体差异贡献的方差分离出来，所以被试内 ANOVA 拥有更大的统计检验力。

表 16-7 列出了被试间方差分析和被试内方差分析的计算结果。首先，我们来看组间均方，这是由不同实验处理所贡献的变异，两种分析方法计算出来的组间均方是相同的。因此，F 值的不同不是由于实验处理的变异造成的。需要注意的是，在被试内 ANOVA 中，由个体差异贡献的变异从组内变异中分离了出来。在计算 F 值时，分母中的 $MS_{组内}$，在被试内 ANOVA 中为 4.00，小于被试间 ANOVA 中的 4.89。这影响了 F 值的大小，即被试内 ANOVA 的 F 值 17.50，大于被试间 ANOVA 的 F 值 14.31。

表 16-7　被试间和被试内方差分析的结果比较

方差来源	被试间	被试内
$MS_{组间}$	70.00	70.00
$MS_{组内}$	4.89	4.00
F	14.31	17.50
$df_{组内}$	27	18
$F_{临界}$	3.35	3.55

然而，这里也有一种平衡的情况。虽然被试内 ANOVA 的 F 值大于被试间

ANOVA 的 F 值，但是被试内 ANOVA 的自由度要小于被试间 ANOVA 的自由度。在被试内 ANOVA 中，由个体差异贡献的变异从组内平方和中分离出来，由个体差异贡献的自由度也从组内自由度中分离出来。因此，被试内方差分析中，$MS_{组内}$变小了，$df_{组内}$也变小了。如表 16-7 所示，被试间 ANOVA 中，组内自由度为 27，而在被试内 ANOVA 中，组内自由度为 18。

自由度变小产生的一个后果就是 F 临界值的增大，被试内 ANOVA 的 F 临界值大于被试间 ANOVA 的。为了拒绝零假设，被试间 ANOVA 的 F 值至少要等于 3.35，而被试内 ANOVA 的 F 值至少要等于 3.55。因此，用乔先生的实验数据进行被试内方差分析，不仅观察的 F 值变大了，而且要拒绝零假设的临界 F 值也变大了。

虽然这是一种平衡，但这种平衡一般来讲还是倾向于被试内检验的结果。一般来说，由实际数据计算的 F 值的增长量，要大于拒绝零假设的临界 F 值的增长量。比如，在这个方差分析中，相对于被试间 ANOVA，被试内 ANOVA 的 F 值增加了3.19，而临界 F 值只增加了 0.20。当然，并不是所有的方差分析都会出现这种情况，但通常情况下是如此，这就是为什么被试内方差分析比被试间方差分析有更大统计检验力的原因。

当然，我们并不是在已经实施了实验，并收集了实验数据之后，才确定使用被试内方差分析的。我们应该选择适当的分析方法：当不同的、不相关的被试只接受一种实验处理的时候，适合选用被试间方差分析；当同一个或相关的被试接受所有的实验处理时，就适合使用被试内方差分析。选择哪一种分析方法是在设计实验时就决定了的。如果是按照被试内设计进行的实验，那么就应该选择被试内检验。

在这一章中，我们已经学习了单因素 ANOVA，这是一种非常有用的统计检验方法，它使我们在一次分析中，同时比较两组以上的样本的差异。但这并不是它惟一的长处，方差分析还能同时比较一个以上的因素。在下一章中，我们将学习双因素方差分析。

难点提示

1. 计算 ANOVA 是一个很繁琐的过程，它包括很多步骤，每一步都要踏踏实实地计算。如果你每一步都小心谨慎，就可以避免很多错误了。

2. 每一个平方和的计算都包括了计算离差以及这些离差的平方。对每个方差来源，在平方之前，离差之和应等于 0。记住这条规律，你就可以检验你算的离差是否正确。

3. 在算平方和(SS)的时候，各部分的平方和之和应等于总平方和。类似的，各部分自由度加起来应等于总体自由度。记住，总体自由度等于总数减去 1。

4. 计算均方要仔细：均方等于平方和除以自由度。要注意，各部分的均方相加并不等于总的均方。事实上，总均方不需要计算。

5. 在计算 F 值时，最常见的错误是把 F 的分母，即误差均方用错了。在被试间分析中，误差均方是组内均方。在被试内分析中，误差均方是处理×被试均方。

6. 在决定 F 值是否显著时，最常见的错误是混淆了分子（组间均方）和分母（组内均方）的自由度。组内均方的自由度总是大于组间均方的自由度。所以，通常你应该在列中找较小的自由度，在行中找较大的自由度。

7. 多重比较的最好方法是通过作图比较。你想要比较哪些平均数之间的差异，就画出它们的直方图。图形将帮助你理解多重比较的结果是显著还是不显著，也有助于你发现可能出现的错误。

小结

- 方差分析是可以同时比较两组以上样本平均数差异的统计检验方法。
- 方差分析计算的统计值表示为 F，它是对比样本之间平均数差异与样本内部数据的差异的程度。
- 在前几章中，我们运用标准差公式度量一组数据的离散程度。标准差是方差的平方根，标准差和方差都是度量一组数据离散程度的指标。
- 计算方差时，分子表示平方和，它是每个数据与该组数据平均数之差的平方和，即离均差的平方之和。分母表示自由度，它是以样本容量为依据的。
- 在方差分析中，总方差被分解为两部分，一部分是来源于样本之间的差异，一部分来源于样本内部的差异。
- 如果方差分析是比较两个样本的数据，其 F 值等于用这相同的数据进行 t 检验计算出的 t 值的平方。
- 方差分析有两类：一是每个样本的数据来源于不同的被试组（被试间 ANOVA），二是每个样本的数据来源于相同的或相关的被试组（被试内 ANOVA）。

练习

概念题

1. 名词解释：

平方和	因素
组间平方和	水平
组内平方和	处理
分解平方和	被试间因素
总方差	被试内因素
组间方差	组内方差

2. 以下列出了三组数据，每组数据来源于两个被试样本：

第一组		第二组		第三组	
样本 1	样本 2	样本 1	样本 2	样本 1	样本 2
10	10	4	8	8	12
8	8	4	8	6	10
6	6	4	8	4	8
4	4	4	8	2	6
2	2	4	8	0	4

A. 计算每个样本的标准差。哪些样本的标准差是相同的？

B. 运用 t 检验计算每组样本之间的显著性，并解释运算结果。

3. 运用第 2 题中的每组数据，计算所有数据的总平均数。对于每个数据，计算总的离差(例如，数据与总平均数之间的差异)，计算组内离差(例如，数据与样本平均数的离差)，计算组间离差(例如，样本平均数与总平均数的离差)。并证明每个数据的总离差等于组内离差与组间离差之和。

4. 将第 3 题计算出的离差进行平方。对每对数据，计算组内平方和、组间平方和以及总平方和：

A. 解释为什么第一对数据的组间平方和为 0。

B. 解释为什么第二对数据的组内平方和为 0。

C. 解释为什么第一对数据和第三对数据的组内平方和是相等的。

D. 解释为什么第二对数据和第三对数据的组间平方和是相等的。

5. 对第 2 题中的第三对数据进行以下求解：

A. 计算组内自由度、组间自由度以及总自由度。证明总自由度等于组内自由度与组间自由度之和。

B. 描述总自由度与样本容量之间的关系。

C. 描述组间自由度与样本个数之间的关系。

D. 描述组内自由度与样本内的被试数和样本个数的关系。

6. 对第 2 题中的第三对数据进行以下求解：

A. 运用方差公式(见演示步骤 5-2 或 5-3)，计算第 3 对数据共 10 个数字的方差。用总平方和除以总自由度，以验证 ANOVA 中的总方差。

B. 计算组内均方和组间均方。

C. 运用组内均方和组间均方计算 F 值。

D. 计算 F 值的平方根，对比用相同的数据计算的 t 检验结果。描述 F 值和 t 值之间的关系。

7. 按照演示步骤 16-2 计算第 2 题中第三对数据的 F 值，以证实这个结果同第 6

题的结果是相同的。

8. 描述“组间”和“被试间”这两个概念的不同之处。类似的，描述“组内”和“被试内”这两个概念的不同之处。

9. 描述因素的一个水平和因素的一个处理之间的差异。

10. 解释为什么在被试内方差分析中，被试平方和与处理×被试平方和的总和，等于被试间方差分析中的组内平方和。

11. 以下列出的是两个小样本的数据：

样本 1	样本 2
1	5
3	6
4	8
5	10
7	11

A. 运用以上数据进行被试间方差分析。

B. 把所有的数据都加上 2，再进行方差分析。对照 A 的结果，解释两个结果之间的异同。

C. 在原始数据中，对每个样本的最后一个数据加上 5，进行被试间方差分析。对照 A 的结果，解释两个结果之间的异同。

D. 在原始数据中，把样本 2 的每个数据都减去 5，再次进行被试间方差分析。对照 A 的结果，解释两个结果之间的异同。

计算题

12. 杰泽贝研究不同的早餐类型对学生成绩的影响。第一组的早餐是高蛋白，第二组的早餐是高碳水化合物，第三组的早餐是蛋白和碳水化合物的混合，第四组不吃早餐。在一天早上，杰泽贝给予所有学生一个常识性的知识测验，时间是 30 分钟，以给他们施加压力，测验的结果如下：

高蛋白组	高碳水化合物	混合组	无早餐
32	17	26	9
31	16	24	7
29	15	23	7
27	11	22	6
24	10	19	4
19	9	18	3

A. 运用演示步骤 16-1 和 16-2，进行被试间方差分析。

B. 进行多重比较。

C. 描述 ANOVA 结果和多重比较结果。

13. 胡安妮研究了不同的感冒药对人们反应时的影响，以确定服用这些药物后，是否会影响人们进行重要操作时的安全性。有 5 个小组进行了测试，每一组接受一种实验条件：减轻鼻内充血的药，镇咳剂、祛痰剂、止痛剂以及不用药物。以下的数据是每个参与者在 10 次反应时测验中的平均值：

减轻鼻内充血	镇咳剂	祛痰剂	止痛剂	无药物
10	8	6	4	4
11	7	4	1	4
9	9	5	2	3
9	6	3	2	2
6	5	2	1	2

A. 运用演示步骤 16－1 和 16－2，进行被试间方差分析。

B. 进行多重比较。

C. 描述 ANOVA 结果和多重比较结果。

14. 假设在前面的实验中，胡安妮让 5 名参与者接受所有的实验条件，并进行测试。在连续的 5 天中，每个参与者服用一种药物，每隔一个小时测一次。为了控制实验顺序的影响，这 5 天中，每个参与者服用药物的顺序是不同的。

A. 运用演示步骤 16－4，进行被试内方差分析。

B. 进行多重比较。

C. 描述 ANOVA 结果和多重比较结果。

D. 比较被试间 ANOVA 和被试内 ANOVA 的优缺点。

15. 贾法研究了不同的音乐类型对学生成绩的影响。他让同一组被试在三天里分别听三种不同类型的音乐，然后分别再给予他们三次等值的测验。实验结果如下：

被试	莫扎特	弗兰克·辛纳区	滚石
1	21	11	16
2	18	15	18
3	22	9	17
4	16	7	13
5	19	11	15
6	21	7	14
7	17	10	18
8	19	9	17
9	18	11	16

A. 参考演示步骤 16－4，进行被试内方差分析。

B. 进行多重比较。

C. 描述 ANOVA 结果和多重比较结果。

尾注

1. $\overline{X}_T$ 比$\overline{X}_G$ 更常用于表示总平方和，它与在方差分析中的表示是一致的。在方差分析中，总平方和表示为 $SS_{总}$ 或 SS_T。

2. 这是一本指导方差分析的工具书 Geoffrey Keppel 写的 *Design and Analysis: A Researcher's Handbook*（2d ed.，Enlewood Cliffs，NJ：Pretice-Hall，1982）.

3. 当研究者进行方差分析前，就能预测平均数之间有差异时，建议使用 t 检验。反之，则用其他的检验方法。其他方法没有在本书中介绍，你可以查阅更高级的统计书，如：*Design and Analysis：A Researcher's Handbook*.

第十七章 双因素方差分析

上一章中，我们学习了单因素方差分析，它可以同时比较一个因素的两个以上水平之间的差异。比如，在乔先生的研究中，比较3种不同的训练方法。方差分析的另一个优点是能同时分析两个以上因素。在这一章中，我们将运用ANOVA分析两个因素的情况。事实上，ANOVA可以分析任何数量的因素，所以，可以用它来分析非常复杂的实验设计结果。

假设我们要调查在美国影响成人自杀率的因素。一个因素也许是年龄，我们可以预测某些年龄段的自杀率要高于其他年龄段。另一个因素也许是性别，有证据表明男性比女性实施自杀的频率更高（虽然女性企图自杀但并不成功的频率更高）。我们可以分别进行两个研究，一个分析年龄对自杀率的影响，另一个分析性别的影响。这样，我们就可以使用两次单因素ANOVA分析这两个研究的结果。但是，如果使用双因素ANOVA，我们就可以只需设计一个研究，收集不同年龄组的男性和女性的数据，然后同时分析这两个因素的数据。在这种情况下，我们只需要进行一次ANOVA。因此，ANOVA的另一个优点是不必为了研究每个因素而分别去设计研究。

两因素间的交互作用

双因素ANOVA的一个主要功能是可以分析两因素间的交互作用。**交互作用**[1]产生的条件是，一个因素上的数值的变化是依赖于另一个因素的不同水平的影响（即一个变量对数据的影响依赖于另一个变量）。交互作用使两个因素结合起来对数据产生影响，所以不能只用一个因素来计算。

图17-1呈现了年龄和性别影响自杀率的四种情况。在图A中，年龄对自杀率的影响与性别的影响是完全相反的。男性随着年龄的增长，自杀率逐渐降低，20岁时自杀率最高，60岁时自杀率最低。女性年龄的影响则刚好相反，随着年龄

〔1〕 交互作用：当一个因素对数据的影响因另一个因素的不同水平而不同时，称这两个因素有交互作用。

的增长，自杀率逐渐升高，所以 60 岁时自杀率是最高的。这里就存在交互作用，年龄因素对自杀率的影响在性别因素的不同水平上是有差异的。

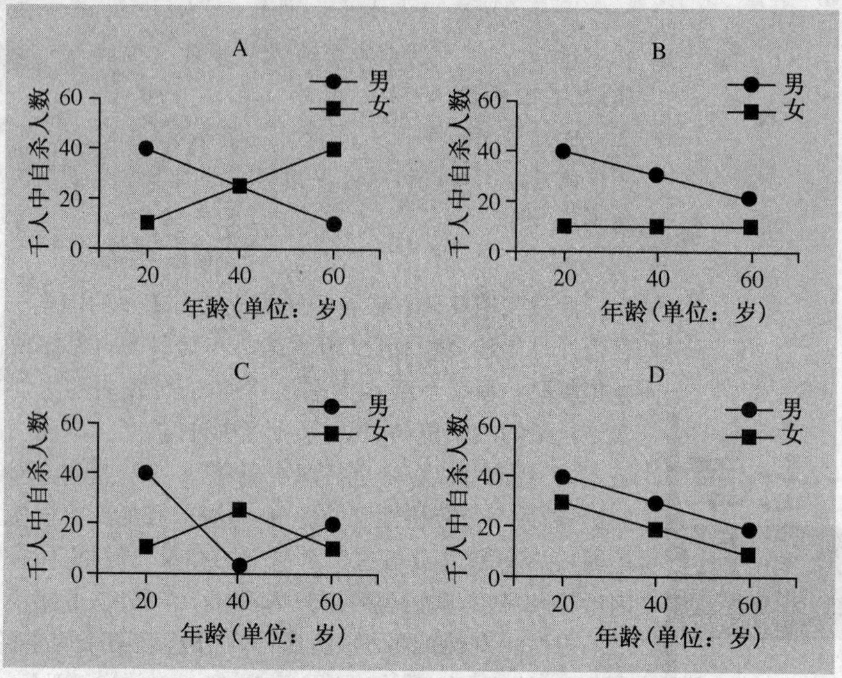

图 17－1 性别与年龄之间可能存在的交互作用

图 B 呈现了年龄和性别的另一种可能的交互作用。男性的自杀率随着年龄的增长而逐渐降低，20 岁时自杀率为 40‰，60 岁时是 20‰。而女性在不同的年龄段，自杀率保持一致，即每个年龄段的自杀率都是 10‰。这种交互作用与图 A 中的有所不同。

图 C 呈现的是第 3 种可能的交互作用。对男性来说，从 20 到 40 岁，自杀率是逐渐下降的，而从 40 到 60 岁，自杀率却逐渐升高。对女性来说，从 20 到 40 岁，自杀率是逐渐升高的，而从 40 到 60 岁，自杀率却逐渐降低。因为年龄对自杀率的影响在性别因素的两种水平——男性和女性上是有差异的，所以，这也是一种交互作用。

图 D 是没有交互作用的情况。对男性来说，自杀率随着年龄的增长逐渐下降，从 20 岁的最高到 60 岁的最低。对女性来说，自杀率的这种变化与男性是非常相似的。虽然总的来说，女性的自杀率要低于男性。但是，年龄对女性自杀率的影响，与年龄对男性自杀率的影响是相同的。因此图 D 中，年龄与性别不存在交互作用。

在图 A、图 B、图 C 中，男性自杀率的变化与女性自杀率的变化是不同的。这就是交互作用的体现。我们将会看到，双因素 ANOVA 使我们可以识别和分析因素间的交互作用。

在前面的章节中，我们学习被试间 ANOVA 和被试内 ANOVA。同理，双因素 ANOVA 也可以分析两个被试间因素或两个被试内因素，或者是一个被试内因素和一个被试间因素的情况。在这一章中，我们将学习两个被试间因素的方差分析。双因素 ANOVA 的其他形式，以及运用 ANOVA 分析两个以上因素的方法，你可以查阅更高级的统计教材，或全面介绍方差分析的其他教材[1]。

双被试间因素的方差分析

在不断地寻求方法以减轻学生的数学焦虑的过程中，乔先生又进行了一个研究。这次，他研究了在进行数学考试之前，学生准备时间的长短对考试成绩的影响。所有被试都是没有上过统计课程的学生。在实验中，乔先生首先发给所有被试一篇简短的综述文章，文章对集中趋势的度量进行了介绍。在把综述文章发给学生以后，第一组被试用 2 个小时来学习那篇文章，并做一些练习。第二组被试用 1 个小时学习，而第三组被试则没有学习时间。最后，对所有被试进行一个由 20 题组成的测验，内容是关于集中趋势的度量。所有被试进行测验时的条件是完全相同的。因此，在这个研究中，一个因素是准备时间，有 3 个水平(0、1 和 2 个小时)。另外，乔先生挑选的被试也有两种，一种是高数学焦虑组，另一种是低焦虑或无焦虑组。这就构成了第二个因素，即数学焦虑程度，有 2 个水平(高和低)。被试的测验得分见表 17－1。

表 17－1 三种不同准备时间和两种焦虑程度下，学生的数学测验得分

焦虑程度	准备时间(A)		
	A_1：0 小时	A_2：1 小时	A_3：2 小时
高：B_1	10	11	19
	9	8	17
	5	9	13
	7	5	15
	4	7	11
低：B_2	18	19	20
	16	16	19
	14	17	18
	16	13	16
	11	15	12

在前一章学习的 ANOVA 中，只有一个因素，所以组间方差就表示由实验处理贡

献的那部分方差。在双因素 ANOVA 中，我们要计算每个因素的组间方差，因此我们需要区分这两个因素。一个简单的方法就是给它们以不同的标签：因素 A 和因素 B。我们用符号 SS_A 表示因素 A 的组间平方和，SS_B 表示因素 B 的组间平方和。

演示步骤 17－1 呈现了使用双因素方差分析的步骤。这些步骤与单因素方差分析非常相似。我们需要确认进行方差分析的前提假设是否得到满足，构建零假设和备择假设，确定显著性水平 α 的值，找到我们可以拒绝零假设的拒绝域——拒绝域是由临界 F 值确定的。

演示步骤 17－1

进行双因素 ANOVA

1. 检验以下的假设是否满足：
   A. 每个样本中，被试的挑选是随机且独立的。
   B. 总体大致为正态分布。
   C. 各处理内的方差一致。
   D. 数据是等距数据或比率数据。
2. 写出每种组间变异来源的零假设和备择假设。在双因素 ANOVA 中，组间变异来源有三种：因素 A、因素 B、A 和 B 的交互作用：
   A. 因素 A，其水平数为 n_A，假设如下：

$$H_0: \mu_{A_1} = \mu_{A_2} = \mu_{A_3} = \cdots = \mu_{A_i}$$

H_1：H_0 为假

   B. 因素 B，其水平数为 n_B，假设如下：

$$H_0: \mu_{B_1} = \mu_{B_2} = \mu_{B_3} = \cdots = \mu_{B_i}$$

H_1：H_0 为假

   C. 因素 A 和因素 B 的交互作用，假设如下：

H_0：对 B 因素的所有水平 j：

$$(\mu_{A_1B_j} - \mu_{A_1}) = (\mu_{A_2B_j} - \mu_{A_2}) = \cdots = (\mu_{A_iB_j} - \mu_{A_i})$$

H_1：H_0 为假

对 A 因素的所有水平 i：

$$(\mu_{A_iB_1} - \mu_{B_1}) = (\mu_{A_iB_2} - \mu_{B_2}) = \cdots = (\mu_{A_iB_j} - \mu_{B_j})$$

H_1：H_0为假

3. 确定显著性水平 α。

4. 按照演示步骤 17－2，计算每种组间变异来源的组间自由度和组内自由度。在附录 A－4 中查找与这些自由度相对应的 F 临界值。
5. 对每种组间变异来源，画出零假设预测的抽样分布图，标出拒绝域。对 F 检验，拒绝域在分布的右端尾部。
6. 按步骤 17－2，计算每种组间变异来源的 F 值。
7. 根据每种变异源的 F 值，确定是否拒绝零假设：
   A. 如果 F 值落在拒绝区域，即 $F > F_{临界}$，$p \leqslant \alpha$，就有足够证据得出结论：不同总体的平均数是不相同的（拒绝零假设）。
   B. 如果 F 值没有落在拒绝区域，即 $F < F_{临界}$，$p > \alpha$，则没有足够的证据得出结论：不同总体的平均数是相同的（不拒绝零假设）。

方差分析的假设

方差分析基于这样的假设：每个样本中，被试的选择是随机的、独立的。如果违反了这一假设，那么样本对其所在总体的代表性就难以保证。方差分析还假设那些样本所代表的总体是近似正态分布的。如果不能满足这一条件，那么更适宜选择非参数检验。第三个假设是这些样本所在的总体，其方差应该是相等的。我们可以用样本方差来估计总体方差，以检验这条假设是否满足。最后，如同其他参数检验一样，方差分析的数据应该是等距数据或比率数据。

识别变异来源

使用双因素 ANOVA 进行假设检验，与前面所学习的统计检验有一个明显的不同之处。我们前面所学的每种统计检验，都只有一个零假设，一个备择假设。比如，在单因素方差分析中，零假设和备择假设都是针对组间的变异来源。而在双因素 ANOVA 中，有两种组间的变异源，每种都有其自身的一套假设。为了建构这些假设，我们需要识别变异来源。

在单因素 ANOVA 中，我们把总方差分解为两部分。一部分是由于两组**间**的差异造成的，我们假设它来源于不同的实验处理。比如，第十六章乔先生的研究中，实验处理就是被试接受训练的类型。另一部分是由于每组数据**内部**的差异，即误差方差。所以，我们把总方差分解为：组间方差和组内方差。换句话说，就是有两个**变异来源**[1]：来源于实验处理的组间差异和组内差异。零假设和备择假设检验的是组间变异，即被试接受的减轻焦虑的不同训练类型。

〔1〕 变异来源：一个变量的变异来源即引起分布中数据变化的原因。组内变异来源又称误差变异，指每个组内被试间由随机因素引起的变异。组间变异来源指引起各组数据不同的因素或因素间的交互作用。

在本章的例子中，有两个因素：一个是准备时间，一个是焦虑程度。另外，还存在两因素产生交互作用的可能性。所有这些都属于组间变异来源。因此，在双因素 ANOVA 中，组间方差被分解为 3 个不同的变异来源：因素 A、因素 B 以及 A 和 B 的交互作用。除了这 3 个组间变异以外，还有组内变异，我们假设它是由随机误差引起的。

总之，对于双因素的被试间 ANOVA 来说，总方差被分解为四个部分：三个组间变异(因素 A、因素 B、A 和 B 的交互作用)，一个组内变异。对于每一个组间变异源，我们需要分别构建一个零假设和一个备择假设。

双因素 ANOVA 中的符号系统

在方差分析中，我们需要对每一个因素和它们的水平，以及因素间的交互作用进行不同的标注。在分析乔先生的实验数据时，我们把准备时间称为因素 A，把焦虑程度称为因素 B(哪个因素命名为 A，哪个因素命名为 B 是任意的。然而，一旦命名了，就要前后一致)。表 17-2 列出了乔先生的研究中，每个因素的不同水平的编码，以及两个因素的 6 种组合形式。

表 17-2 准备时间(A)和焦虑程度(B)的组合单元

准备时间(A)	焦虑程度(B)	
	高焦虑(B_1)	低焦虑(B_2)
0 小时(A_1)	高焦虑被试 没有给予准备时间 (A_1B_1)	低焦虑被试 没有给予准备时间(A_1B_2)
1 小时(A_2)	高焦虑被试给予 1 小时准备时间(A_2B_1)	低焦虑被试给予 1 小时准备时间(A_2B_2)
2 小时(A_3)	高焦虑被试给予 2 小时准备时间(A_3B_1)	低焦虑被试给予 2 小时准备时间(A_3B_2)

符号 A_i 表示准备时间因素 A 的各种水平，A_1 表示准备 0 小时，A_2 表示准备 1 小时，A_3 表示准备 2 小时。符号 B_j 表示焦虑程度因素 B 的各种水平。B_1 表示高焦虑组，B_2 表示低焦虑组。在方差分析中，由每个因素产生的总的影响称为**主效应**[1]，它将每个因素的单独的影响与因素间的交互作用的影响区分开来。因此，在乔先生的实验数据中，有准备时间 A 因素的主效应，也有焦虑程度 B 因素的主效应。

表 17-2 还列出了因素 A 和因素 B 相组合的 6 个小组，表示为 A_iB_j。这些组合

〔1〕 主效应：在方差分析中，一个因素对数据产生的总的影响。

称为**单元**[1]。比如，单元 A_1B_1 的数据是高焦虑组在没有准备时间的情况下得到的，单元 A_3B_2 的数据是低焦虑组在有 2 小时准备时间的情况下得到的。单元的数量是由因素 A 的水平数乘以因素 B 的水平数确定的。

最后，在很多教材和杂志中，组内变异表示为 $S|AB$，它表示"每个 AB 单元里的被试"。有些教材和杂志把组内方差称为误差方差，因为我们假设它是由随机误差引起的。在双因素 ANOVA 中，我们仍然沿用"组内"这个术语，用它来指代这种变异来源。

构建主效应 *A* 和 *B* 的零假设和备择假设

乔先生的研究是为了检验这个假设：准备时间的增加可以提高测验成绩。因此，他假设三种不同的准备时间会导致被试数学测验成绩上的差异，这是因素 A 的备择假设。与它对立的假设即零假设，认为给予被试不同的准备时间，其数学测验成绩没有差异。这两个假设用符号表示如下：

$$H_0: \mu_{2\text{小时}} = \mu_{1\text{小时}} = \mu_{0\text{小时}}$$

$$H_1: H_0\text{为假}$$

要注意的是，在 ANOVA 中，零假设和备择假设都是双向的。在一个单向的 t 检验中，t 的临界值或者为正或者为负，这依赖于备择假设中预测的差异方向。然而，F 的临界值总是正的，因为它以离差平方为基础，所以 F 值不会出现负值。导致的结果是，ANOVA 的假设总是双向的。单向的检验可以在 ANOVA 之后的多重比较中进行，因为多重比较是运用 t 检验来比较平均数之间的差异。

在我们的例子中，第 2 个因素是焦虑程度，表示为因素 B。在表 17-2 中，焦虑程度有两个水平：低和高。乔假设：低焦虑组被试的数学成绩要高于高焦虑组被试的数学成绩。这就是因素 B 的备择假设。其零假设是：低焦虑组的数学成绩和高焦虑组的数学成绩之间没有显著差异：

$$H_0: \mu_{\text{无焦虑}} = \mu_{\text{数学焦虑}}$$

$$H_1: \mu_{\text{无焦虑}} \neq \mu_{\text{数学焦虑}}$$

构建因素 *A* 和因素 *B* 交互作用的零假设和备择假设

对第三个变异来源——准备时间和焦虑程度的交互作用，我们还要构建它的零假设和备择假设。前面提过，存在交互作用时，一个因素在另一个因素的不同水平上的影响是不同的。图 17-2 中有两幅图，其中一幅图表示的是两个因素之间有交互作用的情况，另一幅图表示的是两个因素之间没有交互作用。这两幅图是前面例子——年

[1] 单元：在方差分析中，受所有因素一个水平影响的一组数据。

龄和性别对自杀率的影响研究的继续。如图 17－2，年龄有 4 个水平（20、40、60 和

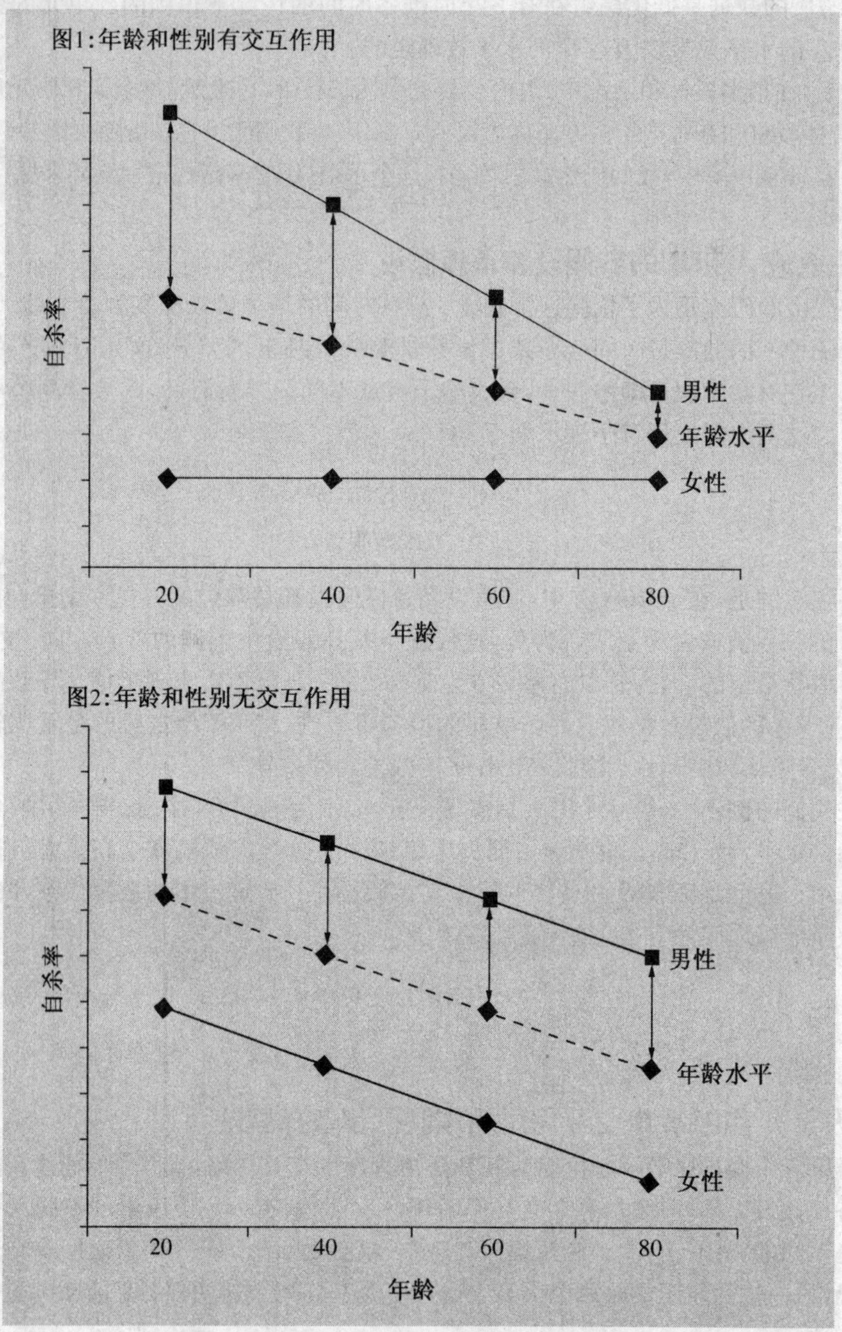

图 17－2　有交互作用和无交互作用下的主效应平均数与单元平均数间的差距

80 岁)，性别有 2 个水平(男和女)。

图 17 - 2 中的图 1 呈现了年龄和性别有交互作用的一种情况。对女性来说，四个年龄组的平均自杀率是相同的；而对男性而言，平均自杀率随着年龄的增长而逐渐降低。因此，年龄(因素 *A*)对自杀率的影响部分依赖于实施自杀者的性别(因素 *B*)。要注意的是，在 4 个年龄组中，单元平均数与其相对应的年龄主效应——年龄组平均数之间的差距是不同的：20 岁组的差距最大，80 岁组的差距最小。对男性来说，这种差距在图中表示了出来；对女性也是相同的。

图 2 呈现的是没有交互作用的情况，4 个年龄组的单元平均数与年龄主效应——年龄组平均数之间的差距是相同的。在图 2 中，4 个年龄水平的自杀率是有差异的：20 岁自杀率最高，80 岁自杀率最低。在性别水平上，自杀率也有明显差异：即男性的自杀率更高。因此，单元平均数之间存在差异：代表男性的单元比代表女性的自杀率更高。同样，代表低年龄的单元比代表高年龄的自杀率更高。然而，单元平均数的这些差异应归于年龄和性别的平均效应。在图 2 中，年龄在不同性别水平上对自杀率的影响是完全相同的；性别在不同年龄水平上对自杀率的影响也是完全相同的。因此，图 2 中的年龄和性别之间没有交互作用。

当两个因素间有交互作用时，单元平均数与每个因素相应水平的主效应平均数之间的差异是不同的；没有交互作用时，这些差距就是相同的。以下列出了 *A* 和 *B* 交互作用的零假设和备择假设：

H_0：对 *B* 因素的所有水平 *j*：

$$(\mu_{A_1B_j}-\mu_{A_1})=(\mu_{A_2B_j}-\mu_{A_2})=\cdots=(\mu_{A_iB_j}-\mu_{A_i})$$

对 *A* 因素的所有水平 *i*：

$$(\mu_{A_iB_1}-\mu_{B_1})=(\mu_{A_iB_2}-\mu_{B_2})=\cdots=(\mu_{A_iB_j}-\mu_{B_j})$$

H_1：H_0 为假

计算 *F* 值

计算平方和

对于单因素 ANOVA 来说，我们要计算三个不同的平方和，每一种平方和对应于一种方差来源：(1) 组间方差，即我们研究的那个因素所贡献的方差；(2) 组内方差；(3) 总方差。对于双因素被试间 ANOVA 而言，我们要计算五种不同的平方和，每一种平方和对应于一种方差来源：(1) 因素 *A* 贡献的方差(准备时间)；(2) 因素 *B* 贡献的方差(焦虑程度)；(3) 因素 *A* 和因素 *B* 交互作用贡献的方差；(4) 组内方差；(5) 总方差。演示步骤 17 - 2 列出了计算这些平方和的过程。

演示步骤 17-2

双因素被试间 ANOVA 的 F 值的计算

1. 计算平方和

以下是我们将会遇到的符号：

n_S 表示每个 A_iB_j 单元中的数据个数

n_A 表示因素 A 的水平数

n_B 表示因素 B 的水平数

$\overline{X}_T$ 表示总平均数，即所有数据的平均数

$\overline{X}_{A_i}$ 表示因素 A 水平 i 上的平均数，i 的值从 1 到 n_A

$\overline{X}_{B_j}$ 表示因素 B 水平 j 上的平均数，j 的值从 1 到 n_B

$\overline{X}_{A_iB_j}$ 表示因素 A 和 B 交互作用的单元 A_iB_j 的平均数

X 表示一个数据

A. 因素 A 的平方和

$$SS_A = n_B n_S \sum (\overline{X}_{A_i} - \overline{X}_T)^2$$

(1) 计算所有数据的总平均数 $\overline{X}_T$。

(2) 计算因素 A 每个水平的平均数 $\overline{X}_{A_i}$。因素 A 有 n_A 个水平数，每个水平有 $n_B n_S$ 个数据。

(3) 用因素 A 每个水平的平均数减去总平均数，将得到的离差求平方。因素 A 有 n_A 个水平，所以有 n_A 个离差平方。

(4) 把步骤 3 中的所有离差平方相加，再乘以 $n_B n_S$，即因素 A 每个水平上数据的个数，就得到了 SS_A。

B. 因素 B 的平方和

$$SS_B = n_A n_S \sum (\overline{X}_{B_j} - \overline{X}_T)^2$$

(1) 计算因素 B 每个水平的平均数 $\overline{X}_{B_j}$。因素 B 有 n_B 个水平数，每个水平有 $n_A n_S$ 个数据。

(2) 用因素 B 每个水平的平均数减去总平均数，将得到的离差求平方。因素 B 有 n_B 个水平，所以有 n_B 个离差平方。

(3) 把步骤 2 中的所有离差平方相加，再乘以 $n_A n_S$，即因素 B 每个水平数据的个数，就得到了 SS_B。

C. $A \times B$ 交互作用的平方和

$$SS_{A\times B} = n_S \sum (\bar{X}_{A_iB_j} - \bar{X}_{A_i})(\bar{X}_{A_iB_j} - \bar{X}_{B_j})$$

(1) 按下列步骤分别对每个单元进行计算：

(a) 计算每个单元的平均数。有 $n_A n_B$ 个单元，每个单元中有 n_S 个数据。

(b) 用单元平均数减去 A 因素对应水平的平均数。

(c) 用单元平均数减去 B 因素对应水平的平均数。

(d) 用步骤(1)(b)的结果乘以步骤(1)(c)的结果。

(2) 将第(1)步计算得到的所有乘积加起来，有 $n_A n_B$ 个单元，就有 $n_A n_B$ 个乘积值。将得到的和再乘以 n_S，即每个单元内数据的个数。计算得到的结果就是 $SS_{A\times B}$。

D. 组内平方和

$$SS_{组内} = \sum (X_{A_iB_j} - \bar{X}_{A_iB_j})^2$$

(1) 用每个数据减去它所在单元的平均数，将得到的离差求平方。共有 $n_A n_B n_S$ 个数据，所以就有 $n_A n_B n_S$ 个离差平方。

(2) 把在步骤(1)得到的所有离差平方加起来，就得到了 $SS_{组内}$。

E. 总平方和

$$SS_{总} = \sum (X - \bar{X}_T)^2$$

(1) 用每个数据减去总平均数 $\bar{X}_T$，把将得到的离差求平方。共有 $n_A n_B n_S$ 个数据，所以就应该有 $n_A n_B n_S$ 个离差平方。

(2) 将这些离差平方加起来，即求得 $SS_{总}$。

(3) 检验一下：$SS_{总} = SS_A + SS_B + SS_{A\times B} + SS_{组间}$。

2. 计算自由度

A. $df_A = n_A - 1$，n_A 是因素 A 的水平数。

B. $df_B = n_B - 1$，n_B 是因素 B 的水平数。

C. $df_{A\times B} = (n_A - 1)(n_B - 1)$。

D. $df_{组内} = n_A n_B (n_S - 1) - 1$，$n_S$ 表示每个单元内数据的个数。

E. $df_{总} = n_A n_S n_S - 1$。

F. 检验一下：$df_{总} = df_A + df_B + df_{A\times B} + df_{组内}$。

3. 构建方差分析表，计算 F 值

A. 方差分析表应包括 5 列，分别表示为："方差来源"、"SS"、"df"、"MS"、和"F"。第一行标明因素 A，第二行标明因素 B，第三行标明 A × B，第四行标明"组内"、第五行标明"总"。

B. 在表中相应位置填写平方和、自由度。

C. 除了"总"那一行，所有行中，用平方和除以自由度，计算均方，MS：

$$MS_A = \frac{SS_A}{df_A},\ MS_B = \frac{SS_B}{df_B},\ MS_{A\times B} = \frac{SS_{A\times B}}{df_{A\times B}},\ MS_{组内} = \frac{SS_{组内}}{df_{组内}}$$

D. 用每种组间变异来源（A、B、A × B）的均方除以 MS 组内，算出相应 F 值：

$$F = \frac{MS_A}{MS_{组内}},\ F = \frac{MS_B}{MS_{组内}},\ F = \frac{MS_{A\times B}}{MS_{组内}}$$

因素 A 的平方和。第一步，我们要计算因素 A，即准备时间的平方和。这个计算过程与单因素 ANOVA 中计算组间平方和的过程是相同的。我们要计算总平均数和因素 A 每个水平上的平均数。因素 A 有 n_A 个水平，每个水平有 $n_B n_S$ 个数据。在乔先生的研究中，因素 A（准备时间）有 3 个水平，所以应该有 3 个平均数，每个平均数由 2×5 即 10 个数据计算得来。

第二步，用因素 A 每个水平的平均数减去总平均数，将得到的差求平方。在乔先生的研究中，因素 A 有 3 个水平，所以就有 3 个离差平方，即 3 个值。你可以检验一下，在将这些离差平方之前，离差之和应该为 0。如果不等于 0，那一定是计算有误了。

最后一步是把离差平方相加，并乘以 $n_B n_S$，即因素 B 的水平数与每个单元内数据个数的乘积。在乔先生的研究中，因素 B（焦虑程度）有 2 个水平，每个单元有 5 个被试，所以 $n_B n_S$ 就等于 2×5，即 10，这个值等于因素 A 每个水平上数据的个数。

计算结果就是因素 A 的平方和。图 17－3 呈现了计算步骤。如图 17－3 所示，因素 A 的平方和 SS_A 为 140。

因素 B 的平方和。第二个要计算的是因素 B，即焦虑程度的平方和。计算 SS_B 的过程和计算 SS_A 的一样。我们可以省去计算总平均数这一步。第一步是计算因素 B 各个水平的平均数。因素 B 应该有 n_B 个平均数，每个平均数是 $n_A n_S$ 个数据的平均。第二步，用因素 B 每个水平的平均数减去总平均数，将得到的差求平方。在乔先生的研究中，因素 B 有两个水平，就应该有两个水平的平均数，它们是由 3×5，即 15 个数据计算得到的。检查一下，在没有对离差进行平方之前，两个离差之和为零。这是一个适用于所有离差的规律——即所有离差之和为零。最后，将离差平方相加，并乘以 $n_A n_S$，即因素 A 的水平数与每个单元数据个数的乘积。计算得到的结果就是因

素 B 的平方和 SS_B。如图 17－4 所示，因素 B 的平方和 SS_B 为 270。

1．计算总平均数：

$$\bar{X}_T=\frac{\sum X}{n_T}=\frac{390}{30}=13$$

2．用因素 A 每个水平的平均数减去总平均数，将得到的差求平方：

$$\bar{X}_{A_1}=\frac{\sum X_{A_1}}{n_B n_S}=\frac{110}{10}=11,\ (\bar{X}_{A_1}-\bar{X}_T)^2=(11-13)^2=(-2)^2=4$$

$$\bar{X}_{A_2}=\frac{\sum X_{A_2}}{n_B n_S}=\frac{120}{10}=12,\ (\bar{X}_{A_2}-\bar{X}_T)^2=(12-13)^2=(-1)^2=1$$

$$\bar{X}_{A_3}=\frac{\sum X_{A_3}}{n_B n_S}=\frac{160}{10}=16,\ (\bar{X}_{A_3}-\bar{X}_T)^2=(16-13)^2=3^2=9$$

3．把第 2 步的结果相加，乘以 n_S，即单元内数据的个数；再乘以 n_B，即因素 B 的水平个数：

$$SS_A=n_B n_S\sum(\bar{X}_{A_i}-\bar{X}_T)^2=(2)(5)(4+1+9)=10(14)=140$$

图 17－3 计算因素 A 的平方和

1．计算因素 B 每个水平上的平均数，用它们减去总平均数，并将得到的差求平方：

$$\bar{X}_{B_1}=\frac{\sum X_{B_1}}{n_A n_S}=\frac{150}{15}=10,\ (\bar{X}_{B_1}-\bar{X}_T)^2=(10-13)^2=(-3)^2=9$$

$$\bar{X}_{B_2}=\frac{\sum X_{B_2}}{n_A n_S}=\frac{240}{15}=16,\ (\bar{X}_{B_2}-\bar{X}_T)^2=(16-13)^2=3^2=9$$

2．把第 1 步的结果相加，乘以 n_S，即单元内数据的个数；再乘以 n_A，即因素 A 的水平数：

$$SS_B=n_B n_S\sum(\bar{X}_{B_j}-\bar{X}_T)^2=(3)(5)(9+9)=15(18)=270$$

图 17－4 计算因素 B 的平方和

A 和 B 交互作用的平方和。计算 A 和 B 交互作用平方和的步骤，与前一章中学习的单因素被试内方差分析中，计算处理×被试的平方和的步骤是相似的。计算这种平方和，与其说是在计算离差平方和，还不如说是在计算离差的乘积。在双因素 ANOVA 中，每个单元里的数据，对因素 A 和因素 B 相应水平上的平均数都有贡献。如，单元 A_1B_1，它是高焦虑组，在没有准备时间的条件下的数据，它对因素 A 在没有准备时间这个水平上的平均数有贡献，也对因素 B 在高焦虑这个水平上的平均数有贡献。

在计算交互作用平方和的过程中，我们用单元平均数减去 A 因素相应水平上的平均数，再用单元平均数减去 B 因素相应水平上的平均数，并将得到的这两个离差相乘。如，对单元 A_1B_1，我们先要计算 A_1 水平的平均数与 A_1B_1 的平均数之差，再计算 B_1 水平的平均数与 A_1B_1 的平均数之差，最后将这两个离差相乘。

单元的数量由因素 A 的水平数乘以因素 B 的水平数，即 n_An_B 所确定。有 n_An_B 个单元数，就有 n_An_B 个单元平均数，以及 n_An_B 个离差乘积。在乔先生的研究中，因素 A(准备时间)有 3 个水平，因素 B(焦虑程度)有 2 个水平，所以有 3×2 即 6 个单元，那么在最后的总和中，就有 6 个单元平均数，6 个离差乘积。

最后一步是把这些离差乘积加起来，再乘以单元内数据的个数 n_S。交互作用平方和表示为 $SS_{A\times B}$。图 17-5 呈现了 $SS_{A\times B}$的计算过程，计算得到的结果是 60。

1. 对每个 AB 单元，计算步骤如下：(a) 计算每个单元的平均数；(b) 用单元平均数减去因素 A 相应水平上的平均数；(c) 用单元平均数减去因素 B 相应水平上的平均数；(d) 把(b)、(c)中计算的差值相乘。

$$\bar{X}_{A_1B_1}=\frac{\sum X_{A_1B_1}}{n_S}=\frac{35}{5}=7,\ (\bar{X}_{A_1B_1}-\bar{X}_{A_1})(\bar{X}_{A_1B_1}-\bar{X}_{B_1})=(7-11)(7-10)=12$$

$$\bar{X}_{A_2B_1}=\frac{\sum X_{A_2B_1}}{n_S}=\frac{40}{5}=8,\ (\bar{X}_{A_2B_1}-\bar{X}_{A_2})(\bar{X}_{A_2B_1}-\bar{X}_{B_1})=(8-12)(8-10)=8$$

$$\bar{X}_{A_3B_1}=\frac{\sum X_{A_3B_1}}{n_S}=\frac{75}{5}=15,\ (\bar{X}_{A_3B_1}-\bar{X}_{A_3})(\bar{X}_{A_3B_1}-\bar{X}_{B_1})=(15-16)(15-10)=-5$$

$$\bar{X}_{A_1B_2}=\frac{\sum X_{A_1B_2}}{n_S}=\frac{75}{5}=15,\ (\bar{X}_{A_1B_2}-\bar{X}_{A_1})(\bar{X}_{A_1B_2}-\bar{X}_{B_2})=(15-11)(15-16)=-4$$

$$\bar{X}_{A_2B_2}=\frac{\sum X_{A_2B_2}}{n_S}=\frac{80}{5}=16,\ (\bar{X}_{A_2B_2}-\bar{X}_{A_2})(\bar{X}_{A_2B_2}-\bar{X}_{B_2})=(16-12)(16-16)=0$$

$$\bar{X}_{A_3B_2}=\frac{\sum X_{A_3B_2}}{n_S}=\frac{85}{5}=17,\ (\bar{X}_{A_3B_2}-\bar{X}_{A_3})(\bar{X}_{A_3B_2}-\bar{X}_{B_2})=(17-16)(17-16)=1$$

2. 把所有乘积相加，再乘以 n_S，即每个 AB 单元内数据的个数：

$$SS_{A\times B}=n_S\sum(\bar{X}_{A_iB_j}-\bar{X}_{A_i})(\bar{X}_{A_iB_j}-\bar{X}_{B_j})=5[12+8+(-5)+(-4)+0+1]=5(12)=60$$

图 17-5 计算因素 $A\times B$ 交互作用的平方和

组内平方和。这个平方和反映的是每个单元内部的变异，我们假设它是由随机误差产生的。计算组内平方和非常简单。第一步是用每个数据减去数据所在单元的平均数，这种离差的总数等于数据的个数 $n_A n_B n_S$，即因素 A 的水平数、因素 B 的水平数和每个单元内数据个数的乘积；第二步是将这些离差求平方。最后，把这些离差平方相加，就得到了组内平方和 $SS_{组内}$。你可以检验一下，所有离差之和应等于零，而且每个单元内部的离差之和也等于零。图 17－6 呈现的是乔先生的研究中，计算数学成绩的组内平方和的过程，得到 $SS_{组内}=174$。

1. 每个单元中：用每个数据减去其所在的单元平均数，并将得到的差求平方。再把各个单元内的所有平方值加起来：

单元 A_1B_1 $(X-\overline{X}_{A_1B_1})^2$	单元 A_2B_1 $(X-\overline{X}_{A_2B_1})^2$	单元 A_3B_1 $(X-\overline{X}_{A_3B_1})^2$
$(10-7)^2=9$	$(11-8)^2=9$	$(19-15)^2=16$
$(9-7)^2=4$	$(8-8)^2=0$	$(17-15)^2=4$
$(5-7)^2=4$	$(9-8)^2=1$	$(13-15)^2=4$
$(7-7)^2=0$	$(5-8)^2=9$	$(15-15)^2=0$
$(4-7)^2=9$	$(7-8)^2=1$	$(11-15)^2=16$
$\sum(X-\overline{X}_{A_1B_1})^2=26$	$\sum(X-\overline{X}_{A_2B_1})^2=20$	$\sum(X-\overline{X}_{A_3B_1})^2=40$

单元 A_1B_2 $(X-\overline{X}_{A_1B_2})^2$	单元 A_2B_2 $(X-\overline{X}_{A_2B_2})^2$	单元 A_3B_2 $(X-\overline{X}_{A_3B_2})^2$
$(18-15)^2=9$	$(19-16)^2=9$	$(20-17)^2=9$
$(16-15)^2=1$	$(16-16)^2=0$	$(19-17)^2=4$
$(14-15)^2=1$	$(17-16)^2=1$	$(18-17)^2=1$
$(16-15)^2=1$	$(13-16)^2=9$	$(16-17)^2=1$
$(11-15)^2=16$	$(15-16)^2=1$	$(12-17)^2=25$
$\sum(X-\overline{X}_{A_1B_2})^2=28$	$\sum(X-\overline{X}_{A_2B_2})^2=20$	$\sum(X-\overline{X}_{A_3B_2})^2=40$

2. 把所有离差平方相加：

$$SS_{组内}=\sum(X-\overline{X}_{A_iB_j})^2=26+20+40+28+20+40=174$$

图 17－6　计算组内平方和

总平方和。最后要计算的是总平方和。其计算过程与计算组内平方和很相似，不同之处就是用总平均数替代单元平均数。第一步，用每个数据减去总平均数；第二步，将得到的差求平方；第三步，求这些离差平方之和。离差的个数应该是 $n_A n_B n_S$，即因素 A 的水平数、因素 B 的水平数和每个单元内数据的个数的乘积。同样，所有离差之和应等于零。图 17－7 呈现了计算过程，最后得到的总平方和为 644。

1. 对每个数据：用每个数据减去总平均数，并将得到的差求平方：

水平 A_1 $(X-\bar{X}_T)^2$	水平 A_2 $(X-\bar{X}_T)^2$	水平 A_3 $(X-\bar{X}_T)^2$
$(10-13)^2=9$	$(11-13)^2=4$	$(19-13)^2=36$
$(9-13)^2=16$	$(8-13)^2=25$	$(17-13)^2=16$
$(5-13)^2=64$	$(9-13)^2=16$	$(13-13)^2=0$
$(7-13)^2=36$	$(5-13)^2=64$	$(15-13)^2=4$
$(4-13)^2=81$	$(7-13)^2=36$	$(11-13)^2=4$
$(18-13)^2=25$	$(19-13)^2=36$	$(20-13)^2=49$
$(16-13)^2=9$	$(16-13)^2=9$	$(19-13)^2=36$
$(14-13)^2=1$	$(17-13)^2=16$	$(18-13)^2=25$
$(16-13)^2=9$	$(13-13)^2=0$	$(16-13)^2=9$
$(11-13)^2=4$	$(15-13)^2=4$	$(12-13)^2=1$
$\sum(X-\bar{X}_T)^2=254$	$\sum(X-\bar{X}_T)^2=210$	$\sum(X-\bar{X}_T)^2=180$

2. 把所有平方值相加：

$$SS_{总}=\sum(X-\bar{X}_T)^2=254+210+180=644$$

图 17－7 计算总平方和

最后检查一下，总平方和等于各部分平方和之总和：

$$SS_{总}=SS_A+SS_B+SS_{A\times B}+SS_{组内}=140+270+60+174=644$$

如果各个部分的平方和加起来不等于总平方和，就说明计算过程中的某个地方有错误。

有时，计算平方和似乎要做很多工作。实际上，在一个 ANOVA 中，整个计算过程是很长的。但是，对乔先生的研究结果作一次 ANOVA，就相当于单独做了 35 次 t 检验。

计算自由度

计算自由度时，我们要用到 n_A、n_B 和 n_S。其实，在计算平方和的时候，我们已经使用过它们了。n_A 表示因素 A（准备时间）的水平数。乔先生把准备时间分为 3 个水平（0、1 和 2 小时），所以 n_A 等于 3。n_B 表示因素 B（焦虑程度）的水平数。乔先生把焦虑程度分为 2 个水平（高焦虑和低焦虑），所以 n_B 等于 2。n_S 表示每个单元内数据的个数，在乔的实验中，每个单元内有 5 个数据，n_S 等于 5。

每个自由度对应一种变异来源，自由度的计算公式见演示步骤 17-2：

$$df_A = n_A - 1 = 3 - 1 = 2$$
$$df_B = n_B - 1 = 2 - 1 = 1$$
$$df_{A\times B} = (n_A - 1)(n_B - 1) = (3-1)(2-1) = (2)(1) = 2$$
$$df_{组间} = n_A n_B (n_S - 1) = (3)(2)(5-1) = 6(4) = 24$$
$$df_{总} = n_A n_B n_S - 1 = (3)(2)(5) - 1 = 30 - 1 = 29$$

如同总平方和一样，总的自由度等于各个部分的自由度之和：

$$df_{总} = df_A + df_B + df_{A\times B} + df_{组间} = 2 + 1 + 2 + 24 = 29$$

计算均方

用每个变异来源的平方和除以相应的自由度，就得到均方，如下所示：

$$MS_A = \frac{SS_A}{df_A} = \frac{140}{2} = 70$$
$$MS_B = \frac{SS_B}{df_B} = \frac{270}{1} = 270$$
$$MS_{A\times B} = \frac{SS_{A\times B}}{df_{A\times B}} = \frac{60}{2} = 30$$
$$MS_{组内} = \frac{SS_{组内}}{df_{组内}} = \frac{174}{24} = 7.25$$

注意：总的均方是不需要计算的。

计算 *F* 值

方差分析计算的最后一步是用均方计算 F 值。我们只需计算组间变异的 F 值，包括因素 A、因素 B 以及 A 和 B 交互作用。F 值的计算是用组间变异均方除以组内均方：

$$F = \frac{MS_A}{MS_{组内}} = \frac{70}{7.25} = 9.66$$
$$F = \frac{MS_B}{MS_{组内}} = \frac{270}{7.25} = 37.24$$
$$F = \frac{MS_{A\times B}}{MS_{组内}} = \frac{30}{7.25} = 4.14$$

按照惯例，最后是构建方差分析表，列出计算结果，包括平方和、自由度、均方和 F 值。乔先生的实验数据分析结果如表 17-3 所示。

表 17-3 方差分析表

方差来源	*SS*	*df*	*MS*	*F*
准备时间	140.00	2	70.00	9.66*
焦虑程度	270.00	1	270.00	37.24*
时间×焦虑	60.00	2	30.00	4.14*
组　内	174.00	24	7.25	
总	644.00	29		

* $p<0.05$

确定 *F* 的显著性

方差分析的最后一步是确定每个 F 值的显著性，附录 A 中的表 A-4 列出了 $\alpha=0.05$ 和 0.01 时的 F 临界值。我们一般都选择 $\alpha=0.05$ 的临界值。在表 A-4 中，F 值是根据分子均方的自由度和分母均方的自由度来排列的。

让我们先来查方差分析表中因素 A（准备时间）的临界 F 值。因素 A 的值 9.66 是用因素 A 的均方（分子）除以组内均方（分母）得到的。分子，即因素 A 的自由度 df，为 2；分母，即组内变异的自由度 df，为 24。查表 A-4，当分子 df 为 2，分母 df 为 24 时，临界 F 值为 3.40。因为因素 A 的 F 值 9.66，大于 F 临界值 3.40，所以我们可以拒绝零假设，即不同的准备时间组，其数学成绩有显著性差异。

在解释方差分析的结果时，我们应该非常小心。零假设是：三种不同的实验条件之间不存在显著性差异。拒绝了零假设并不表明，每个准备时间组的结果与其他两个组都有显著差异。它们之间的关系也许是这样，但是，一个显著性的 F 值并不能保证一定如此。为了找出哪些组之间有显著的差异，我们要进行多重比较。

另一种变异来源是因素 B（焦虑程度），其分子的自由度 df 为 1，分母的自由度 df 为 24（在双因素被试间 ANOVA 中，分母的自由度都是一样的）。查表 A-4，当分子 df 为 1，分母 df 为 24 时，临界 F 值为 4.26。在本研究中，因素 B（焦虑程度）的 F 值为 37.24，远远地大于临界 F 值 4.26，所以我们可以拒绝因素 B 的零假设。

因为因素 B 只有两个水平，所以 F 值的显著性就表明了这两个水平的数学分数之间存在显著差异。当被检验的因素只有两个水平，而 F 值又显著时，我们就可以断定这两个水平之间有显著差异，不用进行多重比较。在乔先生的数学测验中，高焦虑组被试的平均成绩是对了 10 题，低焦虑组平均对了 16 题。因此，低焦虑或无焦虑组被试的成绩明显好于高焦虑组被试。比较结果如图 17-8 所示。

最后，我们需要分析准备时间因素和焦虑程度因素之间的交互作用是否显著。交互作用 F 值的分子自由度 df 为 2，分母自由度 df 为 24，与因素 A 的相同。查表 A-

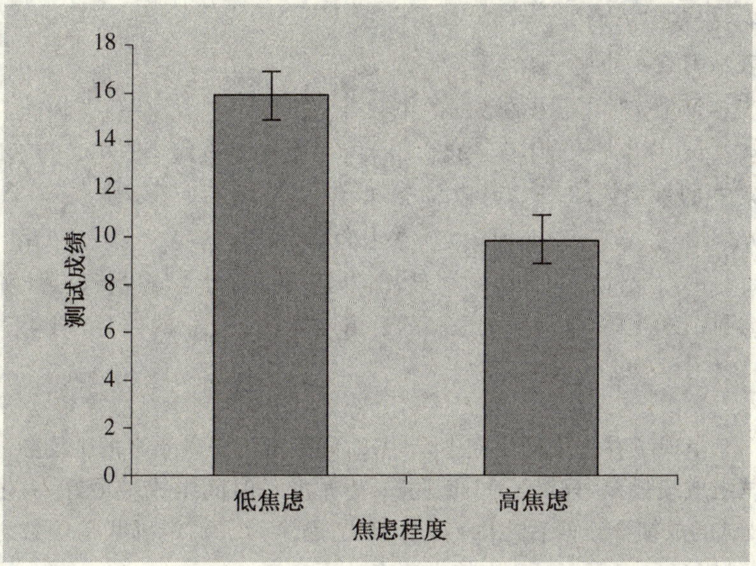

图 17-8 高焦虑组和低焦虑组被试的数学测验成绩

4，临界 F 值为 3.40。计算所得交互作用的 F 值为 4.14，大于临界值 3.40。所以，这两个因素之间的交互作用差异显著。要想知道这些显著差异在哪儿，我们需要进行多重比较，这将在下一节介绍。

双因素方差分析的多重比较

主效应的多重比较

演示步骤 17-3 呈现了在双因素 ANOVA 中，对因素 A 进行多重比较的方法。这种计算过程与单因素 ANOVA 的多重比较很相似。单因素 ANOVA 中，我们用组内均方作为分母计算 t 值。在双因素 ANOVA 中，还是用组内均方 $MS_{组内}$ 作分母。

演示步骤 17-3

在双因素 ANOVA 中，对因素 A 进行多重比较

$$t=\frac{\overline{X}_{A_j}-\overline{X}_{A_k}}{\sqrt{\frac{2MS_{组内}}{n_B n_S}}}$$

式中，$\overline{X}_{A_j}$ 表示因素 A 一个水平的平均数

$\overline{X}_{A_k}$ 表示因素 A 另一个水平的平均数

$MS_{组内}$ 表示组内均方

n_B 表示因素 B 的水平数

n_S 表示每个 AB 单元内的数据的个数

1. 计算因素 A 中各个水平的平均数，用水平 j 的平均数减去水平 k 的平均数。
2. 用因素 B 的水平数，即 n_B，乘以每个单元内的数据的个数 n_S。
3. ANOVA 中 $MS_{组内}$ 乘以 2，再除以第 2 步的结果，将得到的结果再开方。
4. 用第 1 步的结果除以第 3 步的结果，即得到 t 值。对 t 值进行显著性检验的方法请参见演示步骤 14－2。t 检验的自由度为参与比较的数据的个数减去 2，公式为：$df = 2(n_B n_S - 1)$。

图 17－9 呈现了乔先生的研究中，准备时间因素的三种水平的平均数。没有准备时间的被试组成绩最差，只对了 11 道题；2 小时准备时间组成绩最好，对了 16 道题。1 小时组被试的成绩介于两者之间，对了 12 道题。为了确定哪些平均数之间有显著差异，我们可用演示步骤 17－3 中的方法来计算。

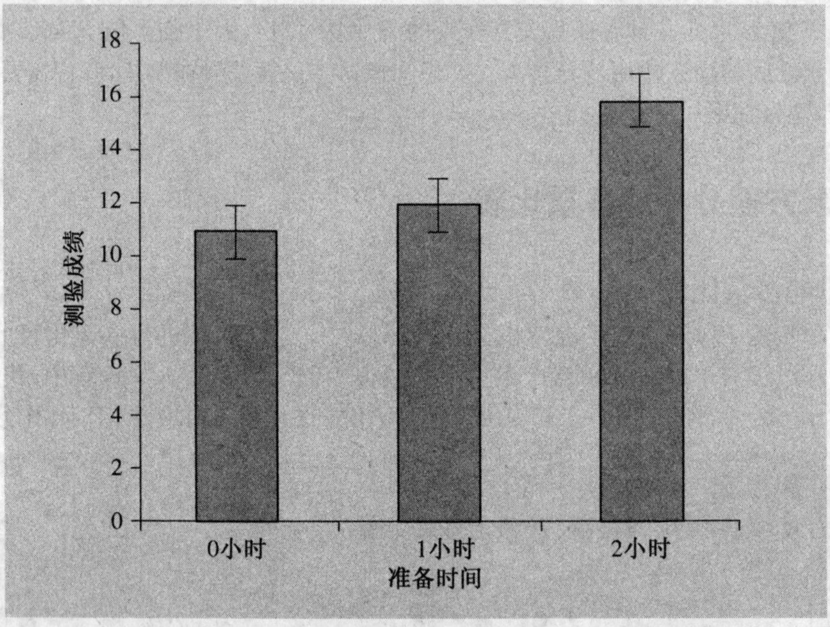

图 17－9 因素 A（准备时间）三种水平的平均数比较

图 17－10 呈现的是因素 A 的多重比较结果，比较了因素 A 中三个水平的所有组合情况。要注意的是，在这些比较中，较大的平均数置于前，较小的平均数置于后，以便让所有的 t 值都为正。因为乔先生预测准备时间越长，数学成绩会越好，所以这里

的检验是单向检验。t 检验的自由度为 $2(n_A n_S-1)=2(9)=18$，查附录中的表 A－3，自由度为 18 时，单向检验 t 的临界值为 1.734。

2 小时与 1 小时：

$$t=\frac{\overline{X}_{A_3}-\overline{X}_{A_2}}{\sqrt{\frac{2MS_{组间}}{n_B n_S}}}=\frac{16-12}{\sqrt{\frac{2(7.25)}{(2)(5)}}}=\frac{4}{\sqrt{\frac{14.50}{10}}}=\frac{4}{\sqrt{1.45}}=\frac{4}{1.20}=3.33$$

2 小时与 0 小时：

$$t=\frac{\overline{X}_{A_3}-\overline{X}_{A_1}}{\sqrt{\frac{2MS_{组间}}{n_B n_S}}}=\frac{16-11}{\sqrt{\frac{2(7.25)}{(2)(5)}}}=\frac{5}{\sqrt{\frac{14.50}{10}}}=\frac{5}{\sqrt{1.45}}=\frac{5}{1.20}=4.17$$

1 小时与 0 小时：

$$t=\frac{\overline{X}_{A_2}-\overline{X}_{A_1}}{\sqrt{\frac{2MS_{组间}}{n_B n_S}}}=\frac{12-11}{\sqrt{\frac{2(7.25)}{(2)(5)}}}=\frac{1}{\sqrt{\frac{14.50}{10}}}=\frac{1}{\sqrt{1.45}}=\frac{1}{1.20}=0.83$$

图 17－10　因素 A(准备时间)的多重比较

2 小时组和 1 小时组比较的 t 值为 3.33，大于临界值 1.734，所以，2 小时组的成绩显著高于 1 小时组。同样，2 小时组的成绩显著高于 0 小时组，其 t 值为 4.15，$p<0.05$。因此，2 小时组的成绩明显好于 1 小时组和 0 小时组。比较 1 小时组和 0 小时组的 t 值为 0.83，小于临界值 1.734。因此，1 小时组的成绩与 0 小时组没有显著差异。

演示步骤 17－4 呈现了双因素 ANOVA 中，对因素 B 的各水平进行多重比较的方法。它与前面介绍的因素 A 的多重比较方法完全相同，只是把 A 和 B 的符号换了而已。正如前面讨论的，因素 B(焦虑程度)只有两个水平，没有必要进行多重比较。如果你在其他研究中，遇到需要对因素 B 进行多重比较的情况时，只要记住其计算过程和因素 A 的一样就行了。

演示步骤 17－4
在双因素 ANOVA 中，对因素 B 进行多重比较

$$t=\frac{\overline{X}_{B_j}-\overline{X}_{B_k}}{\sqrt{\frac{2MS_{组内}}{n_A n_S}}}$$

式中，$\overline{X}_{B_j}$ 表示因素 B 一个水平的平均数

$\bar{X}_{B_k}$ 表示因素 B 另一个水平的平均数

$MS_{组内}$ 表示组内均方

n_A 表示因素 A 的水平数

n_S 表示每个 AB 单元内的数据的个数

1. 计算因素 B 各个水平的平均数，用水平 j 的平均数减去水平 k 的平均数。
2. 用因素 A 的水平数，即 n_A，乘以每个单元内的数据的个数 n_S。
3. ANOVA 中 $MS_{组内}$ 乘以 2，再除以第 2 步的结果，将得到的结果再开方。
4. 用第 1 步的结果除以第 3 步的结果，即得到 t 值。对 t 值进行显著性检验的方法请参见演示步骤 14-2。t 检验的自由度为参与比较的数据的个数减去 2，公式为：$df = 2(n_B n_S - 1)$。

A 和 B 交互作用的多重比较

交互作用显著，就是指一个因素在另一个因素的不同水平上，对数据的影响是有差异的。在前面的双因素方差分析中，我们知道准备时间和焦虑程度之间有交互作用，这说明在高焦虑组和低焦虑组中，准备时间对它们的影响是不同的。然而，方差分析本身并不能精确地告诉我们这些影响的差异是多少。所以，我们需要进行多重比较。

下面，我们要进行两组多重比较。第一组，在因素 B 的各个水平上，分别比较因素 A 各水平之间数据的差异。对乔先生的研究来说，这就意味着要对比因素 A（准备时间）的差异（也就是说，分别比较在高焦虑的学生和低焦虑的学生中，准备时间因素对数学成绩的影响）。另一组多重比较是：在因素 A 的各个水平上，分别比较因素 B 各个水平的差异。也就是在三种不同的准备时间条件上，比较高焦虑组和低焦虑组数学成绩之间的差异。接下来，我们就来分别检验这两组交互作用的显著性。

在 B 的各个水平上，比较 A 因素各个水平之间的差异。首先，分别对高焦虑组和低焦虑组在 A 因素的三个水平上进行多重比较。图 17-11 呈现出在区分了高焦虑组和低焦虑组后，被试在因素 A（不同准备时间）条件下，测验的平均数。演示步骤 17-5呈现了进行多重比较的方法。

在 B 因素的各个水平上，对 A 因素进行多重比较的公式呈现在演示步骤 17-5 中。对 A 因素的主效应进行多重比较的公式呈现在演示步骤 17-3 中。比较一下这两个公式，它们之间主要的不同在于分母。在检验 A 因素的主效应的时候，组内均方的分母是 $n_B n_S$，在乔先生的研究中即是 $2\times5=10$。它反映的是准备时间因素的每个水平（包含高焦虑组和低焦虑组在内）有 10 个被试。而在演示步骤 17-5 中，要检验

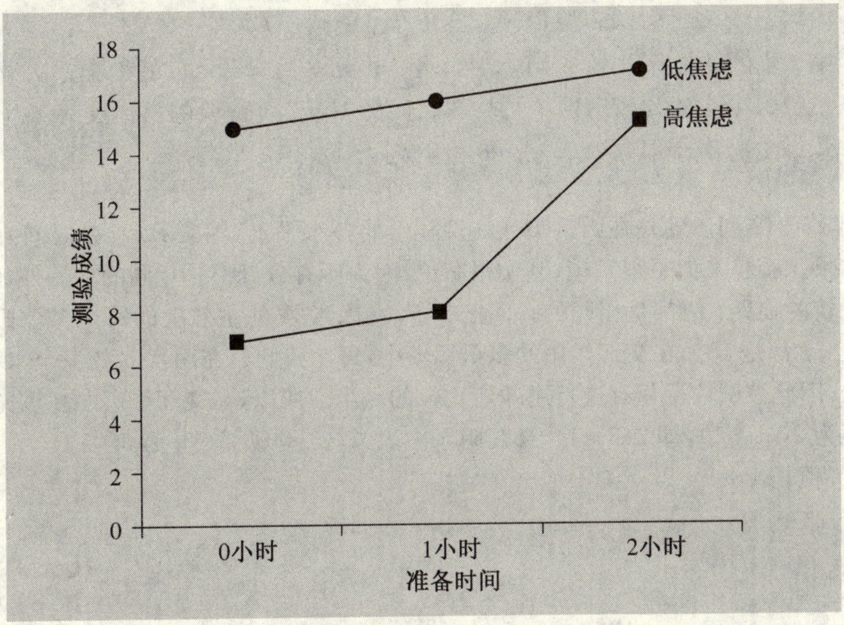

图 17-11 因素 B 在因素 A 的三种水平的平均数比较

A 因素在 B 因素的各个水平上的差异，其组内均方的分母就是 n_S，在乔先生的研究中为 5。这说明如果把高焦虑组和低焦虑组分别进行比较，则准备时间因素的每个水平上只有 5 个被试。除此之外，演示步骤 17-5 和演示步骤 17-3 是相同的。

演示步骤 17-5

因素 A 在因素 B 的一个水平上的多重比较

$$t=\frac{\overline{X}_{A_jB_i}-\overline{X}_{A_kB_i}}{\sqrt{\frac{2MS_{组内}}{n_S}}}$$

式中，$\overline{X}_{A_jB_i}$ 表示在 B 因素 i 水平上，A 因素一个组的平均数

$\overline{X}_{A_kB_i}$ 表示在 B 因素 i 水平上，A 因素另一个组的平均数

$MS_{组内}$ 表示组内均方

n_S 表示每个 AB 单元内的数据个数

1. 确定需要比较的两个单元格。它们应属于 B 因素的同一水平，但代表 A 因素的不同水平。这些单元格的平均数在进行 ANOVA 时已经计算出来了。用单元 A_kB_i 的平均数减去 A_jB_i 的平均数。

2. 组内均方 $MS_{组内}$ 乘以 2，除以 n_S，再开方。
3. 用第 1 步的结果除以第 3 步的结果，计算得到 t 值。对 t 值的检验方法请参见演示步骤 14－2，比较这两个平均数之间的差异。t 检验的自由度为参与比较的数据个数减去 2，其公式为：$df = 2(n_S - 1)$。

图 17－12 列出的是在因素 B（焦虑程度）的各水平上，因素 A（准备时间）的多重比较结果。看起来似乎很繁琐，其实很简单，因为所有分母都是相同的。另外，所有显著性比较的临界 t 值都是相同的。回忆一下，在因素 A 的主效应的每个多重比较中，自由度 df 都是 18。在交互作用的多重比较中，每次我们只在因素 B 的一个水平上进行比较，因此被试数量只有进行主效应比较的一半。所以，在交互作用的多重比较中，自由度为 $2(n_S-1)$，即 $2(5-1)=8$。附录中表 A－3 呈现了当 α 为 0.05，df 为 8 时，t 的临界值是 1.860。

高焦虑组被试

2 小时与 1 小时：$$t = \frac{\bar{X}_{A_3B_1} - \bar{X}_{A_2B_1}}{\sqrt{\frac{2MS_{组间}}{n_S}}} = \frac{15-8}{\sqrt{\frac{2(7.25)}{5}}} = \frac{7}{\sqrt{\frac{14.50}{5}}} = \frac{7}{1.70} = 4.12$$

2 小时与 0 小时：$$t = \frac{\bar{X}_{A_3B_1} - \bar{X}_{A_1B_1}}{\sqrt{\frac{2MS_{组间}}{n_S}}} = \frac{15-7}{\sqrt{\frac{2(7.25)}{5}}} = \frac{8}{\sqrt{\frac{14.50}{5}}} = \frac{8}{1.70} = 4.71$$

1 小时与 0 小时：$$t = \frac{\bar{X}_{A_2B_1} - \bar{X}_{A_1B_1}}{\sqrt{\frac{2MS_{组间}}{n_S}}} = \frac{8-7}{\sqrt{\frac{2(7.25)}{5}}} = \frac{1}{\sqrt{\frac{14.50}{5}}} = \frac{1}{1.70} = 0.59$$

低焦虑组被试

2 小时与 1 小时：$$t = \frac{\bar{X}_{A_3B_2} - \bar{X}_{A_2B_2}}{\sqrt{\frac{2MS_{组内}}{n_S}}} = \frac{17-16}{\sqrt{\frac{2(7.25)}{5}}} = \frac{1}{\sqrt{\frac{14.50}{5}}} = \frac{1}{1.70} = 0.59$$

2 小时与 0 小时：$$t = \frac{\bar{X}_{A_3B_2} - \bar{X}_{A_1B_2}}{\sqrt{\frac{2MS_{组内}}{n_S}}} = \frac{17-15}{\sqrt{\frac{2(7.25)}{5}}} = \frac{2}{\sqrt{\frac{14.50}{5}}} = \frac{2}{1.70} = 1.18$$

1 小时与 0 小时：$$t = \frac{\bar{X}_{A_2B_2} - \bar{X}_{A_1B_2}}{\sqrt{\frac{2MS_{组内}}{n_S}}} = \frac{16-15}{\sqrt{\frac{2(7.25)}{5}}} = \frac{1}{\sqrt{\frac{14.50}{5}}} = \frac{1}{1.70} = 0.59$$

图 17－12 高焦虑组和低焦虑组在准备时间各水平上的多重比较

对高焦虑学生进行了三次比较后得知，2 小时的平均成绩是做对 15 道题，显著高于 1 小时做对 8 道题的平均成绩，其 $t=4.12$。同样，无准备时间被试的平均成绩是做对 7 道题，与 2 小时的平均成绩也有差异，$t=4.71$。这两个 t 值都远远大于临界值

1.860。然而，同样是高焦虑被试，1 小时和 0 时间的平均数之间没有显著差异，$t=0.59$。根据这个结果，我们可以得出这样的结论：0 小时准备与 1 小时准备的数学成绩没有显著差异。

对低焦虑学生进行了三次比较。这三次比较的 t 值都没有达到显著水平，如图 17－12。因此，对低焦虑组被试来说，不同的准备时间对其测验成绩没有影响。低焦虑组被试中，最大的差别是，2 小时准备时间取得的成绩是对 17 题，0 小时对 15 题，这两种情况比较的 t 值是 1.18，小于临界值。所以，我们可以得出结论：对高焦虑学生而言，不同的准备时间对成绩有显著的影响；对低焦虑学生来说，不同的准备时间对成绩没有显著的影响。

在 *A* 的各个水平上，比较 *B* 因素各个水平之间的差异。交互作用显著，还可以进行第二种多重比较：在 A 因素的各个水平上，比较 B 因素各个水平之间的差异。计算过程在演示步骤 17－6 中有详细说明。通常，我们可以使用演示步骤 17－5 呈现的方法，也可以选择演示步骤 17－6 呈现的方法——它们都是适用的。然而，为了介绍所有的多重比较类型，我们现在选择演示步骤 17－6 呈现的方法来计算。

演示步骤 17－6

在因素 A 的一个水平上，对因素 B 的平均数进行多重比较

$$t=\frac{\bar{X}_{A_iB_j}-\bar{X}_{A_iB_k}}{\sqrt{\dfrac{2MS_{组内}}{n_S}}}$$

式中，$\bar{X}_{A_iB_j}$ 表示在 A 因素 i 水平上，B 因素一个水平的平均数

$\bar{X}_{A_iB_k}$ 表示在 A 因素 i 水平上，B 因素另一个水平的平均数

$MS_{组内}$ 表示组内均方

n_S 表示每个 AB 单元内数据的个数

1. 确定需要对比的 AB 两个单元格。它们应代表因素 B 的不同水平，但属于因素 A 的同一水平。这些单元格的平均数在 ANOVA 中已经计算出来了。用单元 A_iB_k 的平均数减去 A_iB_j 的平均数。
2. 组内均方 $MS_{组内}$ 乘以 2，除以 n_S，再开方。
3. 用第 1 步的数据除以第 3 步的数据，计算 t 值。对 t 值的检验方法请参见步骤 14－2。t 检验的自由度为参与对比的数据个数减去 2，公式为：$df=2(n_S-1)$。

图 17－13 反映了高焦虑学生和低焦虑学生，在准备时间的各个水平上的平均成绩。这幅图直观地呈现了在因素 A 的各个水平上，低焦虑组成绩都高于高焦虑组。然而，没有进行多重比较，我们就无法确定这些差异是否都达到了显著性水平。图 17－14

对比的是高低焦虑组在不同的准备时间水平上的差异结果。自由度是这些进行比较的组中包含的数据个数，即为 $2(n_S-1)=8$。乔先生预测低焦虑组的成绩要高于高焦虑组，所以这是单向检验。自由度 $df=8$ 时，单侧检验的临界值为 1.86。

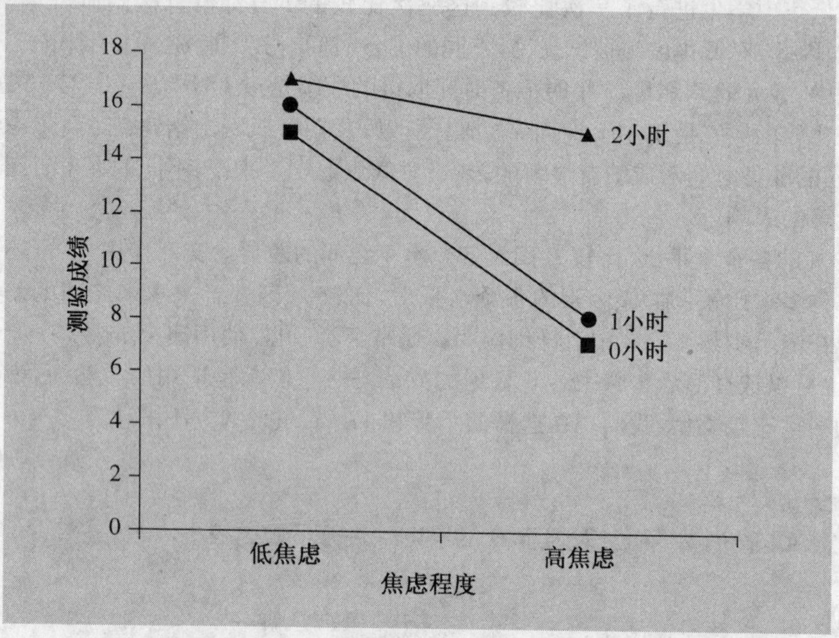

图 17－13 高焦虑组和低焦虑组在准备时间各水平上的平均数

0 小时 准备时间：

$$t=\frac{\overline{X}_{A_1B_2}-\overline{X}_{A_1B_1}}{\sqrt{\frac{2MS_{组间}}{n_S}}}=\frac{15-7}{\sqrt{\frac{2(7.25)}{5}}}=\frac{8}{\sqrt{\frac{14.50}{5}}}=\frac{8}{\sqrt{2.90}}=\frac{8}{1.70}=4.71$$

1 小时 准备时间：

$$t=\frac{\overline{X}_{A_2B_2}-\overline{X}_{A_2B_1}}{\sqrt{\frac{2MS_{组间}}{n_S}}}=\frac{16-8}{\sqrt{\frac{2(7.25)}{5}}}=\frac{8}{\sqrt{\frac{14.50}{5}}}=\frac{8}{\sqrt{2.90}}=\frac{8}{1.70}=4.71$$

2 小时 准备时间：

$$t=\frac{\overline{X}_{A_3B_2}-\overline{X}_{A_3B_1}}{\sqrt{\frac{2MS_{组内}}{n_S}}}=\frac{17-15}{\sqrt{\frac{2(7.25)}{5}}}=\frac{2}{\sqrt{\frac{14.50}{5}}}=\frac{2}{\sqrt{2.90}}=\frac{2}{1.70}=1.18$$

图 17－14 高焦虑组和低焦虑组在准备时间各水平上的多重比较

在没有准备时间的条件下，低焦虑组的平均成绩是做对 15 道题，而高焦虑组的平均成绩是做对 7 道题,两者之间有显著的差异,$t=4.71$, $p<0.05$。类似的,在 1 小时条件下,低焦虑组的平均成绩是做对 16 道题,而高焦虑组是做对 8 道题,两者之间也有显著差异,$t=4.71$, $p<0.05$。然而,当有 2 小时准备时间时,低焦虑组的平均成绩是正确 17 道题,高焦虑组是 15 道题,两者之间没有显著差异。

根据以上多重比较的结果,我们可以得出结论,准备时间的不同对低焦虑组学生的成绩没有影响,而对高焦虑组学生的成绩有显著的影响。然而,这种显著的影响只有在高焦虑学生有 2 小时准备时才出现,而没有准备时间、1 个小时的准备时间,都不足以使高焦虑学生的成绩有显著的提高。而且,多重比较还揭示:当给予被试 1 小时或 0 小时准备时间时,高焦虑组的成绩明显低于低焦虑组;如果被试都被给予 2 小时的准备时间,则高焦虑组和低焦虑组的成绩没有显著差异。所以,只要有充分的准备时间,高焦虑学生的数学成绩与低焦虑学生的数学成绩没有显著差异。

以上的结论都是通过分析准备时间和焦虑程度之间的交互作用,并进行多重比较而得出的。从主效应的分析中,我们只能做出这样的结论,即总体来看,低焦虑组的成绩明显高于高焦虑组;准备时间为 2 小时或 1 小时组的成绩明显高于 0 小时组。而对交互作用的分析,可以使我们在更深的层次上探索准备时间和焦虑程度之间的关系,揭示出由于准备时间的不同所产生的差异只存在于高焦虑组;而对低焦虑组而言,不同的准备时间并不会影响其测验成绩;当给予充分的准备时间时,高焦虑组和低焦虑组的成绩就没有显著差异了。

双因素方差分析使我们能够对数据进行深度分析,比如,可以分析因素间的交互作用。方差分析这种优势是我们以前学习的统计方法无法比拟的,它使我们能尽可能地充分利用数据资源。

其他的方差分析

我们在这一章中所学习的方差分析,是适用于两被试间因素。在前一章中,我们详细地介绍了单因素被试间 ANOVA 和单因素被试内 ANOVA 的不同。双因素 ANOVA 也是一样:双因素被试内 ANOVA 和双因素被试间 ANOVA 的过程也有一些差别。双因素被试内 ANOVA 的计算过程较复杂,已经超出了本书的介绍范围。然而,你应该知道存在着双因素被试内 ANOVA,存在着一个被试间因素、一个被试内因素的方差分析。

至此,我们已经学习了如何运用 ANOVA 对单因素和双因素的实验数据进行分析。对三因素和四因素也可以使用方差分析。事实上,方差分析中的因素数量取决于实验设计的逻辑和研究者处理数据的耐心。方差分析的优势在于它可以让研究者设计更复杂的实验,并分析若干变量之间的交互作用,这极大地提高了心理学研究的质量。如果你对方差分析有浓厚的学习兴趣,可以查阅高级统计教材以获得更多的信息。

难点提示

1. 计算 ANOVA 是一个很繁琐的过程，它包括很多步骤，而且每一步都需要踏踏实实地做。如果你一步一步地做，小心谨慎，就可以避免很多错误。

2. 每一个平方和的计算都包括了计算离差以及这些离差的平方。就每个来源而言，在平方之前，这些离差之和应等于 0。记住这一点，你就可以检验你的离差是否正确。

3. 对于三种组间变异源（A、B、A 和 B 之间的交互作用），平方和的计算是用离差平方和乘以 n。对因素 A，是离差平方和乘以 n_Bn_S；对因素 B，是离差平方和乘以 n_An_S；对 $A\times B$ 的交互作用，是乘以 n_S。一个概括的公式就是离差平方和乘以除离差平方和所代表的变异来源外的所有 n 值。

4. 另一个确定 n 值的方法是，n 值等于要计算的那个变异源的每个水平的数据个数。因此，计算因素 A 的平方和，是离差平方和乘以 n_Bn_S，n_Bn_S 就是因素 A 每个水平的数据个数。

5. 在算平方和（SS）的时候，所有部分的平方和之和应等于总平方和。类似的，所有部分自由度加起来应等于总体自由度。总自由度等于总数减去 1。

6. 计算均方要仔细：均方等于平方和除以自由度。要注意，各部分的均方相加并不等于总的均方。事实上，总均方不需要计算。

7. 计算 F 值时，最常见的错误是 F 的分母，即误差均方用错了。对照演示步骤以选择正确的误差均方。

8. 确定 F 值是否显著时，最常见的错误是混淆了分子（组间均方）和分母（组内均方）的自由度。组内均方的自由度总是大于组间均方的自由度。所以，通常你应该在列中找较小的自由度，在行中找较大的自由度。

9. 多重比较的最好方法是通过作图比较。你想要比较哪些平均数之间存在差异，你就画出它们的条形图。图形将帮助你明白多重比较的结果为何显著或不显著，也能帮助你识别所犯的错误。

小结

- 双因素方差分析的是关于两个变量的影响和变量之间的交互作用的检验假设。每个变量都有两个或两个以上的水平。
- 当一个变量对被试成绩的影响依赖于另一个变量的不同水平时，就说明这两个变量之间有交互作用。如果一个变量的影响在另一个变量的不同水平上是相同的，就说明这两个变量间没有交互作用。
- 在双因素方差分析中，总方差被分解为四个部分：源于因素 A 的方差，源于因素 B 的方差，源于因素 A 和 B 的交互作用的方差，以及源于小组内部的随机误差。

➤方差来源于可以使单元的数据产生差异的变量。在双因素方差分析中，*A*、*B*、*A* 和 *B* 的交互作用就构成了组间方差源。

➤除了对每一个组间方差源的零假设和备择假设不同外，计算双因素 ANOVA 的步骤和计算单因素 ANOVA 是一样的。

➤双因素 ANOVA 和单因素 ANOVA 的估算大致是相同的，但双因素 ANOVA 中，平方和、自由度、均方都有四个变异来源（*A*、*B*、$A\times B$、组内），对每一个组间变异源都要计算 *F* 值。

➤如果一个因素只有两个水平，那么一个显著性的 *F* 值就说明了这两个水平之间有显著性的差异。如果一个因素的水平超过了两个，那么一个显著的 *F* 值说明至少有两个水平的平均数有差异，也许会更多。为了确定哪些水平之间有显著性差异，我们需要进行多重比较。如果 *F* 值是不显著的，就说明因素的任何两个水平间没有显著差异。

练习

概念题

1. 名词解释：

交互作用　　变异来源

主效应　　组间变异来源

单元　　组内变异来源

2. 下面列出的是两因素的平均数，每个因素有两个水平。其中有一个空格。

	A_1	A_2
B_1	200	100
B_2	300	

A. 要使因素 *A* 的 *F* 值不显著，空格内应填什么数字？

B. 要使因素 *B* 的 *F* 值不显著，空格内应填什么数字？

C. 要使因素 *A* 和 *B* 交互作用不显著，空格内应填什么数字？

3. 假设你利用 2×2 的实验设计收集了一批数据。请构造这些数据的样本平均数，以使以下列出的变异源的 *F* 值显著：

A. 只有因素 *A*

B. 只有因素 *B*

C. 因素 *A* 和因素 *B*

D. 只有交互作用

E. 因素 *A* 和交互作用

F. 因素 *B* 和交互作用

G. 所有的三种变异源

4. 一项研究探讨了失败恐惧和性别对 GPA 的影响，以下为样本的 GPA 平均数。

Ⅰ. 失败恐惧

	高	中	低
男	3.25	3.50	3.75
女	3.25	3.00	2.75

Ⅱ. 失败恐惧

	高	中	低
男	3.25	3.25	3.25
女	3.75	3.75	3.75

Ⅲ. 失败恐惧

	高	中	低
男	2.75	3.00	3.25
女	3.25	3.50	3.75

Ⅳ. 失败恐惧

	高	中	低
男	3.00	3.00	3.75
女	3.00	3.50	3.25

Ⅴ. 失败恐惧

	高	中	低
男	3.00	3.25	3.50
女	3.00	3.25	3.50

Ⅵ. 失败恐惧

	高	中	低
男	3.25	3.50	3.75
女	3.75	3.50	3.25

A. 以上的哪组数据表明，只有失败恐惧因素的 F 值可能是显著的？为什么？

B. 以上的哪组数据表明，只有性别因素的 F 值可能是显著的？为什么？

C. 以上的哪组数据表明，只有交互作用的 F 值可能是显著的？为什么？

D. 以上的哪组数据表明，失败恐惧因素和性别因素的 F 值都显著，而交互作用的 F 值不显著？为什么？

E. 以上的哪组数据表明，失败恐惧因素和交互作用的 F 值都显著，而性别因素的 F 值不显著？为什么？

F. 以上的哪组数据表明，性别因素和交互作用的 F 值都显著，而失败恐惧因素的 F 值不显著？为什么？

5. 下面列出的是方差分析表，其中有些数据缺失。请根据已经提供的数据计算缺失值。

方差来源	SS	df	MS	F
A		2		4.00
B		3		
$A \times B$	60			
组内			5.00	
总	1 330	239		

6. 下面列出的数据代表两个因素，每个因素有两个水平：

	A_1	A_2
B_1	3	7
	4	8
	5	9
	6	10
	7	11
B_2	1	5
	2	6
	3	7
	4	8
	5	9

A. 对以上数据进行双因素方差分析。

B. 把所有数据都加上 2，用这些数据再进行双因素方差分析。与 A 的结果进行分析，解释它们之间的异同。

C. 只对单元 A_2B_2 中的数据加 4，用这些数据再进行双因素方差分析。与 A 的结果进行分析，解释它们之间的异同。

D. 把每个样本的最后一个数据加 5，用这些数据再进行双因素方差分析。与 A 的结果进行分析，解释它们之间的异同。

计算题

7. 以下列出的是四个研究的单元平均数。计算每个组间因素的平方和：因素 A、因素 B、A 和 B 的交互作用。每个单元中有 10 名被试：

第一组

	A_1	A_2
B_1	9	3
B_2	3	1

第二组

	A_1	A_2	A_3
B_1	4	7	10
B_2	6	3	6

第三组

	A_1	A_2
B_1	8	4
B_2	6	8
B_3	4	0

第四组

	A_1	A_2	A_3
B_1	13	8	6
B_2	14	10	3
B_3	16	9	5
B_4	17	13	6

8. 下面列出了四组数据，它们分别是因素 A、因素 B 以及每一单元内的被试个数。根据这些数据，计算每组数据的自由度。

组	n_A	n_B	n_S
Ⅰ	2	4	7
Ⅱ	5	3	4
Ⅲ	3	6	10
Ⅳ	2	3	14

9. 根据第 8 题提供的数据，查找三个变异源分别在 0.05 和 0.01 显著性水平的 F 临界值。

10. 杰梅研究了高糖分早餐和低糖分早餐对儿童活动水平的影响。她挑选了男孩组和女孩组，分别给予他们高糖分早餐和低糖分早餐，一个半小时之后，用步程计测量他们的活动水平（测量的是儿童走的距离，单位是十分之一英里）。结果如下：

组	高糖分早餐	低糖分早餐
男	10	5
	7	4
	9	7
	6	4
	8	5
女	5	3
	4	4
	6	5
	3	1
	2	2

A. 运用演示步骤 17－2 进行双因素方差分析。

B. 对结果进行多重比较。

C. 描述 ANOVA 和多重比较结果。

11. 乔丹研究了不同的音乐类型对传统年龄和非传统年龄学生学习成绩的影响。他让两组被试听完一种类型的音乐之后，接受学业测验，以下是被试在学业测验上的成绩：

学生年龄	莫扎特	弗兰克·辛纳区	滚石
传统	21	9	29
	24	12	26
	22	10	30
	18	5	24
	20	9	26
非传统	22	14	15
	20	18	18
	25	11	20
	18	9	13
	20	13	19

A. 运用演示步骤 17－2 进行双因素方差分析。

B. 对结果进行多重比较。

C. 描述 ANOVA 和多重比较结果。

12. 杰克研究了一周内的运动量对被试减肥的影响。他先让被试保持每周运动的时间固定，根据时间将被试分成三组：低运动组、中间型、高运动组。下表列出的是被试在一个月内体重减轻的数量：

组	低运动组	中间型	高运动组
男	4	7	10
	2	5	7
	3	7	9
	4	5	8
	2	6	11
女	7	8	10
	4	10	9
	3	7	12
	6	7	11
	5	8	13

A. 运用演示步骤 17－2 进行双因素方差分析。

B. 对结果进行多重比较。

C. 描述 ANOVA 和多重比较结果。

尾注

1. 特别值得推荐的一本书是 Geoffrey Keppel 写的 *Design and Analysis: A Researcher's Handbook*（2d ed.，Englewood Cliffs，NJ：Prentice-Hall，1982）。

第十八章 卡 方

前面六章中，我们已经介绍了许多适用于顺序变量、等距变量和比率变量的假设检验。这一章中，我们主要介绍适用于称名变量的统计检验方法，这种方法所依据的统计量是**卡方**〔1〕，即 χ^2（读作“卡方”）。

卡方是一种用途广泛的统计量，它可以度量两种称名变量之间的相关程度，也可以度量一种称名变量与其他任何一种变量之间的相关程度。卡方还可以对称名变量进行统计检验。在我们介绍卡方的各种用法之前，首先需要了解如何计算卡方。

卡方的计算

列联表

调查 250 名被试，问他们最喜欢的电视节目是什么，表 18－1列出了这个调查的结果。通过表 18－1，我们看到表中包含两个变量：性别和电视节目的类型。卡方可以测量这两个变量之间的关系。像表 18－1 这样，呈现两种变量之间关系的表格，称为**列联表**〔2〕。我们在第八章中讨论 ϕ 系数时，曾经论及列联表。用于 ϕ 系数的列联表包含两行两列，而用于卡方的列联表不限于两行两列。

表 18－1 不同性别观众看四类电视节目的观测频次

性别 \ 电视节目	新闻	体育	脱口秀	戏剧
男性	37	22	43	48
女性	23	24	31	22

在用于卡方的列联表中，横标目表示变量 X 的各种水平，纵标目表示变量 Y 的各种水平。这样，列联表就包括变量

〔1〕 卡方：测量的是称名变量之间的相关或一种称名变量与其他任何一种数据变量之间的相关程度，两种变量的数据可以在列联表中分成 r 列和 c 行。

〔2〕 列联表：列联表记录两种变量不同水平的各种组合的被试频次。

X 的 r 种水平(用 r 表示行)和变量 Y 的 c 种水平(用 c 表示列)。r 和 c 都不能不小于 2,可以是任何等于或大于 2 的整数。这样的列联表也被称为"$r \times c$ 列联表"。比如,一个 3×4 列联表就应该有 3 行 4 列,表示变量 X 有 3 种水平,变量 Y 有 4 种水平。表 18－1 是一个 2×4 列联表,变量 X 表示性别,有两种水平;变量 Y 表示电视节目的类型,有 4 种水平。

本章所使用的列联表与前面章节中用的频次表有所不同。在频次表中,每一列呈现的是变量的各个水平,处于每种水平的被试人数用列来呈现。表 18－2 呈现的信息与表 18－1 中的信息是一样的,只不过表 18－2 是用频次表来呈现这些信息的。在表 18－2 中,第一列表示性别变量("男"或"女")的各个水平;第二列表示的是电视节目变量("新闻"、"体育"、"脱口秀"、"戏剧")的各个水平;最后一列表示在所有的 8 种情况下,每种情况下的参与者的人数。

表 18－2 性别与电视节目之间关系的频次表

性 别	电视节目	频 次
男性	新 闻	37
	体 育	22
	脱口秀	43
	戏 剧	48
女性	新 闻	23
	体 育	24
	脱口秀	31
	戏 剧	22

在列联表中,两个变量的不同水平分别列为横标目和纵标目。在表 18－1 中,像"新闻"、"体育"这样的纵标目就是电视节目变量的不同水平,表示对电视节目的不同偏好。像"男性"和"女性"这样的横标目则表示性别变量的不同水平。表中列出的数字表示两种变量不同水平的各种组合的参与者人数。列联表中两变量的每一个组合,称为一个**单元**[1]。比如,表 18－1 中,表示最喜欢"新闻"节目的男性可以构成一个单元,频次是 37。这表明有 37 名参与者在性别变量上为"男性",在最喜欢的节目变量上为"新闻"。

需要指出的是,一个单元中的数字代表的是变量的分类组合中的被试人数,而不

〔1〕 单元:列联表列出的数字表示两种变量不同水平的各种组合所得的被试的人数。列联表中每一个组合就是一个单元。

是任何被试的分数。在前面的探讨中，我们曾用数学测试成绩和心理学专业毕业生的收入等来表示被试的得分。但对于卡方而言，我们计算的是被试的人数，而不是他们的分数。在列联表中，每个被试只出现在一种变量类别的组合中，并且只被计算一次。

观测频次[1]和期望频次[2]

在表 18-1 中显示的数据称为观测频次。观测频次，顾名思义，就是在实验中实际观测到的频次。将这些观测频次编制成列联表，就可以开始进行下一步——编制一个期望频次表。期望频次就是假设性别和节目两变量之间的确没有任何联系的情况下，我们所预期的各种变量组合应有的频次。为了度量两种变量之间关系的强度，卡方公式就是计算观测频次与期望频次之间的差异程度。而要测量两者之间的差异程度，首先应确定这些期望频次是多少。

图 18-1 呈现了如何依据表 18-1 来编制相应的期望频次表。编制期望频次表，第一步，就是确定每一行和每一列的观测频次的总和。这些总和叫做**边缘值**[3]。图 18-1 的最后一列的边缘值说明此调查研究中男性（150 人）和女性（100 人）的总数；而在最后一行的边缘值，则表示每一类电视节目的爱好者的总数。通过以上的步骤，我们得出了各个边缘值。

第一步，就是确定每一行和每一列的观测频次的总和。

性 别	电视节目：新 闻	体 育	脱口秀	戏 剧	总
男性	37	22	43	48	150
女性	23	24	31	22	100
总	60	46	74	70	250

第二步，编制一个与观测频次表相同行、相同列的期望频次表。

性 别	电视节目：新 闻	体 育	脱口秀	戏 剧	总
男性					150
女性					100
总	60	46	74	70	250

〔1〕 观测频次：观测频次是在研究中实际观测到的被试数目或是每个单元中的分值。

〔2〕 期望频次：期望频次是性别和节目两变量之间的确没有关系的情况下，我们理论上所预期的各种变量组合应有的被试数目或是每个单元中的分值。

〔3〕 边缘值：列联表中每一行和每一列的观测频数的总和叫做边缘值。

续 图

第三步，计算每个单元的期望频次。

电视节目					
性 别	新 闻	体 育	脱口秀	戏 剧	总
男性	$\frac{(60)(150)}{250}$	$\frac{(46)(150)}{250}$	$\frac{(74)(150)}{250}$	$\frac{(70)(150)}{250}$	150
女性	$\frac{(60)(100)}{250}$	$\frac{(46)(100)}{250}$	$\frac{(74)(100)}{250}$	$\frac{(70)(100)}{250}$	100
总	60	46	74	70	250

完成的期望频次表：

电视节目					
性 别	新 闻	体 育	脱口秀	戏 剧	总
男性	36.0	27.6	44.4	42.0	150
女性	24.0	18.4	29.6	28.0	100
总	60	46	74	70	250

图 18－1 期望频次表的编制

第二步，编制另一个表，该表是与观测频次表具有相同行、相同列的期望频次表，用以记录期望频次。然后把观测频次表的行总和与列总和移到相应的期望频次表中去，这就是图 18－1 中所呈现的第二步。注意，此时尚未算出每个单元的期望频次（期望频次表的各个单元还是空的）。

第三步，计算每个单元的期望频次，用对应的每个单元的行总和乘以列总和，再除以被试的总数 n，即得到每个单元的期望频次。比如，我们想知道喜爱新闻节目的男性的期望频次是多少，就可以把男性的总和（150）与调查中最喜欢新闻节目的人数总和（60）相乘，再除以参与调查的被试总和（250），参见下面计算期望频次的公式。

$$\text{期望频次} = \frac{\text{行总和} \times \text{列总和}}{n} = \frac{150 \times 60}{250} = 36.0$$

计算所有单元的期望频次的步骤呈现在图 18－1 的第三步中。

最后计算得到的期望频次记录表格中，见图 18－1 的下部呈现的表格，注意，观测频次表与期望频次表具有相同的行总和以及相同的列总和。但是，它们在每个具体单元上的频次是不同的。

如表 18－3 所示，这些期望频次，是在性别与电视节目偏好之间毫无关系的情况下，根据公式计算得来的。表中的 250 个被试，60％是男性，40％是女性。注意在表

18－3 中，性别与节目偏好之间是没有联系的。对每一种节目来说，男性的参与者就应该占到 60%，女性的参与者应该占到 40%。

表 18－3 表 18－1 数据的期望频次

	电视节目				
性别	新闻	体育	脱口秀	戏剧	总
男性	36.0 （60 的 60%）	27.6 （46 的 60%）	44.4 （74 的 60%）	42.0 （70 的 60%）	150 （250 的 60%）
女性	24.0 （60 的 40%）	18.4 （46 的 40%）	29.6 （74 的 40%）	28.0 （70 的 40%）	100 （250 的 40%）
总	60	46	74	70	250

回忆一下，在讨论回归时，如果我们假设两个变量之间没有联系，则说明一个被试在一个变量上的得分，并不能帮助解释他在另一个变量上的得分。期望频次的列联表也是如此。知道一个人的性别，并不能帮助我们预测他（她）更喜欢哪种电视节目；另一方面，知道一个人喜欢的电视节目，也并不能帮助我们推断他（她）的性别。因此可以说，期望频次是在假定两个变量之间毫无联系的情况下而得到的理论值。

这里有一个重要的规定：为了正确有效地使用卡方，所有单元的期望频次不能小于 5。如果某一个单元的期望频次小于 5，就不能直接运用卡方公式进行计算。遇到这种情况，我们可以使用费舍精确概率检验，这种方法在高级统计学教科书中可以见到，感兴趣的同学可参考相关内容。另外还有一种变通的方法，就是合并列联表的某些单元，我们在本章的后面部分将对这种方法加以介绍。

卡方的计算

演示步骤 18－1 介绍了计算 χ^2 值的步骤，总共有四步。第一步是编制一个观测频次的列联表，在本例中，我们已经完成了。第二步，是编制相应的期望频次表，我们也完成了。接下来的步骤就是运用这些观测频次和期望频次来计算卡方值，具体步骤如图 18－2 所示。图 18－2 中的第一列数据来自表 18－1，第二列数据则来自表 18－3。

演示步骤 18－1
计算 χ^2 值

$$\chi^2 = \sum \frac{(O-E)^2}{E}$$

式中，O 表示实验中的观测频次；
E 表示假设研究的变量之间毫无关系时的期望频次。

1. 在列联表中列出观测频次，并计算行总和与列总和。
2. 编制期望频次表：
   A. 画一张与观测频次表有相同行和列的空表，并填上相应的行总和与列总和。
   B. 对表中的每个单元，用相应的行总和乘以相应的列总和，再将计算得到的结果除以被试的总数 n，即得到每个单元的期望频次。

$$期望频次 = \frac{行总和 \times 列总和}{n}$$

3. 对于观测频次表中的每一个单元，进行以下步骤：
   A. 用观测频次减去相应的期望频次。
   B. 把 A 步骤中得到的结果求平方。
   C. 再把 B 步骤中得到的结果除以步骤 A 中使用的期望频次。
4. 把所有单元格第 3 步骤计算得到结果相加，就计算得出卡方值。

下一步就是用每一单元中的观测频次减去相应的期望频次。卡方度量的就是每个观测频次与相应期望频次的差异。如果性别与节目偏好之间联系越紧密，则表明较多的男性喜欢某一类电视节目，而较多的女性更喜欢其他类别的电视节目，即观测频次与相应期望频次的差异越大。如果两个变量之间没有任何联系，那么，每个观测频次就应该与相应的期望频次相同，这时卡方值就为零。两个变量之间联系越紧密，观测频次与相应期望频次的差异就越大，这时卡方值就越大。

观测频次与相应期望频次的偏差总和为零。事实上，这个指标可以检查计算是否正确。由于偏差总和总是为零，因此它就不能用来说明变量之间的关系。为解决这个问题，我们把计算得到的偏差平方。在图 18 - 2 中，这些偏差的平方值列在第四列。

最后一步，先用每个偏差的平方除以与之相应的期望频次。比如，在第一行中，偏差平方 1.00 除以其相应的期望频次 36.0，结果是 0.03；然后再把所有得到的结果加起来，其总和就是卡方值，如图 18 - 2 所示，$\chi^2 = 5.17$。

卡方值可以是从 0 到 $n(L-1)$ 中的任何值，其中 n 是被试的总数，L 是列联表中行数和列数中较小的那个。因此，卡方的最大值取决于列联表的大小和表中被试的总数。如果观测频次与期望频次相同，则卡方值为零，这表明变量 X 与变量 Y 之间毫无关系；如果观测频次与期望频次之间的差异程度越大，卡方值也就越大，变量 X 与变量 Y 之间的联系也就越紧密。

观测 (*O*)	期望 (*E*)	*O* − *E*	$(O-E)^2$	$\frac{(O-E)^2}{E}$
37	36.0	1.0	1.00	0.03
22	27.6	−5.6	31.36	1.14
43	44.4	−1.4	1.96	0.04
48	42.0	6.0	36.00	0.86
23	24.0	−1.0	1.00	0.04
24	18.4	5.6	31.36	1.70
31	29.6	1.4	1.96	0.07
+ 22	+ 28.0	−6.0	36.00	+ 1.29
250	250.0			$\chi^2 = 5.17$

图 18－2 计算表 18－1 中观测频次的卡方值

运用卡方测量两变量之间的相关

在第八章中，我们已经讨论过三种类型的相关：皮尔逊积差相关 r，斯皮尔曼相关 r_s 和 ϕ 相关。这三种不同类型的相关系数的取值都在－1.00 和＋1.00 之间。由于卡方值可以大于 1，因此它不是一种相关系数。因此，我们就不能像第八章解释相关系数那样解释卡方值。但是，我们可以采用一种方法把卡方值转化成与之对应的相关系数，这种相关系数就叫做 ϕ' 系数。

ϕ' 系数[1] (Cramer 统计量)

演示步骤 18－2 呈现了将 χ^2 值转换成 ϕ' 系数的方法。ϕ' 系数也叫做克拉墨统计量。我们使用演示步骤 18－2 的方法，把前面性别与节目偏好研究中算出的卡方值 $\chi^2=5.17$，转换成一个相关系数。第一步是确立 L 值，它表示列联表中的行数和列数中较小的那个。在表 18－1 中，列数 c 为 4，而行数 r 为 2，较小的显然是 2，所以 $L=2$。表 18－1 中的被试总数 n 为 250。有了这些数据，我们就可以把 χ^2 值转换成 ϕ' 系数，参见下面的计算。

$$\phi' = \sqrt{\frac{\chi^2}{n(L-1)}} = \sqrt{\frac{5.17}{250(2-1)}} = \sqrt{\frac{5.17}{250(1)}}$$

$$= \sqrt{\frac{5.17}{250}} = \sqrt{0.021} = 0.14$$

〔1〕 ϕ' 系数：ϕ' 系数是测量两变量的相关程度或关联程度的统计量。

演示步骤 18－2

计算 ϕ' 值(Cramer 统计量)

$$\phi' = \sqrt{\frac{\chi^2}{n(L-1)}}$$

式中，χ^2 表示从一个列联表计算得出的卡方值

n 表示被试的总数

L 表示列联表中 r(行的个数)、c(列的个数)中的较小的一个

1. 计算列联表中的行数和列数，较小的为 L，并用 L 减去 1。
2. 把第 1 步的结果与列联表中被试总数 n 相乘。
3. 用 χ^2 除以第 2 步的结果。
4. 将第 3 步中的结果开平方，即可求出 ϕ' 值。

经过上面的转换，我们可以知道，表 18－1 中性别与电视节目偏好之间的相关系数是 0.14。这表明两变量之间存在一定相关，但相关程度并不是很大。

ϕ' 值的取值范围是从 0 到 1.00。注意，因为 χ^2 总是一个正数，所以 ϕ' 也总为正数。因此，我们永远也看不到负的 ϕ' 值。如果在我们检验的两个变量之间没有联系，则 ϕ' 值为 0。当两变量之间完全相关时，ϕ' 值为 1.00。注意，只有当行数和列数相等的情况下，ϕ' 值才有可能达到 1.00。要知道为什么是这样，一定要了解称名变量之间完全相关是怎么回事。

χ^2 和 ϕ' 度量变量间关系的强度

图 18－3 中的 5 个列联表列出了关于阅读效果的一项假想的研究结果。在这个假想的研究中，探讨了学生阅读指定章节与通过一个知识测验之间的联系。每个班中有 100 名学生。图 18－3 呈现了每个班中的 χ^2 值和 ϕ' 值。

A 班的数据代表了一种完全的正相关关系，$\phi' = +1.00$。对 A 班来说，$\chi^2 = 100$，与学生的总数 n 相同。这就是说，A 班中所有阅读了指定文章的学生，都通过了知识测验；没有阅读的同学，都没有通过测验。如果我们知道 A 班中的一个学生是否阅读过指定文章，就能准确地预测他是否能通过测验。这就是完全相关的本质。

当两变量不是完全相关时，χ^2 值小于 n。如，在 B 班中，不是所有的阅读过该指定文章的学生都能通过知识测验，也不是所有没能通过测验的学生都没有阅读过指定文章。在预测 B 班读过文章的学生能否能通过知识测验时，我们只有 80％的把握。这种关系也是一种相关，但不是完全相关。B 班的 ϕ' 值是 0.60，χ^2 值是 36。

A班：阅读文章？

通过测试？	是	否
是	50	0
否	0	50

$\phi' = 1.00$，$\chi^2 = 100.00$

B班：阅读文章？

通过测试？	是	否
是	40	10
否	10	40

$\phi' = 0.60$，$\chi^2 = 36.00$

C班：阅读文章？

通过测试？	是	否
是	30	20
否	20	30

$\phi' = 0.20$，$\chi^2 = 4.00$

D班：阅读文章？

通过测试？	是	否
是	35	25
否	25	25

$\phi' = 0.00$，$\chi^2 = 0.00$

E班：阅读文章？

通过测试？	是	否
是	0	50
否	50	0

$\phi' = 1.00$，$\chi^2 = 100.00$

图 18－3 阅读指定文章与通过知识测验之间关系强度的 χ^2 值和 ϕ'值的示例

在C班中，这两个变量的关系则更弱。读过指定文章的学生中，通过测试的仅仅比没有通过的稍微多一些；没有通过的学生中，没读文章的比读过文章的也只是稍微多一些。如果因此预测：在C班中，通过测验的学生读过文章，没有通过的没有读过文章，我们只有60%的把握。这意味着，这种预测的准确性比仅凭猜测只高出10%。C班中，χ^2 值是4，ϕ'值是0.20。

在D班中，阅读文章与通过测验之间没有任何关系。在读过文章的学生中，没有通过的和通过的一样多；在没有通过的学生中，读过文章的和没有读过文章的也各占一半。如果我们因此预测：读过文章的学生都通过测验，而没读过文章的学生都没通过测验，其正确的可能性只有50%，与完全凭猜测相同。D班中的 χ^2 和 ϕ'均为0。

最后，注意E班也是完全相关，但是与A班的相关完全相反。E班所有通过测验的学生都没有读过指定的文章，而所有未通过的学生均读过指定的文章。如果将A班读文章与通过测验的关系称为完全正相关，那么在E班中，这两个变量间的相关则为完全负相关。然而，E班的ϕ'为1.00，χ^2 为100，与A班的值相同。不管是 χ^2 值还是ϕ'值，正相关和对应的负相关的值都是一样的。

通过上面的例子可以看出，总的来说，相关程度高则 χ^2 值就大；相关程度低则 χ^2

值就小。最小的 χ^2 值和 ϕ' 值都是 0,此时表明研究的两个变量之间没有任何联系。在 2×2 表中,χ^2 的最大值就是 n,即被试的总数;ϕ' 的最大值是 1.00,说明变量之间是完全相关的:要么是完全正相关,要么是完全负相关。

我们在前面提到过,χ^2 和 ϕ' 表示的完全相关,只有在列联表的行数和列数相等的情况下才可能出现。而对于表 18-1,只有当所有的男性都偏好一种电视节目,而所有的女性都偏好另一种节目时,这两个变量才是完全相关的。表 18-1 中的两个变量不是完全相关,因此不能精确预测男性或女性更喜欢哪一种电视节目。

一般而言,要做出精确的预测,需要每一行和每一列中所有的频次都集中在某一个单元中,而其余单元的频次为零。这种情况只有行数和列数相等时才可能出现。图 18-4 还列举了几种大小不同的列联表,但反映的都是完全相关的例子。对于每个列联表而言,被试的总数 n 都是 120:2×2 表的 χ^2 值等于 n,即 $\chi^2=n=120$;3×3 表的 χ^2 值等于 $2n$,即 $\chi^2=2n=240$;4×4 表的 χ^2 值等于 $3n$,即 $\chi^2=3n=360$。所以说,χ^2 的最大值取决于被试总数和列联表的大小。综上所述,最大的 χ^2 值是 $n(L-1)$,其中的 L 是行数和列数中较小的那个。不管 χ^2 值如何随列联表大小的变化而变化,图 18-4 中几个表的 ϕ' 值都是 1。因此 ϕ' 值的大小并不取决于列联表的大小。

年级	通过	未通过
四年级	60	0
三年级	0	60

$\chi^2=120$, $\phi'=1.00$

年级	优秀	通过	未通过
四年级	40	0	0
三年级	0	40	0
二年级	0	0	40

$\chi^2=240$, $\phi'=1.00$

年 级	A	B	C	D
四年级	30	0	0	0
三年级	0	30	0	0
二年级	0	0	30	0
一年级	0	0	0	30

$\chi^2=360$, $\phi'=1.00$

图 18-4 χ^2 值和 ϕ' 值表示的完全相关关系的例子

列联表的合并

如果列联表的行数和列数不相等,则 ϕ' 值就达不到 1.00。如果要计算两个称名变量之间的相关系数,并且要使相关系数在 0 到 1.00 之间,以便于与其他相关系数作比较,我们就可以合并某些单元,使列联表的行数和列数相等。合并单元也是处理期望频次小于5的单元的一种方法。

表18-4就是合并列联表的一个例子:通过合并列的方式,把2×4的表(表18-1)转换为一个2×2的表(表18-4)。在表18-4中,我们把新闻、体育和脱口秀三类电视节目合并为一类,并命名为"其他"。对于合并的列联表而言,$\chi^2 = 2.98$,$\phi' = 0.11$,表明性别与戏剧节目偏好之间存在较弱的相关。我们也可以重复这种过程,合并或分离其他节目类型。

表18-4 观测频次表的合并

	电视节目		
性别	戏剧	其他	总
男性	48	102	150
女性	22	78	100
总	70	180	250

卡方显著性的检验

把卡方值转化为一种相关统计量后,我们也可以计算变量X和变量Y相关的显著性水平。这种计算过程与皮尔逊相关系数r和斯皮尔曼相关系数r_S的显著性检验是相似的。在下一节中,我们将在不同的统计检验中考察χ^2的显著性。在这里我们先看看如何确定χ^2的显著性水平。

首先,我们假定表18-1呈现的频次代表一个250人的总体。这样,就可以确定在这个总体中,性别和电视节目偏好之间的联系。$\chi^2 = 5.17$,$\phi' = 0.14$则是这种联系的直接体现。如果表18-1代表整个总体,那么尽管相关程度很低,总体也很小,我们还是可以确定:总体中性别和电视节目偏好之间存在相关。

现在假定,表18-1并不代表整个总体,而是一个从更大总体中抽取的样本。此时,我们知道了在这个样本中,两变量的ϕ'值为0.14,我们能否就此认为在相应的总体中,性别和电视节目偏好之间存在相关?从本质上说,我们是在进行一个假设检验,这个假设检验是关于总体中这两个变量间关系的。零假设认为在总体中,这两个变量之间没有联系;而备择假设认为在总体中,这两个变量之间存在联系。用术语表达就是:

H_0:对于X的每个值,Y值频次分布是相同的。

H_1:对于X的每个值,Y值频次分布是不同的。

附录A-7附有在不同显著性水平α上χ^2的临界值。卡方检验中的自由度是行数、列数各减去1后的乘积。对表18-1而言,有2行、4列,所以自由度为:

$$df = (行数 - 1)(列数 - 1) = (2 - 1)(4 - 1) = 3$$

附录 A－7 中呈现了 $\alpha = 0.05$、$df = 3$ 时，χ^2 的临界值是 7.82。

一般而言，如果我们用列联表中的原始数据，计算出来的卡方值等于或大于临界值，我们就拒绝零假设，并得出推论：样本所在的总体中，两个变量存在相关。另一方面，如果计算出来的卡方值小于临界值，我们就不能拒绝零假设，也就没有足够的证据去推论：样本所在的总体中，性别和电视节目偏好之间存在相关。

用列联表 18－1 中呈现的原始数据计算出来的卡方值 $\chi^2 = 5.17$。从附录 A－7 中，我们查到 $\alpha = 0.05$ 时 χ^2 的临界值是 7.82。由于我们从列联表计算出来的卡方值小于临界 χ^2 值，因而，我们就不能拒绝零假设，所以没有足够的证据去推论样本所在的总体中，性别和电视节目偏好之间存在相关。

变量间关系的卡方检验

进行变量间关系的卡方检验

我们前面介绍的关于性别与电视节目之间关系的例子，是对两个变量之间关联强度的一种检验。关联强度是两个变量之间相关程度的另一种说法。在前几章中，我们讨论了使用皮尔逊积差相关系数，对两等距、比率变量之间相关程度进行检验；还讨论了使用斯皮尔曼等级相关系数，对顺序变量之间的相关程度进行检验。同样，我们也可以使用 χ^2，对称名变量间的相关程度进行检验，其一般程序呈现在演示步骤 18－3 之中。

演示步骤 18－3

χ^2 的假设检验

1. 确定下列假设是否得到满足：
   A. 被试是随机且独立抽取的。
   B. 每个被试只在一个类别中出现一次。
   C. 列联表中每个单元的期望频次至少是 5。如果只有两行、两列，那么每个单元的期望频次至少是 10。
2. 写出零假设和备择假设。对于卡方检验，只有一种形式的零假设和备择假设：
   H_0：对于 X 的每个值，Y 值频次分布是相同的。
   H_1：对于 X 的每个值，Y 值频次分布是不同的。
3. 确定显著性水平 α。
4. 计算自由度。卡方检验中的自由度是行数、列数各减去 1 后的乘积：

$$df = (行数 - 1)(列数 - 1)$$

   查阅附录 A－7，找到临界值。

5. 绘制一个抽样分布图，标明其拒绝域。卡方的拒绝域总是在分布的右端尾部。
6. 用下面公式计算卡方统计量。演示步骤 18－1 对这个公式有具体说明。

$$\chi^2 = \sum \frac{(O-E)^2}{E}$$

7. 确定是否拒绝零假设：
   A. 如果第 6 步中，计算所得的卡方值落在拒绝域，$p \leqslant \alpha$，则拒绝零假设。
   B. 如果第 6 步中，计算所得的卡方值未落在拒绝域，$p > \alpha$，则不拒绝零假设。

图 18－5 是关于主修商贸、自然科学、社会科学、教育学和人文科学五种不同学科的男生和女生人数的频次表。在许多大学中，男生更喜欢一些学科，而女生则更喜欢另外一些学科。下面，我们就用图 18－5 中的数据，来检验性别和学科偏好之间是否有联系。

A. 观测频次

性别	商贸	自然科学	社会科学	教育学	人文科学
男性	64	40	34	32	30
女性	32	24	46	56	42

B. 计算 χ^2 值的步骤

观测(*O*)	期望(*E*)	*O*−*E*	$(O-E)^2$	$\frac{(O-E)^2}{E}$
64	48	16	256	5.33
40	32	8	64	2.00
34	40	−6	36	0.90
32	44	−12	144	3.27
30	36	−6	36	1.00
32	48	−16	256	5.33
24	32	−8	64	2.00
46	40	6	36	0.90
56	44	12	144	3.27
+42	+36	6	36	+1.00
400	400			χ^2 = 25.00

图 18－5 男女生所学不同学科的卡方值计算

第一步，确定卡方检验的前提条件是否得到满足。演示步骤 18－3 列出了卡方检验的几个条件。首先,被试是随机且独立抽取的。也就是说,总体中的每个成员都有相同的机会被选取,选择一个被试不会影响到其他人被选取的概率。

其次,每个被试只能被计算一次。一个被试如果已经在一个类别中出现一次,则不可能在其他类别中再出现,也就不能在其他类别中再计算一次。在表 18-1 中,一个被试,无论是男性还是女性,都只在一个节目类别中被记录。检验每个被试是否只被记录一次的方法,就是看观测频次的总和与被试总数 n 是否相等。

最后,列联表中每个单元的期望频次至少是 5。图 18-5 中的最小期望频次是 32,满足卡方检验的条件。

第二步,写出零假设和备择假设。在第十二章中,我们已经知道,假设检验是用来推断总体中变量间是否存在联系的一种方法。本例中,备择假设认为,在大学生总体中,性别和学科偏好之间存在相关,零假设则认为两者之间不存在相关。

我们可以绘制一个不同性别大学生所选专业的相对频次分布表,如图 18-6,这能反映实际观测的大学生样本中,学生所选专业的情况。这里要注意,男生和女生的相应分布状况是有差异的。较多的男生学习商贸和自然科学,而较多的女生选择了社会科学、教育学和人文科学。进行卡方检验的目的,就是判断这些差异是否达到显著性水平。

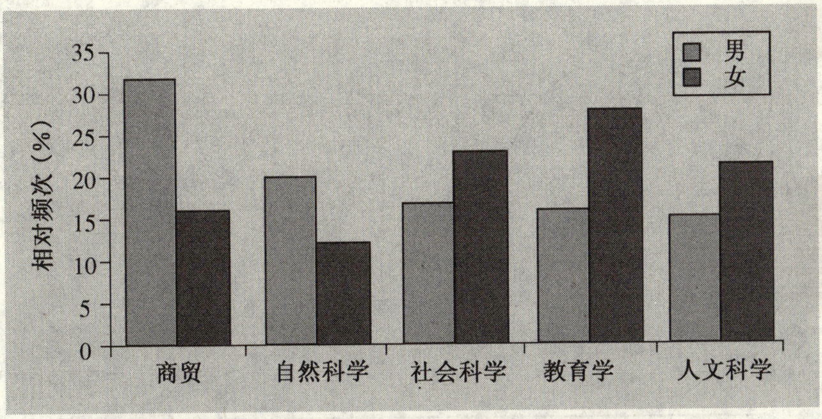

图 18-6 不同性别大学生所学学科的观测频次分布

我们知道,期望频次是我们在假定两变量之间毫无联系时,所得到的被试频次。因此,如果零假设为真的话,这些观测频次也就是期望频次。如果性别和学科偏好之间没有关系,那么男生的相对频次分布和女生的相对频次分布应该是一样的。

本研究的零假设预测:男性和女性在所选学科的相对频次分布上是相同的。备择假设则预测:男性和女性在所选学科的相对频次分布上是不同的。

H_0：男性和女性在所选学科的相对频次分布上是相同的。

H_1：男性和女性在所选学科的相对频次分布上是不同的。

因为零假设和备择假设都是做相对频次的推断，而不仅仅是对实际样本频次做判断，因此这里的假设检验不受男性和女性总数差异的影响。与之相关的不是男性和女性在每种专业上的**人数**的差别，而是**比例**（也就是相对频次）的差别。

第三步，确定显著性水平 α。我们使用 0.05 的显著性水平。注意，卡方检验总是单向检验。

第四步，确定统计量卡方值的临界值。附录 A－7 中附有不同显著性水平下卡方的临界值。回忆一下，卡方检验的自由度是行数、列数各减去 1 后的乘积。在本例中，列联表中有 2 行、5 列，则自由度为：

$$df = (r-1)(c-1) = (2-1)(5-1) = 4$$

查附录 A－7，当 $\alpha = 0.05$，$df = 4$ 时，$\chi^2 = 9.49$。要拒绝零假设，样本 χ^2 值必须大于或等于 9.49。

第五步，在抽样分布图中标出拒绝域。我们可以绘制一个像图 18－7 那样的抽样分布图。卡方分布的形状与正态分布不同，它是呈正偏态。由于卡方没有负值，所以，拒绝域总是落在分布的右端尾部。

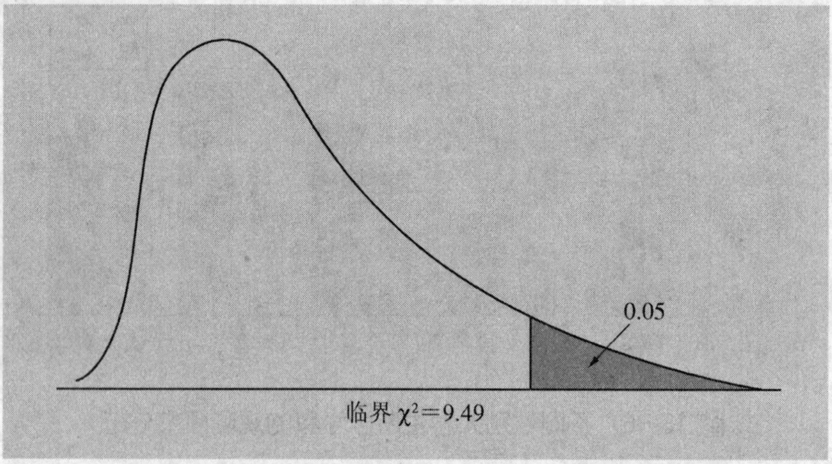

图 18－7 当 $\alpha = 0.05$，$df = 4$ 时，卡方的抽样分布图

如果用样本数据计算得到的卡方值等于或大于 9.49，我们就可以拒绝零假设。卡方值的计算见图 18－5。在本例中，最后计算得到的卡方值为 25.00，落在拒绝域内。因此，我们就可以拒绝零假设。所以我们有足够的证据支持这样的结论：大学生的性别与其所选专业之间显著相关，男生和女生倾向于选择不同的学科。

独立性检验

在有些统计学教材中，卡方的相关性检验也叫独立性检验。如果两变量之间存在相关，那么被试在一个变量上的取值，就依赖于其在另一变量上的取值情况。在这种情况下，两个变量不是相互独立的。而当变量之间毫无关系时，那么这两个变量就是相互独立的。因此，两变量的相关性检验也是在检验两变量是不是相互独立的。

举个例子，假设你认为杰瑟洛，一名作为实验指导员的研究生，他给女生的评分高于给男生的。为了检验你这种看法的正确性，我们选择了两组学生样本，一组男生，一组女生，他们在杰瑟洛课上的得分情况如图 18－8 所示。我们认为在这个例子中，性别和分数是相互独立的。如果这两个变量是独立的，那么男生得分的分布和女生的得分的分布就应该非常相似。如果两个得分分布差异很大，就意味着性别和得分不是独立的。我们可以按照演示步骤 18－3 中呈现卡方检验的一般步骤，来检验学生得分与性别是否独立。

A. 观测频次

	分数				
性别	**A**	**B**	**C**	**D**	**F**
男性	10	20	40	20	10
女性	20	40	30	10	0

B. 计算 X^2 值的步骤

观测(O)	期望(E)	$O-E$	$(O-E)^2$	$\frac{(O-E)^2}{E}$
10	15	−5	25	1.67
20	30	−10	100	3.33
40	35	5	25	0.71
20	15	5	25	1.67
10	5	5	25	5.00
20	15	5	25	1.67
40	30	10	100	3.33
30	35	−5	25	0.71
10	15	−5	25	1.67
+0	+5	−5	25	+5.00
200	200			X^2 = 24.76

图 18－8 计算不同成绩年级男女生的频次分布的卡方值

第一步，确定卡方检验的前提条件是否得到满足。运用卡方检验要求被试是随机且独立抽取出来的，一个被试在一个类别中只出现和计算一次。另外，列联表中每个单元的期望频次不小于 5。杰瑟洛的例子满足上述条件。

第二步，写出零假设和备择假设。零假设认为男生和女生在杰瑟洛课上得分的相对频次是相同的。备择假设则认为男生和女生得分的相对频次是不同的。

第三步，确定显著性水平 α。按照心理学研究的惯例，我们选择 $\alpha=0.05$ 的显著性水平。

第四步，确定卡方的临界值。χ^2 检验的自由度是行数、列数各减去 1 后的乘积：$(r-1)(c-1)$，这里 c 是列联表中的列数，r 是列联表中的行数。图 18－8 呈现的列联表有 5 列 2 行，则自由度是：$(5-1)(2-1)=4$。查附录 A－7，当 $\alpha=0.05$，$df=4$ 时，卡方临界值是 9.49。

第五步，在抽样分布图中标出拒绝域。图 18－7 呈现了 $\alpha=0.05$，$df=4$ 时，χ^2 的抽样分布。

第六步，从样本中的数据计算卡方值。计算 χ^2 的方法呈现在演示步骤 18－1 中，计算本例的步骤呈现在图 18－8 中。最后算得卡方值是 24.76。

第七步，确定是否拒绝零假设。最后算出来卡方值等于 24.76，落在图 18－7 的拒绝域内。因此，我们就作这样的结论：在杰瑟洛课上，男生的得分与女生的得分有显著差异。具体得分的分布情况如图 18－9 所示，从图中我们可以看到：杰瑟洛倾向于给女生更高的分数，女生得分的分布高于男生得分的分布。对杰瑟洛而言，给学生的分数和性别不是独立的。

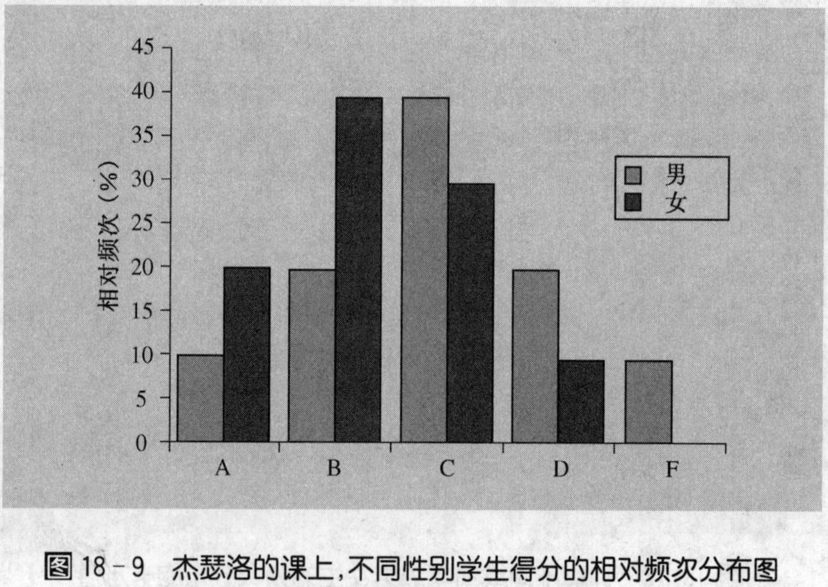

图 18－9 杰瑟洛的课上，不同性别学生得分的相对频次分布图

在这个例子中，我们可以拒绝零假设，并作出推论：在杰瑟洛课上，性别与得分不是独立的。值得注意的是，尽管卡方检验有时被叫做独立性检验，实际上它检验的是两变量间的关联程度。通过卡方检验，我们试图说明两个变量**不是**独立的。零假设认为各变量是独立的，而备择假设认为变量间不是独立的。在假设检验中，我们总是试图排除或拒绝零假设，以支持备择假设。

如果卡方值没有大到足以拒绝零假设，并不意味着我们就证明了两个变量就是独立的。这个地方比较难懂，所以要反复重申。如果我们不能拒绝零假设，则我们什么都没有证明。对于零假设和备择假设这两个可能的假设来说，如果我们拒绝零假设失败，我们没有证据证明哪个假设是正确的，最多我们可以说：没有足够证据说明两变量是相互联系的。

在统计学中，最为棘手的问题是：尽管许多统计检验事先假设变量是独立的，但是实际上不可能证明两变量是独立的。如果研究者要想知道他们研究的变量是否满足独立性的假设，就可以用卡方检验来判断。在卡方检验中，如果卡方显著，则说明变量间是有联系的，如果进行的检验对变量有独立性的要求，则不能进行该检验。如果卡方不显著，则研究者可以认为：没有足够的证据证明变量间是相互联系的。这样，研究者就可以在缺乏证据的基础上假定变量间是独立的，就可以继续进行对变量有独立性要求的统计检验。研究者不能证明变量间是独立的，他们只是未能证明变量间存在联系，于是假定变量间是独立的。

拟合优度的卡方检验

拟合优度检验

卡方的另一种用法是，检验一个实际的频次分布与理论预测的分布之间的差异。在统计学术语中，这种检验被称为**拟合优度**[1]检验或配合度检验，即检验观测频次分布与理论预测频次分布之间的差异程度。如，在州立大学里，10%的学生是非洲裔，5%是亚裔，8%是美国土著，7%是西班牙裔，60%是北欧裔，10%是其他民族。约翰娜认为其他较少数民族的学生（即非北欧裔学生）学习社会科学的比例，比他们在整个学校中人数的比例要高。为了检验这个假设，约翰娜记录了学习社会科学的学生中，少数民族学生的人数和非少数民族学生的人数，如图 18-10 所示。

我们可以用 χ^2 拟合优度检验来验证约翰娜的假设。拟合优度检验是以期望值为基础的，这与独立性检验有所不同。在独立性检验中，期望值是假设我们研究的变量没有联系时，我们所得到的频次；而在约翰娜拟合优度检验的例子中，我们假设社会科

〔1〕 拟合优度：拟合优度用来检验观测频数分布与期望频数分布之间的一致性程度。

	是否为少数民族		
	少数民族	非少数民族	总
观测频次	216	264	480
期望频次	40%	60%	100%

计算 χ^2 值的步骤

观测(*O*)	期望(*E*)	*O*—*E*	$(O-E)^2$	$\frac{(O-E)^2}{E}$
216	192	24	576	3.00
+264	+288	−24	576	+2.00
480	480			$\chi^2=5.00$

图 18-10 比较少数民族学生与非少数民族学生选择社会科学专业的比例的 χ^2 检验

学专业中，当少数民族学生的比例与全校学生总体中少数民族的比例一样时，期望值就是相应的社会科学专业中少数民族学生和非少数民族学生的频次。把州立大学的所有学生看做一个整体，则 40%是少数民族学生，60%是非少数民族学生。总共有 480 名学生选择了社会科学专业。如果在这些人当中，少数民族的学生和非少数民族学生的比例与整个大学中的比例一样，我们得到期望频次：即少数民族学生选择社会科学的期望频次是 480 的 40%，即 192；非少数民族学生则是 480 的 60%，即 288。这些就是我们将在拟合优度检验中用到的期望值。

第一步，确定卡方检验的前提条件是否得到满足。运用卡方检验要求被试是随机且独立抽取出来的，一个被试在一个类别中只出现和计算一次。另外，列联表中每个单元的期望频次不小于 5。对约翰娜的例子来说，满足上述条件。

第二步，写出零假设和备择假设。零假设认为在社会科学专业中，少数民族学生与非少数民族学生相对频次分布，与整个学校中两类群体的相对频次分布是相同的。备择假设则认为在社会科学专业中，少数民族学生与非少数民族学生相对频次分布，与整个学校中的相对频次分布是不相同的。

第三步，确定显著性水平 α。按照心理学研究的惯例，我们选择 $\alpha=0.05$ 的显著性水平。

第四步，确定卡方的临界值。尽管列联表 18-10 有两行，实际上只有一行观测频次，即在社会科学专业中，少数民族学生与非少数民族学生的频次。第二行则是整个大学中二者相应的比例，它是基于期望值而得出的。因此，这个观测频次表实际上只有一行、两列。当行数仅为 1 时，χ^2 的自由度为 $c-1$，c 表示列数。则图 18-8 呈现的列联表，其自由度为(2—1)，即 1。查附录 A-7，当 $\alpha = 0.05$，$df = 1$ 时，卡方临界值为 3.84。

第五步，在抽样分布图中标出拒绝域。当 $\alpha = 0.05$，$df = 1$ 时，抽样分布图和图 18-7 类似，只不过临界值是 3.84。

第六步，从样本中的数据计算卡方值。计算 χ^2 的方法呈现在演示步骤 18-1 中，计算本例 χ^2 的步骤呈现在图 18-10 中。最后算得卡方值是 5.00。

第七步，确定是否拒绝零假设。卡方值等于 5.00，落在图 18-7 的拒绝域，因此，我们就可以做出结论：在社会科学专业中，少数民族学生的比例，显著高于少数民族学生在整个学校中的比例。

两种卡方检验方法的比较

我们已经讨论了使用卡方的两种假设检验：相关性检验(有时也叫做独立性检验)和拟合优度检验。两种检验有密切联系，比如，进行独立性检验和拟合优度检验的过程中，都使用相同的步骤和公式计算 χ^2 值。从这两方面说，这两种检验是相同的。

但独立性检验和拟合优度检验之间也有很多不同的地方。一方面，独立性检验涉及到两个变量，而拟合优度检验只涉及一个变量，我们可以从前面的例子中看到这一点。另一方面，独立性检验主要是检验观测频次，与假设研究的变量之间没有联系时，得到的期望频次之间的差异；而拟合优度检验则注重考察研究中的观测频次分布，与依据某一理论预测的频次分布之间的差异。

两种卡方检验都检验变量间联系的强度。在独立性检验中，研究者希望在两变量之间找到某种联系；而在拟合优度检验中，研究者则尽力找到经验分布和某种理论预测的分布之间的联系。因此，两者之间最根本的区别在于研究者怎样提出问题，而不是如何进行假设检验。

难点提示

1. 有时学生在计算 χ^2 值的过程中，不知道如何确定期望频次。仔细参照图 18-1，记住期望频次表的行数、列数的总和，与观测频次表的行数、列数的总和是一样的。

2. 卡方值的计算公式与前面所学的统计量的计算公式有所不同。它的总和代表的是公式计算过程中的最后一步，因此，在求出总和的时候，所有的计算也就完成了。

3. 计算卡方值的过程中要注意，是由每个观测频次得出相应的期望频次；在列联表中，每个单元中不能都用相同的期望频次，除非所有的期望频次实际上都相等。

4. 卡方值的取值范围是从 0 到 n，如果计算中得出的卡方值大于 n 或是个负数，则表明计算中有错误。

5. 记住：卡方检验的自由度不像其他检验那样依据于被试的数目，而是依据于列联表中的单元数。自由度等于列数、行数各减去1所得的差的乘积。

小结

- 卡方是对两称名变量之间关系的测量。它也可以用于由顺序变量、等距变量或比例变量转换成的称名变量的测量。
- 计算卡方值的数据一般呈现在列联表中,其中一个变量的数据在行标目中,另一变量在列标目中。列联表中的各个单元记录的是两个变量各种组合的频次。
- 卡方的公式是基于每个单元中两个变量的观测频次与期望频次之间的差异。观测频次是每个组合中实际观测到的被试的个数,期望频次则是当两变量毫无关系时,对应于每个观测频次的期望被试个数。
- 卡方值可以转换成一种相关系数,即 ϕ' 系数。ϕ' 系数的取值范围是从0到1。当它为0时,表示不相关;为1时,则表示完全相关。
- 卡方的相关性检验是检验两变量之间的关系和联系的程度。
- 相关性检验有时也叫做独立性检验,因为它能验证研究中的两变量是相互独立的还是相互关联的。
- 卡方的拟合优度检验是测量一个样本的频次分布与依据于某一理论的频次分布之间的一致性程度。

练习

概念题

1. 名词解释:

卡方(χ^2)	ϕ' 系数
列联表	边缘值
单元	独立性检验
观测频次	拟合优度
期望频次	

2. 州立大学心理系的学生打算检验他们的教师的评定是否存在性别歧视。他们调查了很多同学,并记录下老师给他们的评定,如下表:

教授1	A	B	C	D	E
女	16	20	14	0	0
男	0	0	14	20	16
教授2	A	B	C	D	E
女	12	15	14	5	4
男	4	5	14	15	12

教授3	A	B	C	D	E
女	8	10	14	10	8
男	8	10	14	10	8

教授4	A	B	C	D	E
女	4	5	14	15	12
男	12	15	14	5	4

教授5	A	B	C	D	E
女	0	0	14	20	16
男	16	20	14	0	0

A. 哪种情况下的评定偏向于女生？为什么？

B. 哪种情况下的评定偏向于男生？为什么？

C. 哪种情况下的评定没有偏向？为什么？

D. 哪种情况下的评定偏向最大？为什么？

3. 用卡方分析第2题中的每组数据，并把卡方值转化为ϕ'系数。

A. 哪组中的卡方值最大？说明什么？

B. 哪组中的卡方值最小？说明什么？

4. 假设有一组90名男性、60名女性组成的150人的样本。50名是民主党人，100名是共和党人。

A. 编制一个2×2表(性别与党派毫无关系)。

B. 编制一个2×2表(性别与党派完全相关)。

C. 计算每个2×2表的卡方值和ϕ'系数，分析所得结果说明了什么。

5. 比较皮尔逊相关系数检验与卡方的相关性检验的关系，它们的前提假设是什么？各自适用于什么数据？如果没有满足前提假设，会产生什么结果？

计算题

6. 查出下列卡方检验的临界值：

A. $r = 3, c = 4, \alpha = 0.05$　　B. $r = 1, c = 2, \alpha = 0.01$

C. $r = 5, c = 2, \alpha = 0.05$　　D. $r = 6, c = 3, \alpha = 0.01$

7. 一般而言，大家都认为观看暴力电视节目的儿童比没有观看的儿童更具攻击性。杰克逊观察了一组儿童，并记下他们在操场上的行为以及他们看暴力节目的情况，结果如下表。请进行卡方检验，验证大家的看法是否合理(α=0.05)。

	攻击性	
看暴力节目？	是	否
是	41	9
否	17	33

8. 很多教授认为，那些宽松的评分者比严格的评分者更容易得到学生的积极评价。杰伊怀疑这种看法并对一些学生进行了调查，让他们给 80 名评分者打分，结果如下。请用 $\alpha=0.05$ 的显著性水平进行卡方检验。

	评分者类型	
学生评价	宽	严
平均分以上	20	20
平均分以下	15	25

9. 珍妮通过随机调查，比较了选民中的民主党人和共和党人的社会经济水平。她认为，结果显示不同政党人员的社会经济水平有差异。她把选民按照工作类型和经济收入分类，如下表。请对此进行卡方检验($\alpha=0.05$)。

党派	低收入	中低收入	中高收入	高收入
民主党	41	45	38	26
共和党	9	15	42	34

10. 简研究了 700 名不同民族的人对移民法的一项修正议案的支持情况，如下表。请进行卡方检验($\alpha=0.05$)。

民族	支持	中立	反对
爱尔兰裔美国人	20	30	50
非洲裔美国人	90	70	40
亚裔美国人	20	10	20
斯堪的纳维亚裔美国人	10	20	20
西班牙裔美国人	60	20	20

11. 心理学课上的学生决定检验助教朱里奥在评定成绩的时候，是否存在性别偏见，他们调查了五个班学生，并进行等级评分，结果如下表。请进行卡方检验($\alpha=0.05$)。

性别	A	B	C	D	E
女	12	15	14	5	4
男	4	5	14	15	12

12. 在过去 5 年中，州立大学有 750 名女生和 1 250 名男生申请攻读心理系研究生，其中 25 名女生，55 名男生申请成功。试进行拟合优度检验，考察实际通过申请的男女比例，与理应通过申请的男女生比例之间是否存在差异。

13. 杰西卡认为，州立大学的一位心理学老师在评定成绩时比其他老师更严格。上学期在所有的心理学课程中，全体教师给学生的成绩分别是：15%为 A，25%为 B，30%为 C，20%为 D，10%为 E。杰西卡调查了 60 名同学，发现这名教师所给的成绩是：A，6；B，8；C，18；D，19；E，9。请进行拟合优度检验，考察这名老师的评定与全校心理学老师的评定是否存在差异。

14. 下面是 220 名被试的 IQ 分数的分布表，一般而言，IQ 分数的分布是正态分布。请运用拟合优度检验来验证一下这组 IQ 分数分布是否符合正态分布（$\alpha=0.05$）。

IQ	观测频次	期望频次
135—139	5	3
130—134	7	4
125—129	9	9
120—124	13	13
115—119	15	21
110—114	22	27
105—109	27	30
100—104	30	31
95—99	28	28
90—94	25	22
85—89	20	15
80—84	14	9
75—79	5	8

第十九章
确定使用何种统计方法

目前为止，我们已经学习了许多种统计方法。有些适用于对实验研究得到的数据进行描述，有些适用于对研究得到的数据进行推论。但我们对统计的探索还仅仅是刚刚起步，所学的内容也仅仅是最简单的、在以后的研究中最有可能用到的统计方法。即使这样，在确定使用哪种统计方法时，我们依然会有些迷惑。在本书中，我们每章都学习了一种重要的统计方法，了解了这种方法度量的内容以及给我们提供的信息。为了确定对于特定的数据该选择何种统计方法，我们有必要先来了解一下统计的分类以及每种统计方法的作用。

从根本上讲，统计是一套工具，我们使用统计来描述一组数据，描述数据间的关系；也可以用统计来检验使用样本数据推断总体情况的有效性。记住：研究者对被试进行测验、收集数据的目的是找到支持他们的论断或者理论的证据。没有来自研究的证据，我们无法判断这些论断或者理论的合理性。统计为我们提供了一种评述研究结果的途径，一种描述研究结果的途径，一种精确评价研究提供的证据的途径。

考虑分布的特征

测量的标尺

确定使用哪种统计方法，第一个关键点是测量的标尺。在第二章中，我们已经学习了测量的标尺是用来测量和记录被试的特征和成绩的数字系统。共有四种测量标尺，每种提供不同的信息：

在**称名标尺**中，数字用来对变量进行命名或者分类。比如，给不同的种族分配不同的代码。因为称名变量不具有顺序的特征（例如，一个种族不可能比另一个种族大或小），在称名标尺中，数据的大小和数量都是没有意义的。称名变量是定性的，不是定量的。

在**顺序标尺**中，数字用来表示变量值的顺序，例如班级排名就是顺序变量。顺序标尺有顺序的特征(如等级 A 高于等级 B),因此顺序标尺有大小和数量。然而,在测量范围内,顺序标尺的单位是未知的或不统一的,所以较大的数字表示测量的对象越多,但是并没有精确说明多的程度。

对**等距标尺**而言,在整个测量范围内,测量的单位是已知的且统一的,如华氏温度和摄氏温度以及日历(忽视闰年的情况)。在测量范围内,等距标尺有统一的测量单位,因此两个值之间的差精确地告诉我们:大的数字代表的测量对象比小的那个多的程度。

对**比率标尺**来说,零这个值代表被测量的对象绝对不存在,开氏温度就是比率标尺的一个例子,0°K代表没有一点热量产生。许多物理特征都是比率标尺,比如高度、重量、速度;频次计数也是比率标尺,比如回答正确的问题数目。

除了区别四种测量标尺,我们还要区分连续变量和离散变量。对**离散变量**而言,被测量的对象有天然、独立的单位,比如孩子的个数。而对**连续变量**来说,测量的对象没有天然的单位,比如时间和速度。通俗地讲,我们通常认为离散变量是数出来的,而连续变量是测量出来的。

分布的形态

在确定使用何种统计方法时,第二个考虑的关键点是分布的形态。特别的,我们需要区分下面这两种特征:

➢对称与非对称。对称的分布是以中心平衡的,因此较低的一半是较高的一半的"镜像"。非对称的分布是偏斜的,因此分布中的一半与另一半的伸展程度是不同的。

➢单峰与多峰。单峰分布的图形只有一个峰值,多峰分布的图形有两个或多个峰值。当两个独立的总体合并时,如成年男性身高和女性身高合并,可能出现多峰分布。

考虑统计检验的目的

在本书中,我们看到,统计能帮助我们实现多种目的。使用何种统计方法取决于我们的研究目的:描述一组数据;描述数据间的联系并作预测;对变量间的联系进行假设检验。

描述数据的分布

我们已经介绍了许多种描述数据分布的方法。我们可以构建频次表或频次图来描述一个分布,可以使用集中量数来描述这个分布的中心,使用差异量数来描述这个分布的离散程度。我们也可以使用相对量数来描述单个数据在分布中的位置。确定使用哪种描述统计方法的判别标准呈现在图 19-1 中。

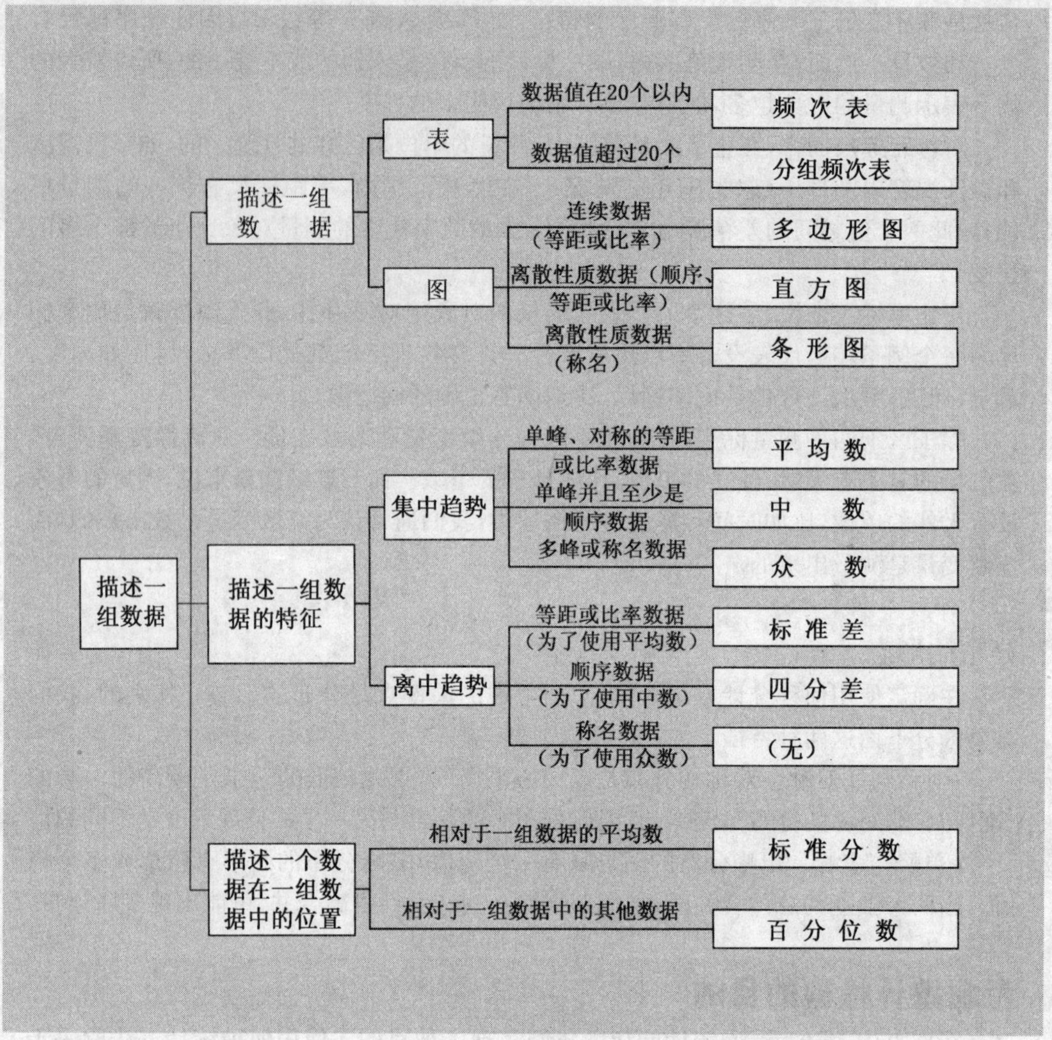

图 19－1 描述数据的分布

描述变量间的联系和作预测

我们可以使用相关系数来描述代表两个不同数据分布的两个变量间的联系，这也是一种描述统计。我们可以使用被试在一个变量上的数据提供的信息，预测它在另一个变量上的值。基于抽样分布的原理，我们也可以预测总体参数的值。抽样分布在描述统计和推论统计之间架设了一座桥梁。图 19－2 呈现了使用相关和作预测时，选择统计方法的判别标准。

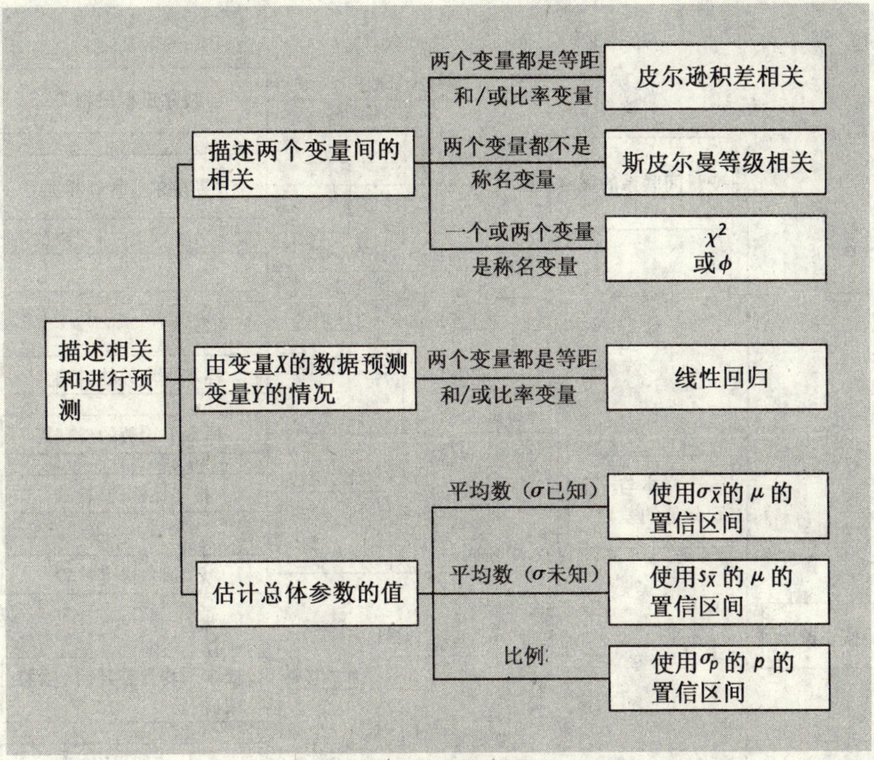

图 19－2 描述变量间的相关并作预测

对变量间的联系进行假设检验

所有假设检验都是根据样本的情况，对样本所在总体中变量间的联系进行推断。因为数据是变化的，样本也是随着数据而变化的，因此，样本的情况与样本所在总体的情况并不一定完全相同。从样本中变量间有联系就推断在总体中变量间也有这样的联系，假设检验评估的就是这种推断的合理性。

检验两变量间的联系有两种基本途径。一种是根据样本中两变量是否有联系，推断在总体中变量间是否也有这种联系。另一种是检验一个样本的特征是否与一个已知的值或者两个或多个样本的特征相同。这种方法基于这样的逻辑：如果两个变量间有一定联系，则一个变量的两个不同数据对应的另外一个变量的两个数据也会不同。图 19－3 呈现了选择假设检验的判别标准。

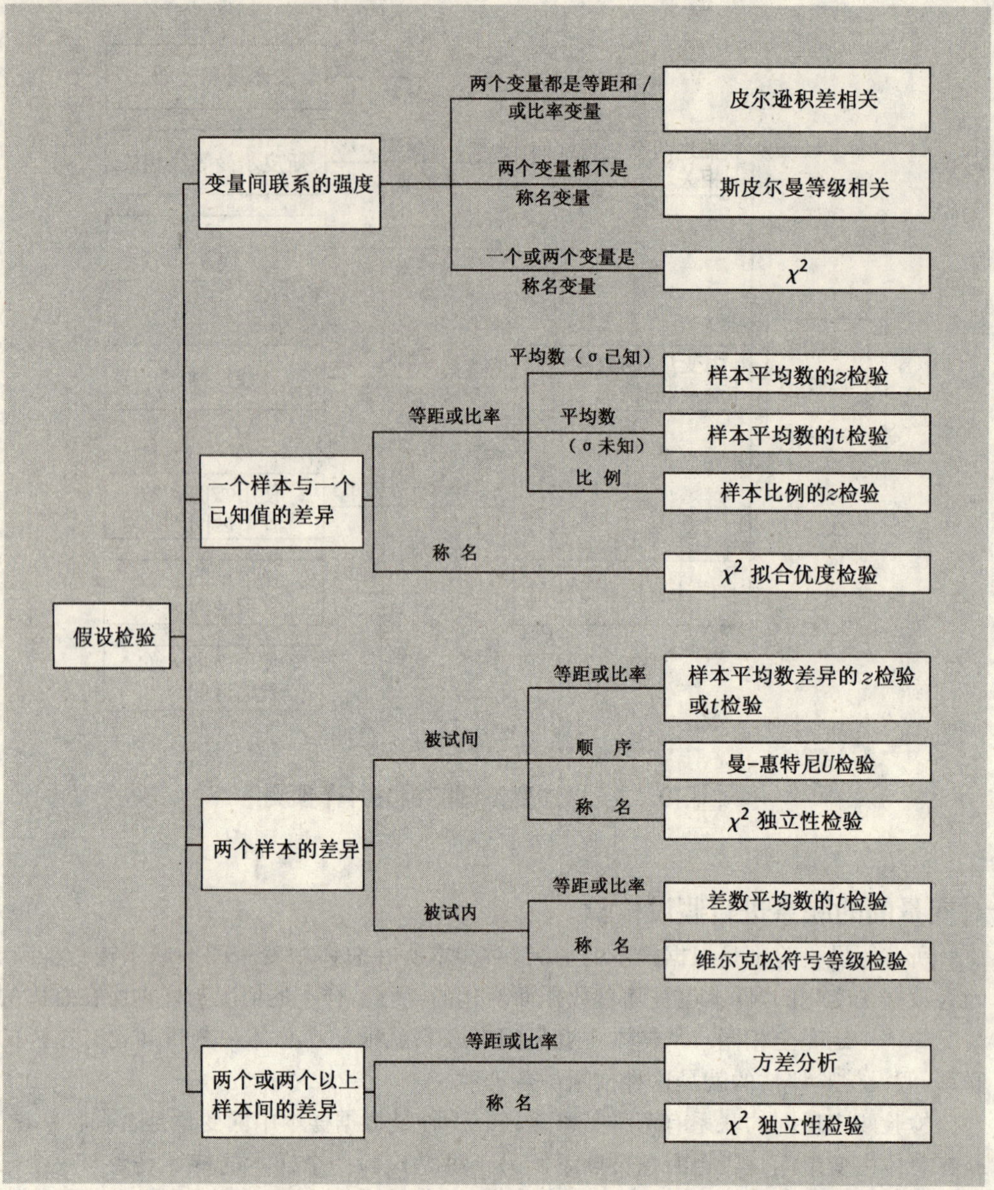

图 19－3 对变量间的联系进行假设检验

附录 A：统计表

表 A－1　正态分布表

z		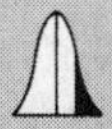	z			z		
0.00	0.0000	0.5000	0.45	0.1736	0.3264	0.90	0.3159	0.1841
0.01	0.0040	0.4960	0.46	0.1772	0.3228	0.91	0.3186	0.1814
0.02	0.0080	0.4920	0.47	0.1808	0.3192	0.92	0.3212	0.1788
0.03	0.0120	0.4880	0.48	0.1844	0.3156	0.93	0.3238	0.1762
0.04	0.0160	0.4840	0.49	0.1879	0.3121	0.94	0.3264	0.1736
0.05	0.0199	0.4801	0.50	0.1915	0.3085	0.95	0.3289	0.1711
0.06	0.0239	0.4761	0.51	0.1950	0.3050	0.96	0.3315	0.1685
0.07	0.0279	0.4721	0.52	0.1985	0.3015	0.97	0.3340	0.1660
0.08	0.0319	0.4681	0.53	0.2019	0.2981	0.98	0.3365	0.1635
0.09	0.0359	0.4641	0.54	0.2054	0.2946	0.99	0.3389	0.1611
0.10	0.0398	0.4602	0.55	0.2088	0.2912	1.00	0.3413	0.1587
0.11	0.0438	0.4562	0.56	0.2123	0.2877	1.01	0.3438	0.1562
0.12	0.0478	0.4522	0.57	0.2157	0.2843	1.02	0.3461	0.1539
0.13	0.0517	0.4483	0.58	0.2190	0.2810	1.03	0.3485	0.1515
0.14	0.0557	0.4443	0.59	0.2224	0.2776	1.04	0.3508	0.1492
0.15	0.0596	0.4404	0.60	0.2257	0.2743	1.05	0.3531	0.1469
0.16	0.0636	0.4364	0.61	0.2291	0.2709	1.06	0.3554	0.1446
0.17	0.0675	0.4325	0.62	0.2324	0.2676	1.07	0.3577	0.1423
0.18	0.0714	0.4286	0.63	0.2357	0.2643	1.08	0.3599	0.1401
0.19	0.0753	0.4247	0.64	0.2389	0.2611	1.09	0.3621	0.1379
0.20	0.0793	0.4207	0.65	0.2422	0.2578	1.10	0.3643	0.1357
0.21	0.0832	0.4168	0.66	0.2454	0.2546	1.11	0.3665	0.1335
0.22	0.0871	0.4129	0.67	0.2486	0.2514	1.12	0.3686	0.1314
0.23	0.0910	0.4090	0.68	0.2517	0.2483	1.13	0.3708	0.1292
0.24	0.0948	0.4052	0.69	0.2549	0.2451	1.14	0.3729	0.1271
0.25	0.0987	0.4013	0.70	0.2580	0.2420	1.15	0.3749	0.1251
0.26	0.1026	0.3974	0.71	0.2611	0.2389	1.16	0.3770	0.1230
0.27	0.1064	0.3936	0.72	0.2642	0.2358	1.17	0.3790	0.1210
0.28	0.1103	0.3897	0.73	0.2673	0.2327	1.18	0.3810	0.1190
0.29	0.1141	0.3859	0.74	0.2704	0.2296	1.19	0.3830	0.1170
0.30	0.1179	0.3821	0.75	0.2734	0.2266	1.20	0.3849	0.1151
0.31	0.1217	0.3783	0.76	0.2764	0.2236	1.21	0.3869	0.1131
0.32	0.1255	0.3745	0.77	0.2794	0.2206	1.22	0.3888	0.1112
0.33	0.1293	0.3707	0.78	0.2823	0.2177	1.23	0.3907	0.1093
0.34	0.1331	0.3669	0.79	0.2852	0.2148	1.24	0.3925	0.1075
0.35	0.1368	0.3632	0.80	0.2881	0.2119	1.25	0.3944	0.1056
0.36	0.1406	0.3594	0.81	0.2910	0.2090	1.26	0.3962	0.1038
0.37	0.1443	0.3557	0.82	0.2939	0.2061	1.27	0.3980	0.1020
0.38	0.1480	0.3520	0.83	0.2967	0.2033	1.28	0.3997	0.1003
0.39	0.1517	0.3483	0.84	0.2995	0.2005	1.29	0.4015	0.0985
0.40	0.1554	0.3446	0.85	0.3023	0.1977	1.30	0.4032	0.0968
0.41	0.1591	0.3409	0.86	0.3051	0.1949	1.31	0.4049	0.0951
0.42	0.1628	0.3372	0.87	0.3078	0.1922	1.32	0.4066	0.0934
0.43	0.1664	0.3336	0.88	0.3106	0.1894	1.33	0.4082	0.0918
0.44	0.1700	0.3300	0.89	0.3133	0.1867	1.34	0.4099	0.0901

注：这个表中，第一列呈现的 z 的绝对值；第二列呈现的是 z 值与平均数之间图形所占的比例；第三列呈现的是 z 值图形所占的比例。

z			z			z		
1.35	0.4115	0.0885	1.80	0.4641	0.0359	2.25	0.4878	0.0122
1.36	0.4131	0.0869	1.81	0.4649	0.0351	2.26	0.4881	0.0119
1.37	0.4147	0.0853	1.82	0.4656	0.0344	2.27	0.4884	0.0116
1.38	0.4162	0.0838	1.83	0.4664	0.0336	2.28	0.4887	0.0113
1.39	0.4177	0.0823	1.84	0.4671	0.0329	2.29	0.4890	0.0110
1.40	0.4192	0.0808	1.85	0.4678	0.0322	2.30	0.4893	0.0107
1.41	0.4207	0.0793	1.86	0.4686	0.0314	2.31	0.4896	0.0104
1.42	0.4222	0.0778	1.87	0.4693	0.0307	2.32	0.4898	0.0102
1.43	0.4236	0.0764	1.88	0.4699	0.0301	2.33	0.4901	0.0099
1.44	0.4251	0.0749	1.89	0.4706	0.0294	2.34	0.4904	0.0096
1.45	0.4265	0.0735	1.90	0.4713	0.0287	2.35	0.4906	0.0094
1.46	0.4279	0.0721	1.91	0.4719	0.0281	2.36	0.4909	0.0091
1.47	0.4292	0.0708	1.92	0.4726	0.0274	2.37	0.4911	0.0089
1.48	0.4306	0.0694	1.93	0.4732	0.0268	2.38	0.4913	0.0087
1.49	0.4319	0.0681	1.94	0.4738	0.0262	2.39	0.4916	0.0084
1.50	0.4332	0.0668	1.95	0.4744	0.0256	2.40	0.4918	0.0082
1.51	0.4345	0.0655	1.96	0.4750	0.0250	2.41	0.4920	0.0080
1.52	0.4357	0.0643	1.97	0.4756	0.0244	2.42	0.4922	0.0078
1.53	0.4370	0.0630	1.98	0.4761	0.0239	2.43	0.4925	0.0075
1.54	0.4382	0.0618	1.99	0.4767	0.0233	2.44	0.4927	0.0073
1.55	0.4394	0.0606	2.00	0.4772	0.0228	2.45	0.4929	0.0071
1.56	0.4406	0.0594	2.01	0.4778	0.0222	2.46	0.4931	0.0069
1.57	0.4418	0.0582	2.02	0.4783	0.0217	2.47	0.4932	0.0068
1.58	0.4429	0.0571	2.03	0.4788	0.0212	2.48	0.4934	0.0066
1.59	0.4441	0.0559	2.04	0.4793	0.0207	2.49	0.4936	0.0064
1.60	0.4452	0.0548	2.05	0.4798	0.0202	2.50	0.4938	0.0062
1.61	0.4463	0.0537	2.06	0.4803	0.0197	2.51	0.4940	0.0060
1.62	0.4474	0.0526	2.07	0.4808	0.0192	2.52	0.4941	0.0059
1.63	0.4484	0.0516	2.08	0.4812	0.0188	2.53	0.4943	0.0057
1.64	0.4495	0.0505	2.09	0.4817	0.0183	2.54	0.4945	0.0055
1.65	0.4505	0.0495	2.10	0.4821	0.0179	2.55	0.4946	0.0054
1.66	0.4515	0.0485	2.11	0.4826	0.0174	2.56	0.4948	0.0052
1.67	0.4525	0.0475	2.12	0.4830	0.0170	2.57	0.4949	0.0051
1.68	0.4535	0.0465	2.13	0.4834	0.0166	2.58	0.4951	0.0049
1.69	0.4545	0.0455	2.14	0.4838	0.0162	2.59	0.4952	0.0048
1.70	0.4554	0.0446	2.15	0.4842	0.0158	2.60	0.4953	0.0047
1.71	0.4564	0.0436	2.16	0.4846	0.0154	2.61	0.4955	0.0045
1.72	0.4573	0.0427	2.17	0.4850	0.0150	2.62	0.4956	0.0044
1.73	0.4582	0.0418	2.18	0.4854	0.0146	2.63	0.4957	0.0043
1.74	0.4591	0.0409	2.19	0.4857	0.0143	2.64	0.4959	0.0041
1.75	0.4599	0.0401	2.20	0.4861	0.0139	2.65	0.4960	0.0040
1.76	0.4608	0.0392	2.21	0.4864	0.0136	2.66	0.4961	0.0039
1.77	0.4616	0.0384	2.22	0.4868	0.0132	2.67	0.4962	0.0038
1.78	0.4625	0.0375	2.23	0.4871	0.0129	2.68	0.4963	0.0037
1.79	0.4633	0.0367	2.24	0.4875	0.0125	2.69	0.4964	0.0036

（续）

z		
2.70	0.4965	0.0035
2.71	0.4966	0.0034
2.72	0.4967	0.0033
2.73	0.4968	0.0032
2.74	0.4969	0.0031
2.75	0.4970	0.0030
2.76	0.4971	0.0029
2.77	0.4972	0.0028
2.78	0.4973	0.0027
2.79	0.4974	0.0026
2.80	0.4974	0.0026
2.81	0.4975	0.0025
2.82	0.4976	0.0024
2.83	0.4977	0.0023
2.84	0.4977	0.0023
2.85	0.4978	0.0022
2.86	0.4979	0.0021
2.87	0.4979	0.0021
2.88	0.4980	0.0020
2.89	0.4981	0.0019

z		
2.90	0.4981	0.0019
2.91	0.4982	0.0018
2.92	0.4982	0.0018
2.93	0.4983	0.0017
2.94	0.4984	0.0016
2.95	0.4984	0.0016
2.96	0.4985	0.0015
2.97	0.4985	0.0015
2.98	0.4986	0.0014
2.99	0.4986	0.0014
3.00	0.4987	0.0013
3.01	0.4987	0.0013
3.02	0.4987	0.0013
3.03	0.4988	0.0012
3.04	0.4988	0.0012
3.05	0.4989	0.0011
3.06	0.4989	0.0011
3.07	0.4989	0.0011
3.08	0.4990	0.0010
3.09	0.4990	0.0010

z		
3.10	0.4990	0.0010
3.11	0.4991	0.0009
3.12	0.4991	0.0009
3.13	0.4991	0.0009
3.14	0.4992	0.0008
3.15	0.4992	0.0008
3.20	0.4993	0.0007
3.25	0.4994	0.0006
3.30	0.4995	0.0005
3.35	0.4996	0.0004
3.40	0.4997	0.0003
3.45	0.4997	0.0003
3.50	0.4998	0.0002
3.60	0.4998	0.0002
3.70	0.4999	0.0001
3.80	0.4999	0.0001
3.90	0.49995	0.00005
4.00	0.49997	0.00003
∞	0.50000	0.00000

表 A-2 二项式概率表

		p									
N	***X***	**0.05**	**0.10**	**0.15**	**0.20**	**0.25**	**0.30**	**0.35**	**0.40**	**0.45**	**0.50**
1	0	0.9500	0.9000	0.8500	0.8000	0.7500	0.7000	0.6500	0.6000	0.5500	0.5000
	1	0.0500	0.1000	0.1500	0.2000	0.2500	0.3000	0.3500	0.4000	0.4500	0.5000
2	0	0.9025	0.8100	0.7225	0.6400	0.5625	0.4900	0.4225	0.3600	0.3025	0.2500
	1	0.0950	0.1800	0.2550	0.3200	0.3750	0.4200	0.4550	0.4800	0.4950	0.5000
	2	0.0025	0.0100	0.0225	0.0400	0.0625	0.0900	0.1225	0.1600	0.2025	0.2500
3	0	0.8574	0.7290	0.6141	0.5120	0.4219	0.3430	0.2746	0.2160	0.1664	0.1250
	1	0.1354	0.2430	0.3251	0.3840	0.4219	0.4410	0.4436	0.4320	0.4084	0.3750
	2	0.0071	0.0270	0.0574	0.0960	0.1406	0.1890	0.2389	0.2880	0.3341	0.3750
	3	0.0001	0.0010	0.0034	0.0080	0.0156	0.0270	0.0429	0.0640	0.0911	0.1250
4	0	0.8145	0.6561	0.5220	0.4096	0.3164	0.2401	0.1785	0.1296	0.0915	0.0625
	1	0.1715	0.2916	0.3685	0.4096	0.4219	0.4116	0.3845	0.3456	0.2995	0.2500
	2	0.0135	0.0486	0.0975	0.1536	0.2109	0.2646	0.3105	0.3456	0.3675	0.3750
	3	0.0005	0.0036	0.0115	0.0256	0.0469	0.0756	0.1115	0.1536	0.2005	0.2500
	4	0.0000	0.0001	0.0005	0.0016	0.0039	0.0081	0.0150	0.0256	0.0410	0.0625
5	0	0.7738	0.5905	0.4437	0.3277	0.2373	0.1681	0.1160	0.0778	0.0503	0.0312
	1	0.2036	0.3280	0.3915	0.4096	0.3955	0.3602	0.3124	0.2592	0.2059	0.1562
	2	0.0214	0.0729	0.1382	0.2048	0.2637	0.3087	0.3364	0.3456	0.3369	0.3125
	3	0.0011	0.0081	0.0244	0.0512	0.0879	0.1323	0.1811	0.2304	0.2757	0.3125
	4	0.0000	0.0004	0.0022	0.0064	0.0146	0.0284	0.0488	0.0768	0.1128	0.1562
	5	0.0000	0.0000	0.0001	0.0003	0.0010	0.0024	0.0053	0.0102	0.0185	0.0312
6	0	0.7351	0.5314	0.3771	0.2621	0.1780	0.1176	0.0754	0.0467	0.0277	0.0156
	1	0.2321	0.3543	0.3993	0.3932	0.3560	0.3025	0.2437	0.1866	0.1359	0.0938
	2	0.0305	0.0984	0.1762	0.2458	0.2966	0.3241	0.3280	0.3110	0.2780	0.2344
	3	0.0021	0.0146	0.0415	0.0819	0.1318	0.1852	0.2355	0.2765	0.3032	0.3125
	4	0.0001	0.0012	0.0055	0.0154	0.0330	0.0595	0.0951	0.1382	0.1861	0.2344
	5	0.0000	0.0001	0.0004	0.0015	0.0044	0.0102	0.0205	0.0369	0.0609	0.0938
	6	0.0000	0.0000	0.0000	0.0001	0.0002	0.0007	0.0018	0.0041	0.0083	0.0156
7	0	0.6983	0.4783	0.3206	0.2097	0.1335	0.0824	0.0490	0.0280	0.0152	0.0078
	1	0.2573	0.3720	0.3960	0.3670	0.3115	0.2471	0.1848	0.1306	0.0872	0.0547
	2	0.0406	0.1240	0.2097	0.2753	0.3115	0.3177	0.2985	0.2613	0.2140	0.1641
	3	0.0036	0.0230	0.0617	0.1147	0.1730	0.2269	0.2679	0.2903	0.2918	0.2734
	4	0.0002	0.0026	0.0109	0.0287	0.0577	0.0972	0.1442	0.1935	0.2388	0.2734
	5	0.0000	0.0002	0.0012	0.0043	0.0115	0.0250	0.0466	0.0774	0.1172	0.1641
	6	0.0000	0.0000	0.0001	0.0004	0.0013	0.0036	0.0084	0.0172	0.0320	0.0547
	7	0.0000	0.0000	0.0000	0.0000	0.0001	0.0002	0.0006	0.0016	0.0037	0.0078
8	0	0.6634	0.4305	0.2725	0.1678	0.1001	0.0576	0.0319	0.0168	0.0084	0.0039
	1	0.2793	0.3826	0.3847	0.3355	0.2670	0.1977	0.1373	0.0896	0.0548	0.0312
	2	0.0515	0.1488	0.2376	0.2936	0.3115	0.2965	0.2587	0.2090	0.1569	0.1094
	3	0.0054	0.0331	0.0839	0.1468	0.2076	0.2541	0.2786	0.2787	0.2568	0.2188
	4	0.0004	0.0046	0.0185	0.0459	0.0865	0.1341	0.1875	0.2322	0.2627	0.2734
	5	0.0000	0.0004	0.0026	0.0092	0.0231	0.0467	0.0808	0.1239	0.1719	0.2188
	6	0.0000	0.0000	0.0002	0.0011	0.0038	0.0100	0.0217	0.0413	0.0703	0.1094
	7	0.0000	0.0000	0.0000	0.0001	0.0004	0.0012	0.0033	0.0079	0.0164	0.0312
	8	0.0000	0.0000	0.0000	0.0000	0.0000	0.0001	0.0002	0.0007	0.0017	0.0039

（续）

		p									
N	***X***	**0.05**	**0.10**	**0.15**	**0.20**	**0.25**	**0.30**	**0.35**	**0.40**	**0.45**	**0.50**
9	0	0.6302	0.3874	0.2316	0.1342	0.0751	0.0404	0.0207	0.0101	0.0046	0.0020
	1	0.2985	0.3874	0.3679	0.3020	0.2253	0.1556	0.1004	0.0605	0.0339	0.0176
	2	0.0629	0.1722	0.2597	0.3020	0.3003	0.2668	0.2162	0.1612	0.1110	0.0703
	3	0.0077	0.0446	0.1069	0.1762	0.2336	0.2668	0.2716	0.2508	0.2119	0.1641
	4	0.0006	0.0074	0.0283	0.0661	0.1168	0.1715	0.2194	0.2508	0.2600	0.2461
	5	0.0000	0.0008	0.0050	0.0165	0.0389	0.0735	0.1181	0.1672	0.2128	0.2461
	6	0.0000	0.0001	0.0006	0.0028	0.0087	0.0210	0.0424	0.0743	0.1160	0.1641
	7	0.0000	0.0000	0.0000	0.0003	0.0012	0.0039	0.0098	0.0212	0.0407	0.0703
	8	0.0000	0.0000	0.0000	0.0000	0.0001	0.0004	0.0013	0.0035	0.0083	0.0176
	9	0.0000	0.0000	0.0000	0.0000	0.0000	0.0000	0.0001	0.0003	0.0008	0.0020
10	0	0.5987	0.3487	0.1969	0.1074	0.0563	0.0282	0.0135	0.0060	0.0025	0.0010
	1	0.3151	0.3874	0.3474	0.2684	0.1877	0.1211	0.0725	0.0403	0.0207	0.0098
	2	0.0746	0.1937	0.2759	0.3020	0.2816	0.2335	0.1757	0.1209	0.0763	0.0439
	3	0.0105	0.0574	0.1298	0.2013	0.2503	0.2668	0.2522	0.2150	0.1665	0.1172
	4	0.0010	0.0112	0.0401	0.0881	0.1460	0.2001	0.2377	0.2508	0.2384	0.2051
	5	0.0001	0.0015	0.0085	0.0264	0.0584	0.1029	0.1536	0.2007	0.2340	0.2461
	6	0.0000	0.0001	0.0012	0.0055	0.0162	0.0368	0.0689	0.1115	0.1596	0.2051
	7	0.0000	0.0000	0.0001	0.0008	0.0031	0.0090	0.0212	0.0425	0.0746	0.1172
	8	0.0000	0.0000	0.0000	0.0001	0.0004	0.0014	0.0043	0.0106	0.0229	0.0439
	9	0.0000	0.0000	0.0000	0.0000	0.0000	0.0001	0.0005	0.0016	0.0042	0.0098
	10	0.0000	0.0000	0.0000	0.0000	0.0000	0.0000	0.0000	0.0001	0.0003	0.0010
11	0	0.5688	0.3138	0.1673	0.0859	0.0422	0.0198	0.0088	0.0036	0.0014	0.0005
	1	0.3293	0.3835	0.3248	0.2362	0.1549	0.0932	0.0518	0.0266	0.0125	0.0054
	2	0.0867	0.2131	0.2866	0.2953	0.2581	0.1998	0.1395	0.0887	0.0513	0.0269
	3	0.0137	0.0710	0.1517	0.2215	0.2581	0.2568	0.2254	0.1774	0.1259	0.0806
	4	0.0014	0.0158	0.0536	0.1107	0.1721	0.2201	0.2428	0.2365	0.2060	0.1611
	5	0.0001	0.0025	0.0132	0.0388	0.0803	0.1321	0.1830	0.2207	0.2360	0.2256
	6	0.0000	0.0003	0.0023	0.0097	0.0268	0.0566	0.0985	0.1471	0.1931	0.2256
	7	0.0000	0.0000	0.0003	0.0017	0.0064	0.0173	0.0379	0.0701	0.1128	0.1611
	8	0.0000	0.0000	0.0000	0.0002	0.0011	0.0037	0.0102	0.0234	0.0462	0.0806
	9	0.0000	0.0000	0.0000	0.0000	0.0001	0.0005	0.0018	0.0052	0.0126	0.0269
	10	0.0000	0.0000	0.0000	0.0000	0.0000	0.0000	0.0002	0.0007	0.0021	0.0054
	11	0.0000	0.0000	0.0000	0.0000	0.0000	0.0000	0.0000	0.0000	0.0002	0.0005
12	0	0.5404	0.2824	0.1422	0.0687	0.0317	0.0138	0.0057	0.0022	0.0008	0.0002
	1	0.3413	0.3766	0.3012	0.2062	0.1267	0.0712	0.0368	0.0174	0.0075	0.0029
	2	0.0988	0.2301	0.2924	0.2835	0.2323	0.1678	0.1088	0.0639	0.0339	0.0161
	3	0.0173	0.0852	0.1720	0.2362	0.2581	0.2397	0.1954	0.1419	0.0923	0.0537
	4	0.0021	0.0213	0.0683	0.1329	0.1936	0.2311	0.2367	0.2128	0.1700	0.1208
	5	0.0002	0.0038	0.0193	0.0532	0.1032	0.1585	0.2039	0.2270	0.2225	0.1934
	6	0.0000	0.0005	0.0040	0.0155	0.0401	0.0792	0.1281	0.1766	0.2124	0.2256
	7	0.0000	0.0000	0.0006	0.0033	0.0115	0.0291	0.0591	0.1009	0.1489	0.1934
	8	0.0000	0.0000	0.0001	0.0005	0.0024	0.0078	0.0199	0.0420	0.0762	0.1208
	9	0.0000	0.0000	0.0000	0.0001	0.0004	0.0015	0.0048	0.0125	0.0277	0.0537
	10	0.0000	0.0000	0.0000	0.0000	0.0000	0.0002	0.0008	0.0025	0.0068	0.0161
	11	0.0000	0.0000	0.0000	0.0000	0.0000	0.0000	0.0001	0.0003	0.0010	0.0029
	12	0.0000	0.0000	0.0000	0.0000	0.0000	0.0000	0.0000	0.0000	0.0001	0.0002

N	X	p = 0.05	0.10	0.15	0.20	0.25	0.30	0.35	0.40	0.45	0.50
13	0	0.5133	0.2542	0.1209	0.0550	0.0238	0.0097	0.0037	0.0013	0.0004	0.0001
	1	0.3512	0.3672	0.2774	0.1787	0.1029	0.0540	0.0259	0.0113	0.0045	0.0016
	2	0.1109	0.2448	0.2937	0.2680	0.2059	0.1388	0.0836	0.0453	0.0220	0.0095
	3	0.0214	0.0997	0.1900	0.2457	0.2517	0.2181	0.1651	0.1107	0.0660	0.0349
	4	0.0028	0.0277	0.0838	0.1535	0.2097	0.2337	0.2222	0.1845	0.1350	0.0873
	5	0.0003	0.0055	0.0266	0.0691	0.1258	0.1803	0.2154	0.2214	0.1989	0.1571
	6	0.0000	0.0008	0.0063	0.0230	0.0559	0.1030	0.1546	0.1968	0.2169	0.2095
	7	0.0000	0.0001	0.0011	0.0058	0.0186	0.0442	0.0833	0.1312	0.1775	0.2095
	8	0.0000	0.0000	0.0001	0.0011	0.0047	0.0142	0.0336	0.0656	0.1089	0.1571
	9	0.0000	0.0000	0.0000	0.0001	0.0009	0.0034	0.0101	0.0243	0.0495	0.0873
	10	0.0000	0.0000	0.0000	0.0000	0.0001	0.0006	0.0022	0.0065	0.0162	0.0349
	11	0.0000	0.0000	0.0000	0.0000	0.0000	0.0001	0.0003	0.0012	0.0036	0.0095
	12	0.0000	0.0000	0.0000	0.0000	0.0000	0.0000	0.0000	0.0001	0.0005	0.0016
	13	0.0000	0.0000	0.0000	0.0000	0.0000	0.0000	0.0000	0.0000	0.0000	0.0001
14	0	0.4877	0.2288	0.1028	0.0440	0.0178	0.0068	0.0024	0.0008	0.0002	0.0001
	1	0.3593	0.3559	0.2539	0.1539	0.0832	0.0407	0.0181	0.0073	0.0027	0.0009
	2	0.1229	0.2570	0.2912	0.2501	0.1802	0.1134	0.0634	0.0317	0.0141	0.0056
	3	0.0259	0.1142	0.2056	0.2501	0.2402	0.1943	0.1366	0.0845	0.0462	0.0222
	4	0.0037	0.0349	0.0998	0.1720	0.2202	0.2290	0.2022	0.1549	0.1040	0.0611
	5	0.0004	0.0078	0.0352	0.0860	0.1468	0.1963	0.2178	0.2066	0.1701	0.1222
	6	0.0000	0.0013	0.0093	0.0322	0.0734	0.1262	0.1759	0.2066	0.2088	0.1833
	7	0.0000	0.0002	0.0019	0.0092	0.0280	0.0618	0.1082	0.1574	0.1952	0.2095
	8	0.0000	0.0000	0.0003	0.0020	0.0082	0.0232	0.0510	0.0918	0.1398	0.1833
	9	0.0000	0.0000	0.0000	0.0003	0.0018	0.0066	0.0183	0.0408	0.0762	0.1222
	10	0.0000	0.0000	0.0000	0.0000	0.0003	0.0014	0.0049	0.0136	0.0312	0.0611
	11	0.0000	0.0000	0.0000	0.0000	0.0000	0.0002	0.0010	0.0033	0.0093	0.0222
	12	0.0000	0.0000	0.0000	0.0000	0.0000	0.0000	0.0001	0.0005	0.0019	0.0056
	13	0.0000	0.0000	0.0000	0.0000	0.0000	0.0000	0.0000	0.0001	0.0002	0.0009
	14	0.0000	0.0000	0.0000	0.0000	0.0000	0.0000	0.0000	0.0000	0.0000	0.0001
15	0	0.4633	0.2059	0.0874	0.0352	0.0134	0.0047	0.0016	0.0005	0.0001	0.0000
	1	0.3658	0.3432	0.2312	0.1319	0.0668	0.0305	0.0126	0.0047	0.0016	0.0005
	2	0.1348	0.2669	0.2856	0.2309	0.1559	0.0916	0.0476	0.0219	0.0090	0.0032
	3	0.0307	0.1285	0.2184	0.2501	0.2252	0.1700	0.1110	0.0634	0.0318	0.0139
	4	0.0049	0.0428	0.1156	0.1876	0.2252	0.2186	0.1792	0.1268	0.0780	0.0417
	5	0.0006	0.0105	0.0449	0.1032	0.1651	0.2061	0.2123	0.1859	0.1404	0.0916
	6	0.0000	0.0019	0.0132	0.0430	0.0917	0.1472	0.1906	0.2066	0.1914	0.1527
	7	0.0000	0.0003	0.0030	0.0138	0.0393	0.0811	0.1319	0.1771	0.2013	0.1964
	8	0.0000	0.0000	0.0005	0.0035	0.0131	0.0348	0.0710	0.1181	0.1647	0.1964
	9	0.0000	0.0000	0.0001	0.0007	0.0034	0.0116	0.0298	0.0612	0.1048	0.1527
	10	0.0000	0.0000	0.0000	0.0001	0.0007	0.0030	0.0096	0.0245	0.0515	0.0916
	11	0.0000	0.0000	0.0000	0.0000	0.0001	0.0006	0.0024	0.0074	0.0191	0.0417
	12	0.0000	0.0000	0.0000	0.0000	0.0000	0.0001	0.0004	0.0016	0.0052	0.0139
	13	0.0000	0.0000	0.0000	0.0000	0.0000	0.0000	0.0001	0.0003	0.0010	0.0032
	14	0.0000	0.0000	0.0000	0.0000	0.0000	0.0000	0.0000	0.0000	0.0001	0.0005
	15	0.0000	0.0000	0.0000	0.0000	0.0000	0.0000	0.0000	0.0000	0.0000	0.0000
16	0	0.4401	0.1853	0.0743	0.0281	0.0100	0.0033	0.0010	0.0003	0.0001	0.0000
	1	0.3706	0.3294	0.2097	0.1126	0.0535	0.0228	0.0087	0.0030	0.0009	0.0002

（续）

		p									
N	**X**	**0.05**	**0.10**	**0.15**	**0.20**	**0.25**	**0.30**	**0.35**	**0.40**	**0.45**	**0.50**
16	2	0.1463	0.2745	0.2775	0.2111	0.1336	0.0732	0.0353	0.0150	0.0056	0.0018
	3	0.0359	0.1423	0.2285	0.2463	0.2079	0.1465	0.0888	0.0468	0.0215	0.0085
	4	0.0061	0.0514	0.1311	0.2001	0.2252	0.2040	0.1553	0.1014	0.0572	0.0278
	5	0.0008	0.0137	0.0555	0.1201	0.1802	0.2099	0.2008	0.1623	0.1123	0.0667
	6	0.0001	0.0028	0.0180	0.0550	0.1101	0.1649	0.1982	0.1983	0.1684	0.1222
	7	0.0000	0.0004	0.0045	0.0197	0.0524	0.1010	0.1524	0.1889	0.1969	0.1746
	8	0.0000	0.0001	0.0009	0.0055	0.0197	0.0487	0.0923	0.1417	0.1812	0.1964
	9	0.0000	0.0000	0.0001	0.0012	0.0058	0.0185	0.0442	0.0840	0.1318	0.1746
	10	0.0000	0.0000	0.0000	0.0002	0.0014	0.0056	0.0167	0.0392	0.0755	0.1222
	11	0.0000	0.0000	0.0000	0.0000	0.0002	0.0013	0.0049	0.0142	0.0337	0.0667
	12	0.0000	0.0000	0.0000	0.0000	0.0000	0.0002	0.0011	0.0040	0.0115	0.0278
	13	0.0000	0.0000	0.0000	0.0000	0.0000	0.0000	0.0002	0.0008	0.0029	0.0085
	14	0.0000	0.0000	0.0000	0.0000	0.0000	0.0000	0.0000	0.0001	0.0005	0.0018
	15	0.0000	0.0000	0.0000	0.0000	0.0000	0.0000	0.0000	0.0000	0.0001	0.0002
	16	0.0000	0.0000	0.0000	0.0000	0.0000	0.0000	0.0000	0.0000	0.0000	0.0000
17	0	0.4181	0.1668	0.0631	0.0225	0.0075	0.0023	0.0007	0.0002	0.0000	0.0000
	1	0.3741	0.3150	0.1893	0.0957	0.0426	0.0169	0.0060	0.0019	0.0005	0.0001
	2	0.1575	0.2800	0.2673	0.1914	0.1136	0.0581	0.0260	0.0102	0.0035	0.0010
	3	0.0415	0.1556	0.2359	0.2393	0.1893	0.1245	0.0701	0.0341	0.0144	0.0052
	4	0.0076	0.0605	0.1457	0.2093	0.2209	0.1868	0.1320	0.0796	0.0411	0.0182
	5	0.0010	0.0175	0.0668	0.1361	0.1914	0.2081	0.1849	0.1379	0.0875	0.0472
	6	0.0001	0.0039	0.0236	0.0680	0.1276	0.1784	0.1991	0.1839	0.1432	0.0944
	7	0.0000	0.0007	0.0065	0.0267	0.0668	0.1201	0.1685	0.1927	0.1841	0.1484
	8	0.0000	0.0001	0.0014	0.0084	0.0279	0.0644	0.1143	0.1606	0.1883	0.1855
	9	0.0000	0.0000	0.0003	0.0021	0.0093	0.0276	0.0611	0.1070	0.1540	0.1855
	10	0.0000	0.0000	0.0000	0.0004	0.0025	0.0095	0.0263	0.0571	0.1008	0.1484
	11	0.0000	0.0000	0.0000	0.0001	0.0005	0.0026	0.0090	0.0242	0.0525	0.0944
	12	0.0000	0.0000	0.0000	0.0000	0.0001	0.0006	0.0024	0.0081	0.0215	0.0472
	13	0.0000	0.0000	0.0000	0.0000	0.0000	0.0001	0.0005	0.0021	0.0068	0.0182
	14	0.0000	0.0000	0.0000	0.0000	0.0000	0.0000	0.0001	0.0004	0.0016	0.0052
	15	0.0000	0.0000	0.0000	0.0000	0.0000	0.0000	0.0000	0.0001	0.0003	0.0010
	16	0.0000	0.0000	0.0000	0.0000	0.0000	0.0000	0.0000	0.0000	0.0000	0.0001
	17	0.0000	0.0000	0.0000	0.0000	0.0000	0.0000	0.0000	0.0000	0.0000	0.0000
18	0	0.3972	0.1501	0.0536	0.0180	0.0056	0.0016	0.0004	0.0001	0.0000	0.0000
	1	0.3763	0.3002	0.1704	0.0811	0.0338	0.0126	0.0042	0.0012	0.0003	0.0001
	2	0.1683	0.2835	0.2556	0.1723	0.0958	0.0458	0.0190	0.0069	0.0022	0.0006
	3	0.0473	0.1680	0.2406	0.2297	0.1704	0.1046	0.0547	0.0246	0.0095	0.0031
	4	0.0093	0.0700	0.1592	0.2153	0.2130	0.1681	0.1104	0.0614	0.0291	0.0117
	5	0.0014	0.0218	0.0787	0.1507	0.1988	0.2017	0.1664	0.1146	0.0666	0.0327
	6	0.0002	0.0052	0.0301	0.0816	0.1436	0.1873	0.1941	0.1655	0.1181	0.0708
	7	0.0000	0.0010	0.0091	0.0350	0.0820	0.1376	0.1792	0.1892	0.1657	0.1214
	8	0.0000	0.0002	0.0022	0.0120	0.0376	0.0811	0.1327	0.1734	0.1864	0.1669
	9	0.0000	0.0000	0.0004	0.0033	0.0139	0.0386	0.0794	0.1284	0.1694	0.1855
	10	0.0000	0.0000	0.0001	0.0008	0.0042	0.0149	0.0385	0.0771	0.1248	0.1669
	11	0.0000	0.0000	0.0000	0.0001	0.0010	0.0046	0.0151	0.0374	0.0742	0.1214
	12	0.0000	0.0000	0.0000	0.0000	0.0002	0.0012	0.0047	0.0145	0.0354	0.0708
	13	0.0000	0.0000	0.0000	0.0000	0.0000	0.0002	0.0012	0.0045	0.0134	0.0327
	14	0.0000	0.0000	0.0000	0.0000	0.0000	0.0000	0.0002	0.0011	0.0039	0.0117

N	X	p = 0.05	0.10	0.15	0.20	0.25	0.30	0.35	0.40	0.45	0.50
18	15	0.0000	0.0000	0.0000	0.0000	0.0000	0.0000	0.0000	0.0002	0.0009	0.0031
	16	0.0000	0.0000	0.0000	0.0000	0.0000	0.0000	0.0000	0.0000	0.0001	0.0006
	17	0.0000	0.0000	0.0000	0.0000	0.0000	0.0000	0.0000	0.0000	0.0000	0.0001
	18	0.0000	0.0000	0.0000	0.0000	0.0000	0.0000	0.0000	0.0000	0.0000	0.0000
19	0	0.3774	0.1351	0.0456	0.0144	0.0042	0.0011	0.0003	0.0001	0.0000	0.0000
	1	0.3774	0.2852	0.1529	0.0685	0.0268	0.0093	0.0029	0.0008	0.0002	0.0000
	2	0.1787	0.2852	0.2428	0.1540	0.0803	0.0358	0.0138	0.0046	0.0013	0.0003
	3	0.0533	0.1796	0.2428	0.2182	0.1517	0.0869	0.0422	0.0175	0.0062	0.0018
	4	0.0112	0.0798	0.1714	0.2182	0.2023	0.1491	0.0909	0.0467	0.0203	0.0074
	5	0.0018	0.0266	0.0907	0.1636	0.2023	0.1916	0.1468	0.0933	0.0497	0.0222
	6	0.0002	0.0069	0.0374	0.0955	0.1574	0.1916	0.1844	0.1451	0.0949	0.0518
	7	0.0000	0.0014	0.0122	0.0443	0.0974	0.1525	0.1844	0.1797	0.1443	0.0961
	8	0.0000	0.0002	0.0032	0.0166	0.0487	0.0981	0.1489	0.1797	0.1771	0.1442
	9	0.0000	0.0000	0.0007	0.0051	0.0198	0.0514	0.0980	0.1464	0.1771	0.1762
	10	0.0000	0.0000	0.0001	0.0013	0.0066	0.0220	0.0528	0.0976	0.1449	0.1762
	11	0.0000	0.0000	0.0000	0.0003	0.0018	0.0077	0.0233	0.0532	0.0970	0.1442
	12	0.0000	0.0000	0.0000	0.0000	0.0004	0.0022	0.0083	0.0237	0.0529	0.0961
	13	0.0000	0.0000	0.0000	0.0000	0.0001	0.0005	0.0024	0.0085	0.0233	0.0518
	14	0.0000	0.0000	0.0000	0.0000	0.0000	0.0001	0.0006	0.0024	0.0082	0.0222
	15	0.0000	0.0000	0.0000	0.0000	0.0000	0.0000	0.0001	0.0005	0.0022	0.0074
	16	0.0000	0.0000	0.0000	0.0000	0.0000	0.0000	0.0000	0.0001	0.0005	0.0018
	17	0.0000	0.0000	0.0000	0.0000	0.0000	0.0000	0.0000	0.0000	0.0001	0.0003
	18	0.0000	0.0000	0.0000	0.0000	0.0000	0.0000	0.0000	0.0000	0.0000	0.0000
	19	0.0000	0.0000	0.0000	0.0000	0.0000	0.0000	0.0000	0.0000	0.0000	0.0000
20	0	0.3585	0.1216	0.0388	0.0115	0.0032	0.0008	0.0002	0.0000	0.0000	0.0000
	1	0.3774	0.2702	0.1368	0.0576	0.0211	0.0068	0.0020	0.0005	0.0001	0.0000
	2	0.1887	0.2852	0.2293	0.1369	0.0669	0.0278	0.0100	0.0031	0.0008	0.0002
	3	0.0596	0.1901	0.2428	0.2054	0.1339	0.0716	0.0323	0.0123	0.0040	0.0011
	4	0.0133	0.0898	0.1821	0.2182	0.1897	0.1304	0.0738	0.0350	0.0139	0.0046
	5	0.0022	0.0319	0.1028	0.1746	0.2023	0.1789	0.1272	0.0746	0.0365	0.0148
	6	0.0003	0.0089	0.0454	0.1091	0.1686	0.1916	0.1712	0.1244	0.0746	0.0370
	7	0.0000	0.0020	0.0160	0.0545	0.1124	0.1643	0.1844	0.1659	0.1221	0.0739
	8	0.0000	0.0004	0.0046	0.0222	0.0609	0.1144	0.1614	0.1797	0.1623	0.1201
	9	0.0000	0.0001	0.0011	0.0074	0.0271	0.0654	0.1158	0.1597	0.1771	0.1602
	10	0.0000	0.0000	0.0002	0.0020	0.0099	0.0308	0.0686	0.1171	0.1593	0.1762
	11	0.0000	0.0000	0.0000	0.0005	0.0030	0.0120	0.0336	0.0710	0.1185	0.1602
	12	0.0000	0.0000	0.0000	0.0001	0.0008	0.0039	0.0136	0.0355	0.0727	0.1201
	13	0.0000	0.0000	0.0000	0.0000	0.0002	0.0010	0.0045	0.0146	0.0366	0.0739
	14	0.0000	0.0000	0.0000	0.0000	0.0000	0.0002	0.0012	0.0049	0.0150	0.0370
	15	0.0000	0.0000	0.0000	0.0000	0.0000	0.0000	0.0003	0.0013	0.0049	0.0148
	16	0.0000	0.0000	0.0000	0.0000	0.0000	0.0000	0.0000	0.0003	0.0013	0.0046
	17	0.0000	0.0000	0.0000	0.0000	0.0000	0.0000	0.0000	0.0000	0.0002	0.0011
	18	0.0000	0.0000	0.0000	0.0000	0.0000	0.0000	0.0000	0.0000	0.0000	0.0002
	19	0.0000	0.0000	0.0000	0.0000	0.0000	0.0000	0.0000	0.0000	0.0000	0.0000
	20	0.0000	0.0000	0.0000	0.0000	0.0000	0.0000	0.0000	0.0000	0.0000	0.0000

表 A－3　*t* 临界值表

	单向检验的显著性水平					
	0.10	**0.05**	**0.025**	**0.01**	**0.005**	**0.0005**
	双向检验的显著性水平					
df	**0.20**	**0.10**	**0.05**	**0.02**	**0.01**	**0.001**
1	3.078	6.314	12.706	31.821	63.657	636.619
2	1.886	2.920	4.303	6.965	9.925	31.598
3	1.638	2.353	3.182	4.541	5.8411	2.941
4	1.533	2.132	2.776	3.747	4.604	8.610
5	1.476	2.015	2.571	3.365	4.032	6.859
6	1.440	1.943	2.447	3.143	3.707	5.959
7	1.415	1.895	2.365	2.998	3.499	5.405
8	1.397	1.860	2.306	2.896	3.355	5.041
9	1.383	1.833	2.262	2.821	3.250	4.781
10	1.372	1.812	2.228	2.764	3.169	4.587
11	1.363	1.796	2.201	2.718	3.106	4.437
12	1.356	1.782	2.179	2.681	3.055	4.318
13	1.350	1.771	2.160	2.650	3.012	4.221
14	1.345	1.761	2.145	2.624	2.977	4.140
15	1.341	1.753	2.131	2.602	2.947	4.073
16	1.337	1.746	2.120	2.583	2.921	4.015
17	1.333	1.740	2.110	2.567	2.898	3.965
18	1.330	1.734	2.101	2.552	2.878	3.922
19	1.328	1.729	2.093	2.539	2.861	3.883
20	1.325	1.725	2.086	2.528	2.845	3.850
21	1.323	1.721	2.080	2.518	2.831	3.819
22	1.321	1.717	2.074	2.508	2.819	3.792
23	1.319	1.714	2.069	2.500	2.807	3.767
24	1.318	1.711	2.064	2.492	2.797	3.745
25	1.316	1.708	2.060	2.485	2.787	3.725
26	1.315	1.706	2.056	2.479	2.779	3.707
27	1.314	1.703	2.052	2.473	2.771	3.690
28	1.313	1.701	2.048	2.467	2.763	3.674
29	1.311	1.699	2.045	2.462	2.756	3.659
30	1.310	1.697	2.042	2.457	2.750	3.646
40	1.303	1.684	2.021	2.423	2.704	3.551
60	1.296	1.671	2.000	2.390	2.660	3.460
120	1.289	1.658	1.980	2.358	2.617	3.373
∞	1.282	1.645	1.960	2.326	2.576	3.291

注：如果计算得到的 t 值大于等于相应自由度和显著性水平的临界 t 值，则拒绝 H_0。表头上面一排为单向检验的显著性水平，下面一排为双向检验的显著性水平。

表A-4　F临界值表($\alpha=0.05$)

	$df_{组间}$											
$df_{组内}$	1	2	3	4	5	6	7	8	9	10	11	12
1	161	200	216	225	230	234	237	239	241	242	243	244
2	18.51	19.00	19.16	19.25	19.30	19.33	19.36	19.37	19.38	19.39	19.40	19.41
3	10.13	9.55	9.28	9.12	9.01	8.94	8.88	8.84	8.81	8.78	8.76	8.74
4	7.71	6.94	6.59	6.39	6.26	6.16	6.09	6.04	6.00	5.96	5.93	5.91
5	6.61	5.79	5.41	5.19	5.05	4.95	4.88	4.82	4.78	4.74	4.70	4.68
6	5.99	5.14	4.76	4.53	4.39	4.28	4.21	4.15	4.10	4.06	4.03	4.00
7	5.59	4.74	4.35	4.12	3.97	3.87	3.79	3.73	3.68	3.63	3.60	3.57
8	5.32	4.46	4.07	3.84	3.69	3.58	3.50	3.44	3.39	3.34	3.31	3.28
9	5.12	4.26	3.86	3.63	3.48	3.37	3.29	3.23	3.18	3.13	3.10	3.07
10	4.96	4.10	3.71	3.48	3.33	3.22	3.14	3.07	3.02	2.97	2.94	2.91
11	4.84	3.98	3.59	3.36	3.20	3.09	3.01	2.95	2.90	2.86	2.82	2.79
12	4.75	3.88	3.49	3.26	3.11	3.00	2.92	2.85	2.80	2.76	2.72	2.69
13	4.67	3.80	3.41	3.18	3.02	2.92	2.84	2.77	2.72	2.67	2.63	2.60
14	4.60	3.74	3.34	3.11	2.96	2.85	2.77	2.70	2.65	2.60	2.56	2.53
15	4.54	3.68	3.29	3.06	2.90	2.79	2.70	2.64	2.59	2.55	2.51	2.48
16	4.49	3.63	3.24	3.01	2.85	2.74	2.66	2.59	2.54	2.49	2.45	2.42
17	4.45	3.59	3.20	2.96	2.81	2.70	2.62	2.55	2.50	2.45	2.41	2.38
18	4.41	3.55	3.16	2.93	2.77	2.66	2.58	2.51	2.46	2.41	2.37	2.34
19	4.38	3.52	3.13	2.90	2.74	2.63	2.55	2.48	2.43	2.38	2.34	2.31
20	4.35	3.49	3.10	2.87	2.71	2.60	2.52	2.45	2.40	2.35	2.31	2.28
21	4.32	3.47	3.07	2.84	2.68	2.57	2.49	2.42	2.37	2.32	2.28	2.25
22	4.30	3.44	3.05	2.82	2.66	2.55	2.47	2.40	2.35	2.30	2.26	2.23
23	4.28	3.42	3.03	2.80	2.64	2.53	2.45	2.38	2.32	2.28	2.24	2.20
24	4.26	3.40	3.01	2.78	2.62	2.51	2.43	2.36	2.30	2.26	2.22	2.18
25	4.24	3.38	2.99	2.76	2.60	2.49	2.41	2.34	2.28	2.24	2.20	2.16
26	4.22	3.37	2.98	2.74	2.59	2.47	2.39	2.32	2.27	2.22	2.18	2.15
27	4.21	3.35	2.96	2.73	2.57	2.46	2.37	2.30	2.25	2.20	2.16	2.13
28	4.20	3.34	2.95	2.71	2.56	2.44	2.36	2.29	2.24	2.19	2.15	2.12
29	4.18	3.33	2.93	2.70	2.54	2.43	2.35	2.28	2.22	2.18	2.14	2.10
30	4.17	3.32	2.92	2.69	2.53	2.42	2.34	2.27	2.21	2.16	2.12	2.09
40	4.08	3.23	2.84	2.61	2.45	2.34	2.25	2.18	2.12	2.07	2.04	2.00
50	4.03	3.18	2.79	2.56	2.40	2.29	2.20	2.13	2.07	2.02	1.98	1.95
60	4.00	3.15	2.76	2.52	2.37	2.25	2.17	2.10	2.04	1.99	1.95	1.92
70	3.98	3.13	2.74	2.50	2.35	2.23	2.14	2.07	2.01	1.97	1.93	1.89
80	3.96	3.11	2.72	2.48	2.33	2.21	2.12	2.05	1.99	1.95	1.91	1.88
100	3.94	3.09	2.70	2.46	2.30	2.19	2.10	2.03	1.97	1.92	1.88	1.85
125	3.92	3.07	2.68	2.44	2.29	2.17	2.08	2.01	1.95	1.90	1.86	1.83
200	3.89	3.04	2.65	2.41	2.26	2.14	2.05	1.98	1.92	1.87	1.83	1.80
1,000	3.85	3.00	2.61	2.38	2.22	2.10	2.02	1.95	1.89	1.84	1.80	1.76
∞	3.84	2.99	2.60	2.37	2.21	2.09	2.01	1.94	1.88	1.83	1.79	1.75

（续）

注：如果计算得到的F值大于等于相应自由度和显著性水平的临界F值，则拒绝H_0。$df_{组间}$是F公式中分子的自由度，$df_{组内}$是F公式中分母的自由度。

$df_{组内}$	$df_{组间}$ 14	16	20	24	30	40	50	75	100	200	500	∞
1	245	246	248	249	250	251	252	253	253	254	254	254
2	19.42	19.43	19.43	19.44	19.46	19.47	19.47	19.48	19.49	19.49	19.50	19.50
3	8.71	8.69	8.69	8.64	8.62	8.60	8.58	8.47	8.56	8.54	8.54	8.53
4	5.87	5.84	5.84	5.77	5.74	5.71	5.70	5.68	5.66	5.65	5.64	5.63
5	4.64	4.60	4.60	4.53	4.50	4.46	4.44	4.42	4.40	4.38	4.37	4.36
6	3.96	3.92	3.92	3.84	3.81	3.77	3.75	3.72	3.71	3.69	3.68	3.67
7	3.52	3.49	3.49	3.41	3.38	3.34	3.32	3.29	3.28	3.25	3.24	3.23
8	3.23	3.20	3.20	3.12	3.08	3.05	3.03	3.00	2.98	2.96	2.94	2.93
9	3.02	2.98	2.98	2.90	2.86	2.82	2.80	2.77	2.76	2.73	2.72	2.71
10	2.86	2.82	2.82	2.74	2.70	2.67	2.64	2.61	2.59	2.56	2.55	2.54
11	2.74	2.70	2.70	2.61	2.57	2.53	2.50	2.47	2.45	2.42	2.41	2.40
12	2.64	2.60	2.60	2.50	2.46	2.42	2.40	2.36	2.35	2.32	2.31	2.30
13	2.55	2.51	2.51	2.42	2.38	2.34	2.32	2.28	2.26	2.24	2.22	2.21
14	2.48	2.44	2.39	2.35	2.31	2.27	2.24	2.21	2.19	2.16	2.14	2.13
15	2.43	2.39	2.33	2.29	2.25	2.21	2.18	2.15	2.12	2.10	2.08	2.07
16	2.37	2.33	2.28	2.24	2.20	2.16	2.13	2.09	2.07	2.04	2.02	2.01
17	2.33	2.29	2.23	2.19	2.15	2.11	2.08	2.04	2.02	1.99	1.97	1.96
18	2.29	2.25	2.19	2.15	2.11	2.07	2.04	2.00	1.98	1.95	1.93	1.92
19	2.26	2.21	2.15	2.11	2.07	2.02	2.00	1.96	1.94	1.91	1.90	1.88
20	2.23	2.18	2.12	2.08	2.04	1.99	1.96	1.92	1.90	1.87	1.85	1.84
21	2.20	2.15	2.09	2.05	2.00	1.96	1.93	1.89	1.87	1.84	1.82	1.81
22	2.18	2.13	2.07	2.03	1.98	1.93	1.91	1.87	1.84	1.81	1.80	1.78
23	2.14	2.10	2.04	2.00	1.96	1.91	1.88	1.84	1.82	1.79	1.77	1.76
24	2.13	2.09	2.02	1.98	1.94	1.89	1.86	1.82	1.80	1.76	1.74	1.73
25	2.11	2.06	2.00	1.96	1.92	1.87	1.84	1.80	1.77	1.74	1.72	1.71
26	2.10	2.05	1.99	1.95	1.90	1.85	1.82	1.78	1.76	1.72	1.70	1.69
27	2.08	2.03	1.97	1.93	1.88	1.84	1.80	1.76	1.74	1.71	1.68	1.67
28	2.06	2.02	1.96	1.91	1.87	1.81	1.78	1.75	1.72	1.69	1.67	1.65
29	2.05	2.00	1.94	1.90	1.85	1.80	1.77	1.73	1.71	1.68	1.65	1.64
30	2.04	1.99	1.93	1.89	1.84	1.79	1.76	1.72	1.69	1.66	1.64	1.62
40	1.95	1.90	1.84	1.79	1.74	1.69	1.66	1.61	1.59	1.55	1.53	1.51
50	1.90	1.85	1.78	1.74	1.69	1.63	1.60	1.55	1.52	1.48	1.46	1.44
60	1.86	1.81	1.75	1.70	1.65	1.59	1.56	1.50	1.48	1.44	1.41	1.39
70	1.84	1.79	1.72	1.67	1.62	1.56	1.53	1.47	1.45	1.40	1.37	1.35
80	1.82	1.77	1.70	1.65	1.60	1.54	1.51	1.45	1.42	1.38	1.35	1.32
100	1.79	1.75	1.68	1.63	1.57	1.51	1.48	1.42	1.39	1.34	1.30	1.28
125	1.77	1.72	1.65	1.60	1.55	1.49	1.45	1.39	1.36	1.31	1.27	1.25
200	1.74	1.69	1.62	1.57	1.52	1.45	1.42	1.35	1.32	1.26	1.22	1.19
1,000	1.70	1.65	1.58	1.53	1.47	1.41	1.36	1.30	1.26	1.19	1.13	1.08
∞	1.69	1.64	1.57	1.52	1.46	1.40	1.35	1.28	1.24	1.17	1.11	1.00

	$df_{组间}$											
$df_{组内}$	1	2	3	4	5	6	7	8	9	10	11	12
1	4,052	4,999	5,403	5,625	5,764	5,859	5,928	5,981	6,022	6,056	6,082	6,106
2	98.49	99.00	99.17	99.25	99.30	99.33	99.36	99.37	99.39	99.40	99.41	99.42
3	34.12	30.82	29.46	28.71	28.24	27.91	27.67	27.49	27.34	27.23	27.13	27.05
4	21.20	18.00	16.69	15.98	15.52	15.21	14.98	14.80	14.66	14.54	14.45	14.37
5	16.26	13.27	12.06	11.39	10.97	10.67	10.45	10.29	10.15	10.05	9.96	9.89
6	13.74	10.92	9.78	9.15	8.75	8.47	8.26	8.10	7.98	7.87	7.79	7.72
7	12.25	9.55	8.45	7.85	7.46	7.19	7.00	6.84	6.71	6.62	6.54	6.47
8	11.26	8.66	7.59	7.01	6.63	6.37	6.19	6.03	5.91	5.82	5.74	5.67
9	10.56	8.02	6.99	6.42	6.06	5.80	5.62	5.47	5.35	5.26	5.18	5.11
10	10.04	7.56	6.55	5.99	5.64	5.39	5.21	5.06	4.95	4.85	4.78	4.71
11	9.65	7.20	6.22	5.67	5.32	5.07	4.88	4.74	4.63	4.54	4.46	4.29
12	9.33	6.93	5.95	5.41	5.06	4.82	4.65	4.50	4.39	4.30	4.22	4.05
13	9.07	6.70	5.74	5.20	4.86	4.62	4.44	4.30	4.19	4.10	4.02	3.85
14	8.86	6.51	5.56	5.03	4.69	4.46	4.28	4.14	4.03	3.94	3.86	3.80
15	8.68	6.36	5.42	4.89	4.56	4.32	4.14	4.00	3.89	3.80	3.72	3.67
16	8.53	6.23	5.29	4.77	4.44	4.20	4.03	3.89	3.78	3.69	3.61	3.55
17	8.40	6.11	5.18	4.67	4.34	4.10	.93	3.79	3.68	3.59	3.52	3.45
18	8.28	6.01	5.09	4.58	4.25	4.01	3.85	3.71	3.60	3.51	3.44	3.37
19	8.18	5.93	5.01	4.50	4.17	3.94	3.77	3.63	3.52	3.43	3.36	3.30
20	8.10	5.85	4.94	4.43	4.10	3.87	3.71	3.56	3.45	3.37	3.30	3.23
21	8.02	5.78	4.87	4.37	4.04	3.81	3.65	3.51	3.40	3.31	3.24	3.17
22	7.94	5.72	4.82	4.31	3.99	3.76	3.59	3.45	3.35	3.26	3.18	3.12
23	7.88	5.66	4.76	4.26	3.94	3.71	3.54	3.41	3.30	3.21	3.14	3.07
24	7.82	5.61	4.72	4.22	3.90	3.67	3.50	3.36	3.25	3.17	3.09	3.03
25	7.77	5.57	4.68	4.18	3.86	3.63	3.46	3.32	3.21	3.13	3.05	2.99
26	7.72	5.53	4.64	4.14	3.82	3.59	3.42	3.29	3.17	3.09	3.02	2.96
27	7.68	5.49	4.60	4.11	3.79	3.56	3.39	3.26	3.14	3.06	2.98	2.93
28	7.64	5.45	4.57	4.07	3.76	3.53	3.36	3.23	3.11	3.03	2.95	2.90
29	7.60	5.42	4.54	4.04	3.73	3.50	3.33	3.20	3.08	3.00	2.92	2.87
30	7.56	5.39	4.51	4.02	3.70	3.47	3.30	3.17	3.06	2.98	2.90	2.84
40	7.31	5.18	4.31	3.83	3.51	3.29	3.12	2.99	2.88	2.80	2.73	2.66
50	7.17	5.06	4.20	3.72	3.41	3.18	3.02	2.88	2.78	2.70	2.62	2.56
60	7.08	4.09	4.13	3.65	3.34	3.12	2.95	2.82	2.72	2.63	2.56	2.50
70	7.01	4.92	4.08	3.60	3.29	3.07	2.91	2.77	2.67	2.59	2.51	2.45
80	6.96	4.88	4.04	3.56	3.25	3.04	2.87	2.74	2.64	2.55	2.48	2.41
100	6.90	4.82	3.98	3.51	3.20	2.99	2.82	2.69	2.59	2.51	2.43	2.36
125	6.84	4.78	3.94	3.47	3.17	2.95	2.79	2.65	2.56	2.47	2.40	2.33
200	6.76	4.71	3.88	3.41	3.11	2.90	2.73	2.60	2.50	2.41	2.34	2.28
1,000	6.66	4.62	3.80	3.34	3.04	2.82	2.66	2.53	2.43	2.34	2.26	2.20
∞	6.64	4.60	3.78	3.32	3.02	2.80	2.64	2.51	2.41	2.32	2.24	2.18

（续）

$df_{组内}$	$df_{组间}$ 14	16	20	24	30	40	50	75	100	200	500	∞
1	6,142	6,169	6,208	6,234	6,261	6,286	6,302	6,323	6,334	6,352	6,361	6,366
2	99.43	99.44	99.45	99.46	99.47	99.48	99.48	99.49	99.49	99.49	99.50	99.50
3	26.92	26.83	26.69	26.60	26.50	26.41	26.35	26.27	26.23	26.18	26.14	26.12
4	14.24	14.15	14.02	13.93	13.83	13.74	13.69	13.61	13.57	13.52	13.48	13.46
5	9.77	9.68	9.55	9.47	9.38	9.29	9.24	9.17	9.13	9.07	9.04	9.02
6	7.60	7.52	7.39	7.31	7.23	7.14	7.09	7.02	6.99	6.94	6.90	6.88
7	6.35	6.27	6.15	6.07	5.98	5.90	5.85	5.78	5.75	5.70	5.67	5.65
8	5.56	5.48	5.36	5.28	5.20	5.11	5.06	5.00	4.96	4.91	4.88	4.86
9	5.00	4.92	4.80	4.73	4.64	4.56	4.51	4.45	4.41	4.36	4.33	4.31
10	4.60	4.52	4.41	4.33	4.25	4.17	4.12	4.05	4.01	3.96	3.93	3.91
11	4.29	4.21	4.10	4.02	3.94	3.86	3.80	3.74	3.70	3.66	3.62	3.60
12	4.05	3.98	3.86	3.78	3.70	3.61	3.56	3.49	3.46	3.41	3.38	3.36
13	3.85	3.78	3.67	3.59	3.51	3.42	3.37	3.30	3.27	3.21	3.18	3.16
14	3.70	3.62	3.51	3.43	3.34	3.26	3.21	3.14	3.11	3.06	3.02	3.00
15	3.56	3.48	3.36	3.29	3.20	3.12	3.07	3.00	2.97	2.92	2.89	2.87
16	3.45	3.37	3.25	3.18	3.10	3.01	2.96	2.98	2.86	2.80	2.77	2.75
17	3.35	3.27	3.16	3.08	3.00	2.92	2.86	2.79	2.76	2.70	2.67	2.65
18	3.27	3.19	3.07	3.00	2.91	2.83	2.78	2.71	2.68	2.62	2.59	2.57
19	3.19	3.12	3.00	2.92	2.84	2.76	2.70	2.63	2.60	2.54	2.51	2.49
20	3.13	3.05	2.94	2.86	2.77	2.69	2.63	2.56	2.53	2.47	2.44	2.42
21	3.07	2.99	2.88	2.80	2.72	2.63	2.58	2.51	2.47	2.42	2.38	2.36
22	3.02	2.94	2.83	2.75	2.67	2.58	2.53	2.46	2.42	2.37	2.33	2.31
23	2.97	2.89	2.78	2.70	2.62	2.53	2.48	2.41	2.37	2.32	2.28	2.26
24	2.93	2.85	2.74	2.66	2.58	2.49	2.44	2.36	2.33	2.27	2.23	2.21
25	2.89	2.81	2.70	2.62	2.54	2.45	2.40	2.32	2.29	2.23	2.19	2.17
26	2.86	2.77	2.66	2.58	2.50	2.41	2.36	2.28	2.25	2.19	2.15	2.13
27	2.83	2.74	2.63	2.55	2.47	2.38	2.33	2.25	2.21	2.16	2.12	2.10
28	2.80	2.71	2.60	2.52	2.44	2.35	2.30	2.22	2.18	2.13	2.09	2.06
29	2.77	2.68	2.57	2.49	2.41	2.32	2.27	2.19	2.15	2.10	2.06	2.03
30	2.74	2.66	2.55	2.47	2.38	2.29	2.24	2.16	2.13	2.07	2.03	2.01
40	2.56	2.49	2.37	2.29	2.20	2.11	2.05	1.97	1.94	1.88	1.84	1.81
50	2.46	2.39	2.26	2.18	2.10	2.00	1.94	1.86	1.82	1.76	1.71	1.68
60	2.40	2.32	2.20	2.12	2.03	1.93	1.87	1.79	1.74	1.68	1.63	1.60
70	2.35	2.28	2.15	2.07	1.98	1.88	1.82	1.74	1.69	1.62	1.56	1.53
80	2.32	2.24	2.11	2.03	1.94	1.84	1.78	1.70	1.65	1.57	1.52	1.49
100	2.26	2.19	2.06	1.98	1.89	1.79	1.73	1.64	1.59	1.51	1.46	1.43
125	2.23	2.15	2.03	1.94	1.85	1.75	1.68	1.59	1.54	1.46	1.40	1.37
200	2.17	2.09	1.97	1.88	1.79	1.69	1.62	1.53	1.48	1.39	1.33	1.28
1,000	2.09	2.01	1.89	1.81	1.71	1.51	1.54	1.44	1.38	1.28	1.19	1.11
∞	2.07	1.99	1.87	1.79	1.69	1.59	1.52	1.41	1.36	1.25	1.15	1.00

表 A－5 皮尔逊积差相关系数(r)临界值表

	单向检验的显著性水平				
	0.05	0.025	0.01	0.005	0.0005
	双向检验的显著性水平				
$df=n-2$	0.10	0.05	0.02	0.01	0.001
1	0.9877	0.9969	0.9995	0.9999	1.0000
2	0.9000	0.9500	0.9800	0.9900	0.9990
3	0.8054	0.8783	0.9343	0.9587	0.9912
4	0.7293	0.8114	0.8822	0.9172	0.9741
5	0.6694	0.7545	0.8329	0.8745	0.9507
6	0.6215	0.7067	0.7887	0.8343	0.9249
7	0.5822	0.6664	0.7498	0.7977	0.8982
8	0.5494	0.6319	0.7155	0.7646	0.8721
9	0.5214	0.6021	0.6851	0.7348	0.8471
10	0.4973	0.5760	0.6581	0.7079	0.8233
11	0.4762	0.5529	0.6339	0.6835	0.8010
12	0.4575	0.5324	0.6120	0.6614	0.7800
13	0.4409	0.5139	0.5923	0.6411	0.7603
14	0.4259	0.4973	0.5742	0.6226	0.7420
15	0.4124	0.4821	0.5577	0.6055	0.7246
16	0.4000	0.4683	0.5425	0.5897	0.7084
17	0.3887	0.4555	0.5285	0.5751	0.6932
18	0.3783	0.4438	0.5155	0.5614	0.6787
19	0.3687	0.4329	0.5034	0.5487	0.6652
20	0.3598	0.4227	0.4921	0.5368	0.6524
25	0.3233	0.3809	0.4451	0.4869	0.5974
30	0.2960	0.3494	0.4093	0.4487	0.5541
35	0.2746	0.3246	0.3810	0.4182	0.5189
40	0.2573	0.3044	0.3578	0.3932	0.4896
45	0.2428	0.2875	0.3384	0.3721	0.4648
50	0.2306	0.2732	0.3218	0.3541	0.4433
60	0.2108	0.2500	0.2948	0.3248	0.4078
70	0.1954	0.2319	0.2737	0.3017	0.3799
80	0.1829	0.2172	0.2565	0.2830	0.3568
90	0.1726	0.2050	0.2422	0.2673	0.3375
100	0.1638	0.1946	0.2301	0.2540	0.3211

注：如果计算得到的 r 值大于等于相应自由度和显著性水平的临界值，则拒绝 H_0。表头上面一排为单向检验的显著性水平，下面一排为双向检验的显著性水平。

表 A-6　斯皮尔曼等级相关系数(r_S)临界值表

	单向检验的显著性水平			
	0.05	**0.025**	**0.005**	**0.001**
	双向检验的显著性水平			
n	**0.10**	**0.05**	**0.01**	**0.002**
5	0.900	1.000		
6	0.829	0.886	1.000	
7	0.715	0.786	0.929	1.000
8	0.620	0.715	0.881	0.953
9	0.600	0.700	0.834	0.917
10	0.564	0.649	0.794	0.879
11	0.537	0.619	0.764	0.855
12	0.504	0.588	0.735	0.826
13	0.484	0.561	0.704	0.797
14	0.464	0.539	0.680	0.772
15	0.447	0.522	0.658	0.750
16	0.430	0.503	0.636	0.730
17	0.415	0.488	0.618	0.711
18	0.402	0.474	0.600	0.693
19	0.392	0.460	0.585	0.676
20	0.381	0.447	0.570	0.661
21	0.371	0.437	0.556	0.647
22	0.361	0.426	0.544	0.633
23	0.353	0.417	0.532	0.620
24	0.345	0.407	0.521	0.608
25	0.337	0.399	0.511	0.597
26	0.331	0.391	0.501	0.587
27	0.325	0.383	0.493	0.577
28	0.319	0.376	0.484	0.567
29	0.312	0.369	0.475	0.558
30	0.307	0.363	0.467	0.549

注：如果计算得到的 r_s 值大于等于相应数据对数和显著性水平的临界值，则拒绝 H_0。表头上面一排为单向检验的显著性水平，下面一排为双向检验的显著性水平。

表 A-7 χ^2 临界值表

	显著水平				
df	**0.10**	**0.05**	**0.02**	**0.01**	**0.001**
1	2.71	3.84	5.41	6.64	10.83
2	4.60	5.99	7.82	9.21	13.82
3	6.25	7.82	9.84	11.34	16.27
4	7.78	9.49	11.67	13.28	18.46
5	9.24	11.07	13.39	15.09	20.52
6	10.64	12.59	15.03	16.81	22.46
7	12.02	14.07	16.62	18.48	24.32
8	13.36	15.51	18.17	20.09	26.12
9	14.68	16.92	19.68	21.67	27.88
10	15.99	18.31	21.16	23.21	29.59
11	17.28	19.68	22.62	24.72	31.26
12	18.55	21.03	24.05	26.22	32.91
13	19.81	22.36	25.47	27.69	34.53
14	21.06	23.68	26.87	29.14	36.12
15	22.31	25.00	28.26	30.58	37.70
16	23.54	26.30	29.63	32.00	39.29
17	24.77	27.59	31.00	33.41	40.75
18	25.99	28.87	32.35	34.80	42.31
19	27.20	30.14	33.69	36.19	43.82
20	28.41	31.41	35.02	37.57	45.32
21	29.62	32.67	36.34	38.93	46.80
22	30.81	33.92	37.66	40.29	48.27
23	32.01	35.17	38.97	41.64	49.73
24	33.20	36.42	40.27	42.98	51.18
25	34.38	37.65	41.57	44.31	52.62
26	35.56	38.88	42.86	45.64	54.05
27	36.74	40.11	44.14	46.96	55.48
28	37.92	41.34	45.42	48.28	56.89
29	39.09	42.69	46.69	49.59	58.30
30	40.26	43.77	47.96	50.89	59.70
32	42.59	46.19	50.49	53.49	62.49
34	44.90	48.60	53.00	56.06	65.25
36	47.21	51.00	55.49	58.62	67.99
38	49.51	53.38	57.97	61.16	70.70
40	51.81	55.76	60.44	63.69	73.40
44	56.37	60.48	65.34	68.71	78.75
48	60.91	65.17	70.20	73.68	84.04
52	65.42	69.83	75.02	78.62	89.27
56	69.92	74.47	79.82	83.51	94.46
60	74.40	79.08	84.58	88.38	99.61

注：如果计算得到的 x^2 值大于等于相应自由度和显著性水平的临界值，则拒绝 H_0。如果 r 和 c 都不小于 2，则 $df=(r-1)(c-1)$，这里 r 是数据行数，c 是数据列数；如果 r 为 1，则 $df=(c-1)$；如果 c 为 1，则 $df=(r-1)$。

表 A-8 维尔克松符号等级检验(W)临界值表

	单向检验的显著性水平					单向检验的显著性水平			
	0.05	**0.025**	**0.01**	**0.005**		**0.05**	**0.025**	**0.01**	**0.005**
	双向检验的显著性水平					双向检验的显著性水平			
n	**0.10**	**0.05**	**0.02**	**0.01**	***n***	**0.10**	**0.05**	**0.02**	**0.01**
5	0	—	—	—	28	130	116	101	91
6	2	0	—	—	29	140	126	110	100
7	3	2	0	—	30	151	137	120	109
8	5	3	1	0	31	163	147	130	118
9	8	5	3	1	32	175	159	140	128
10	10	8	5	3	33	187	170	151	138
11	13	10	7	5	34	200	182	162	148
12	17	13	9	7	35	213	195	173	159
13	21	17	12	9	36	227	208	185	171
14	25	21	15	12	37	241	221	198	182
15	30	25	19	15	38	256	235	211	194
16	35	29	23	19	39	271	249	224	207
17	41	34	27	23	40	286	264	238	220
18	47	40	32	27	41	302	279	252	233
19	53	46	37	32	42	319	294	266	247
20	60	52	43	37	43	336	310	281	261
21	67	58	49	42	44	353	327	296	276
22	75	65	55	48	45	371	343	312	291
23	83	73	62	54	46	389	361	328	307
24	91	81	69	61	47	407	378	345	322
25	100	89	76	68	48	426	396	362	339
26	110	98	84	75	49	446	415	379	355
27	119	107	92	83	50	466	434	397	373

注：对于一个给定 n(数据对数，减去差异值为 0 的数据对数)，如果计算得到的 W 值小于或等于相应显著性水平的临界值，则拒绝 H_0。表头上面一排为单向检验的显著性水平，下面一排为双向检验的显著性水平。

表A-9 曼-惠特尼 U 检验临界值表(单向检验 $\alpha=0.05$ 或双向检验 $\alpha=0.10$)

	n_1																			
n_2	1	2	3	4	5	6	7	8	9	10	11	12	13	14	15	16	17	18	19	20
1	—	—	—	—	—	—	—	—	—	—	—	—	—	—	—	—	—	—	0 19	0 20
2	—	—	—	—	0 10	0 12	0 14	1 15	1 17	1 19	1 21	2 22	2 24	2 26	3 27	3 29	3 31	4 32	4 34	4 36
3	—	—	0 9	0 12	1 14	2 16	2 19	3 21	3 24	4 26	5 28	5 31	6 33	7 35	7 38	8 40	9 42	9 45	10 47	11 49
4	—	—	0 12	1 15	2 18	3 21	4 24	5 27	6 30	7 33	8 36	9 39	10 42	11 45	12 48	14 50	15 53	16 56	17 59	18 62
5	—	0 10	1 14	2 18	4 21	5 25	6 29	8 32	9 36	11 39	12 43	13 47	15 50	16 54	18 57	19 61	20 65	22 68	23 72	25 75
6	—	0 12	2 16	3 21	5 25	7 29	8 34	10 38	12 42	14 46	16 50	17 55	19 59	21 63	23 67	25 71	26 76	28 80	30 84	32 88
7	—	0 14	2 19	4 24	6 29	8 34	11 38	13 43	15 48	17 53	19 58	21 63	24 67	26 72	28 77	30 82	33 86	35 91	37 96	39 101
8	—	1 15	3 21	5 27	8 32	10 38	13 43	15 49	18 54	20 60	23 65	26 70	28 76	31 81	33 87	36 92	39 97	41 103	44 108	47 113
9	—	1 17	3 24	6 30	9 36	12 42	15 48	18 54	21 60	24 66	27 72	30 78	33 84	36 90	39 96	42 102	45 108	48 114	51 120	54 126
10	—	1 19	4 26	7 33	11 39	14 46	17 53	20 60	24 66	27 73	31 79	34 86	37 93	41 99	44 106	48 112	51 119	55 125	58 132	62 138
11	—	1 21	5 28	8 36	12 43	16 50	19 58	23 65	27 72	31 79	34 87	38 94	42 101	46 108	50 115	54 122	57 130	61 137	65 144	69 151
12	—	2 22	5 31	9 39	13 47	17 55	21 63	26 70	30 78	34 86	38 94	42 102	47 109	51 117	55 125	60 132	64 140	68 148	72 156	77 163
13	—	2 24	6 33	10 42	15 50	19 59	24 67	28 76	33 84	37 93	42 101	47 109	51 118	56 126	61 134	65 143	70 151	75 159	80 167	84 176
14	—	2 26	7 35	11 45	16 54	21 63	26 72	31 81	36 90	41 99	46 108	51 117	56 126	61 135	66 144	71 153	77 161	82 170	87 179	92 188
15	—	3 27	7 38	12 48	18 57	23 67	28 77	33 87	39 96	44 106	50 115	55 125	61 134	66 144	72 153	77 163	83 172	88 162	94 191	100 200
16	—	3 29	8 40	14 50	19 61	25 71	30 82	36 92	42 102	48 112	54 122	60 132	65 143	71 153	77 163	83 173	89 183	95 193	101 203	107 213
17	—	3 31	9 42	15 53	20 65	26 76	33 86	39 97	45 108	51 119	57 130	64 140	70 151	77 161	83 172	89 183	96 193	102 204	109 214	115 225
18	—	4 32	9 45	16 56	22 68	28 80	35 91	41 103	48 114	44 123	61 137	68 148	75 159	82 170	88 182	95 193	102 204	109 215	116 226	123 237
19	0 19	4 34	10 47	17 59	23 72	30 84	37 96	44 108	51 120	58 132	65 144	72 156	80 167	87 179	94 191	101 203	109 214	116 226	123 238	130 250
20	0 20	4 36	11 49	18 62	25 75	32 88	39 101	47 113	54 126	62 138	69 151	77 163	84 176	92 188	100 200	107 213	115 225	123 237	130 250	138 262

(续)

注：对双向检验，如果计算得到的 U 值落在 n_1 和 n_2 相应值之间，则不拒绝 H_0；如果落在 n_1 和 n_2 相应值之外，则拒绝 H_0。对单向检验而言，如果 H_1 预测分布 1>分布 2，此时只有计算得到的样本 1 的 U 值小于或等于较小的临界值，才能拒绝 H_0

	n_1																			
n_2	1	2	3	4	5	6	7	8	9	10	11	12	13	14	15	16	17	18	19	20
1	—	—	—	—	—	—	—	—	—	—	—	—	—	—	—	—	—	—	—	—
2	—	—	—	—	—	—	—	0 16	0 18	0 20	0 22	1 23	1 25	1 27	1 29	1 31	2 32	2 34	2 36	2 38
3	—	—	—	—	0 15	1 17	1 20	2 22	2 25	3 27	3 30	4 32	4 35	5 37	5 40	6 42	6 45	7 47	7 50	8 52
4	—	—	—	0 16	1 19	2 22	3 25	4 28	4 32	5 35	6 38	7 41	8 44	9 47	10 50	11 53	11 57	12 60	13 63	13 67
5	—	—	0 15	1 19	2 23	3 27	5 30	6 34	7 38	8 42	9 46	11 49	12 53	13 57	14 61	15 65	17 68	18 72	19 76	20 80
6	—	—	1 17	2 22	3 27	5 21	6 36	8 40	10 44	11 49	13 53	14 58	16 62	17 67	19 71	21 75	22 80	24 84	35 89	27 93
7	—	—	1 20	3 25	5 30	6 36	8 41	10 46	12 51	14 56	16 61	18 66	20 71	22 76	24 81	26 86	28 91	30 96	32 101	34 106
8	—	0 16	2 22	4 28	6 34	8 40	10 46	13 51	15 57	17 63	19 69	22 74	24 80	26 86	29 91	31 97	34 102	36 108	38 111	41 119
9	—	0 18	2 25	4 32	7 38	10 44	12 51	15 57	17 64	20 70	23 76	26 82	28 89	31 95	34 101	37 107	39 114	42 120	45 126	48 132
10	—	0 20	3 27	5 35	8 42	11 49	14 56	17 63	20 70	23 77	26 84	29 91	33 97	36 104	39 111	42 118	45 125	48 132	52 138	55 145
11	—	0 22	3 30	6 38	9 46	13 53	16 61	19 69	23 76	26 84	30 91	33 99	37 106	40 114	44 121	47 129	51 136	55 143	58 151	62 158
12	—	1 23	4 32	7 41	11 49	14 58	18 66	22 74	26 82	29 91	33 99	37 107	41 115	45 123	49 131	53 139	57 147	61 155	65 163	69 171
13	—	1 25	4 35	8 44	12 53	16 62	20 71	24 80	28 89	33 97	37 106	41 115	45 124	50 132	54 141	59 149	63 158	67 167	72 175	76 184
14	—	1 27	5 37	9 47	13 57	17 67	22 76	26 86	31 95	36 104	40 114	45 123	50 132	55 141	59 151	64 160	67 171	74 178	78 188	83 197
15	—	1 29	5 40	10 50	14 61	19 71	24 81	29 91	34 101	39 111	44 121	49 131	54 141	59 151	64 161	70 170	75 180	80 190	85 200	90 210
16	—	1 31	6 42	11 53	15 65	21 75	26 86	31 97	37 107	42 118	47 129	53 139	59 149	64 160	70 170	75 181	81 191	86 202	92 212	98 222
17	—	2 32	6 45	11 57	17 68	22 80	28 91	34 102	39 114	45 125	51 136	57 147	63 158	67 171	75 180	81 191	87 202	93 213	99 224	105 235
18	—	2 34	7 47	12 60	18 72	24 84	30 96	36 108	42 120	48 132	55 143	61 155	67 167	74 178	80 190	86 202	93 213	99 225	106 236	112 248
19	—	2 36	7 50	13 63	19 76	25 89	32 101	38 114	45 126	52 138	58 151	65 163	72 175	78 188	85 200	92 212	99 224	106 236	113 248	119 261
20	—	2 38	8 52	13 67	20 80	27 93	34 106	41 119	48 132	55 145	62 158	69 171	76 184	83 197	90 210	98 222	105 235	112 248	119 261	127 273

	n_1																			
n_2	1	2	3	4	5	6	7	8	9	10	11	12	13	14	15	16	17	18	19	20
1	—	—	—	—	—	—	—	—	—	—	—	—	—	—	—	—	—	—	—	—
2	—	—	—	—	—	—	—	—	—	—	—	—	0 26	0 28	0 30	0 32	0 34	0 36	1 37	1 39
3	—	—	—	—	—	—	0 21	0 24	1 26	1 29	1 32	2 34	2 37	2 40	3 42	3 45	4 47	4 50	4 52	5 55
4	—	—	—	—	0 20	1 23	1 27	2 30	3 33	3 37	4 40	5 43	5 47	6 50	7 53	7 57	8 60	9 63	9 67	10 70
5	—	—	—	0 20	1 24	2 28	3 32	4 36	5 40	6 44	7 58	8 52	9 56	10 60	11 64	12 68	13 72	14 76	15 80	16 84
6	—	—	—	1 23	2 28	3 33	4 38	6 42	7 47	8 52	9 57	11 61	12 66	13 71	15 75	16 80	18 84	19 89	20 94	22 98
7	—	—	0 21	1 27	3 32	4 38	6 43	7 49	9 54	11 59	12 65	14 70	16 75	17 81	19 86	21 91	23 96	24 102	26 107	28 112
8	—	—	0 24	2 30	4 36	6 42	7 49	9 55	11 61	13 67	15 73	17 79	20 84	22 90	24 96	26 102	28 108	30 114	32 120	34 126
9	—	—	1 26	3 33	5 40	7 47	9 54	11 61	14 67	16 74	18 81	21 87	23 94	26 100	28 107	31 113	33 120	36 126	38 133	40 140
10	—	—	1 29	3 37	6 44	8 52	11 59	13 67	16 74	19 81	22 88	24 96	27 103	30 110	33 117	36 124	38 132	41 139	44 146	47 153
11	—	—	1 32	4 40	7 48	9 57	12 65	15 73	18 81	22 88	25 96	28 104	31 112	34 120	37 128	41 135	44 143	47 151	50 159	53 167
12	—	—	2 34	5 43	8 52	11 61	14 70	17 79	21 87	24 96	28 104	31 113	35 121	38 130	42 138	46 146	49 155	53 163	56 172	60 180
13	—	0 26	2 37	5 47	9 56	12 66	16 75	20 84	23 94	27 103	31 112	35 121	39 130	43 139	47 148	51 157	55 166	59 175	63 184	67 193
14	—	0 28	2 40	6 50	10 60	13 71	17 81	22 90	26 100	30 110	34 120	38 130	43 139	47 149	51 159	56 168	60 178	65 187	69 197	73 207
15	—	0 30	3 42	7 53	11 64	15 75	19 86	24 96	28 107	33 117	37 128	42 138	47 148	51 159	56 169	61 179	66 189	70 200	75 210	80 220
16	—	0 32	3 45	7 57	12 68	16 80	21 91	26 102	31 113	36 124	41 135	46 146	51 157	56 168	61 179	66 190	71 201	76 212	82 222	87 233
17	—	0 34	4 47	8 60	13 72	18 84	23 96	28 108	33 120	38 132	44 143	49 155	55 166	60 178	66 189	71 201	77 212	82 224	88 234	93 247
18	—	0 36	4 50	9 63	14 76	19 89	24 102	30 111	36 126	41 139	47 151	53 163	59 175	65 187	70 200	76 212	82 224	88 236	95 248	100 260
19	—	1 37	4 53	9 67	15 80	20 94	26 107	32 120	38 133	44 146	50 159	56 172	63 184	69 197	75 210	82 222	88 235	94 248	101 260	107 273
20	—	1 39	5 55	10 70	16 84	22 98	28 112	34 126	40 140	47 153	53 167	60 180	67 193	73 207	80 220	83 233	93 247	100 260	107 273	114 286

（续）

	n_1																			
n_2	1	2	3	4	5	6	7	8	9	10	11	12	13	14	15	16	17	18	19	20
1	—	—	—	—	—	—	—	—	—	—	—	—	—	—	—	—	—	—	—	—
2	—	—	—	—	—	—	—	—	—	—	—	—	—	—	—	—	—	—	0 38	0 40
3	—	—	—	—	—	—	—	—	0 27	0 30	0 33	1 35	1 38	1 41	2 43	2 46	2 49	2 52	3 54	3 57
4	—	—	—	—	—	0 24	0 28	1 31	1 35	2 38	2 42	3 45	3 49	4 52	5 55	5 59	6 62	6 66	7 69	8 72
5	—	—	—	—	0 25	1 29	1 34	2 38	3 42	4 46	5 50	6 54	7 58	7 63	8 67	9 71	10 75	11 79	12 83	13 87
6	—	—	—	0 24	1 29	2 34	3 39	4 44	5 49	6 54	7 59	9 63	10 68	11 73	12 78	13 83	15 87	16 92	17 97	18 102
7	—	—	—	0 28	1 34	3 39	4 45	6 50	7 56	9 61	10 67	12 72	13 78	15 83	16 89	18 94	19 100	21 105	22 111	24 116
8	—	—	—	1 31	2 38	4 44	6 50	7 57	9 63	11 69	13 75	15 81	17 87	18 94	20 100	22 106	24 112	26 118	28 124	30 130
9	—	—	0 27	1 35	3 42	5 49	7 56	9 63	11 70	13 77	16 83	18 90	20 97	22 104	24 111	27 117	29 124	31 131	33 138	36 144
10	—	—	0 30	2 38	4 46	6 54	9 61	11 69	13 77	16 84	18 92	21 99	24 106	26 114	29 121	31 129	34 136	37 143	39 151	42 158
11	—	—	0 33	2 42	5 50	7 59	10 67	13 75	16 83	18 92	21 100	24 108	27 116	30 124	33 132	36 140	39 148	42 156	45 164	48 172
12	—	—	1 35	3 45	6 54	9 63	12 72	15 81	18 90	21 99	24 108	27 117	31 125	34 134	37 143	41 151	44 160	47 169	51 177	54 186
13	—	—	1 38	3 49	7 58	10 68	13 78	17 87	20 97	24 106	27 116	31 125	34 135	38 144	42 153	45 163	49 172	53 181	56 191	60 200
14	—	—	1 41	4 52	7 63	11 73	15 83	18 94	22 104	26 114	30 124	34 134	38 144	42 154	46 164	50 174	54 184	58 194	63 203	67 213
15	—	—	2 43	5 55	8 67	12 78	16 89	20 100	24 111	29 121	33 132	37 143	42 153	46 164	51 174	55 185	60 195	64 206	69 216	73 227
16	—	—	2 46	5 59	9 71	13 83	18 94	22 106	27 117	31 129	36 140	41 151	45 163	50 174	55 185	60 196	65 207	70 218	74 230	79 241
17	—	—	2 49	6 62	10 75	15 87	19 100	24 112	29 124	34 148	39 148	44 160	49 172	54 184	60 195	65 207	70 219	75 231	81 242	86 254
18	—	—	2 52	6 66	11 79	16 92	21 109	26 118	31 131	37 149	42 156	47 169	53 181	58 194	64 206	70 218	75 231	81 243	87 255	92 268
19	—	0 38	3 54	7 69	12 83	17 97	22 111	28 124	33 138	39 151	45 164	51 177	56 191	63 203	69 216	74 230	81 242	87 255	93 268	99 281
20	—	0 40	3 57	8 72	13 87	18 102	24 116	30 130	36 144	42 158	48 172	54 186	60 200	67 213	73 227	79 241	86 254	92 268	99 281	105 295

附录 B：参考答案

第二章

3. (A) 样本 (B) 总体 (C) 总体 (D) 样本 (E) 总体 (F) 样本

6. (A) 变量 (B) 常量 (C) 变量 (D) 变量 (E) 常量 (F) 变量

8. 性别是常量

9. (A) 变量 (B) 特征值 (C) 特征值 (D) 变量 (E) 特征值 (F) 特征值 (G) 变量 (H) 变量

10. C. (a) 称名 (b) 比率 (c) 称名 (d) 比率 (e) 比率 (f) 顺序 (g) 等距 (h) 顺序 (i) 称名

11. (A) 顺序 (B) 称名 (C) 等距 (D) 比率 (E) 比率 (F) 称名 (G) 比率

14. (A) 第一组：1；第二组：100；第三组：0.01

(B) $X = 241$，实际下限 = 240.5，实际上限 = 241.5；$X = 250$，实际下限 = 249.5，实际上限 = 250.5

(C) $X = 3\,400$，实际下限 = 3 350，实际上限 = 3 450；$X = 4\,000$，实际下限 = 3 950，实际上限 = 4 050

(D) $X = 3.30$，实际下限 = 3.295，实际上限 = 3.305；$X = 3.37$，实际下限 = 3.365，实际上限 = 3.375

15. (A) 实际下限=46.5，实际上限=47.5

(B) 实际下限=585，实际上限=595

(C) 实际下限=6 450，实际上限=6 550

(D) 实际下限=9 950，实际上限=10 050

(E) 实际下限=3.55，实际上限=3.65

(F) 实际下限=14.95，实际上限=15.05

(G) 实际下限=0.185，实际上限=0.195

(H) 实际下限=0.995，实际上限=1.005

第三章

10.

病人数	f	相对频次	累加频次	相对累加频次
32	1	0.03	30	1.00
31	1	0.03	29	0.97
30	3	0.10	28	0.93
29	1	0.03	25	0.83
28	0	0.00	24	0.80
27	3	0.10	24	0.80
26	5	0.17	21	0.70
25	5	0.17	16	0.53
24	2	0.07	11	0.37
23	4	0.13	9	0.30
22	0	0.00	5	0.17
21	2	0.07	5	0.17
20	3	0.10	3	0.10

11.

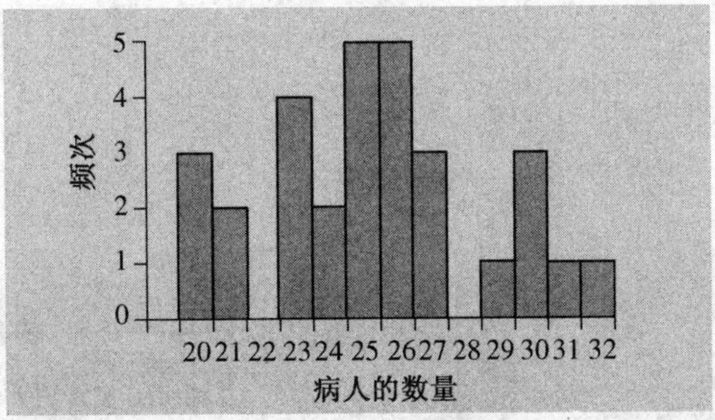

12.

等级	f	相对频次	累加频次	相对累加频次
7	3	0.12	25	1.00
6	6	0.24	22	0.88
5	7	0.28	16	0.64
4	5	0.20	9	0.36
3	3	0.12	4	0.16
2	0	0.00	1	0.04
1	1	0.04	1	0.04

13.

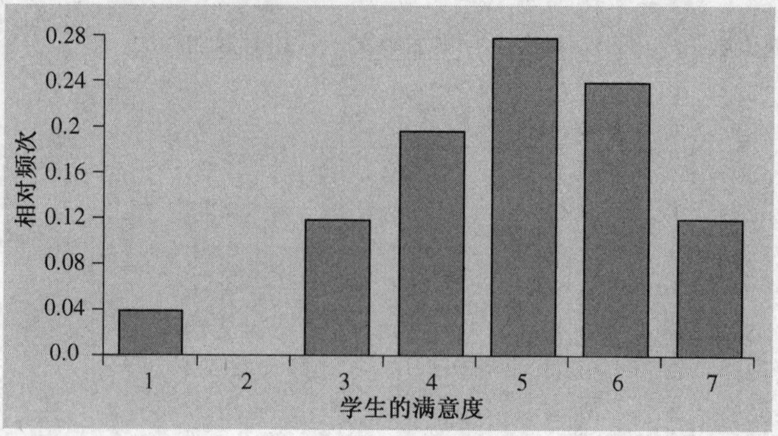

14.

种族	*f*	相对频次
美国黑人(1)	3	0.12
美国本土人(2)	5	0.20
美国亚裔(3)	1	0.04
西班牙人(4)	4	0.16
高加索人(5)	8	0.32
混血儿(6)	3	0.12
其他种族人(7)	1	0.04

15.

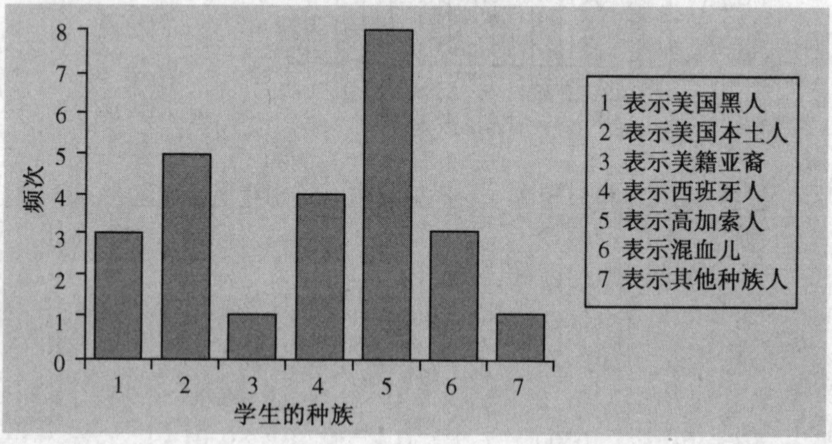

16.

年龄	频次	相对频次	累加频次	相对累加频次
12	2	0.04	50	1.00
11	3	0.06	48	0.96
10	5	0.10	45	0.90
9	11	0.22	40	0.80
8	19	0.38	29	0.58
7	6	0.12	10	0.20
6	4	0.08	4	0.08

17.

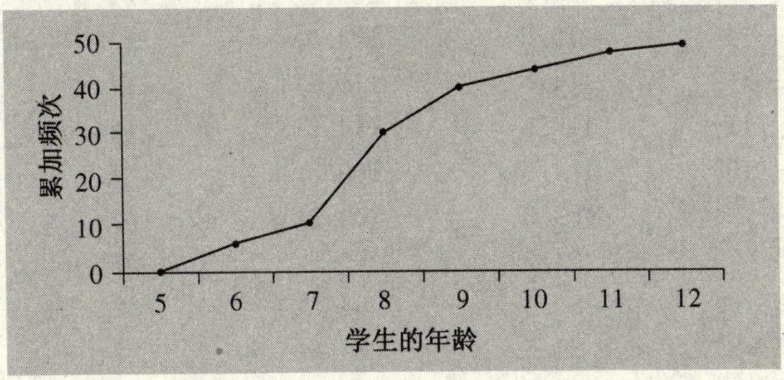

18.

茎	叶							
7	64	90						
7	02	03	10	10	11			
6	67	79	81	94				
6	07	13	13	19	25	32	38	42
5	50	55	73	82	82	83	90	91	94
5	10	12	23	24	29	37	40	
4	59	62	75	83	92	95		
4	16	20	24	38	40			
3	55	70	86	99				

19.

茎	叶										
14	2	4									
13	0	1	5								
12	0	1	2	4	6	7	8				
11	0	2	3	5	7	8	9	9	9		
10	1	2	3	4	4	5	6	6	7	8	9
9	0	2	3	6	8	8					
8	4	7									

20. (A) 5 (B) 0.20 (C) 20
21. (A) 65—69 (B) 4.0—5.9 (C) 1 500—1 700
22. (A) 实际下限=69.5，实际上限=79.5，组中点=74.5
(B) 实际下限=0.995，实际上限=1.045，组中点=1.02
(C) 实际下限=12 500，实际上限=14 500，组中点=13 500

23.

表述组限	实际下限	实际上限	组中点
135—139	134.5	139.5	137
130—134	129.5	134.5	132
125—129	124.5	129.5	127
120—124	119.5	124.5	122
115—119	114.5	119.5	117
110—114	109.5	114.5	112
105—109	104.5	109.5	107
100—104	99.5	104.5	102
95—99	94.5	99.5	97
90—94	89.5	94.5	92
85—89	84.5	89.5	87
80—84	79.5	84.5	82
75—79	74.5	79.5	77

24.

表述组限	频次	实际下限	实际上限	组中点
44—45	1	43.5	45.5	44.5
42—43	1	41.5	43.5	42.5
40—41	4	39.5	41.5	40.5
38—39	5	37.5	39.5	38.5
36—37	12	35.5	37.5	36.5
34—35	21	33.5	35.5	34.5
32—33	23	31.5	33.5	32.5
30—31	21	29.5	31.5	30.5
28—29	10	27.5	29.5	28.5
26—27	2	25.5	27.5	26.5

25.

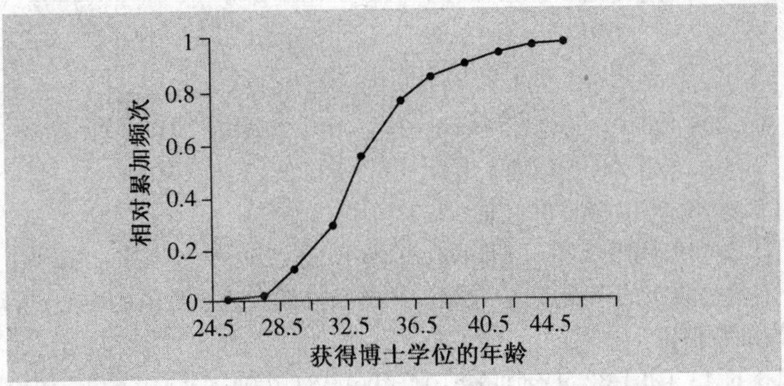

26.

表述组限	频次	实际下限	实际上限	组中点
3.90—3.99	2	3.895	3.995	3.945
3.80—3.89	3	3.795	3.895	3.845
3.70—3.79	4	3.695	3.795	3.745
3.60—3.69	6	3.595	3.695	3.645
3.50—3.59	8	3.495	3.595	3.545
3.40—3.49	9	3.395	3.495	3.445
3.30—3.39	7	3.295	3.395	3.345
3.20—3.29	6	3.195	3.295	3.245
3.10—3.19	3	3.095	3.195	3.145
3.00—3.09	2	2.995	3.095	3.045

27.

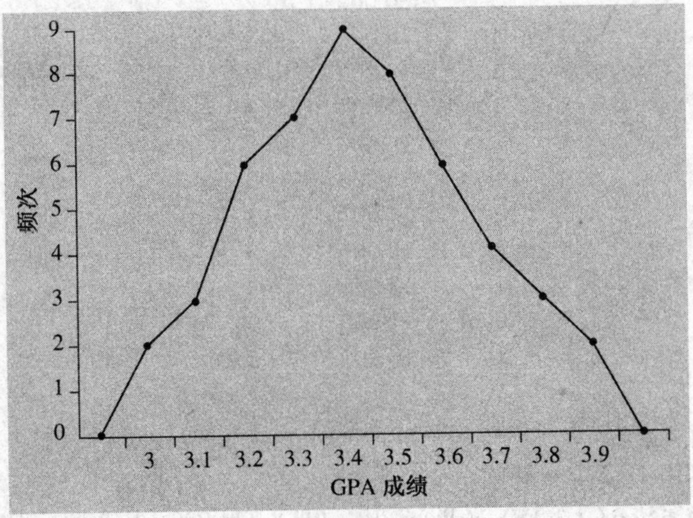

第四章

2. (Ⅰ) 0.269 4 (Ⅱ) 2.964 (Ⅲ) 29.64 (Ⅳ) 296.4 (Ⅴ) 2 964 (Ⅵ) 29 640 (Ⅶ) 296 400

3. (Ⅰ) 8.0 (Ⅱ) 9.0 (Ⅲ) 8.0 (Ⅳ) 80.0

4. (Ⅰ) 2.73 (Ⅱ) 27.3 (Ⅲ) 273

5. (Ⅰ) 2.65 (Ⅱ) 2.68 (Ⅲ) 2.72 (Ⅳ) 2.75

8. 平均数是分布的平衡点，中数是一半的数据低于这个数值的中心点，众数是出现频次最高的数值。

9. (Ⅰ) 6.4 (Ⅱ) 32.9 (Ⅲ) 510 (Ⅳ) 131 700 (Ⅴ) 1.649 (Ⅵ) 0.054 4

10. (A) 18 (B) 30 (C) 86 (D) 190 (E) 324 (F) 900

11. (A) 40.6 (B) 5.06 (C) 185.74 (D) 13.23 (E) 1 648.36 (F) 25.603 6

12. (A) 554 (B) 4 494 (C) 306 916

13. 7.9

14. (Ⅰ) 3.6 (Ⅱ) 5.7 (Ⅲ) 34 (Ⅳ) 530 (Ⅴ) 4.02 (Ⅵ) 0.463

15. (Ⅰ) 4 (Ⅱ) 5 (Ⅲ) 40 (Ⅳ) 500 (Ⅴ) 3.2 (Ⅵ) 0.38

16. (Ⅰ) 4.0 (Ⅱ) 5.2 (Ⅲ) 38 (Ⅳ) 520 (Ⅴ) 3.23 (Ⅵ) 0.380

17. (Ⅰ) 110.5 (Ⅱ) 3.12 (Ⅲ) $14 300

18. (Ⅰ)

IQ	*f*	GPA	*f*	收入($)	*f*
115	1	3.5	2	20 000	2
114	0	3.4	4	19 000	3
113	2	3.3	3	18 000	0
112	3	3.2	1	17 000	2
111	3	3.1	2	16 000	0
110	5	3.0	1	15 000	2
109	4	2.9	3	14 000	3
108	1	2.8	2	13 000	0
107	0	2.7	1	12 000	3
106	1	2.6	0	11 000	0
		2.5	1	10 000	3
				9 000	1
				8 000	1

注：平均数和第 17 题是一样的。

19. 列的简化算法：(Ⅰ) 110 (Ⅱ) 3.15 (Ⅲ) $14 000

表的简化算法：（Ⅰ）110 （Ⅱ）3.15 （Ⅲ）$14 000

20. 列和表的精确算法：（Ⅰ）110.3 （Ⅱ）3.15 （Ⅲ）$14 200

21. 频次：30.7；分组频次：30.5

22. 频次：31；分组频次：31

23. 频次：30.8；分组频次：30.7

24. (A) 简化和精确：8 (B) 简化：8;精确：7.8 (C) 简化：40;精确：43 (D) 简化：1.8;精确 1.78 (E) 简化：0.06,精确：0.058

25. （Ⅰ）115 （Ⅱ）122.5 （Ⅲ）主：110,次：135 （Ⅳ）4 （Ⅴ）主：3,次：6 （Ⅵ）Lutheran 地区

26. （Ⅰ）平均数,因为测量标尺是等距的,而且分布基本是平衡的。

（Ⅱ）中数,虽然是等距测量标尺,但分布是偏斜的。

（Ⅲ）众数,因为分布是单峰分布。

（Ⅳ）中数,即使分布是平衡的,但是顺序测量标尺。

（Ⅴ）众数,因为分布是单峰分布。

（Ⅵ）众数,因为是称名测量标尺。

第五章

2. (1) 0.045 (2) 0.45 (3) 4.5 (4) 45 (5) 450 (6) 4 500 (7) 45 000

3. (1) 36、6.5 (2) 36、10.5 (3) 36、16.5

4. (1) 2.1 (2) 3.1 (3) 3.1

5. (1) 1.7 (2) 3.4 (3) 17

6. (1) 2.0 (2) 4.0 (3) 20.0

10. (1) 6 (2) 18 (3) 800 (4) 19 000 (5) 0.25 (6) 0.042

11. (1) 10 (2) 1.1 (3) $13 000

12. (A) (1) 2.0 (2) 0.29 (3) $3 900

(B) (1) 2.0 (2) 0.29 (3) $3 900

13.

组1：IQ	f	组2：GPA	f	组3：收入($)	f
115	1	3.5	2	20 000	2
113	2	3.4	4	19 000	3
112	3	3.3	3	17 000	2
111	3	3.2	1	15 000	2
110	5	3.2	2	14 000	3
109	4	3.0	1	12 000	3
108	1	2.9	3	10 000	3
106	1	2.8	2	9 000	1
		2.7	1	8 000	1
		2.5	1		

(A) (1) 2.0 (2) 0.29 (3) \$3 900
(B) (1) 2.0 (2) 0.29 (3) \$3 900
14. (A) (1) 2.3 (2) 1.5 (3) 19 (4) 205 (5) 1.64 (6) 0.255
(B) (1) 2.3 (2) 1.5 (3) 19 (4) 205 (5) 1.64 (6) 0.255
15. (A) (1) 9.2 (2) 9.6 (3) 11.8
(B) (1) 9.2 (2) 9.6 (3) 11.8
16. (A) 4.5
(B) $Q_1 = 27.5$，$Q_2 = 31$，$Q_3 = 34$，$Q = 3.25$
(C) $Q_1 = 27.5$，$Q_2 = 30.8$，$Q_3 = 34.2$，$Q = 3.35$
17. (A) 14.0
(B) $Q_1 = 92$，$Q_2 = 102$，$Q_3 = 112$，$Q = 10.0$
(C) $Q_1 = 93.5$，$Q_2 = 102.5$，$Q_3 = 113.0$，$Q = 9.75$

第六章

2. (A) $\mu = 18$，$\sigma = 5$ (B) $\mu = 60$，$\sigma = 20$ (C) $\mu = 72$，$\sigma = 20$

3.

组 1：X	Z	组 2：X	Z	组 3：X	Z	组 4：X	Z
7	1.42	9	1.42	9	1.42	70	1.42
6	0.71	7	0.71	8	0.71	60	0.71
5	0.00	5	0.00	7	0.00	50	0.00
4	−0.71	3	−0.71	6	−0.71	40	−0.71
3	−1.42	1	−1.42	5	−1.42	30	−1.42
$\mu_1 = 5.0$		$\mu_2 = 5.0$		$\mu_3 = 7.0$		$\mu_4 = 50$	
$\sigma_1 = 1.4$		$\sigma_2 = 2.8$		$\sigma_3 = 1.4$		$\sigma_4 = 14$	

4. (A) $\mu_X = 18$，$\sigma_X = 5$
(B) $Z_X = 8 = 1.00$，$Z_X = 6 = 0.00$，$Z_X = 4 = -1.00$
(C) $\mu_Z = 0.0$，$\sigma_Z = 1.0$

5.

组 1 X	百分等级	组 2 X	百分等级	组 3 X	百分等级
50	第 95	50	第 95	100	第 95
45	第 85	45	第 85	90	第 85
40	第 75	40	第 75	80	第 75
35	第 65	35	第 65	70	第 65

30	第55	30	第55	60	第55
25	第45	25	第45	50	第45
20	第35	20	第35	40	第35
15	第25	15	第25	30	第25
10	第15	10	第15	20	第15
5	第5	5	第5	10	第5

7. (A) (1) 1.40 (2) −0.80 (3) 0.00 (4) −2.10 (5) 1.80 (6) −0.10
(B) (1) 85 (2) 58 (3) 94 (4) 100 (5) 56 (6) 75
8. (A) (1) 1.60 (2) 2.40 (3) −1.20 (4) 0.80 (5) −2.40 (6) 0.40
(B) (1) 430 (2) 350 (3) 440 (4) 460 (5) 360 (6) 400
9. (A) (1) 0.07 (2) 0.60 (3) −1.07 (4) 2.13 (5) −1.00 (6) −1.73
(B) (1) 11.0 (2) 14.9 (3) 10.0 (4) 16.1 (5) 15.5 (6) 12.5
10. (A) (1) −2.33 (2) −1.47 (3) −0.53 (4) 0.40 (5) 1.73 (6) 2.80
(B) (1) 70 (2) 75 (3) 93 (4) 100 (5) 125 (6) 130
11. (A) (1) −1.75 (2) −0.35 (3) −0.01 (4) 0.01 (5) 1.33 (6) 2.00
(B) (1) 245 (2) 304 (3) 425 (4) 500 (5) 650 (6) 733
12. (A) (1) 500 (2) 600 (3) 300 (4) 580 (5) 413 (6) 760
(B) (1) 85 (2) 123 (3) 81 (4) 141 (5) 100 (6) 101
13. (A) $\mu = 32.0$, $\sigma = 4.0$
(B) (1) 1.00 (2) 0.00 (3) −1.00 (4) −2.00
(C) (1) 60 (2) 50 (3) 40 (4) 30
14. (A) (1) 0.75 (2) −0.25 (3) −1.25
(B) (1) 0.97 (2) −0.07 (3) −1.10
(C) (1) 1.21 (2) 0.18 (3) −0.59
(D) (1) 113 (2) 111 (3) 106
(E) (1) 3.5 (2) 3.0 (3) 2.7
(F) (1) \$17 000 (2) \$14 000 (3) \$8 000
15. (A) 简便方法：(1) 113 (2) 110 (3) 109
精确方法：(1) 113.0 (2) 109.8 (3) 109.0
(B) 简便方法：(1) 3.45 (2) 3.0 (3) 2.85
精确方法：(1) 3.45 (2) 2.99 (3) 2.85
(C) 简便方法：(1) \$19 500 (2) \$12 000 (3) \$10 000
精确方法：(1) \$19 500 (2) \$12 300 (3) \$10 200
16. (A) (1) 第78 (2) 第43 (3) 第8
(B) (1) 第80 (2) 第45 (3) 第15

(C) (1) 第83 (2) 第60 (3) 第33

17. (A) (1) 第99 (2) 第96 (3) 第93 (4) 第88 (5) 第81 (6) 第73 (7) 第62 (8) 第48 (9) 第34 (10) 第22 (11) 第11 (12) 第4 (13) 第1

(B) (1) 124 (2) 116 (3) 111 (4) 106 (5) 103 (6) 99 (7) 96 (8) 91 (9) 86

18. (A) (1) 2.36 (2) 2.00 (3) 1.64 (4) 1.29 (5) 0.93 (6) 0.57 (7) 0.21 (8) −0.14 (9) −0.50 (10) −0.86 (11) −1.21 (12) −1.57 (13) −1.93

(B) (1) 132 (2) 125 (3) 118 (4) 111 (5) 104 (6) 97 (7) 90 (8) 83 (9) 76

(C) (1) 1.43 (2) 0.86 (3) 0.50 (4) 0.14 (5) −0.07 (6) −0.36 (7) −0.57 (8) −0.93 (9) −1.29

第七章

7. (A) 15.87% (B) 97.72% (C) 2.28% (D) 95.25% (E) 4.75% (F) 68.28% (G) 84.13% (H) 90.50% (I) 13.59% (J) 13.59% (K) 95.25% (L) 45.25% (M) 84.13% (N) 47.72%

8. (A) 34.13% (B) 43.32% (C) 91.98% (D) 4.95% (E) 2.50% (F) 99.02%

9. (A) 1.04 (B) 1.65 (C) −0.84 (D) −1.28 (E) ±0.67 (F) 1.96

10. (A) 9.18% (B) 15.96% (C) 90.82% (D) 11.12% (E) 80.78% (F) 49.72% (G) 3.07%

11. (A) 110 (B) 90 (C) 119 (D) 125 (E) 116 (F) 75

12. (A) 68.26% (B) 4.56% (C) 27.18% (D) 6.68% (E) 0.62% (F) 8.02%

13. (A) 0.500 0 (B) 0.977 2 (C) 0.066 8 (D) 0.191 5 (E) 0.011 6 (F) 0.372 1 (G) 0.308 5 (H) 0.081 9 (I) 0.091 8

14. (A) 567 (B) 628 (C) 416 (D) 665 (E) 475 (F) 372

15. (A) 0.158 7 (B) 0.274 3 (C) 0.788 1 (D) 0.420 7 (E) 0.884 8 (F) 0.305 0 (G) 0.115 6 (H) 0.077 9

16. (A) 1.8 (B) 0.9 (C) 0.7 (D) 1.5

17. (A) 100 (B) 125 (C) 90 (D) 82

18. (A) 98% (B) 91% (C) 50% (D) 23% (E) 5% (F) 1%

第八章

2.（A）Ⅰ组：1.00　Ⅱ组：0.80　Ⅲ组：0.00　Ⅳ组：−0.80　Ⅴ组：−1.00

3.（B）Ⅰ组：1.00　Ⅱ组：0.80　Ⅲ组：0.00　Ⅳ组：−0.80　Ⅴ组：−1.00

5.（1）1.00　（2）0.50　（3）0.00　（4）−0.50　（5）−1.00　（6）0.58　（7）0.58　（8）−0.58　（9）−0.58

6.（A）

党派	男性	女性	
民主党	30	20	50
共和党	60	40	100
总共	90	60	

$\phi=0.00$

（B）

党派	男性	女性	
民主党	0	50	50
共和党	90	10	100
总共	90	60	

$\phi=-0.87$

8.（A）学习时间与考试成绩 $r=0.97$；考试时间与考试成绩 $r=0.47$；学习时间与考试时间 $r=0.51$

9.（A）严厉管制与教养儿童 $\rho=-0.87$；严厉管制和与儿童一起的时间 $\rho=-0.26$；教养儿童和与儿童一起的时间 $\rho=0.36$

10.（B）0.80

11.（B）0.87

12.（B）−0.68

13.（B）−0.70

14.（B）0.49

15.（B）−0.13

第九章

2.（A）9岁，4.00美元；8岁，2.00美元；7岁，0.00美元；最佳猜测：9

（B）9岁，3.00美元；8岁，3.20美元；7岁，3.00美元；最佳猜测：8

(C) 9岁，4.12美元；8岁，4.42美元；7岁，4.52美元；最佳猜测：7

4. (C) (1) 1.00 (2) 0.50 (3) 0.00 (4) −0.50 (5) −1.00

(D) (1) $Y' = -1.7 + 0.04X$ (2) $Y' = 0.9 + 0.02X$ (3) $Y' = 3.5$

(4) $Y' = 6.1 - 0.02X$ (5) $Y' = 8.7 - 0.04X$

5. (1) (ⅰ) 3.9 (ⅱ) 3.7 (ⅲ) 3.5 (ⅳ) 3.3 (ⅴ) 3.1

(2) (ⅰ) 3.7 (ⅱ) 3.6 (ⅲ) 3.5 (ⅳ) 3.4 (ⅴ) 3.3

(3) (ⅰ) 3.5 (ⅱ) 3.5 (ⅲ) 3.5 (ⅳ) 3.5 (ⅴ) 3.5

(4) (ⅰ) 3.3 (ⅱ) 3.4 (ⅲ) 3.5 (ⅳ) 3.6 (ⅴ) 3.7

(5) (ⅰ) 3.1 (ⅱ) 3.3 (ⅲ) 3.5 (ⅳ) 3.7 (ⅴ) 3.9

6. (1) (ⅰ) 3.78 (ⅱ) 3.54 (ⅲ) 3.42 (ⅳ) 3.26

(2) (ⅰ) 3.64 (ⅱ) 3.52 (ⅲ) 3.46 (ⅳ) 3.38

(3) (ⅰ) 3.5 (ⅱ) 3.5 (ⅲ) 3.5 (ⅳ) 3.5

(4) (ⅰ) 3.36 (ⅱ) 3.48 (ⅲ) 3.54 (ⅳ) 3.62

(5) (ⅰ) 3.22 (ⅱ) 3.46 (ⅲ) 3.58 (ⅳ) 3.74

7. (1) $Y' = 42.5 + 25X$ (2) $Y' = 86.25 + 12.5X$ (3) $Y' = 130 + 0X$ (4) $Y' = 173.75 - 12.5X$ (5) $Y' = 217.5 - 25X$

8. (1) (ⅰ) 140 (ⅱ) 135 (ⅲ) 130 (ⅳ) 125 (ⅴ) 120

(2) (ⅰ) 135 (ⅱ) 132.5 (ⅲ) 130 (ⅳ) 127.5 (ⅴ) 125

(3) (ⅰ) 130 (ⅱ) 130 (ⅲ) 130 (ⅳ) 130 (ⅴ) 130

(4) (ⅰ) 125 (ⅱ) 127.5 (ⅲ) 130 (ⅳ) 132.5 (ⅴ) 135

(5) (ⅰ) 120 (ⅱ) 125 (ⅲ) 130 (ⅳ) 135 (ⅴ) 140

9. (1) (ⅰ) 138 (ⅱ) 133 (ⅲ) 128 (ⅳ) 123

(2) (ⅰ) 134 (ⅱ) 131 (ⅲ) 129 (ⅳ) 126

(3) (ⅰ) 130 (ⅱ) 130 (ⅲ) 130 (ⅳ) 130

(4) (ⅰ) 126 (ⅱ) 129 (ⅲ) 131 (ⅳ) 134

(5) (ⅰ) 123 (ⅱ) 128 (ⅲ) 133 (ⅳ) 138

10. $s_{GPA|IQ}$：(ⅰ) 0 (ⅱ) 0.17 (ⅲ) 0.2 (ⅳ) 0.17 (ⅴ) 0

$s_{IQ|GPA}$：(ⅰ) 0 (ⅱ) 5.3 (ⅲ) 6.1 (ⅳ) 5.3 (ⅴ) 0

11. (A) (1) $Y' = -167 + 6.67X$ (2) $Y' = -33 + 5.33X$ (3) $Y' = 100 + 4.0X$ (4) $Y' = 233 + 2.67X$ (5) $Y' = 367 + 1.33X$ (6) $Y' = 500 + 0X$

12. (1) (ⅰ) 700 (ⅱ) 600 (ⅲ) 500 (ⅳ) 400 (ⅴ) 300

(2) (ⅰ) 660 (ⅱ) 580 (ⅲ) 500 (ⅳ) 420 (ⅴ) 340

(3) (ⅰ) 620 (ⅱ) 560 (ⅲ) 500 (ⅳ) 440 (ⅴ) 380

(4) (ⅰ) 580 (ⅱ) 540 (ⅲ) 500 (ⅳ) 460 (ⅴ) 420

(5) (ⅰ) 540 (ⅱ) 520 (ⅲ) 500 (ⅳ) 480 (ⅴ) 460

(6) (ⅰ) 500 (ⅱ) 500 (ⅲ) 500 (ⅳ) 500 (ⅴ) 500

13. (A) (ⅰ) 1.00 (ⅱ) 0.80 (ⅲ) 0.60 (ⅳ) 0.40 (ⅴ) 0.20 (ⅵ) 0

(B) (ⅰ) −1.00 (ⅱ) −0.80 (ⅲ) −0.60 (ⅳ) −0.40 (ⅴ) −0.20 (ⅵ) 0

14. (ⅰ) 0 (ⅱ) 60 (ⅲ) 80 (ⅳ) 92 (ⅴ) 98 (ⅵ) 100

15. (A) 637 (B) 478 (C) 532 (D) 446 (E) 500 (F) 500

16. (A) 68 (B) 88 (C) 84 (D) 94 (E) 57 (F) 92

17. (A) $Y' = 3.67 + 1.19X$ (B) 2 周：6.05；7 周：12.0 (C) 1.3 (D) 0.828 1

18. (A) $Y' = 143 - 3X$ (B) 10.5 个月：112；11.5 个月：109 (C) 15.01 (D) 0.09

第十章

2. (A) 和(B)

答对题数	概率	频次
10	0.001 0	10
9	0.009 8	98
8	0.043 9	439
7	0.117 2	1 172
6	0.205 1	2 051
5	0.246 1	1 172
4	0.205 1	2 051
3	0.117 2	1 172
2	0.043 9	439
1	0.009 8	98
0	0.001 0	10

(C) $\mu = 5.0$，$\sigma = 1.58$

3. (A) 0.054 7 (B) 0.377 0 (C) 0.010 8 (D) 0.054 7 (E) 0.002 0

4. (A) 和(B)

答对题数	概率	频次
10	0.000 0	0
9	0.000 0	0
8	0.000 4	4
7	0.003 1	31

6	0.016 2	162
5	0.058 4	584
4	0.146 0	1460
3	0.250 3	2503
2	0.281 6	2816
1	0.187 7	1877
0	0.056 3	563

5. (B)

正面朝上	概率
5	0.031 2
4	0.156 2
3	0.312 5
2	0.312 5
1	0.156 2
0	0.031 2

(D) $\mu = 2.5$，$\sigma = 1.12$

6. (A) 0.25 (B) 0.001 0 (C) 0.078 1

7. (A) 0.15 (B) 0.85 (C) 0.000 1 (D) 0.024 4

8. (A) 0.153 6 (B) 0.003 5 (C) 0.996 5 (D) 0.453 1 (E) 0.049 0

9. (A) 0.174 6 (B) 0.411 4 (C) 0.398 0 (D) 0.328 0 (E) 0.107 4

10.

正面朝上	概率	正面朝上	概率
20	0.000 0	9	0.027 1
19	0.000 0	8	0.060 9
18	0.000 0	7	0.112 4
17	0.000 0	6	0.168 6
16	0.000 0	5	0.202 3
15	0.000 0	4	0.189 7
14	0.000 0	3	0.133 9
13	0.000 2	2	0.066 9
12	0.000 8	1	0.021 1
11	0.003 0	0	0.003 2
10	0.009 9		

第十一章

6. (A) 0.176 2　(B) 0.020 7　(C) 0.005 9　(D) 0.263 2　(E) 0.823 8

7. (A) (1,1) (1,2) (1,3) (1,4) (1,5) (2,1)(2,2) (2,3) (2,4) (2,5) (3,1) (3,2) (3,3)(3,4) (3,5) (4,1) (4,2) (4,3) (4,4) (4,5)(5,1) (5,2) (5,3) (5,4) (5,5)

(B)

$\bar{X}$	f	$\bar{X}$	f
1.0	1	3.5	4
1.5	2	4.0	3
2.0	3	4.5	2
2.5	4	5.0	1
3.0	5		

8. (A) 0.12　(B) 0.24　(C) 0.76

9. (A) $\mu = 3.0$, $\sigma = 1.4$　(B) $\mu_{\bar{X}} = 3.0$, $\sigma_{\bar{X}} = 1.0$　(C) $\mu_{\bar{X}} = 3.0$, $\sigma_{\bar{X}} = 1.0$

10. (A) 0.158 7　(B) 0.500 0　(C) 0.905 0　(D) 0.045 6

11.

n	$\sigma_{\bar{X}}$	ρ
4	50.0	0.689 2
9	33.3	0.548 6
16	25.0	0.423 8
25	20.0	0.317 4
36	16.7	0.230 2
49	14.3	0.161 6
64	12.5	0.109 6
81	11.1	0.071 8
100	10.0	0.045 6

12. (A) 0.133 5　(B) 0.022 8　(C) 0.047 5　(D) 0.015 0

13. (A) 54.9%, 61.1%　(B) 53.9%, 62.1%　(C) 43.3%, 50.7%　(D) 42.1%, 51.9%

14. (A) 545, 605　(B) 539.3, 610.7　(C) 528.0, 612.0

15. (A) 505.4, 544.6　(B) 936.1, 983.9　(C) 1 825.1, 1 874.9

第十二章

3. p(从有 50%为红色的糖果中,抽出 6 颗,其中没有红色的)=0.015 6

p(从有 5%为绿色的糖果中,抽出 3 颗,全部是绿色的)=0.000 1

p(从没有蓝色的糖果中，抽出12颗，其中有6颗蓝色)=0

p(从有15%的橙色糖果中，抽出10颗，其中6颗是橙色)=0.0012

p(从没有黑色的糖果中，抽出15颗，其中3颗是黑色)=0

4. (A) $Z_{\bar{X}}=-1.07$，$P=0.1423$ (B) $Z_{\bar{X}}=-1.26$，$P=0.1038$

(C) $Z_{\bar{X}}=-1.67$，$P=0.0475$ (D) $Z_{\bar{X}}=-3.29$，$P=0.0006$

6. H_0：$\mu_{高精炼糖}\geqslant 100$

H_1：$\mu_{高精炼糖}<100$

12. (A) H_0：$\mu_{阅读成绩}\leqslant 89$

H_1：$\mu_{阅读成绩}>89$

(B) H_0：$\mu_{抑郁水平}\geqslant 37$

H_1：$\mu_{抑郁水平}<37$

(C) H_0：$\mu_{酗酒}\geqslant 7.8$ 磅

H_1：$\mu_{酗酒}<7.8$ 磅

(D) H_0：$\mu_{磁盘}=3.5$ 英寸

H_1：$\mu_{磁盘}\neq 3.5$ 英寸

(E) H_0：$\mu_{大学生}\geqslant 8$ 小时

H_1：$\mu_{大学生}<8$ 小时

13. (A) 单向 (B) 单向 (C) 单向 (D) 双向 (E) 单向

14. (A) $Z_{临界0.05}=1.65$，$Z_{临界0.01}=2.33$ (B) $Z_{临界0.05}=-1.65$，$Z_{临界0.01}=-2.33$ (C) $Z_{临界0.05}=-1.65$，$Z_{临界0.01}=-2.33$ (D) $Z_{临界0.05}=\pm 1.96$，$Z_{临界0.01}=\pm 2.58$ (E) $Z_{临界0.05}=-1.65$，$Z_{临界0.01}=-2.33$

17. (A) $Z_{\bar{X}}=2.68$，$P<0.05$ (B) $Z_{\bar{X}}=-2.06$，$P<0.05$ (C) $Z_{\bar{X}}=1.79$，$P>0.05$ (D) $Z_{\bar{X}}=-2.83$，$P<0.05$ (E) $Z_{\bar{X}}=-1.90$，$P<0.05$

19. $Z_{\bar{X}}=-3.98$，$P<0.05$，拒绝零假设

20. $Z_{\bar{X}}=1.31$，$P>0.05$，不拒绝零假设

第十三章

10. (A) $t_{临界}=\pm 2.145$ (B) $t_{临界}=-2.821$ (C) $t_{临界}=1.717$ (D) $t_{临界}=\pm 2.750$

11. (A) $Z_{临界}=\pm 1.96$ (B) $Z_{临界}=-2.33$ (C) $Z_{临界}=1.65$ (D) $Z_{临界}=\pm 2.58$

12. $t_{29}=3.651$，$P<0.05$，拒绝零假设

13. $Z=2.74$，$P<0.05$，拒绝零假设

14. $Z=0.89$，$P>0.05$，不拒绝零假设

15. $t_{19}=2.136$，$P>0.01$，不拒绝零假设

16. $t_{14} = 2.789$，$P < 0.05$，拒绝零假设
17. $Z = -0.625$，$P > 0.05$，不拒绝零假设

第十四章

3. (A) $Z = -0.54$，$P = 0.5892$ (B) $Z = -1.42$，$P = 0.1556$ (C) $Z = 1.89$，$P = 0.0588$ (D) $Z = 3.03$，$P = 0.0024$

9. (A) $Z_{临界} = \pm 1.96$ (B) $Z_{临界} = -2.33$ (C) $Z_{临界} = 1.65$ (D) $Z_{临界} = \pm 2.58$

10. $Z = 0.88$，$P > 0.05$，不拒绝零假设

11. (A) $t = 1.763$ (B) $t = 0.831$ (C) $t = 2.435$ (D) $t = -4.283$

12. (A) $t_{临界} = \pm 2.120$ (B) $t_{临界} = -2.457$ (C) $t_{临界} = 1.771$ (D) $t_{临界} = \pm 2.807$

13. $t_{50} = 1.479$，$P > 0.05$，不拒绝零假设

14. (A) $t_{14} = 2.546$ (B) $t_7 = 4.68$

15. $t_8 = 4.045$，$P < 0.05$，拒绝零假设

16. (A) $r_{临界} = \pm 0.6319$ (B) $r_{临界} = -0.5155$ (C) $r_{临界} = 0.4409$ (D) $r_{临界} = \pm 0.5368$

17. $r_{SAT \cdot GPA} = 0.80$，$P < 0.05$，拒绝零假设

18. $Z = 1.37$，$P > 0.05$，不拒绝零假设

19. $t_{27} = 2.639$，$P < 0.05$，拒绝零假设

20. $t_{11} = 5.455$，$P < 0.05$，拒绝零假设

21. $r_{问题数量 \cdot 考试成绩} = 0.896$，$P < 0.05$，拒绝零假设

第十五章

1. (A) 等级和 $= \frac{n(n+1)}{2} = \frac{7(8)}{2} = \frac{56}{2} = 28$，对于所有合并的 T_1 和 T_2，等级和 $= 28$

(B) 第一列，min. =6；第二列，min. =10

(C) 第二列，max. =18；第二列，max. =22

(D)和(E)

样本一		样本二		
等级和	U_1	等级和	U_2	U_1+U_2
6	12	22	0	12
7	11	21	1	12

8	10	20	2	12
9	9	19	3	12
10	8	18	4	12
11	7	17	5	12
12	6	16	6	12
13	5	15	7	12
14	4	14	8	12
15	3	13	9	12
16	2	12	10	12
17	1	11	11	12
18	0	10	12	12

(G)

等级和	f	p
0	2	0.028 6
1	2	0.028 6
2	4	0.057 1
3	6	0.085 7
4	8	0.114 3
5	8	0.114 3
6	10	0.142 8
7	8	0.114 3
8	8	0.114 3
9	6	0.085 7
10	4	0.057 1
11	2	0.028 6
12	2	0.028 6

2.(A) $p(U=0)=0.0286$ (B) $p(U=12)=0.0286$ (C) $p(U\leqslant 2)=0.1143$ (D) $p(U\geqslant 10)=0.1143$

3.(B)

$\sum$(正等级)	$\sum$(负等级)	f	p
15	0	1	0.031 25
14	1	1	0.031 25
13	2	1	0.031 25

12	3	2	0.062 50
11	4	2	0.062 50
10	5	3	0.096 75
9	6	3	0.093 75
8	7	3	0.093 75
7	8	3	0.093 75
6	9	3	0.093 75
5	10	3	0.093 75
4	11	2	0.062 50
3	12	2	0.062 50
2	13	1	0.031 25
1	14	1	0.031 25
0	15	1	0.031 25

4. (A) $p[\sum(负等级) = 0] = 0.031\ 25$　(B) $p[\sum(正等级) = 0] = 0.031\ 25$

(C) $p[\sum(负等级) = 15] = 0.031\ 25$　(D) $p[\sum(正等级) \leqslant 3] = 0.156\ 25$

8. (A) $U_{临界值} = 14$ 和 56　(B) $U_{临界值} = 169$　(C) $U_{临界值} = 34$

(D) $U_{临界值} = 73$ 和 227

(注：所有的$U_{临界值}$均来自样本一)

9. $U = 41$，$p > 0.05$，不拒绝零假设

10. $Z_U = 2.34$，$p < 0.05$，拒绝零假设

11. (A) 其中的一个样本其 W 值必须小于等于 8。

(B) 样本二的 W 必须小于等于 69。

(C) 样本一的 W 值必须小于等于 110。

(D) 其中的一个样本其 W 值必须小于等于 291。

12. $W = 7$，$p < 0.05$，拒绝零假设。

13. (A) 临界值 $r_s = 0.522$　(B) 临界值 $r_s = -0.392$　(C) 临界值 $r_s = 0.353$

(D) 临界值 $r_s = 0.794$

14. $\rho = -0.72$，$p < 0.05$，拒绝零假设

15. $U = 3.5$，$p > 0.01$，不拒绝零假设

16. $W = 3$，$p = 0.05$，拒绝零假设

17. $\rho = -0.70$，$p < 0.05$，拒绝零假设

第十六章

2. (A) 第一组：$s_1 = 3.2$，$s_2 = 3.2$；第二组：$s_1 = 0$，$s_2 = 0$；第三组：$s_1 = 3.2$，

$s_2 = 3.2$

(B) 第一组：$t = 0$；第二组：$t = \infty$；第三组：$t = 2.00$

3.

	第一组				第二组				第三组			
	x	组间	组内	总数	x	组间	组内	总数	x	组间	组内	总数
	10	4	0	4	4	0	−2	−2	8	4	−2	2
	8	2	0	2	4	0	−2	−2	6	2	−2	0
	6	0	0	0	4	0	−2	−2	4	0	−2	−2
	4	−2	0	−2	4	0	−2	−2	2	−2	−2	−4
	2	−4	0	−4	4	0	−2	−2	0	−4	−2	−6
$\bar{X}_1$	**6**				**4**				**4**			

	第一组				第二组				第三组			
	x	组间	组内	总数	x	组间	组内	总数	x	组间	组内	总数
	10	4	0	4	8	0	2	2	12	4	2	6
	8	2	0	2	8	0	2	2	10	2	2	4
	6	0	0	0	8	0	2	2	8	0	2	2
	4	−2	0	−2	8	0	2	2	6	−2	2	0
	2	−4	0	−4	8	0	2	2	4	−4	2	−2
$\bar{X}_2$	**6**				**8**				**8**			
$\bar{X}_T$	**6**				**6**				**6**			

4.

	第一组				第二组				第三组			
	x	组间	组内	总数	x	组间	组内	总数	x	组间	组内	总数
	10	16	0	16	4	0	4	4	8	16	4	4
	8	4	0	4	4	0	4	4	6	4	4	0
	6	0	0	0	4	0	4	4	4	0	4	4
	4	4	0	4	4	0	4	4	2	4	4	16
	2	16	0	16	4	0	4	4	0	16	4	36
$\sum(X-\bar{X}_1)^2$		**40**	**0**	**40**		**0**	**20**	**20**		**40**	**20**	**60**
	10	16	0	16	8	0	4	4	12	16	4	36
	8	4	0	4	8	0	4	4	10	4	4	16
	6	0	0	0	8	0	4	4	8	0	4	4
	4	4	0	4	8	0	4	4	6	4	4	0
	2	16	0	16	8	0	4	4	4	16	4	4

5. (A) $df_{组间} = 1$，$df_{组内} = 8$，$df_{总} = 9$

6. (A) $s_T^{\ 2} = 13.33$ (B) $MS_{组间} = 40.00$，$MS_{组内} = 10.00$ (C) $F = 4.00$

11. (A)

变异来源	平方和	自由度	均方	F
组间	40	1	40.00	6.96
组内	46	8	5.75	
总变异	86	9		

(B)

变异来源	平方和	自由度	均方	F
组间	40	1	40.00	6.96
组内	46	8	5.75	
总变异	86	9		

(C)

变异来源	平方和	自由度	均方	F
组间	40	1	40.00	2.19
组内	146	8	18.25	
总变异	186	9		

(D)

变异来源	平方和	自由度	均方	F
组间	10	1	10.00	1.74
组内	46	8	5.75	
总变异	56	9		

12. (A)

变异来源	平方和	自由度	均方	F
组间	1 572	3	524.00	42.60*
组内	246	20	12.3	
总变异	1 818	23		

$*p < 0.05(F_{临界} = 3.10)$

(B) $t_{蛋白vs.混合} = 2.469^*$，$t_{蛋白vs.碳水化合物} = 6.914^*$，$t_{蛋白vs.无} = 10.371$，$t_{混合vs.碳水化合物} = 3.951^*$，$t_{混合vs.无} = 7.408^*$，$t_{碳水化合物vs.无} = 3.457^*$；$df = 10$，$\alpha = 0.05$ 时，$t_{临界} = 2.228$。所有的比较都是显著性的。

13. (A)

变异来源	平方和	自由度	均方	F
组间	170	4	42.50	19.32*
组内	44	20	2.20	
总变异	214	24		

$*p < 0.05(F_{临界} = 2.78)$

(B) $t_{减轻鼻内充血vs.镇咳剂} = 2.132$，$t_{减轻鼻内充血vs.祛痰剂} = 5.330^*$，$t_{减轻鼻内充血vs.无} = 6.396^*$，$t_{减轻鼻内充血vs.止痛剂} = 7.462^*$，$t_{镇咳剂vs.祛痰剂} = 3.198^*$，$t_{镇咳剂vs.无} = 4.264^*$，$t_{镇咳剂vs.止痛剂} = 5.330^*$，$t_{祛痰剂vs.无} = 1.066$，$t_{祛痰剂vs.止痛剂} = 2.132$，$t_{无vs.止痛剂} = 1.066$，$df = 8$，$\alpha = 0.05$ 时，$t_{临界} = 2.306$。有星号标示的都是显著的。

14. (A)

变异来源	平方和	自由度	均方	F
组间	170	4	42.50	50.00*
被试	30.4	4	7.6	
组内	13.6	16	0.85	
总变异	214.0	24		

$*p < 0.05$（$F_{临界} = 3.01$）

（B）$t_{减轻鼻内充血 vs. 镇咳剂} = 3.430^*$，$t_{减轻鼻内充血 vs. 祛痰剂} = 8.575^*$，$t_{减轻鼻内充血 vs. 无} = 10.290^*$，$t_{减轻鼻内充血 vs. 止痛剂} = 12.049^*$，$t_{镇咳剂 vs. 祛痰剂} = 5.145^*$，$t_{镇咳剂 vs. 无} = 6.860^*$，$t_{镇咳剂 vs. 止痛剂} = 8.575^*$，$t_{祛痰剂 vs. 无} = 1.715$，$t_{祛痰剂 vs. 止痛剂} = 3.430^*$

$t_{无 vs. 止痛剂} = 1.715$，$df = 8$，$\alpha = 0.05$ 时，$t_{临界} = 2.306$。有星号标示的都是显著性的。

15.（A）

变异来源	平方和	自由度	均方	F
组间	378	2	189.00	54.00*
被试	48	8	6.00	
组内	56	18	3.35	
总变异	482	27		

$*p < 0.05$（$F_{临界} = 3.55$）

（B）$t_{莫扎特 vs. 滚石} = 3.402^*$，$t_{莫扎特 vs. 辛纳区} = 10.205^*$，$t_{滚石 vs. 辛纳区} = 6.803^*$

$df = 16$，$\alpha = 0.05$ 时，$t_{临界} = 2.120$。有星号标示的都是显著性的。

第十七章

2.（A）400 （B）0 （C）200

4.（A）第五组 （B）第二组 （C）第六组 （D）第三组 （E）第四组 （F）第一组

5.

变异来源	平方和	自由度	均方	F
A	1 040	2	20.00	4.00
B	90	3	30.00	6.00
A×B	60	6	10.00	2.00
组　内	1 140	228	5.00	
总变异	1 330.0	239		

6.（A）

变异来源	平方和	自由度	均方	F
A	80	1	80.00	32.00
B	20	1	20.00	8.00
A×B	0	1	0.00	0.00
组　内	40	16	2.50	
总变异	140.0	19		

(B)

变异来源	平方和	自由度	均方	F
A	80	1	80.00	32.00
B	20	1	20.00	8.00
A×B	0	1	0.00	0.00
组 内	40	16	2.50	
总变异	140.0	19		

(C)

变异来源	平方和	自由度	均方	F
A	180	1	180.00	72.00
B	0	1	0.00	0.00
A×B	20	1	20.00	8.00
组 内	40	16	2.50	
总变异	240.0	19		

(D)

变异来源	平方和	自由度	均方	F
A	80	1	80.00	6.40
B	20	1	20.00	1.60
A×B	0	1	0.00	0.00
组 内	200	16	12.50	
总变异	300	19		

7. 第一组：$SS_A = 160$，$SS_B = 160$，$SS_{A*B} = 40$；
第二组：$SS_A = 120$，$SS_B = 60$，$SS_{A*B} = 120$；
第三组：$SS_A = 2\,000$，$SS_B = 180$，$SS_{A*B} = 120$
8. 第一组：$df_A = 1$，$df_B = 3$，$df_{A\times B} = 3$，$df_{组内} = 48$，$df_{总} = 55$；
第二组：$df_A = 4$，$df_B = 2$，$df_{A\times B} = 8$，$df_{组内} = 45$，$df_{总} = 59$；
第三组：$df_A = 2$，$df_B = 5$，$df_{A\times B} = 10$，$df_{组内} = 162$，$df_{总} = 179$；
第四组：$df_A = 1$，$df_B = 2$，$df_{A\times B} = 2$，$df_{组内} = 78$，$df_{总} = 83$
9. 第一组：因素 A，$F_{0.05} = 4.08$，$F_{0.01} = 7.31$。
因素 B，$F_{0.05} = 2.84$，$F_{0.01} = 4.31$。
交互作用，$F_{0.05} = 2.84$，$F_{0.01} = 4.31$；
第二组：因素 A，$F_{0.05} = 2.61$，$F_{0.01} = 3.83$。
因素 B，$F_{0.05} = 3.23$，$F_{0.01} = 5.18$。
交互作用，$F_{0.05} = 2.18$，$F_{0.01} = 2.99$；
第三组：因素 A，$F_{0.05} = 3.07$，$F_{0.01} = 4.78$。
因素 B，$F_{0.05} = 2.29$，$F_{0.01} = 3.17$。
交互作用，$F_{0.05} = 1.90$，$F_{0.01} = 2.47$；

第四组：因素A，$F_{0.05} = 3.98$，$F_{0.01} = 7.01$。

因素B，$F_{0.05} = 3.13$，$F_{0.01} = 4.92$。

交互作用，$F_{0.05} = 3.13$，$F_{0.01} = 4.92$。

10.

变异来源	平方和	自由度	均方	F
A	20	1	20.00	8.89*
B	45	1	45.00	20.00*
A×B	5	1	5.00	2.22
组内	36	19	2.25	
总变异	106	19		

$*p < 0.05$

11.

变异来源	平方和	自由度	均方	F
音乐类型	740	2	370.00	49.89*
学生类型	30	1	30.00	4.05
音乐×学生	260	2	130.00	17.53*
组内	178	24	7.42	
总变异	1 208	19		

$*p < 0.05$

音乐水平在传统学生因素中：$df = 8$时，$t_{临界} = 2.306$。$t_{滚石—辛纳区} = 10.448$，$t_{滚石—莫扎特} = 3.483$，$t_{莫扎特—辛纳区} = 6.965$。

音乐水平在非传统学生因素中：$t_{莫扎特—辛纳区} = 4.644$，$t_{莫扎特—滚石} = 2.322$，$t_{滚石—辛纳区} = 2.322$

12.

变异来源	平方和	自由度	均方	F
练习	180	2	90.00	49.09
性别	30	1	30.00	16.36
练习×性别	0	2	0.00	0.00
组内	44	24	1.83	
总变异	254	19		

练习水平的对比：$df = 8$时，$t_{临界} = 2.306$，$t_{高—中} = 4.959$，$t_{高—低} = 9.918$，$t_{中—低} = 4.959$

第十八章

3. 教授1：$\chi^2 = 72.00$，$\phi' = 0.85$；教授2：$\chi^2 = 18.00$，$\phi' = 0.42$；教授3：$\chi^2 = 0$，$\phi' = 0$；教授4：$\chi^2 = 18.00$，$\phi' = 0.42$；教授5：$\chi^2 = 72.00$，$\phi' = 0.85$。

(A) 教授3 (B) 教授1、教授4

6. (A) $\chi^2 = 12.59$ (B) $\chi^2 = 6.64$ (C) $\chi^2 = 9.49$ (D) $\chi^2 = 23.21$
7. $df = 1$，$\chi^2 = 23.645$，$\rho < 0.05$
8. $df = 1$，$\chi^2 = 1.2698$，$\rho > 0.05$
9. $df = 3$，$\chi^2 = 27.861$，$\rho < 0.05$
10. $df = 8$，$\chi^2 = 61.25$，$\rho < 0.05$
11. $df = 4$，$\chi^2 = 18.00$，$\rho < 0.05$
12. $df = 1$，$\chi^2 = 1.33$，$\rho > 0.05$
13. $df = 4$，$\chi^2 = 9.85$，$\rho < 0.05$
14. $df = 11$，$\chi^2 = 12.52$，$\rho > 0.05$

词汇表

A

Abscissa	横坐标
Absolute zero	绝对零点
A posteriori probability	后验概率
A priori probability	先验概率
Alternate hypothesis(H_1)	备择假设
Analysis of variance	方差分析
Assumptions	假设
Average absolute deviation from the mean	平均绝对离均差

B

Bar graph	条形图
Between-groups source of variance	组间变异来源
Between-groups sum of squares	组间平方和
Between-subjects factor	被试间因素
Between-subjects test	被试间检验
Bidirectional test	双向检验
Bimodal distribution	双峰分布
Binomial distribution	二项式分布
Bivariate descriptive statistics	双变量描述统计
Blind guess	盲估

C

Cell	单元
Central limit theorem	中心极限定律
Central tendency	集中趋势
Chi square(χ^2)	卡方
Chi square(χ^2) test	卡方检验
Coefficient of determination	决定系数
Coefficient of nondetermination	非决定系数
Confidence inteval	置信区间
Confidence limits	置信限度
Constant	常量
Continuous table	列联表
Continuous variable	连续变量

Correlation	相关
Correlation coefficient	相关系数
Critical value	临界值
Cross product	交叉乘积
Cumulative frequency table	累加频次表
Curvilinear relationship	曲线相关

D

Data	数据
Datum	单个数据
Decision rule	决策法则
Degree of precision	精确度
Degree of freedom(df)	自由度
Descriptive statistics	描述统计
Deviation	离差
Deviation from the mean	离均差
Directional test	有方向检验
Discrete variable	离散变量
Distribution	分布

E

Effect size	效果量
Empirical probability	经验概率
Empirical sampling distribution	经验抽样分布
Equal intervals	相等间距
Expected frequency	期望频数

F

Factor	因素
First quartile(Q_1)	第一个四分点
Frequency distribution	频次分布
Frequency table	频次表

G

Goodness of fit	拟合优度

Grand mean	总平均数
Group interval	分组区间
Grouped frequency distribution	分组频次分布

H

Homogeneity of variance	方差齐性
Hypothesis	假设

I

Independent events	独立事件
Independent sample	独立样本
Inferential statistics	推论统计
Insignificant difference	不显著差异
Interaction	交互作用
Interquartile range	四分距
Interval	区间
Interval scale of measurement	等距测量标尺
Interval size	区间大小

L

Least-squares criterion	最小平方准则
Level of confidence	置信水平
Level of significance (α)	显著性水平
Levels	水平
Linear relationship	线性相关
Lower real limit	实际下限
Lower real limit of a group interval	分组区间的实际下限
Lower stated limit of a group interval	分组区间的表述下限

M

Magnitude	量值
Main effect	主效应
Major mode	主众数
Mann-Whiteny U test	曼-惠特尼 U 检验
Marginal value	边缘值

Mean	平均数
Mean square	均方
Measure of central tendency	集中量数
Measure of relative standing	相对量数
Measure of skewness	偏斜度
Measure of variability	差异量数
Measurement	测量
Median	中数
Midpoint of a group interval	分组区间的组中点
Minor mode	次众数
Mode	众数
Multimodal distribution	多峰分布
Multiplication rule of probability	概率的乘法原理
Mutually exclusive events	互斥事件

N

Negative correlation	负相关
Negative skewed	负偏态
Negative relationship	负相关系
Nominal scale of measurement	称名测量标尺
Nondirectional test	无方向检验
Nonparametric statistics test	非参数统计
Normal distribution	正态分布
Null correlation	零相关
Null hypothesis(H_0)	零假设

O

Observed frequency	观测频数
One-tailed test	单侧检验
Operational definition	操作性定义
Ordinal scale of measurement	顺序测量标尺
Ordinate	纵坐标

P

Parameter	参数
Parametric statistics test	参数统计

Partition the sum of square 分解平方和
Pearson's product-moment correlation coefficient 皮尔逊积差相关系数
Percentile 百分位数
Percentile rank 百分等级
Phi (ϕ) coefficient ϕ系数
Pooled standard deviation 汇合标准差
Population 总体
Positive correlation 正相关
Positive skewed 正偏态
Power 统计检验力
Predicted variable 被预测变量
Prediction 预测
Prediction variable 预测变量
Probability 概率

Q

Quartile 四分点

R

Random assignment 随机分配
Random sample 随机样本
Random sampling 随机抽样
Range 全距
Rank sum 排列总和
Ratio scale of measurement 比率测量标尺
Raw scores 原始数据
Real limit 实际界限
Regression equation 回归方程
Regression toward the mean 对平均数的回归
Rejection region 拒绝域
Relative cumulative frequency table 相对累加频次表
Relative frequency table 累加频次表

S

Sample 样本
Sampling distribution 抽样分布

Scatterplot	散点图
Second quartile(Q_2)	第二个四分点
Semi-interquartile range(Q)	四分差
Significant difference	显著差异
Skewed	偏态
Slope	斜率
Source of variance	变异来源
Spearman's rank-order correlation coefficient(ρ)	斯皮尔曼等级相关系数
Standard deviation	标准差
Standard error	标准误
Standard error of a difference between means	平均数差异的标准误
Standard error of estimate	估计标准误
Standard error of a mean difference	差数平均数的标准误
Standard error of mean	样本平均数的标准误
Standard error of a proportion	样本比例的标准误
Standard scores	标准分数
Statistic	样本统计量
Stem-and-left display	茎叶图
Subject	被试
Sum of squares	平方和

T

t test	t 检验
Theoretical distribution	理论分布
Theoretical probability	理论概率
Theoretical sampling distribution	理论抽样分布
Third quartile(Q_3)	第三个四分点
Total variance	总方差
Transformed score	转换数据
Treatments	处理
Two-tailed test	双侧检验
Type Ⅰ error	Ⅰ类错误
Type Ⅱ error	Ⅱ类错误

U

Unidirectional test	单向检验

Unimodal distribution	单峰分布
Unit of measurement	测量的单位
Univariate descriptive statistic	单变量描述统计
Upper real limit	实际上限
Upper real limit of a group interval	分组区间的实际上限
Upper stated limit of a group interval	分组区间的表述上限

V

Variable	变量
Variance	方差

W

Wilcoxon ranked-sums test	维尔克松符号等级检验
Within-groups source of variance	组内变异来源
Within-groups sum of squares	组内平方和
Within-subjects factor	被试内因素
Within-subjects test	被试内检验

X

X-axis	*X* 轴

Y

Y-axis	*Y* 轴
Y-intercept	*Y* 轴上的截距

译后记

统计学是进行科学研究的基础，也是我们理解现实生活中的各种现象，进而做出合理决策的有效工具之一。统计学在我们的生活、学习与工作中的作用与地位自不待言。但对大部分人而言，学习统计学或多或少都是一项具有挑战性的活动，也难免令人产生畏难情绪，对统计学望而却步。值得欣慰的是，许多研究者，尤其是统计学的教育工作者，在统计学的学习与教学的理论与实践方面进行了有益的探索。朱迪思·A. 麦克劳夫林撰写的《行为科学统计学入门》一书可以说是其中的一部代表作。

作者凭其多年的统计学课程的丰富教学经验，在书中以令人信服的方式向人们阐述、证明这样的理念：惟有帮助学习者转变对统计学的错误观念，树立学习统计学的积极态度，夯实统计学的基础知识与基本技能，才能使学习者真正地学好统计学这门课程。综观林林总总的同类统计学入门教科书，《行为科学统计学入门》一书在以下几方面颇具特色。

1. 统计学之"道"与统计学之"术"的统一

不少统计学入门类的教科书，要么有"道"无"术"，泛泛而谈空洞的理论或原理，缺乏说服力和深度，未能给学习者提供具体、实用的统计方法与技巧；要么有"术"无"道"，使学习者迷失于具体的计算方法或统计软件等雕虫小技之中，而不知为何、何时使用统计方法。"术"之不存，"道"必乏力；"道"之不存，"术"必无功。本书在统计学之"道"与统计学之"术"的结合方面有所兼顾。

作者明确指出，学习统计学的关键所在就是理解统计学究竟是什么；统计学的概念、原理的内涵以及适用条件是什么；何时、为何使用这些统计方法或手段。诸如此类的规律性的内容体现了统计学之"道"，同时也是学习者元认知中所不可缺少的核心成分。在很多情况下，制约学习者学好统计学的主要原因并非源于统计学公式的记忆或计算，或 SPSS 软件的使用，而是源于如何、何时以及选用何种统计学方法与公式来解决问题。不少学生误以为有了 SPSS 软件，就无需深究统计学原理，由此导致学习过程中的只知其然，不知其所以然，甚至误用 SPSS 软件操作指令的后果。本书并未论及 SPSS 软件的使用问题，也足见作者的用意。

同时，本书对统计学之"术"的训练也给予了充分关注，每章都给予详细、具体的统计学方法的指导，引导学生练习如何使用公式，如何进行计算。

2. 学科知识体系与学生认知结构的匹配

统计学本身具有良好的学科知识体系，但怎样将科学的知识体系有效地转化为学生头脑中的认知结构，这通常是制约有效教学的棘手问题，也是许多教科书无益于，甚至阻碍学生知识结构建立的症结所在。许多教科书一味强调统计学本身的逻辑性或科学性，但忽视了学生学习的基本规律，忽视了教科书的可接受性，致使学习内容的难度相对提高。本书在遵循学生学习的规律方面，尤其是遵循认知结构建立的心理规律方面颇具匠心。

首先，作者精选事例，并使之贯穿全书。在讲解如何使用公式进行统计检验时，每章通常都采用格式相似的演示步骤加以示范。这些方式有助于学习者基于精选的样例与模式，来建立前后联系的、一体化的知识体系；其次，作者在每章中都适时地沟通、对比前后章节中有内在联系的各部分内容，或者利用同一组数据，在不同章节中加以对比使用，以帮助学习者建立清晰的、网络化的知识结构；再次，根据学生学习过程中可能出现的问题，作者在每章的相关部分以及结尾部分都给予元认知的提醒，并对重要的学习内容予以概括与总结，这无疑有利于学生建立具有广泛迁移性的认知结构。

3. 认知因素与情绪因素的兼顾

本书作者不仅关注如何遵循认知规律来编排统计学科的知识体系，教授统计学概念与原理，训练学习者掌握各种统计检验的方法，以帮助学习者建立合理、有效的认知结构，同时对普遍存在的，但极易被忽视的情绪因素也给予了高度关注。作者在第一章就开宗明义地指出，数学恐惧或统计学恐惧严重阻碍了学习的进程。为此，作者剖析了数学恐惧或焦虑这类消极情绪产生的原因，并就如何改变这种状况提出了切实可行的建议。综观全书，作者试图降低学习者的数学焦虑的意图昭然可见。

作者尽其所能地使用通俗易懂，但又不失其科学性的语言来诠释统计学术语；使用简化的研究设计以及人为编制的典型数据，来帮助学生理解统计学的意义以及各种检验方法的适用性；有针对性地抓住学习过程中的关键问题或最容易出现的错误，重点分析、讲解；在正文以及练习中，大量引用学生自己设计、编制的题目，以贴近学生的实际；每章都采用相对一致的格式和典型的案例，一步一步地示范如何进行统计检验。诸如此类的做法充分考虑到了处于统计学入门阶段的学习者的心理特点，大大降低了学习者对统计学的恐惧或焦虑，为其后续的深入学习奠定了良好的基础。

鉴于上述特色，《行为科学统计学入门》一书在美国颇受好评，相信在中国亦然。

本书的翻译工作由我和苏州大学朱永新教授的研究生夏春主持，同时徐艳、秦燕、叶海玲、王晓娟、杨雪龙、田晶、胡洁、周文莉、王文新参与了部分章节的初译工作。在校对过程中，得到北京师范大学心理学院姚梅林教授及赵丽琴博士的协助，特此感谢。

严文蕃

于美国宾州印第安纳大学

2004 年 12 月